suhrkamp taschenbuch 2072

D1224763

»In unserem Land gibt einem ein Theater die Möglichkeit, 500 oder 800 Menschen in einem Raum zusammen zu haben, die gleichzeitig und innerhalb desselben Raums auf das reagieren, was auf der Bühne geschieht. Die Wirkung des Theaters hier beruht auf der Abwesenheit anderer Möglichkeiten, den Leuten etwas mitzuteilen. Filme sind nicht so wichtig, weil da so viel Kontrolle ist; sie kosten auch viel mehr Geld als das Theater. Das Ergebnis davon ist, daß das Theater Funktionen übernommen hat, die im Westen andere Medien haben.« – Die in dieser Äußerung Heiner Müllers erwähnten »Funktionen« bilden den Bezugspunkt für die Beschreibungen dramatischer Strukturen in dem hier vorgelegten Band. Der erste Teil enthält Essays, die die Geschichte der DDR-Dramatik phasenweise nachzeichnen. Das dramatische Werk wichtiger Gegenwartsautoren (Müller, Schütz) ist dabei ebenso berücksichtigt wie die Probleme einer sozialistischen Zeitdramatik in den 50er und frühen 60er Jahren oder Erscheinungen wie Agitproptheater und Fernsehdramatik. – Der zweite Teil ist systematischen Längsschnitten gewidmet: neben Beiträgen zu einzelnen Genres stehen themenbezogene Essays (über die komische Figur, über die Rezeption antiker Mythen, über das »schwarze« Preußen, über die Figur des Asozialen und den ›neuen Menschen‹). – Eine umfangreiche Bibliographie beschließt den Band.

Dramatik der DDR

*Herausgegeben
von Ulrich Profitlich*

suhrkamp taschenbuch
materialien

Suhrkamp

Umschlag: Heiner Müller, *Der Auftrag*
Inszenierung von Heiner Müller im Schauspielhaus Bochum
Foto: Abisag Tüllmann, Frankfurt

suhrkamp taschenbuch 2072
Erste Auflage 1987
© Suhrkamp Verlag Frankfurt am Main 1987
Suhrkamp Taschenbuch Verlag
Alle Rechte vorbehalten, insbesondere das
des öffentlichen Vortrags, der Übertragung
durch Rundfunk und Fernsehen
sowie der Übersetzung, auch einzelner Teile.
Satz: Hümmer, Waldbüttelbrunn
Druck: Nomos Verlagsgesellschaft, Baden-Baden
Printed in Germany
Umschlag nach Entwürfen von
Willy Fleckhaus und Rolf Staudt

1 2 3 4 5 6 – 92 91 90 89 88 87

Inhalt

III. Anhang   397

Vorwort

Im Gefüge der literarischen Genres, die in der DDR ihren unersetzbaren Beitrag zum Selbstverständnis der Gesellschaft und des einzelnen leisten, hat die Dramatik ihren eigenen Platz und ihre eigene Geschichte, die der Geschichte der übrigen Gattungen nur mit Einschränkungen parallelisiert werden kann. Erklärungsgründe sind vor allem in Momenten zu suchen, die mit dem Anspruch des Dramentextes auf theatralische Realisierung zusammenhängen: in der Notwendigkeit zur Versinnlichung und zur Aktion und damit auch in einem gewissen Zwang zum Fresko, zur Vergröberung oder Verkürzung. Es sind Eigentümlichkeiten, welche die dramatische Gattung als weniger geeignet erscheinen lassen, wo z. B. schleichende Einbußen an Lebenskraft und Lebensmut, Verluste an moralischer Sensibilität, Phänomene eines unauffälligen, unspektakulären Leidens in den Mittelpunkt des Interesses rükken.[1]

Doch nicht allein, daß wichtige Themen und Anlässe zu andren, außerdramatischen Genres tendieren; durch Werke andrer Genres werden oft auch Themen präziser und gültiger vorgestellt, für die das Drama prädisponiert zu sein scheint.[2] Abermals wird man hier auf Momente hinweisen, die dem Medium *Theater* eigen sind: auf die Tendenz zum Drastischen, Plakativen, Spektakulären, ›Brisanten‹ und vor allem auf den kollektiven Charakter, der die Rezeption eines Theaterstücks auszeichnet, darauf, daß ein Drama, kommt es auf die Bühne, nicht von lesenden Individuen aufgenommen wird, sondern öffentlich durch ein vielköpfiges Kollektiv von Zuschauern und simultan agierenden Darstellern. Es versteht sich, daß durch diese öffentliche Dimension das Schauspiel die Einflußnahme der für die Kulturpolitik verantwortlichen Instanzen in stärkerem Maße auf sich zieht als andre, an den Einzelleser gewandte Genres. Fälle außergewöhnlicher Förderung ebenso wie drastischer Restriktion – Aufführungsverbote und -verschiebungen, Zwänge, die direkt oder indirekt zur Änderung von Text und Wiedergabe führen, verspätete oder spärliche Aufführungsbesprechungen u. ä. – sind in der Geschichte des DDR-Dramas bekanntlich besonders zahlreich, ganz zu schweigen vom Wirken des unter dem Namen ›Selbstzensur‹ beschriebenen Mechanismus, durch den die

Autoren solchen Restriktionen zuvorkommen, indem sie nicht nur deren Eintreten antizipieren, sondern sich auch deren Begründung zumindest teilweise zu eigen machen. Es sind Phänomene, die ja auch von loyalen DDR-Autoren mannigfach bezeugt sind. In einem Aufsatz aus dem Jahre 1974 erklärt Ernst Schumacher die vielen Dramatikern eigene Zurückhaltung bei der Behandlung unmittelbar relevanter Probleme mit dem Hinweis auf die »auslösende« Funktion des Theaters als einer »öffentlichen gesellschaftlichen Diskussionsanstalt«[3], die unmittelbar als

Seismograph gesellschaftlicher Empfindungen, Meinungen, Bewußtseinslagen und Verhaltensweisen zu reagieren vermag. Alles, was sich im Theater zuträgt, hat zum Wesen das, was für unsere Gesellschaft charakteristisch ist, nämlich ein kollektiver Vorgang zu sein, ein gesellschaftlicher Vorgang. Alles, was dort diskutiert wird, stellt nur die Versinnbildlichung der fortwährenden gesellschaftlichen Diskussion dar. Es ist ganz klar, daß dieses Instrumentarium natürlich besonders geeignet ist zur Auseinandersetzung, zur Diskussion, aber auch in seiner gesellschaftlichen Konsequenz brisant ist. [...] Ich gehe dann einen Schritt weiter und sage: Es bereitet uns objektiv Schwierigkeiten, auf dem Theater die Widersprüchlichkeit des historischen Geschehens dann zu behandeln, wenn Probleme unausgetragen, nicht zu Ende gebracht sind, wenn sie in der objektiven gesellschaftlichen Situation nicht entschieden sind oder entschieden werden können. Dort scheuen wir dann die Öffentlichkeit in einem so starken Maße, daß wir unter Umständen sogar darauf verzichten, uns mit Problemen auseinanderzusetzen, die unmittelbare Relevanz haben. Das mag in anderen Zeiten anders gewesen sein, aber recht viele Gegenbeispiele dafür gibt es nicht.[4]

Weiteres tritt hinzu, das hier schon darum angedeutet werden muß, weil es in den folgenden Aufsätzen nicht eigens thematisiert wird: die besonders seit den siebziger Jahren von den Autoren beklagte Selbstherrlichkeit von Dramaturgen, die den Dramatikern, wie es heißt, nicht zuhören, sondern »reinquatschen« (Gratzik[5]); daneben der vielen Theaterleitern vorgeworfene Mangel an Risikobereitschaft, an substantiellem (nicht bloß beteuertem) Engagement für neue Werke von DDR-Autoren; schließlich das, was diese Zurückhaltung begründet, jedenfalls mitbegründet: die »Trägheit« des »komplizierten Apparats Theater«[6], seine Schwerfälligkeit besonders gegenüber anspruchsvollen Stücken, die – oft Ausdruck einer bewußt »polemischen Haltung« des Autors[7] – mit Alltagsroutine unvereinbare Spielweisen verlangen[8] und obendrein neue Motivationen des größtenteils auf heitere Unterhaltung drängenden

Publikums voraussetzen, auf das die Theaterleiter Rücksicht zu nehmen haben. Es sind Momente, die miteinander und mit dem zuvor beschriebenen Faktor – den administrativen Eingriffen der territorialen Kulturfunktionäre – aufs engste verbunden sind (eins kann sich hinter dem andren verbergen). Das Geflecht dieser Faktoren hat im Laufe der siebziger Jahre das Verhältnis der Dramatiker zum Theater in eine öffentlich diskutierte Krise geführt. Bis in die Gegenwart sind die Bände der Zeitschrift ›Theater der Zeit‹ voller Räsonnements über die »Kluft« zwischen dramatischer Literatur und darstellendem Medium, voller Klagen, die – auf freilich oft vordergründige Weise, unter Aussparung der objektiven Zwänge[9] – jeweils die andre Seite verantwortlich machen dafür, daß der Anteil neuer DDR-Dramatiker am Spielplan überraschend gering ist[10], daß allzu viele Stücke Lesedramen bleiben, die vergeblich auf theatralische Realisierung warten[11] oder nur von einer einzigen Bühne (oft einer Nebenbühne) gespielt, nicht aber nachgespielt werden.[12] Konstatiert wird eine »sich verbreitende Resignation bei den Dramatikern«[13], und immer häufiger ist die Rede von Autoren, die, enttäuscht und verärgert durch ihre (tatsächlich oder vermeintlich) lieblose Behandlung, obendrein genötigt durch daraus folgende ökonomische Schwierigkeiten, sich andren Genres zuwenden.[14] Eine für beinahe ein ganzes Jahrzehnt gültige Bilanz der Situation zieht Rudi Strahl, selber noch am allerwenigsten betroffen, schon im Jahre 1977:

Mit dem Stückeschreiben ist es ja noch nicht getan, man braucht Theater, die sie spielen, aber in einer Situation, wo die zeitgenössische nationale Dramatik, wie groß oder wie klein auch immer sie sein mag, nicht oder nur zögernd oder schlecht gespielt wird, ist die Ermunterung zum Schreiben neuer Stücke natürlich gering. Das bleibt sicher Leuten nicht verborgen, die noch die Wahl haben, wozu sie sich entschließen, und die dann um so eher auf die Hinwendung zur Dramatik verzichten, je geringer die Chance ist, gespielt zu werden. Ich rede von der Bühnendramatik; für das Fernsehen gilt das mit Sicherheit nicht, auch nicht für den Film. Vielleicht ist deshalb der Zuwachs an neuen Autoren in den letzten Jahren hier so gering.[15]

So gewiß die hier skizzierten, dem Genre »Drama« anhaftenden Grenzen und vor allem die ›äußeren‹ Schwierigkeiten, die der theatralischen Erprobung einer Spielvorlage entgegenwirken, manche Verzerrungen in vorliegenden Stücken verursachen und auch in vielen Fällen dramatisch-schöpferische Kapazität in außerdramati-

sche Genres oder – für die DDR besonders wichtig[16] – auf Bearbei-
ter- und Dramaturgentätigkeit hinlenken, so gewiß ist doch auch,
daß das Ausmaß, in dem solche Erklärungsmomente Gültigkeit beanspruchen können, von Autor zu Autor ein andres ist – dies z. B.
schon darum, weil einzelne Dramatiker, vor allem etablierte Stük-
keschreiber, es leichter haben, auf eine Inszenierung mit Geduld zu
warten oder, da die Theaterlandschaft ja so wenig Homogenität besitzt wie die Kulturbürokratie, von einer Bühne zur anderen zu
wechseln und notfalls die Aufführung einem Theater außerhalb des
Landes anzuvertrauen. Gewiß ist vor allem, daß trotz der schwierigen Bedingungen im Laufe der zurückliegenden drei Jahrzehnte
eine quantitativ und qualitativ bedeutende Dramenproduktion zu
verzeichnen ist, eingeschlossen eine Vielzahl von Stücken, die im
Rang hinter den wichtigsten Werken der Epik und Lyrik nicht zu-
rückbleiben. Das Medium Theater, und damit das Genre Drama,
übte und übt eine Faszination aus, der sich bis in die Gegenwart weder Debütanten noch etablierte Autoren entziehen können. Für die
Szene zu schreiben, ist ein von den Dramatikern in Interviewäußerungen immer wieder herausgestrichener Impuls, ein elementarer
Drang, der ihnen im äußersten Falle »keine Wahl« läßt. Von dieser
subjektiven Notwendigkeit spricht z. B. Heiner Müller, wenn er,
rückblickend auf die Anfänge seines Schreibens, die Bevorzugung
des Dramas mit den Worten erläutert:

Vielleicht habe ich da keine Wahl gehabt – das kam aus Widersprüchen
und Situationen heraus, in denen man nicht aussprechen oder fühlen
kann, daß man ein eigenständiges Subjekt ist. Wenn man ein Objekt der
Geschichte ist, braucht man andere Figuren, um über die Probleme zu reden.[17]

Müllers Mißtrauen gegen die Prosa hat seinen Grund letztlich in
dem, was sein Schreiben überhaupt motiviert: in dem Bedürfnis,
»Widersprüche loszuwerden«. Dies eben verlangt eine Form, welche die Äußerung in Rollen und Masken möglich macht: den »dramatischen« Text und – zunehmend in den letzten Jahren – den
»theatralischen« Text:

Beim Prosaschreiben ist man ganz allein. Man kann sich nicht verstek-
ken. [. . .] Ich kann mir das Schreiben von Prosa nur in der ersten Person
vorstellen. Beim Stückeschreiben hat man immer Masken und Rollen,
und man kann durch sie sprechen. Deshalb ziehe ich Drama vor – wegen
der Masken. Ich kann das eine sagen und ich kann das Gegenteil sagen.[18]

Den – zu einem nicht geringen Teil schaffenspsychologischen – Begründungen für die Bevorzugung des dramatischen Genres, die von Dramatiker zu Dramatiker andre sind, kann hier nicht nachgegangen werden. In aller Kürze aber muß das Mißverständnis abgewehrt werden, als deuteten die oben skizzierten genrespezifischen, mit dem Medium Theater gegebenen Erschwernisse ausschließlich auf ein *Hinderungsmoment,* auf etwas Beklagenswertes, zu Bekämpfendes, das allein durch einen starken Drang der Autoren zum szenisch-dialogischen Schreiben überwunden werden könne. Ein solches Modell wäre allzu simpel; denn dasselbe, was die besonderen gattungsspezifischen Erschwernisse überwiegend hervorbringt – der für die Rezeption, ja schon die Einstudierung eines Theaterstücks bezeichnende kollektive Charakter –, begründet zugleich ein wichtiges Moment der Faszination, die von der Institution Theater ausgeht, seine hervorragende Bedeutung, ja Unersetzbarkeit für eine Gesellschaft, in der viele der auf der Bühne behandelten Gegenstände öffentlich entweder überhaupt nicht oder auf andre (genormte und darum verkürzte und unverbindliche) Weise thematisiert werden. Von der daraus entspringenden einzigartigen »Möglichkeit« des Theaters spricht Heiner Müller in dem bereits zitierten, 1981 gegebenen Interview:

In unserem Land gibt einem ein Theater die Möglichkeit, 500 oder 800 Menschen in einem Raum zusammen zu haben, die gleichzeitig oder innerhalb desselben Raumes auf das reagieren, was auf der Bühne geschieht. Die Wirkung des Theaters beruht auf der Abwesenheit anderer Möglichkeiten, den Leuten etwas mitzuteilen. Filme sind nicht so wichtig, weil da soviel Kontrolle ist; sie kosten auch viel mehr Geld als das Theater. Das Ergebnis davon ist, daß das Theater Funktionen übernommen hat, die im Westen andere Medien haben. Ich glaube, daß zum Beispiel in Westdeutschland das Theater keine so große Wirkung hat. Man kann dort auf der Bühne alles machen, aber es hat keine Bedeutung für die Gesellschaft. Hier gilt noch das Schlagwort der Napoleonischen Ära: Theater ist die Revolution auf dem Marsch.[19]

Die in dieser Äußerung Heiner Müllers erwähnten Funktionen bilden den Bezugspunkt für die Beschreibungen dramatischer Strukturen im hier vorliegenden Band. Der erste Teil enthält Essays zu einzelnen ›Phasen‹ der Gattungsentwicklung und einzelnen in ihnen hervorgetretenen Autoren, der zweite Teil ist systematischen Längsschnitten gewidmet: neben einem Beitrag zum Volksstück, der partienweise dem Aufsatz zur Fernsehdramatik der sechziger

Jahre parallel läuft, stehen themenbezogene Essays (über die komische Figur, den ›neuen Menschen‹, den Asozialen, die Rezeption antiker Mythen, das ›schwarze Preußen‹). Daß eine auf 400 Seiten beschränkte Aufsatzsammlung den vier Jahrzehnte umspannenden Werdegang der DDR-Dramatik nicht erschöpfend rekonstruieren kann, versteht sich[20]; ihr Ziel ist bescheidener: Informationen zu einigen wichtigen Aspekten und Problemfeldern zu geben, in erster Linie zu Aspekten des ›Dramas‹ (Schauspiels) im engeren Sinne (mit zwei phasenbezogenen Ausgriffen ins Kabarett und Fernsehspiel), während weitere, nicht weniger wichtige Genres (Libretto, Hörspiel, Filmszenarium, Puppenspiel) ebenso ausgeschlossen bleiben müssen wie fast alle Fragen, die das Medium Theater betreffen. Es sind Begrenzungen, die eher verschmerzbar sein dürften als ein andrer Mangel, der von den Benutzern vermutlich nicht weniger bedauert werden wird als von den Verfassern: der ausschließliche Blick von außen (Bundesrepublik, West-Berlin, USA). Keiner der Aufsätze stammt von einem Literaturwissenschaftler oder Theaterpraktiker aus der DDR. Versuche, einige der einheimischen Kenner des DDR-Dramas zur Mitarbeit zu gewinnen, mißlangen – teilweise nach verheißungsvollen Anfängen – ausnahmslos, so daß nun entstanden ist, was am allerwenigsten beabsichtigt war: ein Unternehmen, bei dem Beiträge derer fehlen, die aus engster Kenntnis des Gegenstandes und der Welt, in die er zuallererst gehört, schreiben könnten.

Die hier versammelten Aufsätze sind Originalbeiträge, geschrieben für diesen Band, ohne daß den Autoren ein bestimmtes Muster vorgegeben war. Die darin begründete Mannigfaltigkeit der Darbietungsstile wird eher begrüßt, als daß ein Impuls zu ihrer Entschuldigung empfunden würde, zumal die so unterschiedlichen Beiträge zumindest in einem zusammenkommen: in der von unkritischer Affirmation weit entfernten Überzeugung der Autoren, es mit einer Periode in der Geschichte der deutschsprachigen Dramatik zu tun zu haben, die eine weniger selektive Aufmerksamkeit verdient, als ihr üblicherweise entgegengebracht wird – sowohl in der Literaturwissenschaft der DDR als auch, nach zum Teil konträren Auswahlkriterien, hierzulande.

Zu danken habe ich den Mitarbeitern, mit deren Hilfe während der vergangenen Jahre das Archiv aufgebaut wurde, das die Grundlage für die am Ende des Bandes gegebene »Arbeitsbibliographie« bildet, an erster Stelle Helge Schätzel, weiterhin Matthias Dannenberg, Stephan Lobert und Hans Zerrahn für ihre außergewöhnlich engagierte Unterstützung bei der Zusammenstellung des zweiten Teils dieser Bibliographie während der vergangenen Monate (Leitung: Matthias Dannenberg).

U. P.

Anmerkungen

1 Es sind dies Themen, die vor allem seit 1972/73 eine Vielzahl von Autoren und auch ein Großteil des Publikums als vordringlich empfinden – mit der Folge, daß im öffentlichen Interesse in dieser Phase die Prosa dominiert und das Lesen auch gegenüber den Rezeptionsweisen der auf Massenwirkung angelegten Medien Film und Fernsehen seine Geltung im wesentlichen behauptet. Die prägnanteste Beschreibung der Affinität wichtiger literarischer Themen zur Prosa gibt Christa Wolf in einem zu Beginn der siebziger Jahre geführten Interview: »Volkstümlichkeit in großen Helden und großen Gestalten, in großen, einfachen Vorgängen, ist aus den zeitgenössischen Verhältnissen nicht so leicht zu gewinnen wie aus gewissen archaischen Grundmustern oder aus Verhältnissen, die turbulente Ereignisse, schärfere äußere Konflikte hervorbrachten, sagen wir: Kriegszeiten oder die Zeit des Faschismus, Klassenkämpfe eben, wo eine Polarisierung von Einstellungen und Handlungen da war, ihre Bewertung unzweideutig ist und es noch dazu um Tod und Leben ging. Während heute die Entscheidungen und Konflikte sich eigentlich in der Ebene der gesellschaftlichen Moral abspielen, obwohl natürlich vorbereitet in konkreten gesellschaftlichen Bewegungen. Ein Mensch, der innerlich stirbt – das ist meist nicht sehr spektakulär, man ›sieht‹ es auch nicht; es gibt da manchmal Knotenpunkte, an denen man es auch äußerlich sichtbar machen kann, aber der Prozeß ist schleichend, schwer beschreibbar durch äußere Handlungselemente. Einführung von Reflexion ist bei solcher Art Material also nicht Willkür des Autors.« (Christa Wolf im Interview mit Joachim Walther, in: *Meinetwegen Schmetterlinge*, 1973, S. 123)

2 Man braucht nur an die Behandlung bisher tabuisierter Widersprüche und Einbrüche in der Bild- und Symbolsprache der Lyrik der sechziger Jahre oder in Christa Wolfs 1968 erschienenem, das Muster des sozialistischen Realismus verlassendem Roman *Nachdenken über Christa T.* zu erinnern. Auch die harten Schlüsse der sogenannten Bit-

terfelder Romane (*Ole Bienkopp, Spur der Steine, Der geteilte Himmel*) haben auf seiten der gleichzeitig erscheinenden Gegenwartsdramatik kein erhebliches Pendant. Bis hin zur Gegenwart sind andre Genres, namentlich die erzählende Prosa, dem Drama oft voraus durch Differenziertheit und Entschiedenheit in der Herausarbeitung von Härten, ja Tragik. Daß dies nicht immer allein aus der Eigenart der Autoren, aus ihrer mehr oder weniger ›tragischen‹ Weltsicht, sondern auch aus überindividuellen Bedingungen erklärt werden kann, zeigt der Vergleich von einerseits epischen, andrerseits dramatischen Werken eines und desselben Verfassers. 1975 erscheinen Volker Brauns Erzählung *Unvollendete Geschichte* und das (ein Jahr später aufgeführte) Stück *Tinka*. Ohne Zweifel ist der Schluß des letzteren drastischer (es endet blutig mit dem Tod der Heldin); härter aber wird der Vorgang in der Erzählung präsentiert. Nicht nur fehlen hier die komischen Spielelemente und die durch Antithesen, Paradoxien, Äquivokationen und Wortspiele erreichte artifizielle Stilisierung des Dialogs, radikaler ist auch die Ätiologie des Leidens. Der *Erzähler* Braun weist zu seiner Herleitung überwiegend auf Überindividuelles, ›Objektives‹, auf Momente des gesellschaftlichen Gefüges; der *Dramatiker* Braun dagegen exponiert in *Tinka* neben den sozialen Bedingungen des blutigen Ausgangs (der Rückständigkeit in der Entwicklung sozialistischer Demokratie) ausgiebiger individuelle, legt weit zwingender eine kritische Betrachtung auch der Heldin nahe, bei der diese nicht nur als Objekt, nicht nur als Opfer einer gesellschaftlichen Fehlentwicklung, sondern zugleich als verantwortliches Subjekt sowohl ihrer Erfolge wie ihres Scheiterns erscheint.

3 Ernst Schumacher, *Aktuale und perspektivische Probleme der Gestaltung und Darstellung von Geschichte in der Dramatik und auf dem Theater der DDR unter den Bedingungen der entwickelten sozialistischen Gesellschaft*, in: Material zum Theater 48 (1974), S. 29–49, Zitat: S. 35 f.

4 Solche Überlegungen helfen sowohl die extrem zurückhaltende Widerspruchs- und Leidenspräsentation verstehen, die in der dramatisch-theatralischen Gegenwartsdarstellung während der sechziger Jahre, besonders nach dem 11. Plenum 1965 auffällt, als auch die – verglichen mit andren Genres – bescheidene Blüte der Dramatik nach dem VIII. Parteitag. Selbst in dieser Phase, an deren Beginn Honecker seine immer wieder zitierte Formel von der Aufhebung der Tabus für den von sozialistischen Positionen ausgehenden Autor gebraucht, setzt sich Neues oft leichter und früher in der bildenden Kunst und Musik, in Film und Belletristik durch. Und für die gesamte Epoche gilt Ernst Schumachers 1978 getroffene Feststellung, daß »die die sozialistische Gesellschaft der DDR bewegenden Probleme heute auf dem Theater eher aus der Sicht der sowjetischen Dramatik zur Dar-

stellung kommen als aus der Sicht der DDR-Dramatik« (Ernst Schumacher, *Brecht und der sozialistische Realismus heute*, in: WB 24/10 [1978], S. 142–146, Zitat S. 154); vgl. dazu das wichtige Interview mit Thomas Brasch in: Theater heute 18/2 (1977), S. 45 f.

5 Vgl. *Autor und Theater. Umfrage unter Autoren (1)*, in: TdZ 27/10 (1972), S. 8.

6 Horst Kleineidam, *Worte an verschiedene Adressen*, in: TdZ 30/4 (1975), S. 16–18, Zitat S. 17; vgl. auch Armin Stolper, *Überflüssige Rede zu einem sattsam bekannten Gegenstand*, in: TdZ 32/12 (1977), S. 65 f.

7 Vgl. z. B. Martin Linzer, *Lese-Werkstatt*, in: TdZ 37/8 (1982), S. 10 f.

8 »Viele unserer Theater sind unfähig, ihre Funktion gegenüber bestimmten Stücken auszuüben, die eine qualitätvolle Brisanz haben. Der Apparat des Theaters ist träger, als es die Entwicklung der Literatur mit wirklich ernstzunehmenden Werken zuläßt« (Karl-Heinz Müller, *Schöpferische Unruhe. Stücke unserer Autoren im Verständnis der Theaterleute*, in: TdZ 32/5 [1977], S. 6–9, Zitat S. 8).

9 Zum Verhältnis des Theaters zum Rat der Stadt und des Bezirks vgl. z. B. den Diskussionsbeitrag von Fritz Wendrich auf den III. Werkstatt-Tagen des DDR-Schauspiels, in: TdZ 37/10 (1982), S. 63.

10 Über den unterschiedlichen Anteil von DDR-Dramatik am ›Repertoire‹ und am ›Spielplan‹ vgl. Rainer Kerndl, *Theatermesse und Theateralltag. Zum Verhältnis von Dramatikern und Theatern*, in: TdZ 35/9 (1980), S. 55 f., sowie die Bemerkung von Rudi Strahl in: TdZ 34/10 (1979), S. 6.

11 Christoph Hein formuliert diesen Befund mit dem Satz: »Das gegenwärtige Theater ist Schreibanlaß für Prosa« (in: TdZ 32/7 [1978], S. 51).

12 Vgl. dazu Otto F. Riewoldt *Nicht unbeschadet, aber unbedroht. Zur Situation des Theaters in der DDR*, in: L 76 6 (1977), S. 163–177, bes. S. 173, sowie Wolfgang Hauswalds Bemerkungen in TdZ 37/10 (1982), S. 61.

13 Lily Leder, ebd., S. 62, und Christoph Funke, *Umgang mit DDR-Dramatik*, in: TdZ 36/12 (1981), S. 8 f. (»Tatsache ist eine spürbare Resignation bei Dramatikern, ohne die die Geschichte unseres sozialistischen Theaters nicht denkbar wäre«).
Vgl. dazu Peter Reichel, *Anmerkungen zur DDR-Dramatik seit 1980. Teil I*, in: WB 29/8 (1983), S. 1403–1426, bes. S. 1418.

14 Über die seit Jahren sinkenden Einnahmen der Dramatiker vgl. Lily Leders Ausführungen in: TdZ 37/10 (1982), S. 62.

15 *So genau wie möglich. Rudi Strahl und Werner Liersch sprachen mit dem jungen Dramatiker Albert Wendt*, in: NDL 26/4 (1977), S. 42–47, Zitat S. 46.

16 Aktuelle Informationen und Erwägungen dazu bei Peter Reichel, *DDR-Dramatik 1983*, in: TdZ 39/4 (1984), S. 21–24, bes. S. 21f.

17 Heiner Müller, *Rotwelsch*, Berlin 1972, S. 68.

18 Ebd., S. 72.

19 Ebd., S. 68.

20 Neben der Umfangsbeschränkung sei ein andres Moment hier festgehalten – nicht um Defizite des Bandes zu entschuldigen, sondern um die Forschungssituation der Mitte der achtziger Jahre zu charakterisieren: daß Exemplare vieler Stücke und Theaterprogramme, die in den frühen sechziger Jahren den Verfassern von Monographien zur Dramenentwicklung der vierziger und fünfziger Jahre (an erster Stelle Karl-Heinz Schmidt und Hermann Kähler; vgl. die Arbeitsbibliographie am Ende des Bandes) noch vorlagen, trotz bereitwillig gewährter freundlicher Hilfe von Verlagen und Theatern nicht mehr zu beschaffen sind.

I. Zu einzelnen Phasen und Autoren

Stephan Bock
Die Tage des Büsching

Brechts »Garbe« – ein deutsches Lehrstück

Trouvaillen

Bertolt Brechts Stückplan »*zu Hans Garbe (Büsching)*/Nov. 1954«[1] läßt sich lesen bis in die kleinsten Details: der Wechsel im Namen der Hauptfigur, Garbes Schüler, selbst das Entstehungsdatum »Nov. 1954«, alles hat seinen Stellenwert und Sinn. Der *Büsching* des Jahres 1951 behält diesen Namen bis zum 16. Juni 1953. In der Nacht von Dienstag auf Mittwoch öffnet Brecht endgültig seine Koffer, unter ihnen einen aus der Zeit der späten 20er Jahre. In den frühen Nachmittagsstunden des 17. Juni 1953 entsteht: *Garbe. – Er wird ein Testament unvergleichlicher Art.*

Der paramedizinisch gelehrte und stets um seine Gesundheit wissende Brecht schreibt mit der Uhr in der Hand, in – erst kürzlich dechiffrierten – Versen andeutend, auf welche Weise er »um 1954« zuweilen sein Herzmittel Oteselut oder Cholesismon in Buckow einnimmt: »Eben wieder war ich in Buckow/Dem hügeligen am See/Schlecht beschirmt von Büchern/Und der Flasche. Himmel/Und Wasser/Beschuldigen mich, die Opfer/Gekannt zu haben.«[2] In den *Buckower Elegien* und während der Arbeit an *Turandot*, im *Garbe*-Plan vom Herbst 1953, in *Bei Durchsicht meiner ersten Stücke* vom März 1954 formuliert sich, bei allen Wendungen und Windungen der Biografie, noch einmal der sich nie aufgebende und somit immer ›verratende‹ Brecht. Mit dem ›Büsching‹/Garbemodell *1954*, wie man den Stückplan auch nennen kann[3], kehrt Brecht zurück zu seinen größten dramatischen Erfindungen. In jenem Plan vom November 1954 leuchten Brechts Modernität und Aktualität in frappierender Weise auf.

Zunächst aber eine zu ihrer Zeit jedermann bekannte Geschichte[4]:

›Fatzer 1‹

1923 setzten drei Landsknechtsgestalten ganze Gebiete der Republik in Angst und Schrecken. Sie trugen unheimliche, an Zeiten des Breughel erinnernde Namen: Hein Büsching, Hermann August

Ernst v. Zitzewitz (1867–1940; vgl. S. 46)

Fahlbusch, Erich Klapproth. Diese drei, Feldwebel alle, operierten als ›Kommando z. b. V.‹ – sie waren Fememörder der berüchtigsten Art. Befehligt wurden sie von einem Oberleutnant Paul Schulz, führender Leiter dieser gegen den polnischen ›Feind im Osten‹ gebildeten Arbeitskommandos der Schwarzen Reichswehr, auch: ›Schwarze Kader‹ genannt. ›Paulchens Wink‹ war den dreien stets Befehl. Nicht unerwähnenswert: zum Kameradenkreis gehörte ein Hauptmann Keiner.

Berliner Illustrierte Zeitung, 7. 11. 1926

Zur Jahreswende 1926/1927 kippt ein Mord des Jahres 1923 nach dem anderen auf, der Name Paul Schulz kommt für drei Jahre nicht mehr aus der (Berliner) Tagespresse noch aus den Gerichtsakten. Vorgeladen werden alle vier, greifbar jedoch sind nur drei. Der vierte, brutalste von allen, ist untergetaucht: Hein Büsching.

Parallel zu diesen Presse- und Gerichts->Karrieren< (1927–1929) beginnen die vier ihre literarische ›Karriere‹ bei Bertolt Brecht.[4a] Sie wechseln die Haut in Fatzers Mülheim, grüßen wieder aus *Mahagonny*, marschieren in das Kinderbuch *Die drei Soldaten* und treten 1000 Jahre später offen in den *Dienst am Volke*:

DER SS-MANN *müde, setzt sich auf ein Faß:* Weiterarbeiten. *Der Häftling erhebt sich vom Boden und beginnt, mit fahrigen Bewegungen die Kloake zu reinigen.* [...] Warum kannst du Sau nicht nein sagen, wenn du gefragt wirst, ob du Kommunist bist? Du wirst vertrimmt, und ich komme um meinen Ausgang, hundemüde wie ich bin. Warum kommandieren sie dazu nicht den Klapproth? Der macht sich einen Spaß daraus.[5]

Der kurz darauf eintretende SS-Gruppenführer könnte Fahlbusch oder Büsching heißen, der KZ-Kommandant: Paul Schulz. Wir kennen ihre späteren Namen bei Brecht: *Freiheit und Democracy.*

Die Weimarer Justiz hatte in den ›Landsberger Prozessen‹ entschieden: »Das Gericht sieht in Klapproth eine brave, ehrliche Soldatennatur« »biedere[n] Aussehen[s]«. Am *17.* Juni 1953 wird Brecht schlaglichtartig erinnert: Die drei stehen unter den Demonstranten, mit denen er diskutiert, der vierte befindet sich jenseits der Sektorengrenze. Brechts Brief an Peter Suhrkamp vom 1. Juli 1953 beschreibt, wie seine Erinnerung diese Gesichter ›fotografierte‹.

Was Brecht 1926/27 bewog, die ›Schwarzen Kader‹ im *Fatzer* zu ›drehen‹, im Namen des Büsching jedoch zitabel zu halten, kann hier nicht geklärt werden. Zudem steht die Veröffentlichung des gesamten *Fatzer*-Materials immer noch aus. Ebensowenig kann mit umrissen werden, warum Brecht den *Fatzer* (nicht: den Stoff!) nicht weiter bearbeitet hat. Da Brecht im *Büsching* jedoch auf den ›gedrehten‹ Stoff zurückgeht, um ihn dann im *Garbe* auf die Füße zu stellen, sind einige – notwendig spekulative – Andeutungen unumgänglich.

Es war *der* deutsche Stoff, real *und* literarisch (Heiner Müller wird ihn später bis auf die Nibelungen zurück ausformulieren). Zu Brechts Zeit war er Tagesgespräch. Es gab den Fall Ernst von Salomon; Arnolt Bronnen wechselte zu Roßbach, Ludwig Renn ging den anderen Weg. Brechts eigner Bruder Walter war Freikorps-Mitglied gewesen, Bert hatte ihn besucht, wenn er Patrouille stand. Und Brecht selbst, natürlich. Um die Büchnersche Frage ging es, »was ist das, was in uns lügt, mordet, stiehlt?«, um ›verschmelzende Extreme‹, ›rotierende/explodierende Furchtzentren‹, könnte man heute, in Anlehnung an Klaus Theweleits *Männerphantasien*, sagen. Die einen desertieren aus dem nicht-gelebten Leben in den Mord, den Krieg mit allen Mitteln erhaltend, die anderen aus der mörderischen Realität in die Utopie, auf anarchische Weise *ihre* Realität (ver)suchend. Büsching: Fememörder der brutalsten Art oder »Schwejk in härterem Material«?[6] Die deutschen Revolutionäre hatten ihr Leben nie leben können, doch galt dies, auf verheerende Weise, nicht auch *und gerade* für die deutschen Konterrevolutionäre? Wie also konnte die ›Drehung‹ des Stoffes gelingen? Gab es nicht diesen feinen, von Klaus Theweleit später per Foto festgehaltenen Unterschied: Wie Weißgardisten und Rotgardisten ihre Gewehre trugen? Gab es nicht Elemente im Verhalten der Menschen zueinander, die das Aufrichten, das Heraustreten des Menschen aus bisheriger Geschichte als möglich erscheinen ließen? Wußte dies nicht vor allem einer: Bertolt Brecht? Man kann dies ja

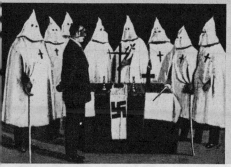

»Killer mit weißem Kragen«, Abb. aus ›Zeit‹-Magazin Nr. 39, 1978. Dazu der Text: »Wegen Mordes oder Anstiftung zum Mord verhaftet und später freigelassen wurden diese auch in Zivil uniformiert wirkenden Herren (v.l.): Leutnant Lizca, Arbeiter Notzon, Feldwebel Bolt, Oberleutnant Schoeler. Die ›Weltbühne‹ vermutete, Bolt sei in Wahrheit der verschollene Feme-Spezialist Büsching, der in die Identität eines von ihm Ermordeten geschlüpft sei.«

Hans Garbe mit seiner Brigade während der Reparatur des Ringofens III

Garbes Brigade tritt ihren Urlaub an

Hans Garbe 1950

analytisch lesen: Brechts eigene, reale Basis gebende Kindheit, die Mutter, die sehr früh sieht, welches Kind ihr da entwächst, der Vater, der den Sohn nicht halbtot schlägt, sondern mit zur Liedertafel nimmt. Ich hoffe, am Beispiel des Garbeschen Schülers zeigen zu können, wie wichtig diese Überlegungen sind.

Niemand kann letztlich sagen, wie die Verlaufsstrukturen des *Fatzer*-Materials sich entwickelt hätten, in einem Fragment, das *alle* Tonfälle des gegenwärtigen und zukünftigen Brecht aufweist: des *Schweyk,* der *Maßnahme,* der *Mutter,* ja dieser Johann Fatzer ist versweise nicht zu unterscheiden von: Mutter Courage! Den wichtigsten Hinweis liefert Heiner Müller in *Fatzer ± Keuner:* »Der Text ist präideologisch, die Sprache formuliert nicht Denkresultate, sondern skandiert den Denkprozeß.«[7] Was Müller aus Gründen eigenen *Schreibens* interessieren *mußte,* ist von einigen Exegeten ungeprüft für Brecht übernommen worden. Dabei *ist* der *Fatzer* auf

PREIS 30 Pf.

BERLIN · JAHRGANG 1950 · HEFT 22

Neuer Weg

Den künftigen Meistern der Technik dienen die Erfahrungen der Besten unseres Volkes

Titelblatt von ›Neuer Weg‹, Berlin (Ost), 1950, H. 22

Hans Garbe (rechts neben Helene Weigel) im Berliner Ensemble. Links
Erika Garbe

zentrale Weise bereits *Maßnahme* und *Mutter*: Man *hört* in diesem
Fragment, was Brecht so elementar bestimmte – MUSIK. *Fatzer*,
begonnen in einer Zeit, als Brecht tatsächlich nicht sagen kann, ob
er weiter ›beir‹ Literatur bleibe[8], ist Experimentierfeld in jeder Weise.
Fatzer ist nicht nur der Entwurf zu einem großen Stück, er ist auch
und vor allem der Entwurf zu einem der größten Libretti der Neu-
zeit.[9] Im Stoff: ein Bruder des Alban Bergschen *Wozzeck*. In den
Versen: das Musikalischste, das ein ›Librettist‹ zu jener Zeit *dichten*
konnte. Und in der Verführungsszene des Johann Fatzer mit der
Therese Kaumann, im »furchtzentrum«, welches das Stück zum
»sexstück«[10] werden zu lassen drohte: reinster Stoff der Oper.

Schoß sich Brecht also wirklich nur durch den Keuner (den Um-
bau des Sohnes in den Vater, wie Heiner Müller sagt) aus den
›Furchtzentren‹ des *Fatzer* heraus? Einwendung: Schon der *Fatzer*
zeigt einen *musikalischen* Weg. Via *Maßnahme,* durch Hanns Eisler
also, findet Brecht in der *Mutter* den ›mittleren Ton‹. Albrecht
Dümling hat als erster gezeigt, *welche* Bedeutung die Kategorie der
Freundlichkeit für Brecht durch Hanns Eisler gewann.[11] Ich finde
es erstaunlich, daß niemand bisher darüber philosophiert hat, daß
die Kategorie der Naivität, auf die Brecht kurz vor seinem Tod so
eindringlich hinweist, auch und vor allem eine der Musik ist. Pierre

Boulez sagt Jahrzehnte später: »Man kann nur davon träumen, daß Strawinsky und Brecht in den 20er Jahren zusammengearbeitet hätten«.[12]

Es gibt also sehr reale und in keiner Weise anrüchige Gründe dafür, daß Brecht seinen *Fatzer* in der Schublade ließ und für sich schrieb: »das ganze stück, *das ja unmöglich,*/einfach zerschmeißen für experiment,/ohne realität!/zur ›*selbstverständigung*‹«.[13] Dies alles ist zu bedenken, wenn Brecht den *Fatzer*-Stoff noch einmal aufgreift, denn sein *Garbe* ist nun auf neue Weise zur ›Selbstverständigung‹ geschrieben:

Büsching 2/›Garbe I‹

Brechts großes soziales und ästhetisches Experiment, durch »Kunst als Mittel, die Wirklichkeit unmöglich zu machen«[14], wurde jäh abgebrochen von den Nazis. Es begann, was Heiner Müller so böse-bitter ›Brechts Weimar‹ nennt. Abgeschnitten als Dramatiker und Theater-Revolutionär von der realen Bewegung, blieb Brecht: sich selbst und die Literatur. Und dies galt *für den Dramatiker Brecht*[15] bis zum *16. Juni 1953.*

Als Hans Garbe erzählt, weiß Brecht sofort, welcher Stoff sich ihm da entfächert. Matti, Schweyk, Pawel, die spanischen Fischer, die Arbeiter aus *Furcht und Elend*, Hans Garbe ist Stoff von ihnen allen. Brecht hat in seinem Figuren-Repertoire nur einen, der diesem Hans Garbe gleichkommt: seinen ›gedrehten‹ Büsching. Brecht ahnte, daß Hans Garbe für ihn den Schlüssel zu einem alten Problem in der Hand hielt. Als er jedoch den ›gedrehten‹ Büsching wählt, gerät er unweigerlich in die alten Aporien. Ein Fememörder als Aktivist? Nein, nicht 1951. Zwar taucht die Problematik auf verwandte Weise in einem Szenenentwurf auf, als ›Büsching‹ die Arbeiter fragt, ob ein SS-Mann wieder in einen Arbeiter zurückverwandelt werden könne, diese jedoch antworten: Nein. Nicht so schnell, nicht jetzt. Ein unbewußter Arbeiter zu einem bewußten, ›Büsching‹ 1 zu ›Büsching‹ 2, das geht. Aber: es ist ›Büschings‹ Weg im *Fatzer*. Ist es auch der Weg des realen ›Büsching‹ – des Hans Garbe? Brechts Blick auf die neue Realität der DDR war lange getrübt, die Frage, wo der Konflikt in einem sich revolutionierenden Land ohne *eigene* Revolution liegt, nicht beantwortbar. Und außerdem: Es gab jene erste ›russische Eröffnung‹, doch brauchte die Sowjetunion inzwischen nicht selbst eine deutliche Veränderung?

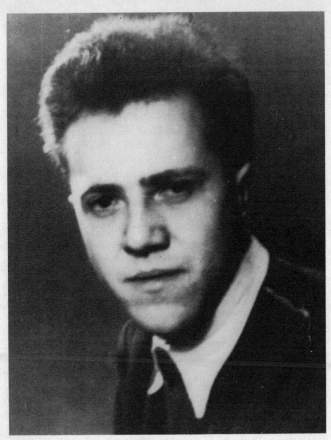

Martin Pohl 1951

»Was vorbei natürlich/ist nicht besser als/was kommt/und nicht so/verschieden ist die/schlachtluft voll feuer und rauch/von einem sommertag/als dieser fatzer von jenem ist/also sind die situationen/die mütter der menschen«[16], sagt Fatzer. Der 17. Juni ist für Brecht eine solche ›Mutter‹, er sieht mit eigenen Augen den Umschlag, die Veränderung vom 16. auf den 17. Juni.[17] Plötzlich sind sie da in Scharen, die er so lange nicht gesehen hatte – *seit 1933 nicht!* Die Büschings, die jetzt auch Erna Dorn heißen. Von Hans Garbe, einem Mann, dem er vertrauen konnte, wußte Brecht, was sich bereits in den Wochen Ende Mai/Anfang Juni 1953 auf Baustellen wie der Stalinallee oder der Ostseestraße ereignet hatte, wie Partei und Gewerkschaft auf Garbes Initiativen reagiert hatten: nach Art des Vogels Strauß.

Es gibt die zweite ›russische Eröffnung‹, und sie öffnet Brecht den Blick: als wenn ihm die Augenlider weggeschnitten wären. Er *sah*, was in einem Staat wie der DDR die Hauptgefahr war. Die Revolution, die nicht stattfand, brachte zwangsläufig den alten Staatsapparat wieder in Gang, zu deutsch: *der Naziapparat hatte sich wieder in Bewegung gesetzt.* So formulierte es Brecht in einem Vorwort zu *Turandot.* Der Konflikt ist für die 7. Szene des *Garbe* formuliert: »Kann die Regierung die neuen Normen beibehalten? Nein! Kann sie sie preisgeben? Nein! – Die Regierung gibt die Normen preis.« In der Alternative Stalinscher Hammer oder Sozialdemokratische Seife liegt eine wohl kaum schärfer zu formulierende Kritik. Die reale, notwendige, in Menschen wie Hans Garbe bereits embryonal existierende Alternative lag für Brecht, wir wissen es aus unzähligen Bemerkungen, in der Mobilisierung der Weisheit der Massen. Man sieht, welche Schritte Brecht nach dem 17. Juni einleitet: Er reaktiviert die Reste der ›demobilisierten‹ Agitpropbewegung, verstärkt sie durch die neue ›Elisabethanische Flotille‹, die er, Kahn für Kahn, seit 1949 fürs ›Schiff‹ hat arbeiten lassen.

Jetzt endgültig wird deutlich, warum Brecht so zäh an seinem ›Büsching‹/Garbe festgehalten hat. Der *Fatzer* basierte auf *dem* deutschen Stoff, im Leben des Hans Garbe sah Brecht *den* ersten neuen deutschen Stoff. Der auf die Füße gebrachte ›Büsching‹ entfaltete eine vielen bekannte Stoffülle, und er ließ an Kritik nichts zu wünschen übrig. Hans Garbe, das ist das Neue (Brecht hält daran unbeirrt fest bis zu seinem Tod). Jedoch: Wer so regiert wie vor dem *16. Juni*, ohne die Erfahrung eines Garbe, liefert die Garbes den Büschings aus. So gesehen, könnte der *Garbe* von 1954 im Titel auch *Büsching* heißen, ungedreht – es entspräche Shakespeares Verfahren im *Cäsar.* Büsching: das ist die Zeit, das Gesamtnationale. Der Held aber heißt: Garbe. Das Zitat eines solchen Verfahrens enthält die 10. Szene: »Die Russen retten die Fabrik. Garbe stirbt.« Durch wen? Es ist durchaus nicht nur spekulativ, neben Namen wie Büsching auch einen wie Schlageter zu nennen. Brecht erinnert

Haus der Ministerien (17. Juni 1953)

Haus der Ministerien (17. Juni 1953)

Hans und Erika Garbe 1950

sich im Jahre 1954 an seine Anfänge, und Baal und Schlageter sind mit dem Namen Hanns Johst verbunden.

Daß Brecht sich in seinem *Garbe* auf die *Maßnahme* und die *Mutter* beziehen mußte, ist in den ›Situationen‹ begründet, die beide Stücke zu Modellen werden ließen. Darüber hinaus schimmert in der ersten Bearbeitungsphase immer wieder ein Name auf, der (noch nicht wieder) genannt werden durfte: Sergej Tretjakow. Schon für den ›*Büsching*‹ war Tretjakow von zentraler Bedeutung: Er hatte sowjetische Wirklichkeit bis in kleinste Winkel erkundet, bedeutete ästhetisch höchsten Standard (er und Eisler planten eine Oper), seine Montage-Reportage *Tscheljuskin* – heute leider völlig in Vergessenheit geraten – lieferte ein beredtes Zeugnis für die Dokumentation einer Massen-Initiative, und Tretjakow arbeitete an einer ›Verschmelzung‹ alter und neuer revolutionärer Erfahrungen: an einem gigantischen Bio-Interview der Teilnehmer des ›Langen Marsches‹.[18] Für Brecht war der Verlust seines Freundes Sergej schmerzlich. Käthe Rülicke bekam von ihm Tretjakows Stück *Ich will ein Kind haben* in der Brechtschen Bearbeitung, ihr *Hans Garbe erzählt*[19] ist das erste und schönste Bio-Interview der frühen DDR-Literatur.

Brecht besaß mit seinem *Garbe* ein erstes neues *deutsches Modell*, konnte sich also real und literarisch an *Mutter* und *Maßnahme* anlehnen. Der 17. Juni bedeutete eine weitere ›russische Eröffnung‹ und verwies damit immer noch auf 1905 und 1917. Inzwischen gab es allerdings noch ein zweites Modell: China, in der *Maßnahme* als Milieu bereits zitiert. Mag sein, daß Brecht über Elisabeth Hauptmann auch erfahren hat, daß Tretjakows *Brülle, China!* »anläßlich der Gründung der Volksrepublik China [...] eine triumphale Wiederaufnahme als *China brüllt*«[20] erlebt hatte. Sowohl *Maßnahme* als auch *Garbe*-Plan entstanden zu Zeiten, als das Interesse für das revolutionäre China sprunghaft anwuchs. Stalins Tod zeitigte eine Flut von Berichten über das neue China. Brechts Lektüre von Mao Tse-tungs *Über den Widerspruch* läßt erkennen, wo Brecht das neue Modell vermutete – daß es hierbei um die Rekonstruktion des Brechtschen Verfahrens geht, nicht um unsre heutigen Einsichten, muß, so denke ich, kaum eigens betont werden.

Im Stück-Plan von 1954 fällt neben all dem Genannten etwas für Brecht sehr Ungewöhnliches auf: die Nähe des Stück-Plans zum Stoff. Der Plan hat nichts Belehrendes, Camouflierendes. Offen und unverstellt wird hier geredet und gehandelt. Man vergleiche die manchmal schon nahezu grotesken und gekünstelten Anstrengungen, die Brecht im ›Büsching‹ unternahm – der *Garbe* ist völlig neu. Menschen, so kann man Brecht lesen, können sich nur herausarbeiten, indem sie selbst tätig werden. Und dies hieß zuallererst: Sie müssen *verstehen* können, müssen in die Lage versetzt werden, sich eigene Geschichte *spielend* zu erzählen, nicht: in »Kaderwelsch« trainiert werden. Auch sprachlich wäre der *Garbe* etwas ganz Neues geworden.

Auf sichtbare und hörbare Weise ist Brechts große Arbeit als Regisseur und Lehrer[21] eingeschrieben schon im Szenen-Plan. Der *Garbe* ist somit der *erste* große Stück-Entwurf nach Art der Brechtschen dramatischen Erfindungen aus der Zeit vor 1933.

Doch all dies bliebe nur halbe Wahrheit, ließe man außer Betracht, daß *Garbe* einen zweiten Verfasser haben sollte: Hanns Eisler. Auch Eisler kämpfte um den Zugang zur neuen Realität, und wie Brecht hatte er viele Erfahrungen im Exil sammeln können, ja man könnte sogar behaupten, daß sie Eisler wesentlich mehr im Exil entwickelt hat als Brecht. Beide hatten ihr ›inneres‹ Repertoire entschieden verwandelt und vergrößert. Nach Kantaten, oratorienhaften Versuchen, der *Deutschen Sinfonie* und den letzten Versuchen um eine neue Oper darf man vermuten, daß der *Garbe* auch hier etwas völlig Neues anging. Und im tragischen Tod der Hauptfigur darf weiter vermutet werden, daß der *Garbe* vielleicht das erste große proletarische Requiem geworden wäre, ein Requiem über die große Trauer und gleichzeitig über die zarte Hoffnung: den Schüler. Das führt auf das berührende und traurige Geheimnis des *Garbe*.

Das Testament

In seinen Frauengestalten hatte Brecht die Hoffnung so vieler sich spiegeln lassen, mit Freude hätte seine Pelagea Wlassowa einer Rosa Luxemburg Unterschlupf gewährt. Doch Eisler und Brecht mußten nach Vorbildern nicht so weit Ausschau halten. Eisler setzte mit seinen *Wiegenliedern für Arbeitermütter* auch der eigenen Mutter ein unsterbliches Denkmal. Und warum braucht es eine so lange Zeit, bis wir zu entziffern verstehen, daß Brechts Fensterplatz in der Chausseestraße auch eine Erinnerung war?

Die Seite zur Bleichstraße nahm ein niederes, etwa schwellenhohes Podest, der ›Antritt‹, ein, der in den Jahren ihrer Gesundheit der geliebte Regierungssitz Mamas war. Hier saß sie im leichten Lehnsessel, vor sich die Nähmaschine, neben sich das Fenster, durch das sie auf das Leben in der Umgebung hinaussah.[22]

Der Arbeiter Hans Garbe verwies Brecht auf das ›andere‹, ebenso sehnlich erhoffte Deutschland. Der erste, im Stück tödlich ausgehende Emanzipationsversuch eines Arbeiters war zugleich der Emanzipationsversuch eines Mannes. Wie stark Brecht sich selbst einschrieb in den Text, macht nicht nur die Hauptgestalt, sondern vor allem die des Schülers deutlich. Und auch der hatte einen Namen: *Martin Pohl.*

So wie Hans Garbe real einen Lehrling hatte, so hatte Brecht in Martin Pohl einen ersten ›dramatischen Sohn‹. Pohl war Regieassistent am Berliner Ensemble und Brechts Meisterschüler mit einem Stipendium für Dramatik. Er war wie der junge Brecht: aufbrausend, leicht schüchtern zugleich, vor allem schrieb er Verse, die denen des Meisters zum Verwechseln ähnlich waren.[23] Nachdem schon der nicht nur von Therese Giehse so geliebte Egon Monk gegangen war, drohte Brecht der schmerzlichste Verlust eines Schülers: der Verlust einer direkten dramatischen Nachfolge. Martin Pohl war am 22. Februar 1953 verhaftet und im November des gleichen Jahres zu vier Jahren Zuchthaus verurteilt worden. Für Pohl begannen schreckliche Tage. Heiner Müllers *Germania Tod in Berlin* schildert, was ein Mensch wie Martin Pohl am 17. Juni erlebte.

Brecht hielt Kontakt zu dem jungen Stückeschreiber, versorgte ihn mit kleinen Aufträgen – Brecht, der wie Hans Mayer schreibt, »außerordentlich unter dem Exil gelitten hatte«, denn dies hatte auch geheißen: »Lehren ohne Schüler«.[24] Der Lehrer erreichte, daß der Schüler vorzeitig entlassen wurde, mußte jedoch befürchten, daß der Schüler, den er so dringend für den ›Garbe‹ brauchte, ebenfalls in den Westen ging. Im November 1954 schreibt Brecht 11 Szenen-Entwürfe, im Dezember kommt Martin Pohl aus dem Zuchthaus. Brecht hatte tiefes Verständnis, und in den Szenen 9–11 wird evident, für wie lebensnotwendig er das Verhältnis Lehrer/Schüler betrachtete.

Martin Pohl hatte inzwischen seine eigenen Erfahrungen gemacht. Er verließ wenige Tage später die DDR. Zu Brechts 57. Geburtstag wünscht sich ein anderer Schüler, Peter Palitzsch: den *Garbe.*

Welches zukünftige Leben Brecht mit einem Schüler wie Martin Pohl gesehen haben mag, spiegelt sich im *Fall des Martin Pohl, von ihm selbst erzählt*, wenige Monate nach seiner Übersiedelung nach Westberlin.[25] *In der großen Trauer des Schülers über den Verlust des Lehrers.* Und diese Trauer dauert bis heute. Gerade in einem jungen Berliner Ensemble hätte Brecht Kräfte für seinen *Garbe* gehabt. Wenn nicht.

Es gibt also ganz reale, menschliche, für jedermann verständliche Gründe dafür, daß Bertolt Brecht seinen *Garbe* nicht beenden konnte. Brecht hat in seinen Bemühungen nie nachgelassen. Wer kann dies von sich behaupten?

Um den zur Zeit möglichen Einblick in den Stoff zu geben, habe ich eine Arbeiter-Biografie in Chronik-Form verfaßt. Sie basiert auf Materialien des Brecht-Archivs, *Hans Garbe erzählt,* Gesprächen mit Hans und Erika Garbe sowie Martin Pohl und auf eigenen langen ›Liebeserklärungen‹. Ich danke Martin Pohl für seine Hilfe. Hans Garbe kannte meine Arbeit, er hat sie gebilligt und sich über das ›späte‹ Interesse gefreut.

Hans Garbe starb am 10. Dezember 1981. *Salut, Hans!*

Ihm, postum, Erika Garbe und Martin Pohl widme ich die folgende Chronik.

Anmerkungen

1 BBA 925/01. – Brechts Notat vom Oktober 1953 nennt den genauen Titel. Der Titel der Erstveröffentlichung des Stück-Plans, *Büsching/-Stückentwurf von 1954* stammt von Hildegard Brenner und ist falsch (in: alternative 1973, Nr. 91, S. 212).

2 Bertolt Brecht: *buckowlische ode,* zit. nach: Jan Knopf, *Neues zur »Hauspostille« und anderes,* in: notate 1986, Nr. 1, S. 4. – Man beachte Knopfs Anmerkung: »Auch sollte nicht übersehen werden, daß ›die Flasche‹ (Alkohol?) bei Brecht durchaus nicht zu den üblichen Utensilien seines Alltagslebens gehörte.«

3 Vgl. meine bisherigen Vorstudien: Stephan Bock, *Chronik zu Brechts ›Garbe/Büsching‹-Projekt und Käthe Rülickes Bio-Interview »Hans Garbe erzählt«,* in: *Brecht-Jahrbuch 1977,* Frankfurt/Main 1977, S. 81 ff. – Ders., *Literatur Gesellschaft Nation. Materielle und ideelle Rahmenbedingungen der frühen DDR-Literatur (1949–1956),* Stuttgart 1980. – Ders., *Die Geschichte des Aktivisten Hans Garbe und ihre Bearbeitungen. Bibliografie.* Bochum 1980 [unveröff.]. – Ders., *Brechts Vorschläge zur Überwindung der ›Deutschen Misere‹ (1948–*

1956), in: *Jahrbuch zur Literatur in der DDR*, Bd. 2, Bonn 1982, S. 49ff.

4 Die im folgenden thesenhaft zugespitzten Ausführungen werden in einer ausführlicheren Publikation 1987 unter dem Titel *Und Buckow liegt doch in Oberitalien* eine erweiterte Darstellung erfahren.

4a Der Zusammenhang mit Rudyard Kiplings *Soldiers Three* kann hier nicht dargestellt werden. Ich verweise daher auf: James K. Lyon, *Bertolt Brecht und Rudyard Kipling*, Frankfurt/Main 1976, bes. S. 95, und: *Brechts »Mann ist Mann«*, hg. v. Carl Wege, Frankfurt/Main 1982, bes. S. 23 f.

5 Bertolt Brecht, *Furcht und Elend des Dritten Reiches*, in: ders., *Gesammelte Werke*, Bd. 3, Frankfurt/Main 1967, S. 1101.

6 BBA 111/16.

7 Heiner Müller, *Fatzer ± Keuner*, in: ders., *Rotwelsch*, Berlin 1982, S. 147.

8 Vgl. etwa Brechts Tagebucheintragungen von Ende Juli 1926 (Bertolt Brecht, *Tagebücher 1920–1922*, Berlin und Weimar 1976, S. 193f.).

9 Interessant ist Benjamin Henrichs Uraufführungskritik *Etwas Unvernunft bitte!* zu Heiner Müllers Montage *Fatzermaterial* (in: Die Zeit, 17. 3. 1978). Henrichs Negativformulierungen »statt Szenen, dramatischen Situationen: ewiges Gerede«, »kunstgewerbliche Hochsprache«, »undramatisches Drama« ergeben, positiv gewendet, *klassische* Charakterisierungen eines *Librettos*. Wie sehr Heiner Müller sich selbst formulierte und damit indirekt auf das eigentlich virulente Problem verwies, ist nachzulesen in einem Gespräch mit Manfred Karge, Matthias Langhoff und Heiner Müller: »Die Figuren [des *Fatzer*] versuchen, jede Situation in Kontext zu stellen mit anderen Situationen. So entsteht eine politische Syntax, und es hat politische [sic!] Gründe, daß die Sprache so schwierig erscheint. In Wahrheit ist sie einfach. Rilke ist viel schwieriger.« (In: Theater heute 1978, H. 4, S. 15.)

10 Bertolt Brecht, *Der Untergang des Egoisten Fatzer*, Programmheft Schaubühne am Halleschen Ufer, Berlin 1976, S. 4.

11 Albrecht Dümling, *Laßt euch nicht verführen. Brecht und die Musik*, München 1985, S. 343ff.

12 Zit. nach: Michail Druskin, *Igor Strawinsky*, Leipzig 1976, S. 82.

13 Brecht, *Fatzer*, S. 3.

14 Heiner Müller, *Blindheit der Erfahrung* [Zum Mülheimer Dramatiker-Preis], in: Frankfurter Allgemeine Zeitung, 12. 9. 79, S. 27.

15 Daß für den ›Künstlerischen Leiter‹ z. T. anderes gilt, dazu s. Anm. 4.

16 Brecht, *Fatzer*, S. 32.

17 Vgl. dazu besonders Lutz Lehmanns hervorragend recherchierten Bericht *Ein Mittwoch im Juni*, ARD, 17. 6. 1973, Ms. Hamburg 1973.

18 Vgl. Fritz Mierau, *Erfindung und Korrektur. Tretjakows Ästhetik der Operativität,* Berlin 1976, S. 128.

19 Käthe Rülicke, *Hans Garbe erzählt,* Berlin 1952.

20 Mierau, *Erfindung,* S. 129.

21 Besonders am Beispiel des *Antigonemodell 1948* läßt sich zeigen, wie Brecht sofort nach seiner Rückkehr aus den USA zu arbeiten begann. Siehe Anm. 4.

22 Walter Brecht, *Unser Leben in Augsburg, damals,* Frankfurt/Main 1984, S. 51.

23 Martin Pohls Arbeit ist u. a. in die *Urfaust*-Inszenierung eingegangen (Verse). – Vgl. auch: Martin Pohl, *Nah bei dir und mir. 21 Gedichte,* mit 8 Graphiken von Peter Schunter, Berlin 1981.

24 Hans Mayer, *Die Verurteilung des Lukullus (Bertolt Brecht und Paul Dessau),* in: ders., *Versuche über die Oper,* Frankfurt/Main 1981, S. 184.

25 *Im Labyrinth. Der Fall des MARTIN POHL, von ihm selbst erzählt,* in: Der Monat 1955/56, H. 41, S. 41 ff.

Bertolt Brecht
[Garbe]

zu Hans Garbe (Büsching)
Nov. 1954

1

G. beim Anwalt, da er eine Kriegerfrau geschwängert hat (deren Mann ihr keine Bluse kauft), mit gestohlenen Lebensmitteln als Bestechung.

2

Der befreite G. arbeitet weiter im Privatbetrieb. Er ist für Enteignung, versucht den Besitzer zu enteignen und fliegt aus der Partei.

3

Der besitzerlose Betrieb wird demontiert (Bergung der Werkzeuge durch die Arbeiter).

4

Garbe für Herabsetzung der Normen, schädigt sich selbst, Garbe als Tarifdrücker (Ofendeckel).

5

Kampf um den Ofen.

6

Garbe gegen weitere Herabsetzung der Normen, erfolglos.

7

Kann die Regierung die neuen Normen beibehalten? Nein! Kann sie sie preisgeben? Nein! – Die Regierung gibt die Normen preis.

8

Der 17. Juni.

9

Die Geschichte seines Schülers. Flucht nach dem Westen.

10

Die Russen retten die Fabrik. Garbe stirbt.

11

Der Schüler kommt zurück. Zu spät. Für jetzt, aber nicht für immer.

Hans Garbe
Eine Chronik
1902–1957

Ich habe nur Kämpfe gehabt in meinem Leben.

(Hans Garbe)

1902–1916

7. Juni 1902 Hans Garbe wird als uneheliches Kind der Hofgängerin Elisabeth Garbe, Tochter eines Deputanten (Gutsmaurers), auf dem Rittergut des Hauptmanns von Nitsche in Reddentin/Kr. Schlawe, Regierungsbezirk Köslin, geboren. – Das Rittergut umfaßt 3000 Morgen; der Schweinestall ist komfortabler als die Katen der Tagelöhner.

Juli Elisabeth Garbe wird von einem Diener von Nitsches, angeblich Vater des Hans Garbe, mit 100 Talern abgefunden. Sie verläßt aufgrund übler Nachrede, geschürt vom Pastor, einem engen Vertrauten von Nitsches, Reddentin. Sie darf fortan nicht mehr bei ihren Eltern wohnen.

1902–1909 Das Kind Hans, dem seine uneheliche Geburt verschwiegen wird, wächst bei den Großeltern auf. Es hält sie für Mutter und Vater, den um drei Jahre älteren Onkel für den Bruder, die Mutter, die zuweilen zu Besuch kommt, für die Schwester. – In der Kate des Großvaters, die diesem laut Kontrakt für jeweils ein Jahr zusteht, wohnen die ›Eltern‹, die ›Großmutter‹, der ›Bruder‹, Hans und manchmal ein Hofgänger. Im Winter kommen die eigenen Hühner und Ferkel in die Kate. Der Fußboden besteht aus gestampftem Lehm, die Decke aus gespaltenen Knüppeln, durch deren Ritzen ständig das auf dem Boden für die Deputat-Kuh lagernde Heu rieselt. Lohn des Großvaters: 1 Mark pro Tag, 50 Pfennige für Hofgänge. Dazu Deputat. Um wenigstens ein bißchen Bargeld zu haben, versetzen die ›Eltern‹ Teile des Deputats. Der Hunger sitzt ständig zu Gast. Als Garbe groß genug ist, geht er zu Fuß nach Schlawe (20 km) oder Stolp, um das bißchen Butter von der Deputat-Kuh zu verkaufen. Da Kinder als Hofgänger am billigsten sind, wartet die Familie sehnlichst auf Garbes Hoffähigkeit.

1906 Umzug nach Barvin.

Ostern 1909 Garbe wird eingeschult.

1909–1916 Außer Beten und Liedern auf den Kaiser lernt Garbe in der Schule fast nichts. Der Lehrer, in der Dorfhierarchie hinter dem Landgendarmen und kurz vor dem Nachtwächter rangierend, de facto Angestellter von Nitsches, kontrolliert vom Pastor, der dörflichen Schulaufsichtsbehörde, versucht sich in Schnaps zu ertränken. Nach

Schulbeginn geht er, nachdem er die Schüler hat beten und singen lassen und die Aufsicht einem älteren Kind übergeben hat, in die Dorfwirtschaft. Dort holt ihn kurz vor Schulschluß seine Frau ab, woraufhin sich, zumeist nach Durchprügelung einiger Schüler, die morgendliche Prozedur wiederholt. Wollen die Kinder spielen, gibt es Schläge mit dem Rohrstock. Garbe erhält stets die meisten Prügel.

Sommer 1910 Obwohl noch lange nicht hoffähig, wird Garbe eines Morgens um vier Uhr vom Gutsinspektor zum Pferdedienst geholt: »Füttern, striegeln, um sechs anspannen für die Feldarbeit!« – Fortan arbeitet Garbe bis Schulbeginn im Stall und auf dem Feld, nebenbei hat er die Reitpferde zu versorgen. Da der Gutsbesitzer die Schulkinder häufig für Hofgängerarbeiten anfordert – Arbeitszeit: nach dem Stand der Sonne –, kommt Garbe nur wenig in die Schule. Eine Bemerkung des ›Vaters‹, der Junge müsse doch etwas lernen, wird abgetan: ›Er‹ müsse drei Hofgänger stellen. Einen fremden Hofgänger kann der Alte aber nicht bezahlen. – Auf dem Gut erhält Garbe für jedes Versehen Prügel.

1914 Mit Kriegsbeginn wird der Schulbetrieb fast völlig eingestellt, Frauen und Kinder müssen arbeiten. Wenn sie aufmucken, holt von Nitsche die Feldgendarmerie und läßt sie zur Arbeit zwingen. Garbe hält wie der bibeldeutende Großvater Prügel und hartes Leben für eine Art Zukost zum täglichen Brot der Mühseligen und Beladenen.

Februar 1915 Um Deputat-Holz einfahren zu können, bittet der Großvater seinen Herrn, der sich gerade auf dem Ausritt befindet, um ein Pferd. Der Hauptmann fühlt sich belästigt und verneint mit Hinweis auf die Kriegszeit. Der Alte erwähnt seinen Kontrakt, da versetzt ihm der Hauptmann einen Schlag mit der Reitpeitsche ins Gesicht, der einen blutigen Striemen hinterläßt. – Auf die Frage Garbes, warum er den Hauptmann nicht sofort vom Pferd geholt habe, sagt der Großvater, das könne er noch nicht verstehen, dazu sei er noch zu jung. Am Abend sucht der Alte Trost in der Familienbibel, kann aber keinen finden. Dieses Erlebnis wird zum entscheidenden in Garbes Jugend, ja seines ganzen späteren Lebens. Noch am gleichen Tag beschließt er, nach der Schule das Gut zu verlassen. Selbst die Bitte des ›Vaters‹ zu bleiben, da sie sonst ins Armenhaus kämen – zur Zeit des Schulendes ist keine Ziehzeit, und der ›Vater‹ kann keinen fremden Hofgänger bezahlen –, kann Garbe nicht von seinem Entschluß abbringen. Er will Maurer werden.

Ostern Konfirmandenunterricht. Wie in der Schule erhält Garbe auch hier die meisten Prügel. Er kann das »Vaterunser« nicht fließend herbeten und soll deswegen nicht eingesegnet werden.

Der Hauptmann wird eingezogen und erhält einen Posten in der östlichen Etappe: Garbe muß Beutepakete und -kisten vom Bahnhof in Stolp abholen. Bei einem Urlaub kommt von Nitsche mit zwei ›erbeuteten‹ Ponys, Garbe avanciert zum Ponykutscher für die Gnädige Frau und deren Kinder.

1916 Garbe lernt bei der Feldarbeit russische Kriegsgefangene kennen und hört, wie sich das Leben eines russischen Dorfarmen von dem seinen unterscheidet: in nichts. Garbe empfindet die Mißhandlung der Kriegsgefangenen durch Bewacher und Gutsobrigkeit als große Ungerechtigkeit.

Ostern Einsegnung und Schulentlassung. – Garbe verläßt sofort das Gut und verdingt sich in Hammermühle als Handlanger bei einem Maurermeister. Garbe muß vollwertige Handlangerdienste leisten und zentnerschwere Lasten schleppen. Er wohnt bei einer Gastwirtsfamilie, da er bei den ›Eltern‹ nicht bleiben durfte. Für Kost und Logis (ein Loch mit Strohsack) muß er abends und sonntags dem Gastwirt im Stall und bei der Landwirtschaft helfen. Vom Lohn versucht er, die ›Eltern‹, die inzwischen ins Armenhaus gekommen sind, wo sie von von Nitsche kärglich unterhalten werden, zu unterstützen. Als Garbe dem Sohn des Meisters, der Architekt werden will, zeigt, wie man mauert – er hat beim ›Vater‹ viel abgeguckt –, sieht dies der Meister und übernimmt Garbe als Maurerlehrling. Er zahlt ihm, da die ›Eltern‹ Garbes kein Geld für das Lehrgeld haben, den Handlangerlohn weiter.

1917–1924

1917 Der ›Vater‹ liest in der Zeitung nur die Verlustlisten. Als in kurzer Zeit eine Arbeiterfamilie sechs ihrer acht Söhne verliert, stellt er das Bibeldeuten endgültig ein: »Es gibt keinen Gott mehr.«

Winter 1918 Garbe macht nach anderthalb Jahren seine Gesellenprüfung, Gesellenstück ist ein Fensterbogen. Obwohl er kaum lesen und rechnen kann, stimmen Mörteldicke und Steinabstand genau. Er gibt einen Kasten Bier aus. – Garbe erhält, weil er so gut mauert, einen Dreijahresvertrag, allerdings mit der Klausel, die drei Jahre unter dem Gesellenlohn zu arbeiten. (Garbe geht wegen dieser Klausel vorzeitig aus dem Vertrag und beginnt in der Hammermühler Papierfabrik.) Garbe kann jetzt die ›Eltern‹ unterstützen. – Als die ›Mutter‹ einen Messingmörser, eine der wenigen Familienkostbarkeiten, Metallsammlern für die Rüstungsproduktion gibt, sagt der Alte, sie solle auch noch den Trauring hingeben, dann werde sie den Sohn eher los: Garbes ›Bruder‹ ist an der Front. – Garbes Logiswirt drängt, er solle sich als Freiwilliger melden. Garbe haßt den Befehlston, den er vom Gut her kennt und bei den Stolper Husaren wieder erlebt hat.

Spätsommer Die Landarbeiter von Nitsches weigern sich, auch sonntags zu arbeiten, und verlangen den Neunstundentag. Garbe läuft in die Papierfabrik des Ortes, er agitiert spontan die Arbeiter. Obwohl noch ein Knirps, ist sein Haß auf die Gutsbesitzer so groß, daß er denkt, man müsse sie alle totschlagen. Die Arbeiter verlassen die Fabrik und schließen sich auf dem Gut den Landarbeitern an. Dort werden sie allerdings von Landgendarmerie und Husaren empfangen. Auf die unbewaffneten Arbeiter werden Schreckschüsse abgegeben, ein Gendarm schießt der Zofe der Gutsherrin durch den Rock. Die Zofe läßt sich geschickt zu Boden fallen. Mehrere Arbeiter werden wegen Widerstandes verhaftet, darunter auch der ›Vater‹. Wegen »bewaffnetem Aufstand« und »Feldfriedensbruch« werden Gefängnis- und Zuchthausstrafen bis zu fünf Jahren verhängt. Der ›Vater‹ kommt halbblind aus dem Gefängnis zurück. – Durch Saisonarbeiter, die aus Berlin kommen und sich für kurze Zeit verdingen, aufgrund der Lebens- und Arbeitsbedingungen in Pommern aber schnell weiterziehen, erfährt Garbe, was eine Gewerkschaft ist. Von ihnen und von den russischen Kriegsgefangenen hört er von den Ereignissen in Rußland. – Als der Krieg zu Ende ist, atmet Garbe auf: Er muß nicht mehr Soldat werden.

Winter 1919/1920 Garbe hat Streit mit seinem ›Bruder‹. Während des Streites ruft der ›Bruder‹, Hans solle bloß das Maul halten, er gehöre ja gar nicht zur Familie. Garbe stellt die ›Eltern‹ zur Rede und erfährt seine uneheliche Geburt. Inzwischen jedoch gewitzt geworden, erkundigt er sich bei den Dorfobrigkeiten nach den Vorgängen vom Herbst 1901 und Sommer 1902 und fragt, wie er zu seinem Recht kommen könne. Man sagt ihm, sein Vater sei ein ehemaliger Lakai von Nitsches und wohne jetzt im polnischen Korridor. Reich entlohnt vom Gutsbesitzer, betreibe er dort einen Gasthof mit dazugehöriger Landwirtschaft. (Bei einem Besuch seiner Mutter 1966 in Westberlin fragt Garbe, ob nicht von Nitsche sein eigentlicher Erzeuger sei, die Abfindung eines Lakaien habe ja zu den üblichen Prozeduren gehört, wenn der Gutsherr sich an einer Magd oder an einer Hofgängerin vergangen hatte. Die Mutter beginnt zu weinen und bittet ihn, wenigstens einmal in ihrem Leben »Mutter« zu ihr zu sagen und nicht immer nur »Lisbeth«.) Garbe geht zum Stolper Gericht und entdeckt, daß die 100 Taler für seine Mutter als Unterhaltsabfindung nicht eingetragen sind. Er macht sich zu Fuß auf zu seinem Vater. Er zieht mit einem Bauchladen los, den er sich eigens hat anfertigen lassen. Kurz vor dem Ziel trifft er auf einen Förster, der ihm einiges abkauft und zu der Gastwirtschaft führt. Der Förster, mit Garbes Vater verwandt, läßt den Sohn auf Kosten des Vaters essen und trinken. Garbe spricht mit seinem Vater und erklärt, mit der 100-Taler-Reglung sei er nicht einverstanden, er brauche Geld, denn er wolle etwas lernen. Der Vater verabredet sich mit ihm in Stolp. Als der Tag da ist, ist Garbe um eine Erfahrung reicher: Der Vater hat die Gerichtsbeamten bestochen und die 100 Taler nachtragen lassen. Garbe denkt: Dabei hätte mir schon das Bestechungsgeld gereicht.

1920 Garbe nimmt an Versammlungen der Gewerkschaften und der Freien Sozialistischen Jugend (FSJ) teil.

Februar/März 1920 Garbe wandert nach Berlin. Durch Gelegenheitsarbeiten verdient er sich so viel, daß er ab Stettin mit der Bahn fahren kann. Er wohnt in Berlin bei seiner inzwischen verheirateten Mutter und erlebt den Kapp-Putsch. Da er merkt, daß er ein Esser zuviel ist, außerdem ihm Berlin zu unruhig wird, kehrt er in die Papierfabrik, in der er inzwischen gearbeitet hat, zurück. Hier tritt er dem Bauarbeiterverband und der FSJ (später KJD/KJVD) bei.

1. Mai Garbe nimmt an einer Demonstration durch mehrere Dörfer teil, an deren Spitze eine rote Fahne getragen wird. Als er am Haus des Großvaters vorbeizieht, sagt der, dort solle er mitmachen, das sei seine Zukunft. Mit Trommeln, Pfeifen und roter Fahne geht es in die Kreisstadt Rummelsburg, wo es zu Tätlichkeiten mit Bauernburschen und Freikorpsleuten kommt, die die rote Fahne zu entreißen versuchen. (Pommern ist ein Eldorado der Freikorps, überhaupt aller soldatischen Desperados.) – Der Logiswirt setzt Garbe wegen der Teilnahme an der Mai-Demonstration vor die Tür.

1921–1923 Garbe hat keine feste Stelle. Er arbeitet an verschiedenen Orten, schlägt sich mit Hausieren durch. Oft nimmt er Naturalien an, wenn die Bauern kein Geld haben – Eier und Speck lassen sich gut weiterverkaufen. Das Herumziehen gefällt ihm, er genießt die Freiheit und ist von keinem Gutsherrn oder Meister abhängig. – Garbe lernt Anna kennen, Tochter eines Tischlereiarbeiters in Stolp.

11. Januar 1923 Die französische Rheinarmee marschiert in Essen ein.

Januar–März Aus den Freikorps und ähnlichen Formationen bildet sich mit Wissen der Heeresleitung die ›Schwarze Reichswehr‹. Da bei einem Schlag gegen den ›Erbfeind‹ Frankreich der Rücken frei sein muß, kommt es besonders in den Ostgebieten zur Bildung schwarzer Kader, den sog. Arbeitskommandos. Federführend ist hier Oberleutnant Paul Schulz, sein wirksamstes ›Kommando zur besonderen Verwendung‹ besteht aus drei Feldwebeln mit riesigen Körperkräften: Hein Büsching (Boxlehrer in der Schwarzen Reichswehr), Hermann August Fahlbusch (ehemaliges Mitglied der ›Organisation Consul‹, der Mörder Rosa Luxemburgs und Karl Liebknechts), Erich Klapproth. ›Paulchens‹ Wink ist den dreien Befehl.

31. März/1. April Im Lager Elsgrund wird Wachtmeister Willy Legner von Hein Büsching ›liquidiert‹.

16. Juni Erich Klapproth versucht im Fort Tschernow (Küstrin), den Feldwebel Fritz Gaedicke zu ›liquidieren‹. Gaedicke wird von Klapproths Kameraden gerettet, Klapproth schnaubt: Man könne froh sein, daß Büsching nicht da sei, der Plan wäre dann nicht vereitelt worden.

23. Juni Ein ›Kommando z. b. V.‹ holt den Gelegenheitsarbeiter Paul

Groeschke aus einer Arrestzelle in Gorgast nahe Küstrin und fährt mit ihm – am Steuer Erich Klapproth – Richtung Zorndorf. Hein Büsching ›liquidiert‹ auf der Fahrt Paul Groeschke.

19. Juli Während einer Autofahrt – im Wagen sitzen Büsching, Fahlbusch, Klapproth u. a. – wird der Feldwebel Walter Wilms in Rathenow ›liquidiert‹.

2. August Der Unteroffizier Alfred Brauer wird auf einer ›Kneipfahrt‹ um Küstrin von Hermann August Fahlbusch ›liquidiert‹.

3. September Der 25jährige Leutnant Georg Sand wird durch zwei Schüsse in den Hinterkopf ermordet. Wahrscheinliche Täter: Hein Büsching und Hermann August Fahlbusch.

1924–1929

1924 Hans Garbe verdingt sich als Gutsmaurer auf einem Stammgut derer von Zitzewitz in Beßwitz. Gebaut wird eine Gutssiedlung, die der Rittergutsbesitzer Major Ernst von Zitzewitz (1867–1940) anstelle der alten Tagelöhnerkaten errichten läßt. Garbe ist über den Anblick der Wasserleitungen nicht so erfreut wie die Gutsbewohner. – Major Ernst von Zitzewitz, Nachkomme eines hinterpommerschen Adelsgeschlechtes, das seinen letzten bedeutenden Mann, den pommerschen Staatsmann Jacob von Zitzewitz, in der Reformationszeit hervorgebracht, später im wesentlichen aus Junkern und Militärs bestanden hat, im 19. Jahrhundert immer mehr der Konkurrenz anderer Geschlechter und der Industrie erlegen ist, dieser Major ist Besitzer einiger Tausend Morgen Land, Herr über viele Seelen, Mitglied der Deutschnationalen (DNVP), gegen die Republik, unterhält z. T. geheime Verbindungen zur Reichswehr, zu Offizieren der ehemaligen kaiserlichen Armee, den Hohenzollern, den Freikorps und arbeitet an einer ›nationalen Wiedergeburt‹. Als Gutsherr ist er ein harter Mann, der Hungerlöhne zahlt, schwere Bußen verhängt, seine Untergebenen nur mit »Er« oder »Ihr« tituliert (wenn guter Laune auch mal mit »Du«) und über den das Gerücht unter den Gutsleuten umgeht, er und sein Inspektor hätten sogar Leute umgebracht, um Schindereien vergangener Jahre nicht publik werden zu lassen. – Da der Major Garbe als guten Maurer kennt, aber auch von dessen Bauchladen weiß, den Garbe immer wieder aufnimmt, wenn die Arbeit unterbrochen werden muß, und das ist oft der Fall, versucht er, ihn für seine Pläne zu gewinnen. Als Garbe und Anna heiraten wollen, wird der Pastor instruiert, in der Traupredigt über die negativen Seiten des Herumziehens, die Vorteile einer festen Bleibe und gottgewollten Gehorsam zu handeln. Garbe merkt während der Traupredigt, woher der Wind weht, und beginnt, zwischen den Zähnen vernehmbar zu pfeifen, was die Umsitzenden verängstigt, erstaunt und entrüstet aufnehmen. Nach der

Hochzeit muß sich das junge Paar auf einem Boden ohne Heizung und Kochgelegenheit einrichten. Den Kleiderschrank markiert ein Gestell aus Latten und Papier. Garbes Schwiegereltern kommen aufs Gut, in Stolp gibt es keine Arbeit mehr. Der Schwiegervater ist Gewerkschafter und KPD-Mitglied, seine Familie die einzige, die ein offenes Wort riskiert. Heimlich beginnt sie mit der gewerkschaftlichen Organisierung der Gutsarbeiter.

Auf dem Gut erscheint ein Graf, es gibt eine Vermählung mit der Tochter von Zitzewitz'. Der Graf grüßt nur »Treu deutsch!« und organisiert mit von Zitzewitz die Dorfjugend. Bald grüßt das junge Dorf mit »Treu deutsch!«, ist schwarz eingekleidet und hält paramilitärische Übungen ab. Die Alten werden gestoßen, in die Kriegervereine zu gehen. Viele halten das für eine Abwechslung im Alltag, freuen sich auf Freibier mit ihrem »Herrken« und das Scheibenschießen. Zur Hochzeit des Paares erscheinen Offiziere und der Kronprinz. – Garbes Vermutungen während der eignen Trauung werden bestätigt. Der Major versucht, Garbe in die Reichswehr zu bekommen: Verpflichtung für zwölf Jahre, Stelle eines Oberlandjägers. Garbe ist das Militär zutiefst verhaßt, er muß zahlreiche Listen anwenden, um ungeschoren zu bleiben – als der Major einmal Garbes allzulange Haare bemängelt, läßt Garbe sich den Schädel blitzblank rasieren. – Da Major von Zitzewitz' Schwiegersohn einen höheren militärischen Rang hat, muß der Schwiegervater militärische Ehrerbietung erweisen. Er geht dem vor den eigenen Leuten aus dem Weg und veranlaßt, daß das Paar das Gut verläßt. Garbe sieht belustigt den häufig grotesken Grüßungsritualen zu.

29. März 1925 Garbe wählt bei der Reichspräsidentenwahl Ernst Thälmann.

Anfang April Garbe will eine Lohnerhöhung von zehn Pfennigen die Stunde, kann sein Verlangen aber nicht vorbringen, da sich von Zitzewitz gerade auf seiner winterlichen Ägyptenreise befindet. Als der Major zurückkommt, geht Garbe ihn um eine Lohnerhöhung, rückwirkend ab Januar 1925, an. Von Zitzewitz weigert sich: Garbe habe rot gewählt. Garbe hat Angst um seinen Arbeitsplatz, antwortet allerdings, dann sei die Wahl ja ungültig, wenn seine Stimme bekannt sei. Der Major schäumt vor Wut. – Garbe will den Wahlschwindel herausfinden und instruiert Frau und Schwiegervater, bei der zweiten inzwischen fälligen Wahl weiter rot zu wählen. Er will schwarz wählen.

26. April Garbe wählt Hindenburg.

27. April Garbe fragt erneut nach der Lohnerhöhung. Der Major gewährt sie ihm sofort sowie die Streichung eines Vorschusses. – Garbe erfährt, daß Gutsinspektor und Förster – bezahlt mit Fleisch und Speck – als Wahlprüfer den Wahlkasten präpariert hatten.

Auf dem Boden eines Wirtschaftsgebäudes entdeckt Garbe Offizierskisten. Er bricht sie auf, findet Militärkleidung. Der Nachbarboden ist verschlossen, Garbe bohrt so lange in der Wand, bis er hineinsehen kann: Maschinengewehre. (All dies hatte eine Kontrollkommission ›übersehen‹). Garbe tränkt die Militärkleidung mit umherstehender Ölfarbe. – Garbe und seine Schwiegereltern sind dem Major im Weg, sie müssen das Gut verlassen.

1926–1929 Garbe arbeitet auf verschiedenen Gütern und macht Gelegenheitsarbeiten, findet allerdings nirgendwo eine feste Stelle. Er verkauft die Möbel und geht nach Berlin.

23. März 1927 In der ›Weltbühne‹ erscheint Berthold Jacobs *Plaidoyer für Schulz*. (Schulz' Name bleibt für die Jahre 1927–1929 in der Tagespresse, ebenso die Namen Büsching, Fahlbusch und Klapproth. Es kommt zu Prozessen, Scheinverurteilungen. Büsching ist flüchtig.)

1929–1947

1929 Garbe ist verzweifelt. Schon vierzehn Tage ohne Arbeit, und vom Geld aus dem Möbelverkauf nur noch ein winziger Rest. Durch Zufall trifft er einen Bekannten, der ihm eine Stelle bei einem Maurermeister in Hohenschönhausen verschafft. Er erwirbt eine Bretterlaube und läßt Anna nachkommen. Die neue Arbeit – große Häuser – ist sehr ungewohnt. – Die Lebensmittelfirma Eduard Goldacher Nachfolger (Egona), bei der Garbes Meister Maurerarbeiten durchführt, fordert für ihre Backöfen einen Feuerungsmaurer an. Da sich niemand meldet, Garbe jedoch schon in pommerschen Spiritusbrennereien gearbeitet hat, meldet er sich. Fortan mauert er Backöfen. Er ist ein so guter und findiger Maurer, daß er von Egona übernommen wird. Er erhält Bäckerlohn, was höheren als Maurerlohn und obendrein Wochenlohn bedeutet. Sein alter Meister kommt noch oft vorbei, Garbe lernt noch manches von ihm. (Egona ist eine große Firma mit über 100 Filialen in Berlin und Magdeburg. Garbe arbeitet bei Egona 17 Jahre.) – Garbe ist Maurer und Beifahrer. Er kann sich zunächst nicht als Gewerkschafter oder KPD-Mitglied ausweisen, daher weigern sich die Chauffeure, ihn mitzunehmen, und beschließen einen Streik für den Fall, daß Garbe nicht verschwindet. Er kann aber nachweisen, warum die Bearbeitung seiner Papiere auf dem Arbeitsamt so lange dauert: er ist unehelicher Geburt und kommt aus Pommern. Er wird anerkannt, übernimmt wenig später die Funktion eines Gewerkschaftskassierers und wirbt neue Mitglieder. Warum es so viele Fachgewerkschaften gibt, versteht er nicht. Häufig entstehen Tarifkonflikte unter den Berufsgruppen, die ein einheitliches Vorgehen sabotieren.

1930 Garbe wird Mitglied der Revolutionären Gewerkschaftsopposition (RGO). – Garbe baut die Backöfen unter Aufsicht eines Ingenieurs und eines Monteurs, die 20 bzw. 10 Mark die Stunde bekommen. Er sieht, daß diese nur Anweisungen geben, er und seine Kollegen die Arbeit aber allein machen. Er will die Öfen in die eigne Regie. Der Chef stimmt sofort zu. Nach dem ersten Ofen fragt Garbe nach einer Lohnerhöhung, unter Hinweis auf den Ingenieur und den Monteur. Der Chef beruft sich auf den Tarifvertrag, gewährt aber Garbe 5 Mark mehr die Woche. Garbe wird erst später klar, daß seine Arbeit – er hatte den Ofen in der Hälfte der normalen Zeit gebaut – der Firma Lohnkosten einsparte und es ermöglichte, eine Woche lang 6000 Brote pro Tag mehr zu backen und zu verkaufen. – Garbe macht eine Erfindung. Um die Heizungsrohre der Öfen zu wechseln, sind drei Arbeiter notwendig. Durch eine einfache Vorrichtung schafft er es nun allein.

Der wegen Mordes und Anstiftung zum Mord verhaftete und verurteilte Feldwebel Bolt wird freigelassen. Die ›Weltbühne‹ vermutet, es handle sich um Hein Büsching, geschlüpft in die Identität eines seiner Opfer.

28. März 1930 Martin Pohl wird in Festenberg, Schlesien, als Sohn des Eisenwarenhändlers mit kleiner Glaserei Otto Pohl und dessen Frau Käthe Pohl geboren. – Martin wächst auf »im Schatten der schlesischen Wälder«, einer Landschaft, die ihn zeitlebens bestimmen wird.

1930–1932 Garbe nimmt an Gewerkschaftsversammlungen und roten Meetings teil. Er ist wie viele seiner Kollegen gegen Hitler. Ein alter Kollege meint: Hitlers Kinder- und Goulaschkanonenpolitik bedeute Krieg. Garbe: »Lange, du bist mein Papa.« – Garbe erlebt den heraufkommenden Naziterror und steckt Prügel von der Polizei ein, als er mit einem Bekannten in Nazi-Versammlungen protestiert.

Eines Tages ist ein Riesenofen defekt. Alle sind ratlos, bis einer sagt: »Wir wollen erst mal den Hans Garbe holen.« Garbe sagt, der Ofen solle weiter laufen, er repariere ihn in der Nacht. Abends steigt Garbe, nur mit einer Badehose bekleidet, in den Ofen. Als er am anderen Morgen wieder heraussteigt, erkennen ihn die Kollegen kaum wieder. Völlig erschöpft, der Schweiß rinnt in Strömen den Körper herunter. Doch der Ofen ist fertig, die Frühschicht kann ohne Unterbrechung weiterarbeiten. – Garbe ist bei den Kollegen sehr beliebt, seine Kameradschaft ist sprichwörtlich, und er lacht viel.

September 1932 Garbe nimmt an einem Streik teil, es geht um eine Lohnerhöhung von zwei Pfennigen. Die Chauffeure streiken geschlossen, die Bäcker arbeiten. Erst als die Streikenden die Auslieferung behindern, liegt der ganze Betrieb still. Garbe steht Streik-Posten vor Egona-Filialen und sammelt allein in einer Maschinenfabrik 180 Mark Streikunterstützung. Im Unterschied zu anderen Kollegen liefert er das Geld ab. Die Streikfront weicht langsam auf, auch Kommunisten sind unter den Streikbrechern. Garbe gehört zu den letzten und wird entlassen. Er ist bedrückt, daß die Belegschaft nicht durchgehalten hat, besonders aber, daß er nicht mehr arbeiten kann. – Nicht wenige Kollegen laufen zum Stahlhelm und zur SA. – Garbe baut für einen

Pensionär ein Häuschen. Während dieser Arbeit läßt ihn der holländische Teilhaber von Egona wieder einstellen. Garbe bekommt den Auftrag, dem Teilhaber die Zehlendorfer Villa zu Ende zu bauen, der beauftragte Unternehmer ist zu langsam und zu teuer.

1932/1933 Garbe baut mit zwei Kollegen die Villa. Die Tochter des Teilhabers unterhält sich oft mit Garbe. Der schätzt ihr ungeziertes Verhalten, möchte aber bei der Arbeit nicht gestört werden. (Sie heiratet später einen SS-Mann, der nach gesellschaftlichem Aufstieg strebt. Da er Leute ins KZ bringt, trennt sie sich von ihm: sie nennt ihn einen Mörder. Er zeigt sie an, sie wird ins KZ eingeliefert und dort auf bestialische Weise umgebracht.) – Da der holländische Teilhaber wegen des jüdischen Inhabers Überfälle der Nazis befürchtet, lebt Garbe ein halbes Jahr als Leibwächter in der Villa. Auf seinem Nachtschränkchen griffbereit: eine Pistole.

1933 Sofort nach dem Machtantritt der Nazis werden Kollegen von Garbe verhaftet. Garbe hat große Angst vor Folterungen.

1934 Ein Kollege kommt zurück. Alle Zähne sind ihm eingeschlagen, er erzählt nichts: »Nein, ich habe unterschrieben.«

1935 Ein anderer Kollege kommt zurück. Er geht gebückt, man hat ihm die Nieren eingetreten.

1937 Garbes Mutter bekommt ein Häuschen in der neuen AEG-Siedlung. Sie trinken zur Einweihung in der Baukantine, Anna singt »Wenn die Sonja russisch tanzt.« Ein Naziverwalter verbietet das Trinken. Es entsteht ein Wortwechsel zwischen ihm und Garbe. Garbe: gerade wegen der braunen Uniform sei er für ihn ein Dreck. Obwohl Sonntag, erkundigt sich der Nazi sofort bei Garbes Arbeitsstelle. Am Montag hat Garbe Arbeitsverbot und wird vom Betriebsobmann der Nazis ausgefragt. Er muß mehrmals zum Chef. Ein SS-Mann ohrfeigt ihn in dessen Beisein. Garbe ist froh, es hätte schlimmer kommen können. Vor der Folter hat er mehr Angst als vorm Erhängtwerden. Garbe muß in die Brunnenstraße, der Obmann geht mit. Drinnen sieht er die vielen braunen und schwarzen Uniformen. Er hat Glück, der Naziverwalter kommt vor die Tür und verwarnt Garbe. Inzwischen war bei Garbe Hausdurchsuchung, die ganze Wohnung ist durchwühlt. Garbe bekommt einen schriftlichen Verweis. *Nach diesem Erlebnis ist er ein Jahr mit den Nerven herunter.*

Ostern 1937 Martin Pohl wird eingeschult. – Martin ist kränklich, gilt daher als ›Stubenhocker‹ und wird von den Arbeiterkindern der Nachbarschaft als »Dürrspatzel« gehänselt. Die Mutter sagt über ihn: »Märzenskinder sind unglückselige Schmerzenskinder.« Martin wächst auf in einem frommen, pietistischen Elternhaus, in dem der Nationalsozialismus verhaßt ist. Die Mutter erfindet zahlreiche Finten, um ihre Söhne vor dem Einfluß des Nationalsozialismus zu bewahren. Vor allem für Martin unternimmt sie alles erdenklich Mögliche, um ihn vor den Kraftmeiereien der Jungnazis zu behüten. Sie hat ein gutes Argument: Martin sei kränklich. – Martin spielt Klavier. Von Kinoplakaten malt er die Schauspieler ab, sich ein anderes Leben erträumend. In kindlicher *Rund*schrift ahmt er Balladen, Volkslieder und Kirchenchoräle nach. – Martin soll Theologe werden und kommt ins Internat der Herrnhuther Brüdergemeinde nach Niesky in der Oberlausitz, womit er weiterhin dem allzugroßen Einfluß der Nazis entzogen bleibt. – Durch den älteren Bruder lernt Martin das Soldatenspiel hassen. Der Vater grüßt nie mit »Heil Hitler!«, sondern mit »Guten Tag!«, wird deshalb von den Nazis gerügt: Man werde Leuten wie dem Herrn Pohl schon die jüdischen Manieren austreiben, statt »Heil Hitler!« »Guten Tag!« zu sagen. Otto Pohl erwidert, er wünsche allen seinen Kindern einen »Guten Tag!«. Aber wenn der Herr Kreisleiter einmal einen schlechten Tag haben sollte, möge er an den Herrn Pohl denken. – Obwohl Jahrgang 1895 und somit für die Wehrmacht zu alt, wird Otto Pohl wegen seiner christlichen Haltung eingezogen und muß in den Krieg.

Im Internat findet Martin Pohl unter seinen Mitschülern einen Schauspielersohn: Peter Fitz (der 30 Jahre später Schauspieler und Regisseur an der Berliner Schaubühne sein wird). Pohl und Fitz deklamieren in verteilten Rollen Schillerverse. Pohl will nicht mehr Theologie studieren und erklärt seinem Vater, Schauspieler werden zu wollen. Als dies seine Mutter erfährt, bekommt sie einen Weinkrampf.

1938 Der jüdische Inhaber geht in die Emigration. Die Egona-Filialen werden mit dem Stern Davids beschmiert. Der holländische Teilhaber begeht Selbstmord. Egona kommt zu einem internationalen Margarinekonzern, dem neuen Teilhaber wird ein Naziobmann zur Seite gesetzt, der streng darauf achtet, daß nur Nazis und DAF-Mitglieder eingestellt werden. – Garbe sieht bei einem Kollegen eine kommunistische Zeitung. Dieser hat Angst, läßt Garbe aber in die ›Rote Fahne‹ sehen. Es dauert ein Vierteljahr, bis Garbe das Vertrauen gewonnen hat und zu einem Treff mitgenommen wird. In unregelmäßigen Abständen erhält er nun die ›Rote Fahne‹ und illegale Literatur, die er selbst abholen muß. Er nimmt an illegalen Treffs teil. Später erfährt er von seinem Kollegen, daß die Gruppe in einer von den Nazis für Kinderreiche errichteten Siedlung an der Landsberger Chaussee einen Geheimsender gehabt hat. Während des Krieges wird die Gruppe entdeckt und muß untertauchen. Trotz Nachforschungen gelingt es Garbe und seinem Kollegen nicht, neuen Kontakt zu knüpfen.

1940 Garbe ist wegen seiner Arbeit und Hilfsbereitschaft sehr beliebt. Gefürchtet sind allerdings seine Zornesausbrüche, da er nicht verstehen kann, wenn Kollegen schlechte Arbeit liefern. Er ist sehr jähzornig und erschlägt einmal fast zwei Kollegen mit einem Schmiedehammer, als die ihm auf ›kollegiale‹ Weise in die Arbeit funken. – Von den

Nazis seines Wohngebietes wird Garbe aufgefordert, der NSDAP beizutreten. Er muß zur Ortsgruppe, ein ehemaliger Offizier – er hat nur noch ein Bein – fragt ihn, warum er nicht in die Partei gehe. Garbe: Er sei nicht für die Soldaten. Der Offizier: Es sei eine große Ehre, Soldat zu sein, Garbes Antwort sei eine schwere Beleidigung für den Führer. Garbe denkt, jetzt haben sie dich schon wieder beim Wickel, und sagt, er sei krank und wolle es sich noch einmal überlegen. Da er eine Darmkrankheit hat, läßt er sich von einem Nazi-Arzt untersuchen. Er wird operiert. Garbe liegt in einem Dreibettzimmer, weil das eine neureiche Tante verlangt hat. Neben ihm liegen ein Fliegeroffizier und ein deutschrussischer Student, der aus der Sowjetunion ausgewiesen worden ist, weil seine Schwester in ›politischen Angelegenheiten‹ verurteilt wurde. Der Student erzählt viel Angenehmes aus der Sowjetunion und ist verärgert, daß er weg mußte. Mit dem Offizier unterhält sich Garbe über den Kriegsverlauf. Obwohl nicht einer Meinung, verstehen sie sich ganz gut – Garbe ist auch hier wie in vielen anderen Fällen bemüht, im Gegenüber den Menschen zu sehen. Als der Sieg über Frankreich verkündet wird und die Kranken zur Siegesfeier aus den Zimmern getragen werden, wäre Garbe am liebsten drei Zentner schwer. – Nach der Genesung wird Garbe zur Musterung bestellt, geht aber nicht hin. Als er abgeholt wird, sagt er, er habe Fieber, woraufhin er mit einem Wagen vorgefahren wird. Als der Stabsarzt ihn anbrüllt, er solle Haltung annehmen, läßt Garbe sich umfallen und tut total besoffen. Auf die Frage, ob er gern Soldat werden wolle, antwortet er: Sehr gern, ich möchte gern für den Führer sterben, aber das geht jetzt nicht, ich bin krank. – Vor der zweiten Musterung nimmt er Tabletten. Das schadet zwar den Nieren, ist aber immerhin besser, als in den Krieg zu müssen. Er bekommt vier Wochen Aufschub. Da er weiß, daß sein Verhalten beim nächsten Mal nicht mehr geglaubt werden wird, begibt er sich zu seinem Arzt, der gleichzeitig Musterungsarzt ist. Er erhält einen Brief für die Musterungskommission und die Worte mit auf den Weg, er solle immer an den Führer denken. Garbe: »Das tue ich sowieso.« – Bei der dritten Musterung erzählt Garbe seine Krankheitsgeschichte und wie unglücklich er sei, nicht Soldat werden zu können. Er wolle so gern Flieger werden. Garbe darf wieder nach Hause.

3. Januar 1941 »Der Maurer Hans Garbe ist völlig untauglich zum Dienst in der Wehrmacht. Er scheidet aus dem Wehrpflichtverhältnis aus. Wehrbezirkskommando Berlin III«. (Auch dem ›Volkssturm‹ weiß Garbe sich zu entziehen.)

Garbe führt eine unglückliche Ehe. Anna möchte gern Kinder, Garbe ist angeblich zeugungsunfähig. Sie trinkt, ist untreu und gefährdet Hans durch ihr Gerede im Haus und auf der Straße, wo sie erzählt, was ihr Mann über die Nazis denkt. Garbe schmeißt sie vor Wut über ihre Vorliebe für den Führer einige Male die Treppe hinunter. Er hört Radio

Moskau. – Garbe ist handwerklich sehr geschickt und macht neben seinen Ofenarbeiten auch Tischler- und ähnliche Arbeiten. Als er eines Tages in einem Büro einen Schreibtisch reparieren muß, sitzt da »ein Mädel, das gefiel mir so gut. Schön, schüchtern, sie sah so unschuldig aus, alles was ich gern wollte. [...] ich hatte mir immer gewünscht, einmal glücklich zu sein. Ich kam nur nie dazu, weil ich so viel arbeiten mußte.« (So Garbe später zu Brecht.) Garbe erfährt, daß die junge Frau Erika heißt, verheiratet ist und einen fünfjährigen Sohn hat. *Er arbeitet im Zeitlupentempo und wirbt um die Frau.* Als sie endlich einmal mit ihm spricht, sagt sie, auch sie sei unglücklich verheiratet. Garbe denkt: Es ist gut, daß auch sie unglücklich ist, vielleicht können wir dann zusammen glücklich werden. – Erika, geboren 1914, kennt ihren Mann seit ihrem elften Lebensjahr, er wohnte als Untermieter bei ihrer Mutter. Als die Mutter eine zweite Ehe eingeht, heiratet Erika den Untermieter, weil sie eine Bleibe haben möchte. Der Mann erweist sich in der Ehe als Tyrann. Obwohl sie die Hauptverdienerin ist, verbietet er ihr, sich eine Bluse zu kaufen. Jetzt ist er an der Front. – Garbe und Erika beginnen ihre ›Ehe‹. Er will sich allerdings nicht scheiden lassen. Die Ehe sei für ihn »heilig« und Scheidung »unmoralisch«.

1942/1943 Garbe setzt die durch Bombenangriffe demolierten Egona-Filialen in Gang. Da er die Schiebungen der Nazis genau kennt (er weiß das einzusetzen, wenn er Baumaterial braucht), nimmt er sich von den auf die Straße geschleuderten Lebensmitteln. Er weiß, daß darauf die Todesstrafe steht. Er kann Anna und Erika mit ihrem Jungen gut ernähren. – Garbes Haus wird von einer Bombe getroffen.

1944 Garbe und Anna werden total ausgebombt. Es bleiben sechs Taschentücher, die auch noch gestohlen werden. Garbe geht zum Ortsgruppenleiter und sagt: so weit hätten sie es nun gebracht. Der OGL: das müsse Garbe büßen. Doch Garbe, schlauer geworden: er fände es auch schade, wenn der Führer zum Teufel ginge. Garbe bittet dort untergebracht zu werden, wo er wachsam sein könne. Da Garbes Haltung aber bekannt ist, wird er zu Schulze, einem Nazizellenleiter, geschickt. Schulze ist seit 1922 in der ›Partei‹, hat das goldene Parteiabzeichen und zeigt Garbe ein Schriftstück: er darf jeden niederschießen, der gegen die Nazis ist. Die Frau ist in der NS-Frauenschaft, eine ganz scharfe. – Garbe und Anna bekommen eine leere Dachkammer, in der noch nicht einmal ein Strohsack liegt. – Garbe erlebt, wie ein Mann abgeholt wird, von dem Schulzes als Staatsfeind gesprochen hatten. Der Mann kommt nicht wieder – er habe Selbstmord begangen.

September Erika ist im dritten Monat schwanger. Garbe möchte genau Bescheid wissen und geht zu einem Naziarzt: Er möchte so gern Kinder für den Führer zeugen, habe aber den Verdacht, er sei zeugungsunfähig. Der Arzt: Wir brauchen Kinder für den Führer, aber jetzt in dieser Zeit... Garbe ist zeugungsfähig. – Da auf Schwängerung einer

Kriegerfrau die Todesstrafe steht und der betrogene Ehemann das Recht hat, den Nebenbuhler auf der Stelle zu erschießen, nimmt Garbe allen Mut zusammen und geht zu einem Nazianwalt. Ausgerüstet mit einem Korb voller Lebens- und Genußmittel aus den Egona-Schaufenstern. Nach einigem Zögern läßt sich der Anwalt auf den Handel ein: Erika solle ihrem Mann einen Beichtbrief schreiben und hinzufügen, sie wolle sich trennen. Der Mann werde sich alles genau überlegen, wenn er einmal eine Nacht darüber geschlafen habe. Garbe könne ziemlich ruhig in die Zukunft sehen. – Erika ruft ihren Mann an, der leicht verwundet in einem Wiener Lazarett liegt. Der nimmt sofort Urlaub, beide Ehepaare treffen sich. Erikas Mann will seine Frau nicht freigeben, lieber will er das Kind nehmen. Er spuckt vor Garbe aus: Er ist noch immer für den Führer. Auch Anna möchte das Kind nehmen, weil sie so sehnlich gern eines hätte.

Januar 1945 Erikas Mann kommt bei einem Bombenangriff in einem westdeutschen Lazarett ums Leben. – Martin Pohl flüchtet in eisiger Kälte nach Berlin und gerät in die Bombennächte.

10. März Erika bekommt eine Tochter. Garbe verheimlicht Anna die Geburt.

Frühjahr 1945 Käthe Pohl flüchtet mit dem jüngsten Sohn aus Festenberg. In Jauer bei Liegnitz geraten sie in einen Luftschutzbunker. Die SS macht den Ort dem Erdboden gleich, Martin Pohls Mutter und sein jüngster Bruder verbrennen bei lebendigem Leib im Bunker.

20. April Anna und Garbe sitzen am Abendbrottisch, als es Bombenalarm gibt. Garbe drängt, man müsse in den Bunker, als Anna von einem Splitter am Hals getroffen wird. Sie ist sofort tot. Wenn sie auch unglücklich zusammen waren, so ist es doch ein großer Schmerz, sie sterben zu sehen. – Als Schulze kommt, sagt Garbe, nun werde es aber Zeit, daß die Freunde kommen. Schulze zieht die Pistole und will Garbe erschießen. Doch die tote Anna, vor allem, daß ›es‹ in Schulzes Wohnung passiert ist, rettet Garbe das Leben. Um seine Küche wieder sauber zu bekommen, trägt Schulze mit Garbe den Leichnam in den Garten. Garbe legt sein Namensschild neben die Tote. Schulze faselt vom Endsieg und daß alle nach Sibirien kämen, die nicht kämpfen wollten.

21. April Garbe fürchtet, von Schulze doch noch umgelegt zu werden, und macht sich auf den Weg zu Erika. Er braucht 18 Stunden, vom Morgen bis Mitternacht, bis er im Bunker in Weißensee ist. Zur gleichen Stunde macht sich Schulze aus dem Staub, nicht ohne Pistole und Uniform in Garbes Bett hinterlassen zu haben. Als Garbe im Bunker ankommt, blutbespritzt, schwarz, schweißtriefend, ist er so durcheinander, daß er Radio Moskau einstellt. Ein Polizist will ihn sofort erschießen. Garbe rettet sich dadurch, daß er behauptet, die Russen seien schon da. Er findet Erika, ihren Sohn, seine Tochter und seine Schwägerin.

22. *April* Die Rote Armee hat für vier Uhr morgens die Kanonade angekündigt. Garbe treibt seine Leute zum Verlassen des Bunkers – wenig später wird der Bunker getroffen, es gibt keine Überlebenden. Als sie auf dem Weg zu ihrem Keller sind, trudelt ein Panzer in einen Bombentrichter. Zwei SS-Panzersoldaten springen heraus und verlangen: Kollege, deine Jacke. Garbe denkt: plötzlich bin ich ein Kollege, und wehrt sich. Die SS-Leute müssen fliehen, da bereits Rotarmisten in die Straße vordringen. – Im Keller erleben Garbe und seine Familie den Straßenkampf. Als die Kämpfe etwas nachlassen, geht Garbe mit der Tochter nach oben und macht ihr das Fläschchen mit Wasser, damit sie nicht verdurstet.

2. *Mai. Berlin ist befreit, Garbe ist so glücklich wie noch nie.* Er muß keine Angst mehr um seinen Kopf haben, meint aber: diese Feinde sind unsere Freunde, woher aber sollen sie wissen, wer ihr Freund ist.

Mai Garbe denkt nur an zweierlei: Aufbauen und Essen. Mit einem Bekannten versucht er, Eßbares aufzutreiben. Sie sehen einen Mann mit einem Sack aus einem Geschäft kommen. Garbe rennt hinterher, schlitzt den Sack auf, hält seinen Eimer darunter: Erbsen. – Ein andermal läuft ihnen vor der Tür ein Mann mit einer Stange Würste über den Weg. Garbe versucht einige zu entreißen, aber vergeblich. Ein Rotarmist kommt hinzu, Garbe meint, jetzt sind wir dran. Der Rotarmist erschießt den Flüchtenden und fordert die Umstehenden auf, die Würste aufzusammeln: Er nicht gut, er nicht teilen. Dann schickt er sie in den Keller wegen Fliegeralarms. – Garbe holt aus seiner Wohnung in Hohenschönhausen sein Bett und seinen Waschkessel für die Tochter. Er findet alles durchsucht, Rotarmisten haben ihn für Schulze gehalten. Als er aus dem Haus tritt, wird er von einem älteren Rotarmisten wegen Plünderung festgenommen. Garbe zeigt seinen Ausweis und eine Bescheinigung vor, zeigt auf das Namensschild im Garten. Der Soldat sagt »Chorocho«, bekreuzigt sich und nimmt Garbe mit zur Kommandantur. Hier verbringt Garbe vier Stunden. Ein anderer Posten erscheint, holt Brot, Butter, Salz, dreht Garbe eine Papirossa. Als der erste Posten geht und der zweite »tuda« sagt, rennt Garbe los, nicht ohne vorher noch sein Bündel zu holen.

Sommer Ein Offizier kommt auf den Hof in Weißensee, wo Garbe seine Notwohnung hat und beschlagnahmt einen PKW. Der Besitzer jammert und fragt, was er bekomme. Der Offizier: der Wagen sei mit russischem Blut bezahlt. Wenn er so wäre wie die SS, müßte er dasselbe machen. Die SS habe seine Schwester so lange vergewaltigt, wie sie Lust gehabt hätte, und dann erschossen. Anschließend sei das Haus niedergebrannt worden. – Garbe tauscht gegen Uhren Eßbares bei Rotarmisten ein. Einmal hält vor der Haustür kurz ein sowjetischer LKW mit Fässern voller Butter, weil er eine kleine Panne hat. Garbe geht näher, nimmt seine Uhr, die Erika wenig vorher repariert hatte, und fragt nach Butter. Garbe erhält ein ganzes Faß. – Wenig später sieht Garbe in einer Laubenkolonie einen Lastwagen mit Schweinen. Er nimmt Erikas Uhr und fragt nach Fleisch. Der Rotarmist erschießt ein Schwein, gibt Garbe ein halbes und zusätzlich zwei Pfund Margarine: Hast du Kinder? Garbe: Ja, zwei. Rotarmist: Mach Kinder satt. – In einer Weißenseer Brauerei hatten die Nazis Schmalz und Tabak gelagert. Garbe geht mit einem Bekannten hin, um Tabak zu holen. Sie sehen einen Mann an einem Schmalzfaß und wie ein Rotarmist dazukommt. Der Rotarmist steckt den Kopf des Mannes in das Schmalz, hält sich vor Lachen den Bauch, als der sich abwischt, gibt aber dem Mann wie auch Garbe je einen Eimer voll. Garbe teilt auch dies wie seine andere ›Beute‹ mit den Nachbarn. – Als Garbe mit einem Bekannten unterwegs ist, werden sie von einer Rotarmistenstreife kontrolliert. Sie sagen, die Sachen im Handwagen gehörten ihnen und bekommen eine Kiste Zigarren und Schnaps. Wenig später geraten sie in eine zweite Streife, werden wegen Plünderung verhaftet und sofort zur Kommandantur gebracht. Es droht ihnen das Standgericht. Erst ihr Protest und der Hinweis auf die Zigarren und den Schnaps bewahren sie vor dem Erschießen. Garbe und sein Bekannter sehen, wie Rotarmisten wegen Vergewaltigung und Belästigung von Frauen dem Erschießungskommando im Hof übergeben werden, das Urteil wird sofort vollstreckt. Die erste Streife wird von der zweiten untersucht und verhaftet, ein einfacher Soldat erschießt standrechtlich einen Offizier. Nach der Vernehmung erhalten Garbe und sein Bekannter eine Flasche Schnaps und eine Zigarre und dürfen mit ihrem Handwagen weiterziehen. – Garbe zieht mit seiner neuen Familie in die Wohnung von Schulze. Kurz darauf kommt Frau Schulze. Ihr Mann sei bei einem Unglück ums Leben gekommen, sie verlange die Wohnung zurück. Garbe bleibt hart und erklärt, sie hätten mit ihm und Anna kein Erbarmen gehabt, jetzt solle sie oben schlafen. – Ob Garbe etwas zu tun hat oder nicht, immer fährt er mit Hammer und Kelle am Fahrrad. Jedermann soll sehen, er sei Maurer. Für die Sowjets baut er einen Kochherd. – Auf der sowjetischen Kommandantur trifft Garbe einen Fabrikdirektor, den er kennt und der die Büromaschinen seiner Firma retten möchte. Garbe: Wozu? Antwort: Wir müssen doch wieder aufbauen. Garbe: Sie haben abgebaut, jetzt wollen gerade Sie wieder aufbauen? – Garbe fährt zu Egona, kann aber nicht hinein, da die Bäckerei von der Roten Armee benutzt wird.

Martin Pohl verfaßt ein antifaschistisches Gedicht und erwirbt die Zuneigung eines sowjetischen Offiziers. – Der Vater gibt seinen Sohn Martin – sie haben sich inzwischen wiedergefunden – in eine Kaufmannslehre. Martin bricht die Lehre ab, er will Schauspieler und Dichter werden.

Herbst Garbe bringt mit einem ehemaligen Expedienten von Egona das erste Geschäft wieder in Ordnung. Er arbeitet sechs Wochen umsonst, da Arbeiten immer noch besser ist als das Herumsitzen zuhause. Sie stellen ›Tauschprodukte‹ her. Später stellt Garbe fest, daß er einem großen Schieber geholfen hat. – Garbe arbeitet wieder bei Egona, das nun (bis 1948) für die Besatzungsmacht produziert. Um das Stehlen einzuschränken, erhält jeder Betriebsangehörige wöchentlich ein Brot. Garbe sieht, daß die neugegründete Gewerkschaft auch in Weissensee sich ansässig macht. Er tritt bei und übernimmt bei Egona den Aufbau der neuen Gewerkschaft.

1945/1946 Viele der Egona-Filialen sind wieder in Ordnung, da erscheint Huisinger, der alte holländische Direktor, der sich nach Zehlendorf abgesetzt hatte. Garbe hatte nie Schwierigkeiten mit ihm. Jetzt, da Garbe die Gewerkschaft aufbaut und in die Bücher sehen will, kommt es zu Auseinandersetzungen. Garbe denkt: Huisinger war nie für die Nazis, jetzt aber zeigt er sein kapitalistisches Gesicht. Garbe fordert höheren Lohn für alle. Der Chef lehnt ab und versucht, Garbe zu bestechen. Garbe: Er kämpfe um einen gerechten Tarif für alle. Wenn die Filialen nicht florierten, solle er die unrentablen schließen, für den Unternehmerverband habe Huisinger ja auch 500 RM gehabt. – Da fast alle Kollegen aus Angst um ihren Arbeitsplatz zu Huisinger halten, verklagt Garbe den Chef und erreicht die Schließung der unrentablen Läden und höhere Löhne.

4. März 1946 Garbe erhält vom Bezirksausschuß Weissensee des FDGB einen Ausweis (wegen der Auseinandersetzungen mit Huisinger), daß er die gewerkschaftliche Arbeit durchführen und eine Betriebsratswahl auf demokratischer Basis vorbereiten soll. – Huisinger läßt einen Gegenkandidaten zu Garbe aufstellen. Der besucht die einzelnen Filialen und versucht, die Angestellten – Egona hat zu diesem Zeitpunkt knapp 600, jedoch nur wenige Arbeiter – für sich zu gewinnen. Er kann fast alle gewinnen, da er als Kontrolleur bei den Betriebs-Kontrollen viel ›übersieht‹. Garbe fällt bei der Wahl durch.

Mai Garbe wird Mitglied der SED. Er übernimmt im Betrieb die Parteiarbeit, die aber nur schwer in Gang kommt. Die Betriebsgruppe, die sich bei ihm trifft, hat zunächst nur drei Mitglieder, später zehn.

Sommer 1947 Garbe sieht, wie allein er bei Egona steht und läßt sich die Papiere geben. – Der Direktor geht später in den Westen, die Filialen übernimmt der Konsum.

1947–1949

Sommer 1947 Garbe wird vom Arbeitsamt der Hohenschönhausener Nährmittel- und Zuckerwarenfabrik Lembke-Hahn zugewiesen. – Von 140 Arbeitern sind drei in der SED: erster und zweiter Betriebsrat und Garbe. Von der Parteileitung Hohenschönhausen erhält Garbe den Auftrag, eine Betriebsgruppe zu organisieren und die Gruppenleitung zu übernehmen. Er fragt, ob ›Gruppenleiter‹ so etwas wie bei den Nazis sei, dort habe es auch Gruppenleiter und ähnliches gegeben, damit wolle er nichts zu tun haben. – Garbe versucht unter größten Anstrengungen, eine SED-Gruppe zu bilden. Gewarnt durch die Erfahrungen bei Egona, will er sich einen Rückhalt verschaffen: Im Betrieb geht einiges sehr merkwürdig zu. Als er endlich eine Gruppe zusammen hat und sie ein wenig Einfluß gewinnt, spalten die Betriebsräte die Gruppe und halten heimlich eigene Sitzungen ab. Vom Sohn der Besitzerin erfährt Garbe den Grund: die Betriebsräte sind in der SED, um die Inhaberin zu schützen und die Firma als Privatbetrieb zu erhalten. Garbes Gruppe bespricht alles gemeinsam. – Auch hier sind die meisten Arbeiter gegen Garbe. – Als ein ehemaliger SS-Mann eingestellt wird, der sich der Teilnahme an Partisanenbekämpfung in Jugoslawien brüstet, machen die Arbeiter Front gegen ihn. Besonders aktiv ist Hans Joachim Ehlert, ein Lehrling. Er spricht ›mit Garbes Zunge‹, jedoch nie, wenn Garbe dabei ist – dann ist er ›gegen‹ Garbe. Er tritt heimlich der SED bei, Garbe ist erstaunt. – Einige Arbeiter bereden, man müsse Garbe verprügeln und rausschmeißen. – Garbe wird nie bei seinem Vornamen genannt, er heißt nur »Betriebsmaurer«. Fast die gesamte Belegschaft stiehlt und verschiebt. Garbe und Erika rechnen aus, daß in einem Jahr Mehl für 60 000 Brote gestohlen wird. Pro Tag verlassen sechs bis sieben Zentner Zucker heimlich den Betrieb. Garbe denkt, wenn das alle machen, kommt Deutschland nie wieder hoch. Auf der Straße trifft er den ehemaligen Werbeleiter von Egona, der arbeitslos und ausgehungert ist. Garbe nimmt ihn mit nach Hause, gibt ihm Gemüse aus seinem Garten und die Hälfte der wöchentlichen Zuckerration seiner Tochter.

Juni/Juli 1948 Die Berlin-Blockade löst im Betrieb heftige Diskussionen aus. Der Lehrling sieht die aufgefahrenen amerikanischen Panzer und denkt, es beginne der Bürgerkrieg. Bei einem Betriebsfest sieht er, wie der Betriebsrat die Inhaberin um Schnapsmarken anbettelt: Er versteht Hans Garbe nun noch besser.

1948/1949 Garbes SED-Betriebsgruppe faßt einen Beschluß gegen das große und das kleine Stehlen. Am meisten schafft die Inhaberin beiseite. Ihr in Westberlin studierender Sohn holt nachts die Zuckersäcke über die Grenze. Da die Belegschaft selbst viel mitgehen läßt, läuft die Inhaberin keine Gefahr, angezeigt zu werden. Garbe schreibt daher im Auftrag seiner Gruppe an die Parteileitung, der Betrieb müsse enteignet, zumindest in eine Treuhandgesellschaft umgewandelt werden. Dies teilt er auch dem Betriebsrat mit. Dessen Antwort: Was man habe, wisse man, nicht aber, was komme. Außerdem werde auch in den Treuhandbetrieben geschoben, wie der Nachbarbetrieb zeige. – Das Ernährungsamt führt eine Kontrolle durch, aber noch während der

Kontrolle geht der Schmuggel wieder los. Garbes Protest hat erneut keine Wirkung: Die Parteileitung stimmt ihm zu, meint aber, es müsse mit Fingerspitzengefühl vorgegangen werden. – Wenig später entdeckt Garbe Granatzünder, in einem anderen Raum Schwefeldraht und Schwefel. Da die Inhaberin bei Kontrollen behauptet hatte, keine Kriegsware hergestellt zu haben, fragt Garbe ihren Sohn aus: Der verplappert sich, Lembke-Hahn war auch Rüstungsbetrieb. Garbe bringt die Beweismittel zur Parteileitung, die Beweise werden nicht anerkannt. Garbe sagt im Betrieb zu Kollegen, wenn das die Russen erfahren, ist das eine schwere Sache. – Garbe muß wegen einer Mandeloperation ins Krankenhaus. Kurz nach der Operation kommt ein Genosse seiner Gruppe und berichtet aufgeregt: Der Betriebsrat habe die Inhaberin gewarnt. Jetzt sei alles im Garten vergraben, da man den Eindruck erwecken wolle, Garbe habe vor den Sowjets gewarnt. Garbe soll der Strick gedreht werden, er müsse sofort kommen. Garbe verläßt das Krankenhaus und steigt nachts mit dem Genossen über die Mauer. Sie finden frisch aufgeworfene Erde hinter einem Schuppen, graben und finden Zünder und Draht. Als Garbe dies abliefert, heißt es, der Betrieb gehe in Treuhänderschaft über, der Termin stehe schon fest. Aber alles bleibt, wie es war. – Wenig später findet eine Betriebsversammlung wegen eines Aufbausonntags statt. Die Mehrheit der Belegschaft ist gegen Garbe und seine Gruppe: Garbe sei der faulste Arbeiter im Betrieb. Als er am Montag nach seinem freiwilligen Einsatz in den Betrieb kommt, wird er angepöbelt und muß zur Inhaberin. Sie sagt, Maurerarbeiten gebe es keine mehr, er müsse Kohlen karren. Garbe weiß, daß das nicht stimmt, nimmt aber doch die Arbeit auf. Im Büro stehen die Angestellten hinter den Fenstern und lachen. Garbe wird klar, daß alles vom Betriebsrat ausgeht und geht zur Gewerkschaftsleitung. Er findet kein Gehör. Garbe geht zurück, inzwischen hat es eine Sitzung wegen ihm gegeben. Als ein Funktionär der Gewerkschaft im Betrieb erscheint und vertraulich mit dem Betriebsrat redet, merkt Garbe, daß alle von Frau Lembke ›gezuckert‹ worden sind. Er geht zu ihr und verlangt die Papiere. Als die auf die Kündigungsfrist anspielt, sagt Garbe, er wolle als Maurer zur sowjetischen Kommandantur. Die Inhaberin bekommt weiche Knie, Garbe ist alles leid und geht. Erika holt später die Papiere. Garbe will wieder als einfacher Betriebsarbeiter gehen. Er hält das für das Sicherste und denkt: *Vielleicht dauert es wieder 17 Jahre, und dann ist mein Leben aus.*

1949–1951

1949 Martin Pohl wird Mitglied der Redaktion ›Junge Welt‹, zunächst als Redaktionsbote. Man wird auf seine Verse aufmerksam; in einem Lied heißt es: »Ich kenne ein Völklein, das gleichet den Hammeln, / Sie trotten verblendet den uralten Trott:/Ein Führer muß immer sie leiten und sammeln,/Und diesen erheben die Hammel zum Gott./Und sind sie des Leithammels überdrüssig,/So muß es ein anderer wiederum sein;/ Und will man sie warnen, dann werden sie bissig/Und hammeln in neue Trotte hinein." – Pohl unternimmt vier Anläufe, Schauspieler zu werden. In drei Eignungsprüfungen wird er aufgrund eines fatalen S-Fehlers abgelehnt. Bei der Prüfung in der Schauspielschule des Deutschen Theaters ist er »bestes Pferd im Stall«, sein S-Fehler passe zu seinem Typ. Wolfgang Langhoff rät ihm, nie ›positive Helden‹ spielen zu wollen.

März 1949 Garbe geht wieder aufs Arbeitsamt. Er trifft einen Genossen der Wohngruppe, der sagt, komm zu uns, zu Siemens-Plania. Garbe wird dem Elektrokohlewerk Siemens-Plania in Berlin-Lichtenberg zugeteilt. Siemens-Plania: ein 1945 teildemontierter Betrieb, jetzt eine Sowjetische Aktiengesellschaft (SAG), die für die Besatzungsmacht produziert, für die SBZ und den Export. 3000 Beschäftigte, davon die meisten seit über 20 Jahren im Betrieb. Schlüsselfunktion für die SBZ-Wirtschaft: Kohlestifte für Jupiterlampen, Tonbehälter, Röhren, besonders Steine, Kupferbürsten. Gebrannt wird alles in zwei noch erhaltenen Ringöfen (III und VI) zu je 36 Brennkammern bei 1000°. Die Hauptpersonen für Garbe in den nächsten Monaten: Pankow (sowjetischer Generaldirektor); Henrion (kommt aus einer sozialistischen Arbeiterfamilie; während des Krieges in den Askania-Werken; 1947 von den Sowjets als kaufmännischer Direktor eingesetzt; SED-Mitglied; er und Pankow unterstützen Garbe vorbehaltlos); Dr. von Wartburg (Technischer Leiter; seit knapp 50 Jahren im Betrieb; 78 Jahre alt); Ingenieur Koch (Leiter der Bauabteilung; sowjetische Kriegsgefangenschaft; SED-Mitglied; Garbe später: Koch hat mich zum Menschen gemacht); Zeller (Meister der Bauabteilung; vor 1933 KPD-Mitglied; SED-Mitglied; stärkster Gegner Garbes); Klugetasch (Brennereimeister; SED-Mitglied); Stanzig (Sekretär der SED-Betriebsgruppe, wohnt in Westberlin); Lindner (Sozialdirektor; SED-Mitglied).
Garbe gefällt die Ofenarbeit sofort, er muß aber die ersten vier Wochen nur Arbeiten machen, die keiner übernehmen will: Zeller weiß von Garbes Aktivitäten bei Lembke-Hahn und möchte Garbe wieder aus dem Betrieb haben.

April Garbe erhält einen Brief der SED-Kreisleitung: Der Betriebsrat von Lembke-Hahn hat ein Verfahren gegen ihn beantragt. – Bei der Verhandlung muß Garbe draußen warten. Es werden zwölf Zeugen gehört, darunter ein ehemaliger Fliegeroffizier, der Garbe einen Wühler nennt. Garbe wird »wegen schwerer Schädigung des Ansehens der Partei« aus der SED ausgeschlossen. Erst danach fragt man ihn, ob er etwas zu sagen habe. Garbe ist sprachlos, sagt dann aber, er habe einen

Brief schon an das ZK geschrieben. (Der Kreisleitung sagt er später, er habe die Sache der Bezirksleitung übergeben, der Bezirksleitung: der Landesleitung, der Landesleitung: Wilhelm Pieck.) – Ein Genosse seiner Wohngruppe schreibt Garbe den Brief ans ZK, jedoch nicht im Sinne Garbes: Untertanenton.

Garbe beobachtet die Deckelmaurer (Deckel für die Ofenkammern). Er weiß, es geht rationeller und schneller und wartet auf seine Gelegenheit. – Er macht seine erste Erfindung: Holzgestell für einen Kohlebürstendreikant. Die Kollegen sind gegen die Erfindung, Garbe sieht jedoch, hinter einem Pfeiler versteckt, wie sie sie heimlich ausprobieren. Als die Kollegen durch diese zwanzigprozentige ›Normerhöhung‹ mehr Geld verdienen, erklären sie sich zur Änderung der Norm bereit.

Sommer Ein Deckelmaurer ist krank, ein anderer wird abgelöst, Zeller macht ›blau‹ – ein Deckel geht kaputt und Garbe hat seine Chance. Er bekommt einen Handlanger und von Koch die Auflage, den Deckel in drei Tagen zu mauern (die Norm: 50 Stunden). Garbe braucht den Helfer eine halbe Stunde. Nach dreizehn Stunden ist der Deckel fertig. Ein Kollege will Garbe gleich zur Plankommission bringen, aber Garbe wehrt ab: Die Arbeit sei nicht schwer, was ihn quäle, sei der Parteiausschluß. – Am nächsten Morgen kommt Zeller und wirft Garbe vor, er habe den Stundenlohn versaut. Auch der Leiter der Lohnkommission, ein ehemaliger Nazi, protestiert, Garbe sei den Arbeitern in den Rücken gefallen. Im Frühstücksraum rücken die Kollegen von Garbe weg, es wird ihm Prügel angedroht. Garbe sieht, wie ein Kollege einen Stuhl packt und geht. Der Stuhl kracht gegen die Tür, Garbe öffnet sie einen Spalt: Jetzt werde er erst recht noch besser arbeiten. – Auf einer Betriebsversammlung sind die Kollegen gegen Garbe: Erst besseres Essen, dann mehr arbeiten. Garbe: Das Leben werde sich erst ändern, wenn man besser und mehr produziere. Sie seien ja auch nicht erfreut, wenn die Kollegen in der Schuhindustrie weniger produzierten. – Den zweiten Deckel mauert Garbe auf Anweisung Kochs unter Zellers Aufsicht. Durch eine weitere Erfindung schafft Garbe es in neun Stunden. Da jetzt auch Koch skeptisch geworden ist, beaufsichtigt er den nächsten Deckelbau selbst. Garbe schafft es durch eine weitere Erfindung in viereinhalb Stunden und spart viel Material. Für Garbe ist dieser Deckel ein sportliches Ereignis. Er will wissen, wie schnell er selbst es schaffen kann, weiß jedoch, daß das auf keinen Fall die Norm werden darf. Koch findet nichts Negatives an dem Deckel und ist überzeugt. – Garbes Deckelarbeit löst heftige Reaktionen aus: »Arbeiterverräter«, »Lohndrücker«, »Schweinehund«. Hauptinitiator: Zeller. – Als Garbe seine Lohntüte bekommt, glaubt er, man habe sich verrechnet, so viel Geld hält er in Händen. Aber es stimmt alles, er ist nach der alten Norm ausbezahlt worden. Er kauft Wurst, Butter in der HO und zeigt alles triumphierend seinen Kollegen. Zu Erika sagt er, erst habe er Hennecke für einen Idioten gehalten, jetzt nenne man ihn selbst einen. – Koch versucht, Kollegen Garbes für die neue Arbeitsweise zu gewinnen. Sie lehnen ab. Garbe findet einen Kollegen, sie vereinbaren eine Normzeit von 25 Stunden. Der Kollege schafft den Deckel in 18 Stunden, den Rest verbringt er mit Nichtstun. Nach weiteren Diskussionen wird vom Arbeitsnormbüro die Norm auf 25 Stunden (später 15) pro Deckel festgesetzt. (Der Lohn erhöht sich von 1,61 Mark im Dezember 1949 auf 3,20 im Januar 1952.) – Garbe erhält Drohbriefe. Einer – er zeigt Garbe am Galgen – fällt ihm wegen der guten Zeichnung auf. Garbe weiß, nur einer in seiner Abteilung kann so gut zeichnen. Er spricht mit Pankow. Der sowjetische Generaldirektor sagt, man müsse die deutschen Arbeiter vorsichtig behandeln, sie müßten erst lernen. Ob Garbe den Kollegen auch hängen lassen wolle? Garbe: Nein, dieser Kollege muß mein Freund werden. Er spricht den Kollegen an und erzählt vom Gespräch mit Pankow. Der Kollege hat Angst, nach Sibirien zu kommen. Garbe gewinnt den Kollegen (später gehört er zu seiner Ofenbrigade).

13. Oktober 1949 Garbe erhält die Aktivistennadel.

Oktober Garbe wird zur Kreisleitung der SED bestellt, Erika und ein Kollege begleiten ihn. Er will sein Material über Lembke-Hahn vorlegen, wird jedoch mit Blumen empfangen. Alles sei in Ordnung, man kenne ihn bereits aus der Zeitung.

November Für Garbe wird ein Wettbewerb eingerichtet. Da kein geeigneter Gegner in seiner Abteilung ist, tritt Garbe in Wettstreit mit einem Kollegen an einer Maschine. Der für sechs Wochen angesetzte Wettbewerb muß nach drei Wochen abgebrochen werden, Garbe hat alle Steine vermauert.

Anfang Dezember Ringofen III erhält die letzte Ladung und muß repariert werden. Bisher konnten Reparaturen nur bei viermonatiger Stilllegung ausgeführt werden. Es droht ein Produktionsausfall von 400 000 Mark, zuzüglich der 200 000, die ein Privatunternehmer für die Reparatur verlangt. Damit wäre der Zweijahresplan der neuen DDR in Gefahr, für die DDR drohen Verluste von mehreren Millionen Mark. Hinzu kommt, daß die westdeutschen Vertragspartner entgegen den Abmachungen die Lieferung von Kupferpulver für Siemens-Plania eingestellt haben, die DDR selbst aber noch keines produziert. – Die Betriebsleitung besichtigt den Ofen. Garbe, für seine Findigkeit bekannt, wird von Klugetasch aufgesucht. Garbe bittet sich eine Nacht Bedenkzeit aus. Erika ist wieder überrascht, was sich Hans alles ausdenkt, holt aber Papier und Bleistift. Da es zu kalt ist und sie zu wenig Kohlen haben, rechnen sie – Erika macht die ›Buchführung‹ – im Bett zusammen aus, ob es geht. Am nächsten Morgen sagt Garbe, er wolle den Ofen ohne Produktionsstillegung reparieren. Klugetasch geht zu Henrion, Garbe muß einen neuen, genauen Plan vorlegen. Nachts rechnen Erika und Garbe erneut. Sie macht nach seinen unbeholfenen Skizzen (zuweilen nimmt er das Anfeuerholz zu Hilfe, indem er sich den Plan zurechtlegt) die genauen Angaben. Und sie macht ihm Mut, als er aufstecken will: Er sieht, wie wenig er gelernt hat. Garbe denkt: *Was wäre ich ohne sie, sie ist mein Kollektiv.* Sie kommen auf 85 000 Mark Lohn- und Materialkosten. – Henrion unterstützt Garbes Plan sofort, macht ihn allerdings auf eines aufmerksam: auf den großen Widerstand, den es geben wird. Henrion sieht, daß der Plan von einer Frau geschrieben worden ist. – Henrion spricht mit Zeller und Koch. Zeller ist sofort dagegen, Koch unschlüssig. Henrion bittet Koch unter vier Augen, Garbes Plan technisch zu prüfen. – Zeller mobilisiert einige Arbeiter, er geht mit ihnen zu Koch. Die Delegation lehnt kategorisch jede weitere Zusammenarbeit mit Garbe ab. Koch: er werde sich von Garbe nur trennen, wenn der nachweislich schlechte Arbeit liefere.

Mitte Dezember Henrion ruft ohne Tagesordnungsangabe ein Technisches Aktiv zusammen, auf dem er Garbes Plan erläutert. Zeller, Dr. von Wartburg und Klugetasch sind gegen den Plan. – Garbe erläutert seinen Plan wenig später auf einer Sitzung der Betriebsleitung. Zeller, Dr. von Wartburg und der Unternehmer, der den Ofen reparieren sollte, sprechen gegen Garbe. Von Henrion ermuntert, spricht Garbe. Voller Wut: Er verlange, daß man ihm die Arbeit gebe. Jetzt sprächen die Arbeiter mit, nicht die Kapitalisten. Stanzig, der so spät kommt, bemängelt Garbes ideologisches Niveau. Dr. von Wartburg: So etwas sei ihm in seiner langen Betriebszugehörigkeit noch nicht passiert, daß ein Arbeiter auf den Tisch haue und sich in wichtige Angelegenheiten einmische. Nach längerem Hin und Her übernimmt Garbe die ganze Verantwortung. – Henrion befragt noch einmal Koch und entscheidet sich für Garbes Plan. Der Arbeitsbeginn wird zwischen Henrion, Koch und Garbe für den 26. Dezember festgesetzt. – Zwei Tage später gibt es eine Abstimmung am Ofen: 18 Kollegen sind gegen Garbe, sechs für ihn. Willi Gottschling ist der aktivste. Unter dreißig Kollegen, die sich gemeldet haben, nimmt Garbe die sechs, die für ihn stimmten. Dazu vier Handlanger, zwei für den Ofen, zwei zum Steinefahren. Die Maurerbrigade besteht nun aus: Gerd Brauer, Willi Gottschling, Paul Heide, Fritz Hesse, Alfred Schubert, Helmut Stein; Vorarbeiter: Hans Garbe. Sie verabreden, den Ofen bis zum 1. Mai 1950 fertigzustellen.

26. Dezember Vorbereitungen.

27. Dezember Die Brigade geht in die erste Kammer, es fliegen die ersten Steine heraus. Die Feuerung ist abgestellt, aber auf den Steinen tanzen die Flammen. Es ist so heiß, daß Kleidung, Handschuhe und Schuhe glimmen. Die Steine müssen mehrmals abgesetzt werden, bevor sie aus dem Ofen sind. Auch für Garbe ist es schwerer als erwartet. Aber: sie wollen gemeinsam beweisen, daß es geht.

28. Dezember Die Buchhaltung verweigert den der Brigade zustehenden Lohn. Zwischen Normbüro und Garbe wird ein Arbeitsvertrag geschlossen. Die Maurer bekommen Lohngruppe 6 (1,61), Garbe Lohngruppe 7 (1,76).

1950 Die Freunde Martin Pohl und Heiner Müller schreiben zusammen das *Dein-und-mein-Lied*.

Januar 1950 Eines Morgens ist ein frisch gemauerter Bogen eingesackt. Sie sind verzweifelt, untersuchen jedoch den Bogen: Von vier Stützen sind zwei über Nacht entfernt worden. Sie schöpfen neuen Mut. – Generaldirektor Pankow kommt an den Ofen und erkundigt sich. (Nach Feierabend paßt er Garbe oft ab, sie unterhalten sich auf dem Nachhauseweg. Pankow spricht jetzt besser deutsch.) – Zeller weist einen Arbeiter an, Garbe keine Schamotte mehr und nur noch nasse Steine zu liefern. Garbe, dies vorausahnend, hat sich trockene Steine zurückgelegt. Der Vorrat reicht jedoch nicht, er geht zu Koch und Pankow. Zeller wird auf Anweisung Kochs untersagt, sich weiter in den Ofenbau einzumischen. – Sind die Brigademitglieder nach Hause gegangen, malt Garbe Entwürfe mit Kreide an eine Wand oder ritzt sie mit einem Stock in den Fußboden. Nach diesen Skizzen legt er sich die Steine zurecht, experimentiert, wie am besten gemauert werden kann. Er macht das heimlich, weil er sich schämt, nicht korrekt rechnen und zeichnen zu können, und den Spott der Brigade fürchtet. Viele lachen: Will den Ingenieuren über sein und kann noch nicht mal schreiben. Erika führt sein Stundenbuch (Arbeitszeiten, Materialverbrauch).

Mitte Januar Garbe macht mehrere Erfindungen, darunter eine große. Einen neuen Düsenstein. Die Brigade benötigt für den Bau eines Kanals nur noch einen Kasten Schamotte statt sechs, die Arbeitszeit reduziert sich von fünf Stunden auf eine. – Garbe überredet Klugetasch, die neuen Steine in zwei ausschließlich für den Export produzierenden Spezialöfen zu brennen, die die Brennung in 24 Stunden statt 7 Tagen schaffen. Die Betriebsleitung ist aufgebracht über Garbes Selbsthilfe, der erhält jedoch volle Unterstützung von Pankow. – Garbe wird mehrmals die Jacke gestohlen, ein direkter Anschlag auf seine Gesundheit. Für die vierte (Erikas Strickjacke) baut er einen Kasten. – In den ersten 14 Tagen kommt die ›Betriebsintelligenz‹ immer wieder zum Ofen. Garbe bekommt Angst, es könnte doch etwas schiefgehen. Auch Stanzig erscheint am Ofen: Er hat nicht den blassesten Schimmer. – Im Beisein Kochs wird Garbe solche Prügel angedroht, daß er den Ofen nicht beenden könne. Er erhält weiterhin Drohbriefe. – Aufgrund des Arbeitserfolges verabredet die Brigade, den Ofen bis zum 26. Februar fertigzustellen. Sie wissen, das eingesparte Geld kommt ihnen zugute. Vor allem aber möchten sie die Wettbewerbsfahne für den Betrieb gewinnen, die ab März vom FDGB verliehen werden soll. Garbe verlangt von seiner Brigade, daß sie vom höheren Lohn Butter und Milch kauft. Er selbst hat eine Ziege und bringt deren Milch für die Brigade mit. Einige Kollegen möchten die Milch lieber für ihre Kinder mitnehmen, aber Garbe, so sehr es ihn schmerzt, bleibt hart und achtet darauf, daß die Milch am Arbeitsplatz getrunken wird. (Die Ziege wird ihm später gestohlen, obwohl der Stall direkt unter dem Schlafzimmerfenster liegt.) – Am Ofen erscheinen Rundfunk- und Zeitungsreporter. Die Brigade wird über Berlin hinaus bekannt.

Februar Zeller wird von einem Brigademitglied wegen seiner Reden in einen Schamottekübel geschmissen. Er beschwert sich bei Koch, wird aber sofort in eine andere Abteilung versetzt. Meister wird nun Hans Garbe. (Koch hilft ihm, die Prüfung zu machen.) – Garbe hat das Gespür, daß gegen seine Brigade ein großer Coup geplant ist und erzählt Erika davon. Als er am anderen Morgen in den Gaskanal sieht, findet er Steine darin – ein Anschlag auf das Leben der Brigade. Das Gas hätte keinen Weg in die Kammer gefunden, es hätte eine Explosion gegeben. Sie reißen in Windeseile den Kanal auf, denn das Gas muß zu einer bestimmten Zeit in die Kammer. – Auf dem Hof werden Ziegelsteine nach Garbe geworfen. Auf dem Heimweg wird Garbe in einem Schrebergartengelände von Männern gestellt, die ihn vom Rad zu reißen versuchen. Er kann entkommen. Erika wartet jeden Tag auf ihn, sie hat große Angst. – Garbe fordert Koch auf, zwei Kollegen zu entlassen, da diese überall gegen ihn sprechen und er den Verdacht hat, daß sie in die Anschläge verwickelt sind. Koch entläßt sie, das Klima verbessert sich. – Die Ofenbelegschaft baut langsam ihren Widerstand ab, man merkt, Garbe ist kein Phantast. Kranführer und Transportkolonnen helfen. – Eines Morgens erscheint auf Anweisung Stanzigs der Betriebsarzt. Weiterzuarbeiten sei Selbstmord, Garbe sei herzkrank. Garbe geht sofort zur Landesleitung der SED und wird zu einem Spezialisten geschickt. Er ist nicht herzkrank, nur sehr erschöpft. Als er zurückkommt, findet der die Brigade sehr deprimiert. Sie wollen nicht weitermachen, es sei sinnlos. Garbe spricht mit ihnen und schickt sie alle zum Arzt. – Die SED-Landesleitung schickt einen Instrukteur, der Stanzigs Arbeit überprüfen soll.

Mitte Februar Nur noch drei Kammern sind zu mauern, da erscheint Stanzig und verlangt, daß der Ofen erst zum 1. Mai fertig werde. Garbe ist hilflos, Henrion auf einer Schulung. Als der kurz auf Urlaub kommt, kann Garbe wie geplant weiterarbeiten.

26. Februar Die Reparatur des *III. Ringofens ist beendet.* Die Brigade richtet eine kleine Tribüne in der Brennerei her, holt Tische und eine Bank. Als erster ergreift Dr. von Wartburg das Wort: So etwas sei seit Menschengedenken noch nicht vorgekommen. Ein Meisterwerk. Er entschuldigt sich als erster bei der Brigade, umarmt Garbe und drückt jedem die Hand. Auch Garbe muß etwas sagen, findet aber zunächst keine Worte. Sie sind erschöpft, aber sehr stolz, daß sie die Arbeit, allen Widerständen zum Trotz, geschafft haben.

Alle Brigademitglieder bekommen für sich und ihre Familien einen kostenlosen Erholungsurlaub im betriebseigenen Heim in Saarow-Pieskow. Erst als eine Wache an den Ofen gestellt ist, erklärt sich die Brigade bereit zu fahren.

2. März ›Die Wirtschaft‹ schlägt Garbe zum Nationalpreis vor.

Anfang März Die Brigade fährt in ihren Urlaub, der jedoch ein Fiasko wird. Obwohl sie alle ihre Lebensmittelkarten im Betrieb abgegeben hatten und ihnen gute Verpflegung zugesichert worden war, bekommen sie jetzt Wassersuppe, Apfelmus als einzigen Brotaufstrich, für einen vierzehnmonatigen Säugling sind Weißbrote für 14 Tage geliefert worden. Durch Einkauf ›freier Spitzen‹ können sie sich ernähren. Dadurch geht aber ein Großteil ihres soeben erarbeiteten Verdienstes drauf. Garbe muß die Vorwürfe der Brigade ertragen, was ihm schwerer fällt als die Ofenarbeit. Stanzig erscheint im Heim und droht der Brigade, er werde es nicht auf sich beruhen lassen, wenn ein Beschwerdebrief abgehe.

März Zurück in Berlin, geht Garbe zum ›Neuen Deutschland‹. Der Artikel der Brigade über den Skandal sei zu lang und zu scharf, Garbe solle erst zu Bruno Baum von der Landesleitung. – Als die Prämien für den Ofen ausgehändigt werden, erhält Garbe fast nichts: Stanzig hat Garbes Prämie für den Brigade-Urlaub verwendet. Als Trost läßt Pankow für Garbe ein Häuschen renovieren. Es liegt in einer Siedlung, wo viele SED-Mitglieder wohnen. Genossen bespötteln die Siedlung: »Laubenpieper« und »Kleinbürger mit Siedlungshaus und Garten«.

18. März Garbe spricht in Hermsdorf/Thüringen auf einer Wirtschafts- und Aktivistenkonferenz. In einem Interview mit der ›Tribüne‹ erwähnt er Stanzig. Zurück in Berlin, herrscht ihn Stanzig an, wie er dazu komme, seinen Namen in die Zeitung zu bringen. Er wohne in Westberlin!

Frühjahr 1950 Ein junger Mann namens Lothar Link berichtet auf einer Pressekonferenz über seine Erlebnisse in der ›Légion étrangère‹. Der Chefredakteur der ›Jungen Welt‹ bittet Link um einen Erlebnisbericht. Link wird Mitglied der Redaktion und bekommt einen Vorschuß auf ein Buchprojekt.

26. März Die Brigade wird von der ›Tribüne‹-Redaktion aufgesucht wegen des Urlaubs. Die Brigade spricht erst, als sie mit den Zeitungsleuten allein ist: Sie verlangt, daß solche Dinge nicht wieder vorkommen. Die Urlaubszeit fange bald an, und außerdem beabsichtige Siemens-Plania, 40 Kinder aus Watenstedt und Salzgitter im Betriebsheim für einige Wochen aufzunehmen.

27. März Garbe legt mit Otto Grotewohl den Grundstein zum Kulturhaus von Siemens-Plania.

Ende März Garbe erfindet unter Verwendung seiner Düsensteinschablone einen neuen Schornstein-Stein. (Er wird noch heute in der DDR verbaut.) – Das Landessekretariat der SED lädt Stanzig, Kutter und Lindner wegen des Urlaubs vor. Stanzig schiebt Garbe die ganze Schuld zu, das Sekretariat faßt den Beschluß, ihn abzusetzen. – Garbe wird in der DDR immer bekannter, es kommen Einladungen zu Tagungen. (Erika fährt meistens mit. Muß sie in Berlin bleiben, ist Garbe sehr hilflos.)

6. April Der Beschluß des Landessekretariats wird in einer Sitzung der Siemens-Plania-SED-Gruppe diskutiert. Die Landessekretariatsmitglieder versäumen einen endgültigen Beschluß.

9. April Das ›Neue Deutschland‹ kritisiert das Landessekretariat.

April Stanzig wird auf einer Betriebsgruppenversammlung abgesetzt und ›zur Bewährung‹ in die Produktion geschickt. Gast der Versammlung: Walter Ulbricht. – Ein vom Landesvorstand eingesetzter Sekretär übernimmt die Betriebsgruppe.

Ende April/Anfang Mai Lothar Link geht nach Westberlin und veröffentlicht dort sein Dementi: [Gerhart] *Eislers Totenschiffe kamen nicht an.* Der sich für die ›Junge Welt‹ entwickelnde Skandal geht in den Vorbereitungen zum I. Deutschlandtreffen der Jugend (27.–30. 5. 1950) unter.

1. Mai Garbe steht auf der Ehrentribüne während der Mai-Demonstration.

Juni Bei Siemens-Plania werden zahlreiche Brigaden gebildet. – Der zweite Ringofen wird nach gleichem Modell repariert wie der erste, Garbes Neuerungen bringen eine Kostenersparnis von knapp 30 000 Mark. Von den Prämien behält Garbe fast nichts, er gibt alles für Lebensmittel aus.

Ein Montag vor Pfingsten Lothar Link ruft in der ›Jungen Welt‹ an und verhöhnt die Redaktion: Sie seien zu feige, sich mit ihm auseinanderzusetzen. Martin Pohl will den Vorwurf nicht auf sich sitzen lassen und verabredet sich im Beisein seiner Kollegen mit Link in Westberlin. Der Chefredakteur erfährt davon, kritisiert heftig die Redaktion und will Pohl fristlos entlassen. Nimmt dies dann aber zurück und kündigt nur eine Meldung an den Zentralrat der FDJ an. Pohl trifft sich nicht mit Link, hört auch nichts vom Zentralrat.

11.–12. Juli Garbe nimmt an der 250-Jahrfeier der Deutschen Akademie der Wissenschaften teil. Er sieht, daß die Teilnehmer noch bessere Anzüge anhaben als er. Er erhält einen Zettel mit seinem Redebeitrag, verliert ihn aber auf dem Weg zum Rednerpult. Pieck angelt sich den Zettel. Garbe bekommt zunächst keinen Ton heraus, was die Anwesenden merken und woraufhin sie ihren Begrüßungsbeifall wieder aufnehmen. Garbe bekommt den längsten Beifall seines Lebens. Als er dann doch etwas sagt, ist Pieck amüsiert, daß Garbe eigene Worte findet, nicht den Zettel ›redet‹. Garbe will sofort den Saal verlassen, wird aber zurückgehalten.

20.–24. Juli Garbe, Delegierter des III. Parteitages der SED, wird von Walter Ulbricht als Beispiel vorgestellt.

August Garbe nimmt an einer Jugendbuchkonfernz teil und erzählt aus seinem Leben. Er lernt Eduard Claudius kennen.

August/September Claudius macht Interviews bei Siemens-Plania.

13. Oktober Garbe erhält den Titel »Held der Arbeit« und die damit verbundene Prämie von 10 000 Mark. – Walter Ulbricht macht Garbe darauf aufmerksam, daß er die Prämie nicht auf seine Brigade aufteilen dürfe.

Oktober In Garbes alter Brigade entsteht Unruhe und Verbitterung. Garbe lädt sie zu keiner Feier ein, er hinterlegt nur etwas Geld und Schnaps, was die Brigade aber nicht abholt. *Keines der Brigademitglieder bekommt die Aktivistennadel.*

29. Oktober Garbe ist Delegierter der Großberliner Friedenskonferenz.

4. November Garbe nimmt wie Bertolt Brecht am Kongreß der »Deutschen Kämpfer für den Frieden« teil (vermutlich lernen sie sich hier kennen)[1].

Januar 1951 Garbe lernt bei einer *Mutter*-Aufführung des Berliner Ensembles Käthe Rülicke kennen und vereinbart einen Termin bei Siemens-Plania.

4. Februar Garbe nimmt bei Hermann Henselmann an einer Lesung von Alfred Kantorowicz' Stück *Die Verbündeten* teil. Anwesend sind u. a.: Henselmann, Arnold Zweig, Paul Wandel, Alfred Kantorowicz.

15. Februar Brecht und Rülicke bei Siemens-Plania.

1951–1952

Frühjahr 1951 Garbe wird Güteingenieur beim VEB Wohnungsbau Berlin (später gehört er zum persönlichen Mitarbeiterstab Hermann Henselmanns und Otto Grotewohls); Walter Ulbricht hat veranlaßt, daß Garbe eine »größere Aufgabe« bekommt. In Garbes Bereich arbeiten 70 Poliere, die für 15 000 Bauarbeiter verantwortlich sind. Von den 70 Polieren sind zwei in der SED, auch unter den Arbeitern gibt es wenige SED-Mitglieder. Garbe stellt sehr schnell fest, daß die Verantwortlichen für die Technische Arbeitsnorm (TAN) sehr oft keine Ahnung von ihrem Arbeitsgebiet haben. Vielerorts kommt es zu Auseinandersetzungen, da die TAN-Bearbeiter nicht den den Arbeitern zustehenden Lohn berechnen wollen, sondern als »Lohndrücker« auftreten. – Nach Garbes Weggang bei Siemens-Plania kommt es auch dort zu großen Unstimmigkeiten. Garbe selbst hatte die Norm immer mit seinen Kollegen besprochen. Inzwischen gibt es bei Siemens-Plania über 200 Brigaden. – Garbe hält in einem Thüringer Porzellanwerk (SAG) einen Vortrag. Die ›Betriebsintelligenz‹ stellt nur Fangfragen, bis der sowjetische Generaldirektor dazwischengeht: Bei dem, was der Held der Arbeit Hans Garbe gelernt habe, sei er sehr weit gekommen! – Erika und Garbe verbringen in Massenberg einen Urlaub in einem Heim des Förderungsausschusses für die Intelligenz. Wie alle anderen Aktivisten werden auch sie nur von oben herab behandelt. Die Nationalpreisträgerin Hanna Sperling wird gefragt, was sie in einem Heim für die Intelligenz zu suchen habe, ein Akademiker bittet sie, seine Hosen zu flicken. Garbe bemerkt, wie gut die Heimbewohner und viele westdeutsche Urlauber leben, forscht nach und entdeckt eine ›illegale HO‹. Er schreibt an Fritz Lange, den Vorsitzenden der Zentralen Kommission für Staatliche Kontrolle. Garbe selbst muß 700 Mark für zusätzliche Verpflegung ausgeben, da die Heimverpflegung zu dürftig ist. Es gibt eine Untersuchung, die ›illegale HO‹ wird geschlossen. Garbe erreicht eine Verbesserung des Verpflegungssatzes, z. B. 250 g Vollmilch statt 200 g Magermilch pro Tag und Person. Der Heimarzt verbietet Garbe, zur Intelligenz zu sprechen, Garbe hält sich nicht an das Verbot.

Martin Pohl lernt Bertolt Brecht kennen. (Noch in der ›Jungen Welt‹ hatte Pohl eines Tages ein sehr langes Brecht-Gedicht absetzen lassen: Der Feuilletonredakteur wünscht Streichungen wegen der Länge. Pohl streicht, soll dann aber die Striche wieder aufmachen, weil sie genau den ›Brecht-Ton‹ träfen. Pohl hatte vorher keine Zeile von Brecht gelesen. Nach Lektüre von *Ein Pferd klagt an* und dem Besuch des *Dreigroschenfilms* schreibt Pohl ›im Stile Brechts‹.)

April Garbe besucht Siemens-Plania und erfährt einen Skandal. Arbeiter hatten Henrion nach einer Gerichtsverhandlung gegen einen Kollegen (Diebstahl) angesprochen: Die Verhandlung sei zwar sehr menschlich gewesen, aber ob auch ›Henrions Leute‹ angezeigt würden? Henrion bittet um Aufklärung, die Arbeiter haben Angst, es sind ehemalige kleine Nazis darunter. Henrion sichert Vertraulichkeit zu und erfährt, daß die Verdiente Aktivistin Trude Z. ihre politische Stellung und ihre Autorität als Nazigeschädigte (sie hat Mann und Sohn durch die Nazis verloren) ausnutzt, um die Norm für sich zu drücken und bei Festtagen Sonderleistungen angeschrieben zu bekommen. Sie will mit allen Mitteln »Heldin der Arbeit« werden. Garbe trifft einen Kollegen, der auf Betreiben Trude Z.s entlassen worden war, sich nun freut, daß gegen sie ein Prozeß eingeleitet worden ist.

10. Mai Garbe und Erika sind bei Brecht in Weissensee.

19. Mai Garbes bei Brecht.

Juni Garbes bei Brecht. Garbe wundert sich, daß Brecht so viel wissen will. Einmal zu Brecht: »Mein lieber Brecht – ach entschuldige, daß ich so spreche . . .« Brecht: »Wie redest du denn, du bist doch nicht bei deinem Gutsbesitzer.« Garbe: »Ich will doch nicht, daß das wieder passiert, daß der Hauptmann den Großvater mit der Reitpeitsche schlägt.« – Garbe sagt, er sehe die Partei an wie der Großvater die Bibel. Er sei Kommunist und lese keine Bibel, aber er glaube an seine Partei, die Partei sei sein Heiligtum, für sie werde er immer kämpfen.

August Garbe hat in seiner Siedlung für die III. Weltfestspiele der Jugend und Studenten geschmückt. Nachbarn: »Bei Garbes ist Erntedankfest.«

September 1951 Martin Pohl wird Mitglied des Berliner Ensembles (Regieassistent) und Meisterschüler in der Theaterklasse Brechts (Dramatik/Lyrik). Brecht liest Pohls Gedichte und Erzählungen und stellt Pohl anheim, nichts zu veröffentlichen, was er, Brecht, nicht kenne. Er bittet Pohl, vorerst keine politischen Gedichte zu schreiben. – Brecht will Pohl vor Anfeindungen in Sachen ›Formalismus‹ bewahren.

7. Oktober Nationalpreisverleihung an Bertolt Brecht. Unter den Gästen: Hans Garbe.

Winter 1951/1952 Brecht will schon seit langem in seinem Theater ein Stück für Kinder haben und gibt Martin Pohl und Wera Skupin einen Auftrag. Titel: *Ugullu oder Das Waldfest der Tiere*. Sie schreiben zu zweit und zu dritt in Knittelversen – Brecht freut sich wie ein Kind über jeden gelungenen Reim.

Januar–März 1952 Garbe hilft Käthe Rülicke bei ihren Interviews. Während einer Abwesenheit Brechts erzählt Garbe, daß Bürgermeister Ebert in Garbes Straße Straßenlampen setzen ließ, da Garbe immer noch verfolgt werde. Der RIAS melde täglich: »Achtung, Achtung, wir sprechen zur Sowjetzone. Achtet auf den Arbeiterverräter, den Banditenführer Garbe mit seinen Trabanten. Schlagt ihn, wo ihr ihn trefft!«

6. 1. 1952 Brecht korrigiert Pohls und Skupins Stück. (*Ugullu* mißlingt, weil Pohl und Skupin sich zerstreiten.)

Frühjahr 1952 Pohl bekommt eine Hausarbeit von Brecht: *Über das poetische Moment im Lustspiel »Der zerbrochene Krug«*. – Brecht regt Pohl während der *Urfaust*-Proben zu lyrischen Szenenbeschreibungen an. Pohl liefert u. a. zwei Gedichte (die später aus Versehen in Brechts *Werke* eingehen).

Juli ›Der Spiegel‹ meldet, der Generalstabsplan für die Übernahme der DDR durch den Westen sei fertig.

Herbst Für Anna Seghers' *Der Prozeß der Jeanne d'Arc zu Rouen* schreibt Pohl *Die Ballade der Christine de Pisan* (Rohübersetzung aus dem Altfranzösischen: Benno Besson). Sie werden in ›Sinn und Form‹ veröffentlicht. – Pohl gibt Brecht Texte von Heiner Müller. Brecht findet sie »interessant« und gibt sie an Peter Palitzsch weiter. Palitzsch lehnt sie mit dem Argument »Brecht-epigonal« ab. – Martin Pohl lebt mit Margarete Neumann zusammen, sie haben eine Tochter.

Dezember Martin Pohl arbeitet bei der *Coriolan*-Übertragung mit, einige Bruchstücke Pohls übernimmt Brecht direkt.

1953–1957

22. Februar 1953 Martin Pohl, Meisterschüler und erster ›literarischer Sohn‹ Bertolt Brechts, wird verhaftet. Er wird scharfen Verhören unterzogen. Martin Pohl beginnt seine Gefängnis-›Karriere‹, in der Zelle singt er: »Ihr saht den lammsgeduldigen Pohl,/Der vieles sah und schwieg…«

13. April 1953 Martin Pohl wird bei einer Vernehmung Lothar Link gegenübergestellt, der inzwischen von DDR-Behörden verhaftet worden ist. Link beschuldigt Pohl der Tätigkeit für den amerikanischen CIC. Kein Wort ist wahr. (Martin Pohl bricht zusammen, unterschreibt später ein erzwungenes ›Geständnis‹, widerruft es jedoch. – Link wird in einem abgetrennten Prozeß im Herbst 1953 zu zehn Jahren Zuchthaus verurteilt. Im Prozeß gegen Martin Pohl und ein weiteres ehemaliges Redaktionsmitglied der ›Jungen Welt‹ tritt Link als Kronzeuge auf.)

April/Mai Garbe, der alle wichtigen Baustellen kennt, auch die in der Stalinallee, spürt starke Veränderungen und warnt seine Gewerkschaft. Ohne Reaktion.

Ende April Garbe wird von Bauarbeitern in einer Baubude eingesperrt, weil sie ihn dafür verantwortlich machen, daß ihr Geld nicht rechtzeitig da ist.

Mai/Juni Garbe sieht deutlich an den *Gesichtern* der Bauarbeiter, daß sich was tut. Sie sind verbittert. Garbe ist irritiert durch Maurer in neuen Maureranzügen. Er trifft sie am gleichen Tag auf verschiedenen Baustellen, so einige zu Rad in der Stalinallee, wenig später in der Ostseestraße. Garbe: »Wo gibts denn sowas?!« Er berichtet Herbert Warnke von seinen Beobachtungen, Warnke: »Du siehst alles zu schwarz.«

Anfang Juni ›Der Spiegel‹ schreibt: »So entledigte sich Brecht einer Pflichtaufgabe, die ihm die SED, der er übrigens noch immer nicht angehört, schon vor mehr als zwei Jahren gestellt hatte, nachdem seine Oper *Lucullus* [!] wegen ›Formalismus, Pazifismus und Mangel an sozialistischem Realismus‹ kritisiert und abgesetzt worden war. Die SED forderte, Brecht solle endlich ein Zeitstück anfertigen, endlich die sowjetdeutsche Gegenwart auch auf der Bühne besingen. Er machte sich ans Werk. Sein *Garbe* war als das dramatische Porträt eines tatsächlich existenten und auch prominenten Aktivisten geplant, eines Maurers von Hochöfen [!], an dem Brecht ›ein neues Bewußtsein‹

entdeckt zu haben glaubte. Aber das Stück vom fortschrittlichen Garbe kam nicht recht voran. Es werde wohl doch nur ein Einakter, schränkte Brecht das Projekt nach wenigen Monaten ein, dann fiel es endgültig in sich zusammen. Strittmatters Stück ist nun das längst erwartete Brechtsche Propaganda-Drama, voll von halben Wahrheiten und ganzen Lügen, wie die Gattung es verlangt. Darüber täuschen auch die brechtischen Meriten dieser Darbietung nicht hinweg.«[2] Brecht tobt: »Das ewige Kantinengequatsche!« In der Kantine des Berliner Ensembles saß wiederholt ein ›Spiegel‹-Mitarbeiter. (›Spiegel‹-Mitarbeiter hatten Kontakt zur Organisation Gehlen.)

16. Juni Brecht kommt aus Buckow nach Berlin zurück. Die Besprechung über Probleme der laufenden Theaterarbeit geht schnell in eine Diskussion über die politische Lage über.

Garbe hat wie üblich seine Aktivistennadel und sein Ordensband »Held der Arbeit« am Revers. Er fährt mit dem Motorrad zu seiner Arbeitsstelle, von dort aus ins Zentrum, um zu warnen und um zu sehen, was geschieht. Er geht zu den Demonstranten vor dem Haus der Ministerien in der Leipziger Straße, schützt mit Volkspolizisten den Eingang. Als Fritz Selbmann auf einen Tisch springt und zu sprechen versucht, steht Garbe eingehakt mit Otto Gotsche und Volkspolizisten im Kordon.

17. Juni Garbe fährt wie am Vortag ins Zentrum. Er ist am Columbushaus, Potsdamer Platz. – Garbe geht neben Demonstranten her, versucht zu diskutieren. Er wird einige Zeit später erkannt, es erschallen Rufe »Schlagt ihn tot!«, andere schreien »Laßt ihn gehen, der gehört zu uns!« Garbe wird tätlich angegriffen, sein Mantel zerrissen. Volkspolizisten retten ihn, bevor er zusammengeschlagen wird. Arbeiter sagen, Mensch, mach das Abzeichen ab – Garbe hat ein Parteiabzeichen neben dem Orden und der Aktivistennadel –, du bist ja verrückt. Aber Garbe läßt das Abzeichen dran, er will gerade jetzt zeigen, wozu er steht. Garbe macht sich erschöpft auf den Weg nach Hause, nach Niederschönhausen. Unterwegs hört er, wie Demonstranten rufen: »Marschieren wir nach Pankow!« »Machen wir die Intelligenzsiedlung fertig!« Kurz vor Pankow wird er von einem Sowjetsoldaten angehalten und in die entgegengesetzte Richtung zurückgeschickt. Garbe schlägt sich aber doch durch. Er erzählt seinen Nachbarn – hier wohnen: Ludwig Renn, Adolf Hennecke, Hedda Zinner, Fritz Erpenbeck, Rita Schober –, was er gesehen hat. Antwort einer Nachbarin: Er solle keine Gerüchte ausstreuen! Sie ergreift aber doch Abwehrmaßnahmen, die Garbe sehr erheitern: Sie sammelt Steine und will sich vom Dach aus verteidigen. Garbe: Die kommen nie bis hierher, jetzt ist alles abgesperrt.

Brecht geht um 8 Uhr mit seinen Mitarbeitern ins Theater, führt zahlreiche Telefonate, bietet dem Rundfunk an, das Berliner Ensemble könne den ganzen Sendetag übernehmen, der Rundfunk jedoch bringt weiterhin Operettenschnulzen. Im Probenhaus findet eine Betriebsversammlung statt, an der Brecht teilnimmt und während der er Briefe an Semjonow, Grotewohl und Ulbricht diktiert. – Brecht geht mit einigen seiner Mitarbeiter auf die Straße, um sich zu orientieren. Dabei sind: Erwin Strittmatter und Käthe Rülicke. Brecht sieht vom Westen kommende Jugendliche und die »scharfen, brutalen Gestalten der Nazizeit, [die] hiesigen, die man seit Jahren nicht mehr in Haufen hatte auftreten sehen *und die doch immer dagewesen waren*« (Brief an Peter Suhrkamp vom 1. Juli 1953). Brecht sieht, wie sich der Charakter der Demonstration über Nacht gewandelt hat. Als sowjetische Panzer auffahren, diskutiert er gerade mit Demonstranten. Brecht gehört zu den wenigen, die die Rotarmisten winkend begrüßen. Am Nachmittag findet im Probenhaus eine weitere Versammlung statt. Brecht hält eine für ihn ungewöhnlich lange Ansprache. Er fordert erneut die große Aussprache mit den Arbeitern und eine Aufklärungskampagne über den Faschismus. Er fordert die Anwesenden auf, freimütig ihre Meinung und ihre Kritik zu äußern.

18. Juni Garbe nimmt an einer Zusammenkunft in der Wohnung von Ludwig Renn teil.

22. Juni Das ›Neue Deutschland‹ schreibt über Diskussionen auf der Großbaustelle Ostseestraße: »Nach Feierabend versammelte sich ein großer Teil der Bauarbeiter, um mit der Vorsitzenden des Rates des Stadtbezirks Prenzlauer Berg, Frau Änne Saefkow, über den Beschluß des Zentralkomitees und über noch vorhandene Sorgen zu sprechen. – Mit aufrüttelnden Worten sprach die Witwe des tapferen antifaschistischen Widerstandskämpfers, der von den faschistischen Mordbanditen in Brandenburg ermordet wurde, zu den Bauarbeitern über den Beschluß des Zentralkomitees. Anschließend ergriff der Held der Arbeit, Hans Garbe, das Wort. Auf ihn hatten es die Faschisten besonders abgesehen. Wenn nicht einige Hucker und Maurer dazugesprungen wären, hätten ihn die Faschisten ohne weiteres erschlagen. Hans Garbe dankte seinen Kollegen dafür.«

24. Juni Im Probenhaus des Berliner Ensembles findet ab 9 Uhr eine Betriebsversammlung statt (60 Anwesende). Tagesordnungspunkt: Diskussion der Lage.

25. Juni Fortsetzung der Diskussion um 9.15 Uhr. Diskutiert werden u. a. die inzwischen schriftlich eingegangenen Fragen. Brecht fordert erneut zu freimütiger Meinungsäußerung auf. An der Diskussion beteiligt sich auch die Bühnentechnik.

Juni Garbe ist dabei, als Herbert Warnke zu Bauarbeitern spricht. Garbe fällt auf, daß es weniger Arbeiter sind. Vor allem fehlen die in den neuen Anzügen. – Käthe Rülicke spricht mit Garbe.

Juli Garbe ist zu einem Gespräch bei Brecht in Weissensee über die Juni-

Ereignisse. Anwesend außer ihm und Brecht: Hermann Henselmann, Käthe Rülicke. Brecht zu Garbe: »Was sagst du nun dazu?« Garbe: »Ich bin doch nicht Aktivist geworden, um das alles wieder zu zerschlagen, was ich aufgebaut habe. Ich habe erklärt, daß ich jetzt für den Frieden arbeiten werde, und wenn die Finger bluten, aber nie mehr für den Krieg.« – Brecht liest Erwin Strittmatters Bericht *Man hat mich nach meiner Meinung zu den Vorfällen am 16. und 17. Juni in Berlin befragt* (Strittmatter gibt Brecht später auch den Bericht Helmut Hauptmanns: *Bericht über meine Erlebnisse und Eindrücke in Leipzig am 17. und 18. Juni 1953*).

Sommer 1953 Hans Garbe wird Mitarbeiter Hermann Henselmanns. (Garbe legt sich bald mit Henselmann an, wirft ihm vor, er verbaue Arbeitergroschen. Henselmann: Garbe habe sich da nicht einzumischen, er solle sich um seinen eigenen Arbeitsbereich kümmern. Garbe gilt bei einigen seiner Mitarbeiter als ›Querulant‹.)

Brecht formuliert in Buckow bei seiner Arbeit an *Turandot* seine Haltung zur jüngsten deutschen Geschichte. Das deutsche Proletariat, geschwächt durch Arbeitslosigkeit und terrorisiert von einem militarisierten Kleinbürgertum, habe im Kampf gegen den Faschismus unterirdische Kampfgruppen gestellt, die zwar Übermenschliches geleistet hätten, nicht aber über passiven Widerstand hinausgekommen seien. Nachdem viele der besten Führer ermordet worden seien, hätten noch die Bombenangriffe den Widerstand vernichtet, der 1945 die Macht vielleicht hätte übernehmen können. Seit dem Ende des Hitlerkrieges und nach der Besetzung des östlichen Teils Deutschlands durch die Sowjets sei durch sozialistische Maßnahmen (Vertreibung der kriegerischen Junker, die Enteignung vieler Fabriken, die Zulassung der Arbeiter- und Bauernkinder zum Studium) eine gewaltige Veränderung der Lebensweise bewirkt worden. Eine ebenso große Veränderung der Denkweise sei nicht gelungen. Dafür gebe es viele Ursachen, so die Veränderung bei geschwächter Wirtschaft, vor allem aber: sowohl die deutsche als auch die sowjetische Wirtschaft seien am Ende ihrer Reserven gewesen. Der fleißige und erfinderische Aufbau in der SBZ habe unter der Notwendigkeit gelitten, wenigstens einige der ungeheuerlichen Zerstörungen wiedergutzumachen, die das deutsche Volk in der Sowjetunion verübt hatte. Darüber hinaus seien die sozialistischen Maßnahmen neu gewesen, Erfahrungen habe es kaum gegeben. Es seien Fehler gemacht worden, kostspielige Umwege. Eine Revolution habe nicht stattgefunden, die sozialistischen Maßnahmen seien für den Großteil der Bevölkerung ins Werk gesetzt worden, aber nicht durch ihn. Im Chaos eines verlorenen Krieges, in einem hochzivilisierten Gemeinwesen mit hochgradiger Arbeitsteilung sei es unmöglich, auf einen Staatsapparat zu verzichten, aber schwierig, einen völlig neuen aufzubauen. Ein solcher Apparat benötige Kontrolle von unten, durch Kontrolle von oben könne er nicht mit neuem Geist erfüllt werden. Unüberzeugt, aber feige, feindlich, aber sich duckend, hätten verknöcherte Beamte wieder gegen die Bevölkerung zu regieren begonnen. *Unter neuen Befehlshabern habe sich der Naziapparat also wieder in Bewegung gesetzt.* – Brecht gibt seine bisherigen Bearbeitungen des Garbe-Stoffes auf.

1. Juli 1953 Martin Pohl wird ins Karl-Marx-Städter Gefängnis eingeliefert.

15.–30. Oktober Brecht trifft Eisler in Wien, sie »besprechen einen GARBE, im stil der *maßnahme* oder *mutter,* zu schreiben im märz und april, mit einem vollen akt über den 17. juni.«

Herbst Brecht schickt dem Anwalt Martin Pohls ein Schreiben für den 5. Karl-Marx-Städter Strafsenat, in dem er seinen Schüler als einen begabten, etwas scheuen jungen Mann charakterisiert, in dessen Arbeiten sich die Liebe zur DDR ausdrücke. Ein Verbrechen Pohls gegen die Regierung sei unverständlich. Der Erklärung Brechts wird keine Bedeutung beigemessen, »da der Angeklagte nicht geständig ist«.

November Hauptverhandlung gegen Martin Pohl. Urteil: Vier Jahre Zuchthaus wegen republikschädigenden Verhaltens.

Ende November Martin Pohl wird ins Zuchthaus Zwickau eingeliefert.

1953/1954 Brecht hält Kontakt zu Pohl, läßt ihn mit kleinen Aufträgen und Literatur versorgen.

1954 Brecht ermuntert seine jungen Mitarbeiter, sich der kleinen plebejischen Genres zu bemächtigen. Er liest erneut *Über den Widerspruch* von Mao Tse-tung (seine erste Lektüre war vermutlich nach der Erstveröffentlichung in der DDR 1952).

Bertolt Brecht trifft Otto Pohl, den Vater Martins. Er möchte mehr aus dem Leben seines Meisterschülers erfahren. (Otto Pohl ist der Kommunist Brecht suspekt, fertigt aber später, als Brecht den Friedenspreis erhält, einen kleinen Glasrahmen an [Otto Pohl ist inzwischen Glasermeister]. Rahmen und ein Foto Brechts schenkt er Bertolt Brecht.) – Brecht schreibt zu Pohls Lied *Die Störche von Orly* sieben Zeilen hinzu. (Martin Pohl erhält insgesamt drei Briefe von Brecht im Gefängnis.)

27. April 1954 Brecht schreibt Martin Pohl und kündigt weitere Hilfe an (Literatur, Aufträge).

November Brecht notiert seinen neuen *Garbe.*

Dezember Martin Pohl wird auf Fürsprache Brechts frühzeitig aus dem Zuchthaus entlassen. Seine ›Sühneperiode‹ von noch drei Jahren ist davon unberührt, was heißt: Pohl darf nicht publizieren, ihm bleibt nur, ›in die Produktion‹ zu gehen. Ein Funktionär des Schriftstellerverbandes rät ihm, sich freiwillig in ein Heim für schwererziehbare Jugendliche einliefern zu lassen, er habe gute Beziehungen.

Jahreswende 1954/1955 Martin Pohl ist soeben entlassen worden, als Brecht ihn zu sich zum Essen einlädt. Brecht ist sehr besorgt, fragt, ob Martin Pohl habe frieren oder hungern müssen. Er ermutigt Pohl, sein ›Schicksal‹ nicht zu ernst zu nehmen. Im revolutionären Rußland habe es geheißen »Hände vorzeigen!«. Wer keine Schwielen gehabt habe, habe als Bourgeois gegolten. Heute seien die Klassenunterschiede »zu verwischt«, Freund und Feind seien schwer zu unterscheiden. Brecht verweist auf die Gefängniszeiten François Villons und Oscar Wildes, rät Martin Pohl, sich Wildes *Ballade vom Zuchthaus Reading* genau anzusehen und danach seine eigene Ballade zu schreiben. (Pohl, schon in Westberlin, versucht seine Ballade zu schreiben, sie bleibt Fragment.) – Eines Abends bittet Brecht Pohl, ihm alles zu erzählen. Pohl antwortet, er dürfe nichts sagen, er habe ein Revers unterschreiben müssen. Brecht bittet ihn, doch zu erzählen, alles solle unter ihnen bleiben. Martin Pohl erzählt. Brecht ist erschüttert und wütend. Er will an den Generalstaatsanwalt schreiben, denn das dürfe auf keinen Fall bestehen bleiben, daß jemand wegen einer »Lüge«, eines erpreßten Geständnisses, verurteilt werden könne. Er tadelt Pohl, daß er sich ein Geständnis habe abzwingen lassen, hat aber Verständnis für Pohls Verhalten. Martin Pohl bittet Brecht inständig, nichts zu unternehmen, um den Prozeß wieder aufrollen zu lassen: »Dann sitze ich doch sofort wieder drin!« Brecht verspricht dies, ist aber außer sich wegen der Lage, in der sie sich befinden. Er schimpft über die Primitivität und Dummheit der deutschen Justiz, die Selbstbezichtigungen erpresse und dann auch noch glaube. So etwas gebe es ja noch nicht einmal in den USA. Wenn sich dort einer als Mörder bezichtige, müsse er zumindest eine Leiche vorweisen, andernfalls ihn der Revierpolizist auf bekannte Weise hinaus befördere. Brecht verspricht, das Schreiben an den Generalstaatsanwalt zu lassen, will aber den Staatsanwalt aus dem Prozeß gegen Martin Pohl einladen, um dessen Version anzuhören. (Aus diesem Treffen wird nichts.)

1955 Hans Garbe wird Hauptreferent für Neuererwesen im Ministerium für Bauwesen. Er lernt Heiner Müller kennen.

Januar 1955 Brecht will in einer Akademiesitzung die Rehabilitation Martin Pohls diskutieren. Während der Sitzung erreicht ihn die Nachricht, Pohl sei nicht mehr in Ostberlin. (Brecht soll einen Tobsuchtsanfall bekommen haben.)

Ende Januar 1955 Martin Pohl trifft auf dem S-Bahnhof Wilmersdorf ein und bleibt.

10. Februar Peter Palitzsch auf der Rückseite einer Picasso-Zeichnung: »Wir wünschen uns den *Garbe*.«

1956 Heiner Müller schreibt *Lohndrücker.* Hauptfigur: Balke.

Frühjahr Brecht forciert die Agitprop-Pläne. Agitprop solle Mißstände nicht kritisieren, sondern töten.

14. August Tod Bertolt Brechts.
1957 Hans Garbe geht frühzeitig in Rente.
Mai Die NDL veröffentlicht Heiner Müllers *Lohndrücker*.

Anmerkungen zur Chronik

1 Ich verweise auf meine *Chronik zu Brechts ›Garbe/Büsching‹-Projekt* (a. a. O.). Alle Daten, bis auf die des 17. Juni und die Zeit danach, sind noch gültig. Zum Thema ›17. Juni‹ gilt vorliegende Chronik.
2 Nach der Uraufführung von Heiner Müllers *Lohndrücker* schrieb der ›Spiegel‹ vom 30. Juli 1958: »Diese Tat des Maurer-Aktivisten Garbe war schon vor Jahren von dem Ostzonenschriftsteller, Nationalpreisträger und gelernten Maurer Eduard Claudius beschrieben worden. Sogar Bertolt Brecht hatte Vorstudien zu einem Bühnenstück betrieben, dessen Held der Ostberliner Aktivist werden sollte. Während aber Bertolt Brecht die Fabel bis 1953 reichen lassen wollte, wobei sein Aktivistenheld zwar Normerhöhungen in den Jahren des ersten wirtschaftlichen Aufbaus für notwendig und erfüllbar hielt, nicht aber die administrativ verfügten Normen, die dann der Anlaß zu den Ereignissen des 17. Juni 1953 wurden, war dem Heiner Müller diese dramaturgische Konstellation zu heikel.«

Karl-Heinz Hartmann
Aspekte der Bewältigungsdramatik in den vierziger und fünfziger Jahren

I.

Zwei Jahre nach Kriegsende fiel Herbert Jherings Bilanz der ideologischen Umerziehung auf dem Theater reichlich ernüchternd aus. Die erwartungsvolle Rezeption der antifaschistischen Dramatik sei auf seiten des Publikums rasch innerer Abwehr gewichen, als man gespürt habe, »daß hier tiefere Erlebnisse und vielleicht sogar Bekenntnisse verlangt wurden«. Der Flucht aus Gegenwart und Wirklichkeit stellte Jhering damals die Forderung nach Rückkehr zur Ausgangssituation entgegen: »Dieser Anfang ist die öffentliche Aufklärung, ist Kritik und Auseinandersetzung. Die wichtigste Aufgabe, die nur teilweise erfüllt wurde, heißt: Orientierung.«[1] Seine Einschätzung der Lage gab Jhering zu einer Zeit, in der die Differenzen zwischen den Alliierten immer offener zutage traten. Daß auch das Theaterleben von den internationalen Spannungen nachhaltig in Mitleidenschaft gezogen wurde, zeigte sich anläßlich der Premiere von Konstantin Simonows *Die russische Frage* Anfang Mai 1947 in den Kammerspielen des Deutschen Theaters. Maßgebliche Kritiker Westberlins empfanden das aus ihrer Sicht antiamerikanisch eingestellte Stück als politische Provokation und Sabotage der Anti-Hitler-Koalition. Nach ihrem Urteil hatte der Intendant des Deutschen Theaters, Wolfgang Langhoff, mit dieser Aufführung den ideologischen Grabenkrieg erklärt: «Es gab fortan kein ›Berliner Theater‹ mehr, der ›Schnitt durch die Kunst‹ war vollzogen.«[2] Im Grunde konnte es sich also schon 1947 nicht länger nur darum handeln, noch einmal den Geist der Erneuerungsbereitschaft zu beschwören und Aufbruchsstimmungen von 1945 zu reaktivieren, wenn im selben Augenblick die Aufarbeitung des deutschen Faschismus zunehmend in den Sog des kalten Krieges geriet und die veränderten Produktionsbedingungen auch die funktionsästhetischen Aspekte von Literatur tangieren mußten. Die Interessengegensätze der Großmächte und als ihre Folge die Eingliederung der beiden Teile Deutschlands in unterschiedliche Bündnissysteme haben sich allerdings auf die Bewältigungsdramatik in der SBZ/DDR erst in den fünfziger Jahren ausgewirkt – sichtbar dann an der Tendenz, durch Themenwahl, Fabelkonzeption und Figurengestaltung den Vergangenheitsstoff im Ost-West-Konflikt politisch zu aktualisieren. Hedda Zinners *Der Teufelskreis* (U 1953) und *General Landt* (U 1957) sowie Harald Hausers *Am Ende der Nacht* (U 1955) sind dafür wohl die markantesten Beispiele. Von diesen Stücken wird noch zu reden sein.

In der antifaschistischen Dramatik, die in den ersten Nachkriegsjahren entstand und auf den Bühnen der SBZ/DDR gespielt wurde, überwog fraglos der moralische Appell, der Aufruf zu innerer Umkehr, das Bekenntnis zum Humanismus als »geistige[r] Alternative und wirksame[m] Gegenpol zum barbarisierten Bild vom Menschen durch den Faschismus«[3]. Wo es dagegen um Information und »Orientierung« ging, wie Jhering sie verlangt hatte, und – wenn darunter die Aufdeckung der Ursachen für die Entstehung und Ausbreitung der faschistischen Bewegung in Deutschland zu verstehen war – um die Beschreibung des ›gesellschaftlichen‹ Charakters des Krieges und die notwendige Klärung der Fragen von Mitschuld und Mitverantwortung, sprang die Exildramatik in die Bresche. Inszenierungen von Werken emigrierter Autoren – Hedda Zinners *Caféhaus Payer* (Rostock und Gera 1945), Friedrich Wolfs *Professor Mamlock* (Berlin 1946), Ernst Tollers *Pastor Hall* (Berlin 1947), Bertolt Brechts *Furcht und Elend des Dritten Reiches* (Berlin 1948)[4] und *Mutter Courage* (Berlin 1949), um einige der wichtigsten zu nennen – trugen anfangs die Hauptlast der »Abrechnung mit der faschistischen Ideologie und der Begründung einer historischen Perspektive der deutschen Nation«.[5] Dieser Überlegenheit in der politisch-ideologischen Analyse hatte die Nachkriegsdramatik vorerst wenig entgegenzusetzen – teils weil ihr ohnehin noch der Blick für die historischen, sozialen und materiellen Bedingungen von Faschismus und Krieg fehlte, teils weil sie sowieso stärker darauf fixiert war, Stimmungen und Strömungen in Deutschland nach dem Zusammenbruch des NS-Regimes aufzufangen. Das erste gilt eher für die debütierenden Autoren, für Heinrich Goertz' *Peter Kiewe* (U 1946) etwa, Hansjörg Schmitthenners *Ein jeder von uns* (U 1947), Thomas Engels *Treibgut* (U 1948) und Peter Podehls *Kommen und Gehen* (U 1948); das zweite für Günther Weisenborns als eindringliche Mahnung geschriebenes Schauspiel *Die Illegalen* (U 1946) und Friedrich Wolfs *Wie die Tiere des Waldes*

(U 1948), eine »kämpferische Stellungnahme zu brennenden Fragen der unmittelbaren Gegenwart«.[6]

Gerade von den jüngeren Dramatikern etwas anderes zu erwarten als tastende Versuche der Selbstverständigung und Selbstfindung, war eine Kalkulation, die nicht aufgehen konnte. Ihr »Unvermögen, die jüngste Vergangenheit und die Gegenwart dichterisch zu gestalten«, vermutete Stephan Hermlin, habe »wahrscheinlich viel mit der Tatsache zu tun, daß der Faschismus und sein Krieg bei uns fast durchweg erduldet, ja geduldet, aber nicht bekämpft wurde«.[7] Trotzdem entstand hier ein Typus antifaschistischer Wandlungsdramatik, der »als Ausdruck ihres [der Jugend] verworrenen Suchens, als Dokumentation ihres Willens, aus dem Zusammensturz aller Werte den Weg zum Leben in einer neuen Wertordnung zu finden«[8], von beachtlichem zeitgeschichtlichem Gewinn war. Die Protagonisten dieser Stücke sind keine begeisterten Parteigänger des Nationalsozialismus. Sie gehen in den Krieg aus Abenteuerlust, Kameradschafts- und Pflichtgefühlen, mit dubiosen philosophischen Begründungen – »der Kampf ist der Vater aller Dinge«[9] – und Endsiegillusionen: »Wenn wir gesiegt haben, wird sich auch der deutsche Geist – der wahre deutsche Geist wieder durchsetzen.«[10] Was schließlich den Anstoß für Umdenken und Haltungsänderungen gibt, sind bei Goertz und Schmitthenner unmenschliche Befehle. So steht der Mord an den Kameraden, der dem Obergefreiten Kiewe zugemutet wird, am Anfang eines mühseligen Läuterungsprozesses, durch den sich der Held von Gewissensnöten befreit und »sein menschliches Antlitz« wiedererlangt. Und für den Stabsarzt Dr. Robschek wird der Auftrag der Lager-SS, beim Anrücken der Amerikaner polnische und jugoslawische Kriegsgefangene zu liquidieren, zum entscheidenden Impuls, sich »in dieser Hölle der Vergewaltigung, des Zwangs, des Mords und des Unrechts« auf das ›Eigentliche‹ zu besinnen, auf »die Würde und die Achtung für die Würde des Menschen«.[11] Genauso starke Motive, nach dem Warum und Wofür zu fragen, bilden das Erlebnis des grausamen Sterbens und Tötens an den Fronten, die sinnlose Verlängerung des Krieges und der Schock der Niederlage.

Gewiß wiesen diese antifaschistischen Zeitstücke nicht den Weg aus der »unbestrittenen Misere« der Gegenwart »in eine bessere Zukunft, nicht den Aufstieg ins Morgen«.[12] Von Glaube, Hoffnung und Neuanfangenwollen ist die Rede; doch bleiben die Plädoyers für Menschenliebe, Wahrheit, Recht und Freiheit noch abstrakt und daher die Umrisse einer humanen Welt diffus. Gezeigt wird mehr der Aufbruch als ein konkretes Ziel. Offensichtlich sind auch die Schwächen der jungen Wandlungsdramatik: Kolportageeffekte im Aufbau der Fabel (reichlich bei Engel), unbeholfene Formexperimente (die Unterbrechung des linearen Geschehensverlaufs durch »Fensterscenen« mit direkter Ansprache des Publikums bei Podehl), die selten einmal gelungene Rundung eines Charakters zu »selbständige[r] Existenz« (Rilla über Schmitthenner), dann die argumentative Schlichtheit in den Erklärungen für die eigene Verstrickung und für das faschistische Unwesen (Antifaschismus und Faschismus als Kampf zwischen »Mensch« und »Bestie«[13]). Aber es werden doch auch Vertrauen und Zuversicht verbreitet gegenüber dem Zynismus und Pessimismus, der Resignation und Apathie einer desillusionierten Generation, die sich bei Kriegsende getäuscht und mißbraucht, verraten und zerstört fühlen mußte. Jedenfalls hat die zeitgenössische Kritik hier Gesinnung höher veranschlagt als dramaturgische Perfektion und intellektuelle Prägnanz.[14]

»Deutsche Jugend, deutsche Hitlerjugend: Deutschlands tiefste Wunde. [...] wenn es uns nicht gelingt, diese Jugend zu gewinnen, dann gnade uns allen, dann wehe Deutschland.«[15] Johannes R. Bechers emphatische Warnung und die von den Nachwuchsautoren dargestellte Mühsal des Zurechtfindens und Wiederbeginnens lenken ebenso wie die unverkennbar operativen Züge in Weisenborns *Die Illegalen* und Wolfs *Wie die Tiere des Waldes* das Augenmerk auf die eigentliche Problemgruppe der antifaschistischen Umerziehung. Das im März 1946 im Berliner Hebbel-Theater uraufgeführte Schauspiel Weisenborns ist daher auch beides: als »Denkmal der Schafottfront« eine Ehrenrettung der im Dritten Reich als Hoch- und Landesverräter, Saboteure und Agenten des Auslands diffamierten Widerstandskämpfer und zugleich moralische Aufrüstung für die Jugend in Deutschland. In dem letzten Aufruf, den Walter, eine der Hauptfiguren des Stücks, noch über einen Geheimsender ausstrahlen kann, wird in einer Art Zeitsprung der Zusammenbruch des NS-Regimes schon vorweggenommen: »Es wird der Tag kommen, da stehst du, deutsche Jugend, vor der furchtbarsten Aufgabe, vor die je eine junge Generation gestellt wurde. Wirst du sie bewältigen? [...] Ja, du wirst eine neue Welt aufbauen, eine Welt derer, die guten Willens sind [...]. Es gab viele Helden auf allen Fronten dieses Krieges, aber die bitterste Front war die Schafottfront, und hier fielen die Helden in bleichen, schweigenden Kolonnen, die dir den Weg gewiesen haben, den Weg in die Menschlichkeit!«[16]

Weisenborns *Die Illegalen* ist kein antifaschistisches Mobilisierungsdrama, kein Aufklärungsstück über die Taktiken und Methoden des Widerstands, seine Zusammensetzung, seinen Aufbau, seine Ziele und Effizienz. Die politischen und ideologischen Konturen der Schulze-Boysen/Harnack-Organisation, der Weisenborn von 1937 bis zu ihrer Zerschlagung 1942 angehörte und deren Aktivitäten den Anstoß zur Abfassung der *Illegalen* lieferten, sind nicht annähernd zu erkennen. Von den beiden konspirativen Gruppen, deren versuchte Kontaktaufnahme das Geschehen in Gang hält, ist nur zu erfahren, daß es sich bei ihnen um Vereinigungen auf der Basis von Volksfrontinitiativen handelt – »Es gibt nur noch eine einzige Partei, die heißt: Freiheit!« (S. 32) –, und von ihren politischen Vorstellungen wird kaum mehr berichtet, als daß sie für »eine bessere Zukunft der Massen« (S. 57) kämpfen. In Weisenborns Drama erscheint der Widerstand in erster Linie sittlich motiviert. In der Auseinandersetzung mit ihren faschistischen Gegnern agieren die Figuren seines Stücks meist aus der Defensive; sie werden als Verfolgte und Gejagte gezeigt. Ohne Frage hat Weisenborn damit die tatsächliche Situation vieler während der NS-Zeit im Untergrund operierender Gruppen adäquat beschrieben; doch ist dies nicht das Entscheidende. Ausschlaggebend vielmehr ist, daß ihm die Bedrängnis und permanente Gefährdung seiner Protagonisten die Möglichkeit gibt, seine eigentliche Botschaft, die von ihren Tugenden, zu verbreiten: von ihrem Heroismus, ihrer Unbeugsamkeit, der Lauterkeit ihrer Gesinnungen, ihrem Todesmut und der mit schweren Gefühlskonflikten verbundenen Aufopferung persönlichen Glücks für den als notwendig erkannten Widerstandskampf. Vorbildfiguren werden auf diese Weise geschaffen, leuchtende Beispiele eines ethischen Engagements aus unbedingtem Freiheitswillen; es entsteht das Bild eines ›anderen‹ Deutschlands als »konkrete Verpflichtung« (*Vorwort*) für die Überlebenden.

Konzipiert »für die überwältigende Mehrheit ›unpolitischer‹ Jugendlicher [...] und nicht bloß für die Minderheit bewußter junger Antifaschisten«[17], ist Friedrich Wolfs *Wie die Tiere des Waldes* praktisch das Gegenstück zu Weisenborns *Die Illegalen*. Das 1948 in Leipzig uraufgeführte Werk fußt auf einem authentischen Vorfall, auf den Wolf in den Akten eines Berliner Kammergerichts gestoßen war.[18] Man hatte dort einem Schlosserlehrling den Prozeß gemacht, der nach seiner Einberufung in den letzten Kriegstagen die Trennung von seiner langjährigen Freundin nicht hatte verwinden können. Er war fahnenflüchtig geworden und zu dem Mädchen zurückgekehrt. Beide hatten in ihrer Situation den Freitod für den einzig gangbaren Ausweg gehalten. Das Mädchen war von seinem Geliebten erschossen worden, der dann nicht den Mut aufgebracht hatte, die Waffe gegen sich selbst zu richten. Kurze Zeit später war seine Verhaftung erfolgt. Wolf sah diesen Fall »tatsächlich als typisch« für die Mentalität des »jungen Durchschnittsdeutschen im Hitlerkriege«[19] an und nutzte ihn zugleich, die Verantwortlichen zu entlarven und anzuklagen, die sich noch in der Endphase eines aussichtslos gewordenen Krieges nicht gescheut hatten, eine ganze Generation skrupellos ins Feuer zu schicken. Schon wegen dieser Zielsetzung wird in Wolfs Schauspiel die Desertion Kurt Timmes nicht nur mit seiner Liebe zu Hanne erklärt, sondern ein ebenso starker, die Flucht auslösender Faktor ist das Erlebnis der Hinrichtung von fünf Kameraden, die der Feigheit vor dem Feind bezichtigt worden waren. Im wesentlichen folgt Wolf in seinem Drama der Vorlage bis zu dem Moment, als Kurt seine Freundin mit dem Revolver tötet, durch das Auftauchen einer Wehrmachtsstreife aber daran gehindert wird, auch sich selbst umzubringen. Die Fabel greift hier über den durch die Prozeßberichte vorgegebenen Stoff hinaus. Ein anderes Thema wird angeschlagen: die Rückkehr Kurts ins Leben.

Die Ereignisse, um die sich das Stück dreht, hat Wolf, dessen Dramatik unmittelbar nach dem Krieg »ein damaliges Bedürfnis nach vorbildhaftem, nach richtigem und falschem Handeln [bediente]«[20] und ihn für einige Zeit zu einem der einflußreichsten Bühnenautoren in der SBZ/DDR machte, geradlinig und leicht überschaubar arrangiert – nach jenen dramaturgischen Spielregeln, deren Verbindlichkeit für sich Wolf immer wieder betont hat: »[...] eines der Grundelemente des Dramas ist das Vorhandensein des *Spielers* und *Gegenspielers* als Träger der inneren und äußeren Konfliktstoffe. Spieler und Gegenspieler aber haben als Verkörperung geistiger Gegensätze die dramatische Entscheidung auf der Bühne und in der Brust des Zuschauers herbeizuführen. [...] Und immer kommt es im Drama, das diesen Namen verdient, in Form der vorbereiteten und doch überraschenden Wendung (der Peripetie) über die Katharsis zur Entscheidung.«[21] Nach diesem Modell sind

Hanne und Kurt die zentralen Identifikationsfiguren im Stück, der Vater Hannes, ein fanatisierter Blockwart, und einige NS-Chargen ihre Kontrahenten. In einem Zwischenbereich bewegen sich Hannes Mutter, Kurts Schwester und, weniger eindeutig, die Olch, Kurts Großmutter, die alle anfangs fürchten, mit schlimmen Konsequenzen für sich in die Affäre verwickelt zu werden. Später treffen sie, durch Hannes Tod erschüttert, ihre »reinigende Entscheidung« (Wolf) und bezeugen bei der Verhandlung gegen Kurt – wie die Mutter des Mädchens – beherzt ihren Sinneswandel: »Fahnenflucht? Herr Offizier, wo man fünfzehnjährige Jungens an die Bäume hängt, da gibt's für mich keine Fahne mehr, für mich nicht und für Tausende Mütter nicht! Ja, ja, ich weiß schon, was Sie sagen wollen, Herr Offizier: ›Die Jungens hatten die heilige Pflicht, das Land zu verteidigen!‹ Aber was ist das für ein Land, wenn der Tod der erste Mann darin ist – der Tod!?«[22]

Ursprünglich hatte Wolf das Stück dem Deutschen Theater in Berlin zur Premiere angeboten, von Wolfgang Langhoff, dem damaligen Intendanten, aber eine Absage erhalten mit der Begründung, das »Schicksal dieses jungen Liebespaares« erscheine ihm »als nicht typisch und gültig für eine Darstellung der Probleme unserer heutigen deutschen Jugend«; überdies zerfalle das Werk »in zwei Stücke« und »die psychologische Motivierung der Handlungsweise der verschiedenen Figuren« sei »verzeichnet«.[23] Diese von Langhoff angesprochenen Mängel und auch andere, die dem Drama angekreidet worden sind[24], hängen zum guten Teil mit der Entstehungszeit, den erklärten Wirkungsabsichten des Autors und seinen präzisen Vorstellungen von der Rezipientengruppe des Stücks zusammen. Auf einfache Wahrheiten und klare Fronten bedacht, hat Wolf in der Tat wenig Spielraum für eine Differenzierung und Vertiefung seiner Charaktere. So verlautet nichts darüber, wie Hannes Vater ein unbedingter und unbelehrbarer Gefolgsmann der Nationalsozialisten werden konnte und warum andere Personen gegen die Einflüsterungen der faschistischen Propaganda immun geblieben sind. Sofort ins Auge springt die – auch von Langhoff vermerkte – »dramatische Brüchigkeit« und »formale Unausgeglichenheit«[25] des Stücks, die daraus resultiert, daß die Geschehnisse nach Hannes Tod eine positive Wendung nehmen sollten. Um wiederum diesen Umschlag im Handlungsablauf, der angesichts des Gemütszustands von Kurt psychologisch überzeugend nur schwer zu motivieren ist, dennoch plausibel zu machen, wählt Wolf das dramaturgisch wenig einleuchtende Mittel einer Traumsequenz. Er läßt seinen jugendlichen Helden noch einmal Zwiesprache mit Hanne halten und letztlich daraus den Glauben schöpfen, alles könne anders sein, »so wunderbar vernünftig« (S. 180). Schließlich ist Kurt durch seine antifaschistische ›Vorgabe‹ – denn immerhin wagt er zweimal zu desertieren – sicherlich kein typischer Repräsentant jener Altersgruppe, die den »Irrweg einer Nation« (Abusch) von der Schule über Jungvolk und Hitlerjugend bis an die Fronten des 2. Weltkrieges »widerstandslos« – wie der Autor selbst schrieb – »bis zum bitteren Ende« mitgegangen war und von der Wolf hoffte, er habe ihre »geistige Verfassung« in seinem Stück anschaulich in Szene gesetzt.[26] Indes schmälern solche Vorbehalte nicht den Rang des Dramas im Nachkriegsdeutschland. Wie die antifaschistischen Zeitstücke der Goertz, Schmitthenner, Engel, Podehl und wie Weisenborns *Die Illegalen* hat es seinen Stellenwert in der Literaturgeschichte als ein »Ruf der Jugend und ein Ruf an die Jugend«[27], nach soviel Kämpfen »für das Falsche« den Mut zu haben »für das andere, für das Leben« (S. 193).

2.

Im Theater am Schiffbauerdamm hatte im November 1953 Hedda Zinners *Der Teufelskreis* Premiere, ein Stück, für das der Autorin ein Jahr zuvor von einer illustren Jury – auch Brecht, Erpenbeck, Langhoff und Wolf gehörten ihr an – der 1. Preis in einem Dramatikerwettbewerb zuerkannt worden war. Ihr »Hauptthema« – so Hedda Zinner – sei der »Kampf gegen den Sozialdemokratismus und das Ringen um die Einheitsfront« gewesen, und seine Aktualität gewinne ihr Schauspiel aus »der Haltung der heutigen sozialdemokratischen Führung in Westdeutschland und West-Berlin«.[28] Im Vergleich zur antifaschistisch-demokratischen Aufbauphase waren das neue Töne in der Bewältigungsdramatik, die offenkundig jetzt nicht mehr nur mit der Elle moralischer Erneuerung gemessen wurde, sondern darüber hinaus an ihrem Standort in den politischen Kontroversen der Gegenwart.

Meist hatten Faschismus und Krieg in den Stücken der vierziger Jahre bloß den historischen Hintergrund geliefert, vor dem individuelle Krisen zu Entscheidungen reiften, die auf eine *innere* Läuterung und *geistige* Umorientierung der Protagonisten hinausliefen.

In Hedda Zinners *Der Teufelskreis* sind die Ereignisse, um die es geht, selbst von hochpolitischer Art: der Reichstagsbrand, die danach einsetzende Verhaftungswelle, der Schauprozeß gegen Dimitroff und andere vor dem Reichsgericht in Leipzig, schließlich der sich allmählich formierende illegale Widerstand. Die Figuren handeln als Exponenten von Parteien, Schichten und Klassen; in ihren Konflikten brechen die politischen, ideologischen und gesellschaftlichen Widersprüche auf; Richtung und Ziel der Fabel entwickeln sich dabei aus der Logik der »Wahrheit«, die »der Klasse dient, für die du mit deiner Kunst kämpfst«.[29] Von vornherein sind damit in Hedda Zinners Stück die Positionen – wie schon bei Wolf – nach *richtig* und *falsch* verteilt; im Mit- und Gegeneinander der Kräfte, das sich in Übereinstimmung mit der parteilichen Sicht der Autorin auf die Geschichte vollzieht, kommt Ungewißheit über Sieg und Niederlage nicht auf: denen gegenüber, die das richtige Prinzip vertreten, kann es nur den Irrtum geben.

  Das sind die Prämissen eines Dramas, in dem das Verhalten der SPD-Führung vor und nach dem Machtantritt Hitlers als Fehleinschätzung der politischen Lage dargestellt wird. Wie es zu diesem ›Versagen‹ kommen konnte, illustriert Hedda Zinner exemplarisch an der Figur des Reichstagsabgeordneten Wilhelm Lühring. Sie selbst charakterisiert ihn als einen »jener typischen Sozialdemokraten, der, obwohl ehemals Arbeiter – Buchdrucker –, den Massen entfremdet, ein wohlgeordnetes, kleinbürgerliches Dasein führt«.[30] Bis zu seiner Verhaftung nach dem Reichstagsbrand hegt Lühring die Überzeugung, die SPD könne, nachdem Hitler »legal zur Macht gelangt« sei, »auch in der Opposition« ihre »eigenen Gesetze nicht mit Füßen treten«.[31] Er wiegt sich allzulange in der Hoffnung, Konzessionen von seiten des Parteivorstands und der Reichstagsfraktion verschafften der SPD den nötigen Freiraum für Verhandlungen mit den Nationalsozialisten. Ohnehin, glaubt Lühring, werde das Regime rasch ›abwirtschaften‹. Mit diesen Auffassungen steht der Parlamentarier in Hedda Zinners Stück ziemlich allein. Die politischen Differenzen haben schon in die Familie einen tiefen Keil getrieben. Paul, sein Sohn, »geht mit den Kommunisten« (S. 169) und macht bei Untergrundaktionen mit. Auch Marta, Lührings Frau, teilt die Legalitätsillusionen ihres Mannes nicht und täuscht sich nicht wie er über die wahren Absichten der Nazis: »Wenn Versammlungen verboten werden, nicht nur kommunistische, sondern auch unsere – ist das legal? Und wenn Menschen ermordet werden, nicht nur Kommunisten, sondern auch Sozialdemokraten und welche vom Reichsbanner [...], ist das legal?« (S. 168f.)

Nach der Brandstiftung wird Lühring wie viele andere Angehörige von SPD und KPD in ›Schutzhaft‹ genommen. Der Meinungsstreit, der unter den Häftlingen entbrennt, spiegelt Hedda Zinners eigene Einschätzung der Situation von 1933 wider. Lühring muß sich einen »Bonzen« und »Reformisten« schimpfen lassen, der die Idee vom Klassenkampf preisgegeben habe; sein Antikommunismus und seine beschwichtigenden Reden hätten dazu beigetragen, daß die Aktionseinheit der Arbeiterparteien mißlungen sei. So wird der SPD-Spitze von Hedda Zinner angelastet, sie habe eine durchaus vorhandene Bereitschaft der Basis zu außerparlamentarischen Kampfmaßnahmen – Generalstreik – abgeblockt und die Angebote der Kommunisten zur Zusammenarbeit ausgeschlagen. Zu einer kritischen Auseinandersetzung mit der kommunistischen Politik vor 1933 – mit dem Vorwurf des Sozialfaschismus an die Adresse der SPD zum Beispiel – kommt es in ihrem Stück begreiflicherweise nicht. Eine mögliche Mitverantwortung der KPD an der Entwicklung steht nicht zur Debatte. Stattdessen sind es wieder die Kommunisten, die unter dem Eindruck des gemeinsamen Schicksals den Sozialdemokraten die Hand zur Versöhnung reichen und die Einheitsfront auf den Weg bringen.

Auch daß es den Faschisten, die um Zeugen für ihren Schauprozeß und für ihre Behauptung von einem kommunistischen Anschlag auf den Reichstag verlegen sind, gelingt, von Lühring eine Falschaussage zu erpressen, hat aus Hedda Zinners Sicht seinen tieferen Grund in der kompromißlerischen Haltung des Abgeordneten. Die Kraft, die ihm fehlt, um dem Ansinnen der Nazis zu trotzen, ziehen andere aus ihrer gefestigten Weltanschauung. Das zeigt sich, als Lühring später – von Dimitroffs mannhaftem Auftreten vor dem Reichsgericht tief getroffen: »Ein anderer [...] hat mich neu gelehrt, was Recht und was Unrecht ist« (S. 241) – seine Aussage widerruft und öffentlich seinen »Verrat« an der Arbeiterklasse bereut. Bevor er schließlich, geschunden und gequält, im KZ stirbt, bekennt er sich uneingeschränkt zur Einheitsfront: »Wir alle gehören zusammen... alle Arbeiter. – Es darf nie wieder... so kommen...!« (S. 261) Insofern Hedda Zinner den leidensvollen Erkenntnisweg Lührings benutzt, um daran vermeintliche Versäumnisse der SPD-Führung aufzudecken, um Generalstreik und

Aktionseinheit als die einzig angemessene Reaktion auf die Macht-ergreifung hinzustellen, ist der Abgeordnete in der Tat die »Haupt-figur« (Zinner) ihres Stücks. Aber er ist nicht sein *Held*. Das wird Dimitroff, als am »Umschlagspunkt« (Zinner) der Handlung »die direkte Klassenauseinandersetzung zwischen dem Kommunismus und dem deutschen Faschismus«[32] vor dem Reichsgericht ins Zen-trum des Dramas rückt. Die Lühring-Problematik tritt hier in den Hintergrund. Mit dem Dimitroff-Strang der Fabel bleibt sie ledig-lich durch die Rückwirkung verknüpft, die das gescheite und mu-tige Agieren des Bulgaren während des Prozesses auf den Widerruf Lührings hat. In überlegener Manier entkräftet Dimitroff Punkt für Punkt die dilettantisch zurechtgeschusterte Anklageschrift, überführt Zeugen als gekauft und präpariert, beweist die Unhalt-barkeit der These von einem Komplott der KPD. Seine offensive Verteidigung macht ihn so zu einer Symbolfigur des kommunisti-schen Widerstandskampfes.

Mit Dimitroffs Worten vom »Rad der Geschichte«, das sich drehe und drehen werde »bis zum endgültigen Sieg des Kommunismus« (S. 266), ist der Schluß des Dramas effektvoll akzentuiert. Diese Prophezeiung hat – wie Lührings Vermächtnis auch – aus der Per-spektive der Entstehungszeit des Stücks durchaus den Charakter eines Vorgriffs auf die Nachkriegssituation. Von 1933 bis in die Ge-genwart der SBZ/DDR zieht Hedda Zinner eine Linie, die den nach 1945 eingeleiteten Maßnahmen zur Vernichtung des Faschis-mus die historische Legitimation gibt: der Vereinigung von KPD und SPD, dem Zusammenschluß aller antifaschistisch-demokrati-schen Kräfte, der Entmachtung jener Gruppen von Kapital und Großgrundbesitz, die im *Teufelskreis* als Wegbereiter des National-sozialismus auftauchen. Daß in diesem Kontext der andere Teil Deutschlands als Hort der Reaktion in den Blick gerät, ist im politi-schen Klima der fünfziger Jahre nichts Ungewöhnliches. Nur fällt mitunter die Simplizität des Musters auf, nach dem Themen aus der NS-Zeit der Tagespolitik verfügbar gemacht werden. In Hedda Zinners *General Landt* ist die Einbindung der Dramenhandlung in den Rahmen eines Prologs und eines Epilogs dafür ein sprechendes Beispiel. Hier treten »Herren in Zivil« und in Uniformen der Bun-deswehr auf, unter ihnen ein ehemaliger hoher Gestapomann und ein alter Wehrmachtsgeneral, die den aus der Festungshaft ent-lassenen Landt im Westen als einen der ihren herzlich willkommen heißen: »Wir sind wieder alle beisammen.«[33] Damit ist unmißver-

ständlich klargelegt, wo nach Hedda Zinners Meinung die Steigbü-
gelhalter des Faschismus, die Revanchisten und Unbelehrbaren
nach dem Krieg ihre neue Heimstatt gefunden haben, wo aus der
Geschichte nichts gelernt und bei der Bewältigung der Vergangenheit versagt worden ist.

Vier Jahre nach Fritz Wistens Inszenierung von Hedda Zinners
Der Teufelskreis am Schiffbauerdamm gelangte *General Landt*
gleichzeitig in Rostock und Weimar zur Uraufführung. In diesem
Stück, dem eine Anfang der fünfziger Jahre entstandene Hörspiel-
fassung zugrunde lag, greift die Autorin die Kritik auf, die nach der
deutschen Erstaufführung von *Des Teufels General* (Hamburg
1947) laut geworden war. Sie hatte sich vor allem gegen die von
Zuckmayer kreierte »Legende von den großen Zeiten« gerichtet,
»von den echten Kerlen und zünftigen Soldaten, die leider nur unter der falschen Flagge versammelt waren und von der NS-Partei
gehindert wurden, ihre honorigen Kräfte auch für eine anständige
Sache einzusetzen«.[34] Ein zur Emigration gezwungener Schriftsteller, schrieb Paul Rilla damals, habe seine Abrechnung mit dem NS-
Regime »als Blankoscheck zur moralischen Entschuldung hoher
nazistischer Würdenträger präsentiert«.[35]

Auch in Hedda Zinners Stück tritt Landt zu Beginn als Frauen-
held und Draufgänger auf, der sich nicht scheut, seine Abneigung
gegen die Nazis unverhohlen zu äußern. Aber geschickt verstehen
die Machthaber des Dritten Reiches ihren Mann zu ködern, indem
sie erfolgreich auf seinen Ehrgeiz, seine Eitelkeit und Karrieresucht
spekulieren. Landt wird zum General befördert, man drängt ihm
eine luxuriöse Villa auf, dekoriert ihn für seinen Einsatz beim Angriff auf Warschau mit dem Ritterkreuz und entlohnt obendrein
seine »dem Vaterland geleisteten Dienste« (S. 133) mit einem Ak-
tienpaket aus dem arisierten Vermögen seines Freundes Wassermann. »Ich bin der, der ich war, und ich bleibe der, der ich bin!«
(S. 93), ist Landts großer Irrglaube; sein Selbstbetrug, auf den Wassermann schon früh seine Aufmerksamkeit zu lenken sucht, er
könne für Deutschland und das deutsche Volk arbeiten, ohne sich
zum Komplizen der Nazis zu machen. Je höher Landt steigt, desto
verfügbarer wird er; je mehr er sich verstrickt, desto grotesker mutet seine Behauptung an, es sei möglich, im Dritten Reich hofiert,
geehrt und befördert zu werden und dennoch »ein freier Mensch«
(S. 95) zu bleiben.

Die Kluft zwischen Landts forschen Worten und seinen Taten vertieft sich zusehends. Seine Gegnerschaft zum NS-Regime erstarrt mehr und mehr zur Gesinnungspose, seine Rechtfertigungen entlarven sich als schlechte Rationalisierungen. Immer weniger wagt es der General, seine Popularität und Unentbehrlichkeit in die Waagschale zu werfen, um Freunde und Bekannte vor Übergriffen zu schützen. Er findet »diese Judenverfolgungen barbarisch, empörend, hundsföttisch feige« (S. 97), unterstützt aber weder die Fluchtpläne für einen jüdischen Wissenschaftler, noch begehrt er auf, als die offensichtlich hanebüchene Unterstellung, Wassermann sei homosexuell, zum Vorwand genommen wird, diesen von seinem Posten als Direktor der Deutschen Stahlwerke zu entfernen. Landt stemmt sich nicht gegen den Mißbrauch seines Namens; er wehrt sich nicht, als die Nazis seine Freundschaft mit einem russischen Fliegerkameraden hintertreiben; er stellt sich nicht quer, als ein befreundeter britischer Journalist ausgewiesen werden soll. Dagegen wächst seine Bereitschaft, die Dinge, wie er sagt, »objektiv« zu betrachten und die fadenscheinigen Begründungen zu akzeptieren, mit denen die Faschisten ihre Eigenmächtigkeiten verbrämen. Der General wird, »was Deutschland braucht: Vorbild!« (S. 141) Es gibt Augenblicke, in denen er sich seiner Korrumpierbarkeit bewußt zu werden scheint. Seine verzweifelten Anstrengungen, »heraus[zu]bleiben aus alldem« (S. 116), deuten das an, ebenso seine Flucht in den Alkohol und sein Leiden an der Einsamkeit, die um ihn entsteht. Aber Landt ist längst ein Gefangener seiner selbst, schwach und später auch zu ängstlich, nachdem die Nazis, je mehr er sich ihnen verbündet, desto weniger davor zurückschrecken, ihm offen zu drohen.

Hedda Zinner hat dem General mit Lina Karsten eine Frau an die Seite gestellt, die seine Selbsttäuschungen durchschaut und sein Verhalten trotz ihrer Liebe zu ihm nicht billigen kann. Von ihr auf die Möglichkeit von Protest und Widerstand angesprochen, lehnt Landt solches Ansinnen mit Hinweis auf Karriere, Ansehen und Ehre rundweg ab. Um sich mit ihrem Urteil über ihn nicht ins Unrecht zu setzen, beschließt Lina, nicht länger tatenlos abseits zu stehen: »Ich will klar sehen, um was es geht. Ich will bewußt kämpfen« (S. 119). Daß sie für sich eine andere Entscheidung trifft, führt zum Bruch mit Landt. Diese Trennung wiederum beschleunigt dessen unaufhaltsamen Abstieg vom unbedachten Mitläufer zum Opportunisten, vom Denunzianten – Äußerungen Landts, die Linas illegale Tätigkeit verraten, gefährden sie aufs höchste – zum willfährigen Instrument in den Händen der Beherrscher Deutschlands. Am Ende wird der General sogar zum Mörder an einem russischen Hauptmann. Landt erschießt ihn, weil ihm die Unbeugsamkeit des Gefangenen während eines Verhörs imponiert, weil er die Selbstsicherheit des Russen, seine Siegeszuversicht und moralische Überlegenheit nicht zu ertragen vermag. Mit dem Hauptmann tötet Landt auch sein schlechtes Gewissen, den Rest von Anständigkeit und Selbstachtung in sich. Von solchem Schlag also sollten die Männer sein – wenigstens suggerieren dies Vor- und Nachspiel in Hedda Zinners Stück –, die in gehobenen Positionen die Remilitarisierung der Bundesrepublik organisierten.

Eine solche Art der Aufarbeitung des Faschismus »vor allem mit dem Blick auf die politische Gegenwart in Westdeutschland«[36] ist eine Seite der literarischen Abrechnung, eine andere und nicht minder wichtige die in Harald Hausers *Am Ende der Nacht* vorgeführte. Das Stück ging nach seiner Premiere im Oktober 1955 in Magdeburg über die meisten Bühnen der DDR. Es gehört vom Schauplatz, von der Handlungszeit, von den Akteuren und den dargestellten Ereignissen in die Reihe jener Pionierleistungen, mit denen Autoren wie Hermann Walter Kubsch in *Die ersten Schritte* (U 1950), Karl Grünberg in *Golden fließt der Stahl* (U 1950) oder Paul Herbert Freyer in *Die Straße hinauf* (U 1954) Vorgänge aus dem Produktionsbereich zu dramatisieren begonnen hatten. Zugleich ist Hausers *Am Ende der Nacht* durch den Gewissenskonflikt, in den eine der Personen in dieser Dreiecksgeschichte gestürzt wird, ein eigenwilliger Vorschlag, wie Fehlverhalten im Dritten Reich zu sühnen sei.

Für die Wertung der von Hauser angebotenen Konfliktlösung muß die Ausgangskonstellation des Stücks kurz skizziert werden: Im Werk einer sowjetischen Aktiengesellschaft, das im Wettbewerb steht, spitzt sich die Situation durch die Überbeanspruchung einer Turbine bedrohlich zu. Der deutsche Ingenieur Jenssen hält eine weitere Belastung für nicht verantwortbar. Arbeiter und Parteifunktionäre werfen ihm daraufhin mangelnde »Kühnheit« und Unfähigkeit zu »großen Perspektiven« vor. Auch sein sowjetischer Kollege Strogow plädiert für mehr Risikofreude, um den Gedanken der Selbstverpflichtung und Leistungssteigerung zu fördern. Für Jenssen ist die Krise dieser Nacht der Höhepunkt einer Mißtrauenskampagne gegen ihn, den bürgerlichen Intelligenzler, durch die er sich im Werk zunehmend isoliert fühlt. Insgeheim hat er daher ein Angebot, als Chefingenieur nach Indien zu gehen, akzeptiert. Es gibt für Jenssens Handlungsweise noch ein zweites gewichtiges Motiv. Seit Strogow vor wenigen Monaten im Werk aufgetaucht ist, treibt den Deutschen die Ähnlichkeit des Russen mit einem Kriegsgefangenen um, von dem Jenssen glaubt, er könne ihn im November 1944 dem Tod ausgeliefert haben. Er hatte diesem Mann damals trotz bestehender Verbote aus Mitleid ein Stück Brot zugeschoben. Der Vorfall war entdeckt und der Russe des Diebstahls bezichtigt worden. Jenssen hatte nicht den Mut besessen, seine Rolle in der Angelegenheit einzugestehen, obwohl er sich bewußt war, damit das Schicksal des Gefangenen zu besiegeln. Nun fürchtet er, zur Rechenschaft gezogen zu werden. Unter zusätzlichen Druck gerät Jenssen durch Briefe aus der Bundesrepublik, in denen er gewarnt wird, die Vorgänge von 1944 würden ruchbar, sollte er der DDR nicht den Rücken kehren. Absender ist ein ehemaliger PG, der als Handlanger der Gestapo selbst in die Ereignisse verwickelt war und nun für einen chemischen Großkonzern seine unlauteren Abwerbungsgeschäfte betreibt. Durch diesen Hinweis auf die Machinationen des Klassenfeindes im Westen weitet Hauser Jenssens private Schwierigkeiten zu einem gesellschaftlich-politischen Konflikt aus, in dem eine Grundsatzentscheidung zwischen Kapitalismus und Sozialismus auf dem Spiel steht.

Bis zum Ende seines Stücks lüftet Hauser das Geheimnis um die Identität Strogows nicht.[37] Bei der erklärten Absicht des Autors, »den kompliziert denkenden, politisch unreifen und im Umgang mit Menschen oft recht ahnungslosen ›ehrlichen, fleißigen und hochbegabten deutschen Wissenschaftler‹ mit dem tief menschlich empfindenden und handelnden Sowjetbürger zu konfrontieren«[38], leuchtet ein, daß er keine Figur brauchen konnte, die sich in ihrem Tun von dem Gedanken an Rache hätte leiten lassen. Nun ist der russische Ingenieur aber als nahezu makelloser Tugendheld gezeichnet. Hauser hätte ihn – angenommen, Strogow wäre 1944 tatsächlich das Opfer von Jenssens Versagen gewesen und würde dies zugeben – gefahrlos dem Zwiespalt zwischen Vergeltungsgefühlen und großmütigem Verzeihen aussetzen können. Andere menschlich verständliche Seiten im Charakter des Russen wären dadurch angedeutet, erst recht das »Hauptanliegen des Stückes« nicht beeinträchtigt worden, »nämlich die Gewinnung des Vertrauens der beiden deutschen Mitarbeiter durch das vorbildliche, großzügige, von hoher sozialistischer Moral getragene Verhalten Strogows«.[39]

 Wenn im Stück trotzdem nicht die volle »Wahrheit« enthüllt wird, könnte man spekulieren, Hauser habe das Problem von Jenssens Schuld umfassender angehen wollen. Argumentieren ließe sich damit, daß die Verlobte des Ingenieurs ihm Vorwürfe in dieser Richtung macht: »Und stelltest du Hitler nicht deine unpolitische Wissenschaft während des ganzen Krieges zur Verfügung? [...] Und hattest du etwas aufzuweisen, 1945, um Bedingungen stellen zu können: Deine Verachtung der Nazis, denen du bis zuletzt gedient hattest und die dich bezahlt hatten [...]. Oder dein abwartendes Heldentum in Hitlers Kriegsfabrik und abends hinter dem Ofen!?«[40] Die Tatsache, daß Strogow sich den drängenden Fragen des Deutschen verschließt, hätte dann den Sinn, ihn nicht schon dadurch aus seiner Mitverantwortung zu entlassen, daß ihm in einem konkreten Fall die Bürde der Vergangenheit von den Schultern genommen wird. Wahrscheinlicher ist, daß Hauser überhaupt weniger an Jenssens Schuld als am Schuldbewältigen interessiert war und sich darum Strogows hartnäckiges Schweigen schon hinreichend durch das Prinzip erklärt, dem er sein Denken und Handeln unterordnet. Er erläutert es einmal an einer kleinen Parabelerzählung. Einem Freund sei im Krieg »ein Lager aufgehalst« (S. 62) worden mit zweitausend Menschen – Männern und Frauen, Kindern und Greisen, Kranken und Verwundeten – und einer winzigen Holzhütte als einziger Unterkunftsmöglichkeit. Sein Freund habe nach Abwägung der positiven und negativen Aspekte einer solchen Entscheidung einen erfahrenen Baumeister dort einquartiert, um ihn Pläne für Notbaracken entwerfen und deren Errichtung organisieren zu lassen. Strogow zieht daraus für sich die einfache Lehre: »Dem Wichtigsten muß man alles opfern...« (S. 63). Er beherzigt das auch in seinem Verhältnis zu dem deutschen Kollegen. Für Strogow zählt allein, daß er den Argwohn Jenssens zerstreut und der Betrieb nicht einen qualifizierten Fachmann verliert. Sich mit Geschichten zu beschäftigen, die lange zurückliegen, ist seine Sache nicht, sondern das Sich-Bewähren im Heute und Morgen: »Reden wir nicht Vergangenheit – machen wir Zukunft« (S. 104).

 Der Einwand, Hauser habe mit dieser Anregung zur Konfliktlösung »die politisch-moralische Gewissenskrise des deutschen Ingenieurs nach der Devise ›Schwamm drüber‹ bereinigt«[41], ist nicht ohne weiteres von der Hand zu weisen. Das Stück läßt die Möglichkeit offen, Strogow könnte mit dem Kriegsgefangenen *nicht* identisch sein; dessen Schicksal bliebe damit unaufgeklärt. In diesem Fall käme die Maxime des Russen in bedenklicher Weise der Aufforderung nahe, das Gewesene zu verdrängen und zu vergessen. Jenssen würde von dem Vorwurf entlastet sein, einer selbstkritischen Aufarbeitung seiner moralischen Niederlage und ihrer möglichen Konsequenzen auszuweichen. Die Berufung des Ingenieurs zum Technischen Direktor des Werks wäre dann so zu verstehen, daß er mit seinem Einsatz für die aus ihren antifaschistischen Vorgaben sich herausentwickelnde sozialistische Gesellschaft beitrüge, den Sieg der Sowjetunion im Zweiten Weltkrieg auch in einen »der großen Siege Deutschlands« (S. 62) umzuwandeln. Was es für die Faschismusbewältigung in der DDR bedeutet habe, sich als »Bürger eines sozialistischen Staates« in die Phalanx »der sogenannten Sieger der Geschichte« eingereiht zu fühlen, hat Hermlin später einmal in einem Interview erläutert. Diese »seltsame Formel vom ›Sieger der Geschichte‹« sei nämlich der Grund gewesen, vorschnell »die Vergangenheit für überwunden zu erklären« und Versäumnisse bei der Abrechnung mit dem Nationalsozialismus einseitig an die Bundesrepublik zu delegieren.[42] Kein Zweifel, daß Hausers erfolgreiches Drama bei der Ausbildung eines solchen Bewußtseins geholfen und damit in den fünfziger Jahren seine tagespolitische Aufgabe erfüllt hat: »*Am Ende der Nacht* ist ein Tendenzstück und will ein Tendenzstück sein.«[43]

Anmerkungen

1 Herbert Jhering, *Nach zwei Jahren*, in: H. J., *Vom Geist und Ungeist der Zeit*, Berlin 1947, S. 101.

2 Hans Daiber, *Deutsches Theater seit 1945*, Stuttgart 1976, S. 94. Zur gespaltenen Reaktion auf Simonows Stück und zur Einschätzung der politischen und ideologischen Hintergründe vgl. Jürgen Baumgarten, *Volksfrontpolitik auf dem Theater. Zur kulturpolitischen Strategie in der ›antifaschistisch-demokratischen Ordnung‹ in Berlin 1945–1949*, Gaiganz 1975 (Politladen Typoskript 7), S. 8ff.; Paul Rilla, *Theaterkritiken*, hg. u. mit Vorw. vers. v. Liane Pfelling, Berlin 1978, S. 190–195; TdZ 2/6 (1947), S. 34f.

3 Manfred Berger, *Vom Nathan zum Nathan. Probleme der Erbe-Rezeption auf dem Theater nach 1945*, in: WB 17/7 (1971), S. 54.

4 Am Jahrestag der Machtergreifung kamen sieben Szenen aus dem Zyklus im Deutschen Theater zur Aufführung: *Das Kreidekreuz, Rechtsfindung, Die jüdische Frau, Der Spitzel, Die Stunde des Arbeiters, Die Bergpredigt* und *Volksbefragung.*

5 *Theater in der Zeitenwende. Zur Geschichte des Dramas und des Schauspieltheaters in der DDR 1945–1968,* Berlin 1972, Bd. 1, S. 46.

6 Walther Pollatschek, *Das Bühnenwerk Friedrich Wolfs. Ein Spiegel der Geschichte des Volkes,* unter Mitwirkung v. Otto Lang u. Manfred Nössig, Berlin 1958, S. 253.

7 Stephan Hermlin, *Wo bleibt die junge Dichtung?,* in: Klaus Jarmatz (Hg.), *Kritik in der Zeit. Der Sozialismus – seine Literatur – ihre Entwicklung,* Halle (Saale) 1970, S. 111 f.

8 Rilla, *Theaterkritiken,* S. 76.

9 Peter Podehl, *Kommen und Gehen,* Bühnenmanuskript, Verl. Felix Bloch Erben Berlin, S. 10.

10 Thomas Engel, *Treibgut,* Bühnenmanuskript, Verl. Felix Bloch Erben Berlin, S. 25.

11 Hansjörg Schmitthenner, *Ein jeder von uns,* München 1947, S. 45.

12 Hans Ulrich Eylau zit. nach TdZ 3/7 (1948), S. 34.

13 Vgl. Baumgarten, a. a. O., S. 120f.

14 Vgl. Rilla, *Theaterkritiken,* S. 75–79 (über Fred Denger, *Wir heißen euch hoffen*), S. 173–177 (über Schmitthenner); Fritz Erpenbeck, *Lebendiges Theater. Aufsätze und Kritiken,* Berlin 1949, S. 253f. (über Schmitthenner); TdZ 3/2 (1948), S. 33 (über Podehl).

15 Johannes R. Becher, *Erziehung zur Freiheit. Gedanken und Betrachtungen,* Berlin, Leipzig 1946, S. 52.

16 Günther Weisenborn, *Die Illegalen. Drama aus der deutschen Widerstandsbewegung,* Berlin 1946, S. 89f. Als Zitatnachweise beziehen sich alle weiteren Seitenangaben im Text auf diese Ausgabe. Auch bei den Seitenzahlen nach zitierten Passagen aus anderen Stücken ist jeweils die in den Anmerkungen bibliographierte Textausgabe gemeint.

17 Friedrich Wolf, *Gestern – Heute – Morgen. Zur Erstaufführung »Wie die Tiere des Waldes«,* in: F. W., *Gesammelte Werke,* Bd. 16: *Aufsätze 1945–1953,* Berlin, Weimar 1968, S. 205.

18 Vgl. Pollatschek, a. a. O., S. 253ff.

19 Wolf, *Gestern – Heute – Morgen,* S. 205.

20 Helmut Pollow, *Wird Friedrich Wolf wieder spielbar?,* in: TdZ 33/10 (1978), S. 21. Daß Wolf wenige Jahre nach dem Krieg kaum noch in den Spielplänen der SBZ/DDR aufgetaucht sei, habe nicht bedeutet, sein Einfluß sei durch den Brechts und das *aristotelische* durch das *epische* Theater abgelöst worden. Falsch sei der Eindruck – so Jäger –, »als habe mit der Übersiedlung in die DDR für Brecht ein gerader, selbstverständlicher Weg in den unumstrittenen Ruhm begonnen, als

sei, was Brecht tat, insgesamt von den politischen Repräsentanten und der offiziellen Kritik nicht nur gebilligt, sondern mit allen Kräften gefördert worden«. Manfred Jäger, *Sozialliteraten. Funktion und Selbstverständnis der Schriftsteller in der DDR*, Opladen ²1975, S. 152. Die Aufführung der *Mutter Courage* 1949 im Deutschen Theater war ebenso erfolgreich wie bei Teilen der Ostberliner Kritik umstritten, deren Wortführer, Fritz Erpenbeck, der langjährige Chefredakteur von ›Theater der Zeit‹, ein vehementer Verteidiger des Wolfschen Illusionstheaters blieb. Vgl. zur *Courage*-Diskussion *Theater in der Zeitenwende*, S. 179ff.; Baumgarten, a. a. O., S. 273ff. Die Stanislawski-Rezeption und die Formalismus-Debatte taten ein übriges, noch in den fünfziger Jahren eine Front entstehen zu lassen, an der »mit dem Namen Friedrich Wolf die sich abzeichnende Breitenwirkung eines andersgearteten Theaters und von anders gearteten ästhetischen Anschauungen« bekämpft wurden. Pollow, a. a. O., S. 21.

21 Friedrich Wolf, *Grundelemente des Dramas*, in: F.W., *Gesammelte Werke*, Bd. 16, S. 167f.

22 Friedrich Wolf, *Wie die Tiere des Waldes*, in: F.W., *Gesammelte Werke*, Bd. 6: *Dramen*, Berlin 1960, S. 166.

23 Brief Langhoffs an Wolf vom 11. 12. 1947, zit. nach Pollatschek, a. a. O., S. 419.

24 Vgl. Pollatschek, a. a. O., S. 257ff., und folgende Anmerkung.

25 Werner Jehser, *Friedrich Wolf. Sein Leben und Werk*, Berlin 1968 (Schriftsteller der Gegenwart 17), S. 151.

26 Wolf, *Gestern – Heute – Morgen*, S. 205.

27 Heinz Rusch zit. nach TdZ 3/6 (1948), S. 34.

28 Hedda Zinner, *Georgi Dimitroff und wir. Über die Arbeit an meinem Stück »Der Teufelskreis«*, in: NDL 1/9 (1953), S. 141.

29 Hedda Zinner, [Antwort auf eine Rundfrage:] *Das Theater der Gegenwart*, in: NDL 5/4 (1957), S. 134.

30 Zinner, *Dimitroff und wir*, S. 141f.

31 Hedda Zinner, *Der Teufelskreis*, in: H.Z., *Stücke*, Berlin 1973, S. 168.

32 *Theater in der Zeitenwende*, S. 259f.

33 Hedda Zinner, *General Landt*, in: H.Z., *Stücke*, S. 84, 145.

34 Marianne Kesting, *Panorama des zeitgenössischen Theaters*, München 1962, S. 231.

35 Paul Rilla, *Zuckmayer und die Uniform*, in: P.R., *Literatur. Kritik und Polemik*, Berlin 1950, S. 11.

36 Karl Heinz Schmidt, [Nachwort zu] *Stücke gegen den Faschismus*, Berlin 1970, S. 591.

37 Anscheinend konnte bei der Premiere »der Zuschauer mit Bestimmtheit annehmen«, Strogow sei identisch mit dem Gefangenen. Vgl. Günter Kaltofen, *»Am Ende der Nacht« von Harald Hauser*, in: TdZ

10/12 (1955), S. 51 f. Tatsächlich läßt Hauser sich im Stück darüber
nicht eindeutig aus.

38 Harald Hauser zit. nach Ursula Heinrichs, *Harald Hauser »Am Ende
der Nacht«*, in: Wiss. Zs. d. Humboldt-Univ. zu Berlin, Ges.-Sprach-
wiss. Reihe 18/1 (1969), S. 116.

39 Heinrichs, a. a. O., S. 119.

40 Harald Hauser, *Am Ende der Nacht*, in: *Sozialistische Dramatik. Autoren der DDR*, Nachwort v. Karl-Heinz Schmidt, Berlin 1968,
S. 83 f.

41 Lothar Creutz, *Anfänge sozialistischer Dramatik. Ein Gespräch*, in:
TdZ 12/11 (1957), Beilage, S. 5.

42 Vgl. *Wo sind wir zuhause? Gespräch mit Stephan Hermlin*, in: Freibeu-
ter 1 (1979), S. 47, 49.

43 Heinrichs, a. a. O., S. 123.

Helmut Peitsch
Vorbilder, Verräter und andere Intellektuelle

DDR-Friedensdramatik 1950/51

Die frühen fünfziger Jahre gelten in Überblicksdarstellungen zur DDR-Dramatik schlicht als die Zeit des Produktionsstücks. Dieses Etikett paßt allzugut in gängige Klischees über die Entwicklung in der ehemaligen SBZ, als daß ein genaueres Hinsehen für nötig gehalten werden müßte. Selbst die Ausnahme unter den Literaturgeschichten bestätigt noch die Regel; denn Wolfram Buddecke und Helmut Fuhrmann stellen zwar fest: »Nicht zufällig [...] gehören in der Hoch-Zeit des Kalten Krieges die meisten der neuen Bühnenwerke zur Gattung des Politstücks«, aber sie geben nicht einen Titel, von einer Analyse zu schweigen, verallgemeinern also gegen den eigenen Befund: »Arbeit, Produktion und Aufbau hießen die neuen Themen, [...] auch im Drama.«[1] Wie unzureichend diese Einschätzung bleiben muß, erhellt nicht zuletzt die sozialhistorische Verortung des neuen Stücktypus, die Buddecke und Fuhrmann vornehmen. Beide leiten, wie viele andere, das Produktionsstück aus der als ›Sowjetisierung‹ und ›Stalinisierung‹ begriffenen ökonomischen und politischen Veränderung des gesellschaftlichen Lebens in der DDR ab. Als wichtigster Beleg für diesen Zusammenhang zwischen Sozialgeschichte und Literatur gilt das 5. Plenum des ZK der SED (15.–17. März 1951).

Es soll hier weniger ein methodisches Bedenken gegen die Ableitung der Literatur aus der Literaturpolitik wiederholt, als vielmehr auf ein verkürztes Verständnis der ›Antiformalismus-Kampagne‹ aufmerksam gemacht werden, in deren »Schatten«[2] Buddecke und Fuhrmann die Dramatik zwischen 1949 und 1953 immerhin sehen. Durch die Verkürzung wird das Feld des wissenschaftlichen Interesses so eingeengt, daß über dem Produktionsstück das Politstück, genauer: die Friedensdramatik vergessen werden kann.

Dabei ist der Wortlaut des »berüchtigte[n]«[3] ZK-Beschlusses recht eindeutig. Auch wenn die beiden Zeitstücke, die mit ihren Titeln genannt werden und die heute in der DDR die einzigen sind, die überhaupt Erwähnung finden, Produktionsstücke sind (Karl Grünbergs *Golden fließt der Stahl* und Gustav von Wangenheims *Du bist der Richtige*), so findet sich unter den wenigen aufgezählten

DDR-Autoren, »auf die alle fortschrittlichen Deutschen mit Recht stolz sind«[5], gerade der eine, der mit einem Friedensdrama 1951 erhebliche Aufmerksamkeit erregte: Alfred Kantorowicz. Der ZK-Beschluß lobte die »erfolgreichen Bemühungen, Gegenwartsprobleme auf die Bühne zu bringen«[6], mehrmals, und stets wurde neben die »Erfüllung des Fünfjahrplans« der »Kampf für den Frieden und die demokratische Einheit Deutschlands«[7] gesetzt.

Doch spielte die nationale Problematik im Beschluß des 5. Plenums nicht nur die Rolle eines möglichen Stoffes für das Zeitstück, vielmehr wurden die Aufgabe der Kunst, der Künstler und der Intellektuellen im allgemeinen systematisch aus einer eher nationale als soziale Kriterien zugrunde legenden Einschätzung der Gegenwart abgeleitet. In seiner Analyse der Situation der Kunst und der künstlerischen Intelligenz ging das ZK der SED davon aus, daß auf der einen Seite der »Amerikanismus« als »Kulturbarbarei« und »Kulturfeindlichkeit« der »Feinde des deutschen Volkes«[8] stehe, auf der anderen das »nationale Kulturerbe«[9], dessen Trägern in Vergangenheit und Gegenwart bescheinigt wurde: »Alle großen Künstler des klassischen Kulturerbes waren Freunde des Friedens, Realisten und Humanisten.«[10] Die gesellschaftliche Situation der zu Ende gehenden Nachkriegszeit wurde auf diese Weise weniger sozialökonomisch als kulturell definiert.

Hieraus ergibt sich eine Schwierigkeit der Bewertung. In Hermann Webers neuester *Geschichte der DDR* begegnen innerhalb desselben Kapitels nicht weniger als vier verschiedene Beurteilungen der Relevanz des Nationalen für die Politik der SED in den frühen fünfziger Jahren. Nacheinander wird von »nur verbalen Bekundungen«[11] gesprochen, die im Gegensatz zu einer Praxis des Vorantreibens der Spaltung gestanden haben sollen, von einer »Instrumentalisierung« des »Nationalismus«[12], der vor allem auf ehemalige Nazis als soziale Basis gezielt habe, von der »offen[en]« »Frage«, »wie ernst ihre Politiker die eigenen Parolen nahmen«[13], und von einer beliebigen Form der »Reglementierung«der literarischen Produktion: »Entsprechend der damaligen sowjetischen Kulturpolitik.«[14]

Wenn man wie Weber das Wesentliche der gesellschaftlichen Prozesse in der frühen DDR auf die offene Übernahme des sowjetischen Systems reduziert[15], wird die relative Eigenständigkeit gerade der Kultur und damit der Literatur unter den besonderen Bedingungen Nachkriegsdeutschlands unterschätzt. Schon die damals noch offene deutsche Frage verlieh der Kultur eine große Bedeutung in den gesellschaftlichen Auseinandersetzungen. Die Literatur und die literarische Intelligenz gewannen überdies noch weiter an Gewicht, wenn die Gegenwart als eine weltweit durch die humanistische Idee des Friedens bestimmte begriffen wurde, wie z. B. in der Neujahrsausgabe des ›Neuen Deutschland‹, in der man auf das Vorjahr zurückblickend feststellte: »Das Jahr 1950 wird aus mancherlei Gründen in die Geschichte eingehen; nicht zuletzt aber werden die künftigen Generationen es als ein entscheidendes Jahr in der Entwicklung der Weltfriedensbewegung rühmen. Die Idee des Friedens ergriff im Jahr der Jahrhundertmitte in einem solchen Ausmaß von den Massen Besitz, daß sie zur materiellen Gewalt wurde.«[16] Der Autor verwies aber nicht auf Massenaktionen, sondern stellte einzelne Intellektuelle heraus. Weniger als Stellvertreter denn als geistige Führer erschienen so Pablo Picasso, Ilja Ehrenburg und das Ehepaar Joliot-Curie; in den prominenten Künstlern und Wissenschaftlern wurde der Intellektuelle zum aktiven Träger der »mächtigsten Idee der Welt«; diese sollte in den Massen gewissermaßen nur ihren passiven Ausdruck finden, indem »sie sich zur organisierten Tat und Tatbereitschaft verkörpert«.[17] Ganz ähnlich schrieb Robert Havemann am 31. Mai 1951 in der ›Täglichen Rundschau‹: »Die führenden Kulturschaffenden stehen im Weltfriedenslager«. Havemann ging es vor allem um den Nachweis, daß alle »großen«[18] Intellektuellen für den Frieden und gegen den Krieg seien.

Ihre spezifische Bedeutung gewann diese Feststellung aber erst, indem die Stellungnahme für den Frieden gleichgesetzt wurde mit einer solchen für die Sowjetunion oder zumindest mit der Identifikation von Krieg und Vereinigten Staaten. So führte wiederum Havemann am 3. Juni 1951 im ›Sonntag‹ aus: »Die amerikanischen Kriegstreiber sind die Todfeinde des deutschen Volkes. Das muß jeder erkennen, gleichgültig welcher Staatsform, welchem Glauben er anhängt! Selbst diejenigen Deutschen, die die westliche Welt für das ›Paradies‹ und die Sowjetunion für die ›Hölle‹ halten, können nicht wünschen, daß unsere deutsche Nation vom Erdboden getilgt wird. [...] Darum erhebt unser Volk in Einigkeit seine Stimme in der Volksbefragung gegen die Remilitarisierung und für einen Friedensvertrag noch im Jahre 1951 mit einem millionenfachen ›Ja‹ zum Frieden!«[19]

Besonders, aber keineswegs ausschließlich diese Zusammenhänge behandelte der ZK-Beschluß, von dem wir ausgegangen sind, in dem Abschnitt »Lage und Aufgaben in Westdeutschland«. Die entscheidende Prämisse zum Verhältnis zwischen US-amerikanischer Politik und deutscher Nationalkultur lautete: »Um die Völker der amerikanischen Satellitenstaaten darauf vorzubereiten, für die amerikanischen Imperialisten in einem dritten Weltkrieg die Kastanien aus dem Feuer zu holen und um den Widerstand der Völker, die im Lager der Demokratie und des Friedens stehen, zu lähmen, machen die Interessenvertreter der Imperialisten alle Anstrengungen, die nationale Würde und das Nationalbewußtsein der Völker zu zerstören.«[20] Der Formalismus, um dessen Bekämpfung es im folgenden ging, wurde nur zu konsequent primär national definiert, als »Bruch mit dem klassischen Kulturerbe«.[21] So bemerkenswert die nationale Fixierung des Klassikbegriffs auch ist, erheblichere Folgen hatte die unmittelbar politische Definition des Ästhetischen und Künstlerischen, wenn aus dem Formalismus – zwar mit den Zwischenstufen »Entwurzelung der nationalen Kultur«, »Zerstörung des Nationalbewußtseins« und »Kosmopolitismus«, aber letztlich unvermittelt genug – »eine direkte Unterstützung der Kriegspolitik des amerikanischen Imperialismus«[22] gemacht wurde.

Der Beschluß des ZK ist also auffallend zweideutig: Während Sozialökonomisches vor allem in einem weiten Sinne kulturell aufgefaßt wurde, wurde Ästhetisches unmittelbar politisch definiert. Beides führte aber gleichermaßen zu einer Aufwertung der Literatur. Zielte ersteres auf ein breites Bündnis im Zeichen einer »gesamtdeutschen Verantwortung«[23], so engte letzteres den Kreis der Mitstreiter schon aus den eigenen Reihen erheblich ein.

Ein Beispiel, das das Feld der Literatur überschreitet, ist Ludwig Renns Intervention gegen die Verklärung des preußischen Klassizismus, besonders Schinkels, zum einzig möglichen Vorbild der Nachkriegsarchitektur. Renn widersprach im ›Neuen Deutschland‹ vom 14. März 1951 Kurt Liebknechts Plädoyer für den Klassizismus, indem er auf seine Erfahrung in den USA verwies, wo das Monopolkapital weniger das Bauhaus als vielmehr – ebenso wie die Nazis – Säulen schätze. Renn handelte sich folgende, über jede Schulmeisterei hinausgehende, politische Zurechtweisung in einer *Stellungnahme des ›ND‹* ein: »Eine der Formen, in denen sich der Einfluß und der Druck des amerikanischen Kosmopolitismus in unseren eigenen Reihen äußert, ist die Abneigung und die Hemmung gewisser Künstler und Kritiker – das Volk hat da einen viel gesünderen Instinkt! –, eine positive Einstellung zu unserem nationalen Kulturerbe zu gewinnen, es sich kritisch anzueignen, es zum Ausgangspunkt unserer weiteren Entwicklung zu nehmen und sich bedingungslos in die Front gegen den Formalismus zu stellen. Die Äußerungen des Genossen Renn zum deutschen Klassizismus scheinen uns geeignet, diese Tendenzen zu ermutigen. Er sucht den Klassizismus als Epigonenkunst, als nicht zum nationalen deutschen Kulturerbe gehörig, abzutun. Gleichzeitig verteidigt er mit besonderem Eifer den hundertprozentigen Kosmopolitismus des Bauhauses.«[24] Ohne auf Renns Erfahrung und Reflexion einzugehen, machte das ›ND‹ aus dem Artikel eine Äußerung des ideologischen Einflusses des US-Imperialismus in der kommunistischen Bewegung. Von diesem Befund bis zum Vorwurf der Agententätigkeit brauchte es nur einen Schritt.

Ein Indiz *für* ein breites Bündnis unter Schriftstellern im Zeichen des Friedens und der Einheit Deutschlands ließ sich dem ›Neuen Deutschland‹ einen Monat vorher entnehmen. In der DDR lebende Autoren des PEN-Zentrums Deutschland, u. a. Alfred Kantorowicz, schrieben an den Präsidenten des internationalen PEN Herman Ould. Sie baten den Club, die Einheit des deutschen PEN und damit die der deutschen Literatur sowie schließlich Deutschlands selbst zu unterstützen, nachdem – so betonten die Briefschreiber – »auf der Wiesbadener Tagung ein der geistigen Verantwortung deutscher Schriftsteller angemessenes Gespräch zustande« gekommen sei.[25] Im Dezember 1950 hatten Autoren aus Ost und West den beiden deutschen Regierungen empfohlen, miteinander zu reden. Die in der Wiesbadener Resolution enthaltene Absage an den Kalten Krieg bezog sich zwar noch auf die Einheit Deutschlands, die vor allem kulturell begründet wurde, nahm aber letztlich eher die Koexistenzforderung der Entspannungspolitik vorweg[26]; die Bundesregierung zeigte sich so alarmiert hierüber, daß sie das PEN-Zentrum Deutschland spalten ließ.[27]

Der ZK-Beschluß vom 17. März 1951 enthielt nicht nur den optimistischen Entwurf für das große Bündnis gegen die Remilitarisierung, das im »persönlichen Verhalten« wie im »Inhalt« der Kunst wirklich werden sollte[28], sondern auch eine skeptische Einschätzung der sozialen Lage der westdeutschen Intelligenz. In beidem verdichtete sich ein Bild des Intellektuellen, das in der Kulturpolitik der SED den Autoren vorgegeben wurde, die mit Friedensstükken einen Beitrag zum »Widerstand gegen die Remilitarisierung«[29] leisten wollten. Der Appell lautete: »Es kommt darauf an, daß sich alle friedliebenden und patriotischen Intellektuellen Westdeutschlands der gesamtdeutschen Verantwortung bewußt werden, den Kampf gegen die amerikanische Kulturbarbarei zu verstärken und sich für die Erhaltung des nationalen Kulturerbes und die Entwicklung einer demokratischen, dem Volke dienenden Kultur einzusetzen.«[30] Mit der ökonomischen Situationsbeschreibung wurde angedeutet, weshalb »viele« dem moralischen Anspruch des eigenen Berufs nicht genügten: »Obwohl die Mehrheit der Kulturschaffenden im Westen unserer Heimat die Remilitarisierung ablehnt, fristen viele Künstler ihr Dasein nur dadurch, daß sie ihre Kunst in den Dienst der Feinde des deutschen Volkes stellen. So beteiligten sich Maler an einem Plakatwettbewerb zur Popularisierung des Marshallplans.«[31] Das sozialökonomische Argument funktioniert hier nur als moralischer Vorwurf: Wer sich von der wirtschaftlichen Lage zwingen läßt, verrät die innere Berufung. Zum herausgestellten moralischen Idealismus im Bild des Intellektuellen gesellt sich auf diese Weise der geheimere Verdacht der Käuflichkeit. So kann es kaum überraschen, wenn im Zentrum der Fabel aller drei Friedensdramen, die 1950/51 zu besonders heftigen Diskussionen Anlaß gaben und die im folgenden untersucht werden sollen, der Verrat steht.

Ernst Fischers *Der große Verrat* eröffnete die Reihe von »polemischen Zeitstücken«, die Max Schroeder in seinem *Rückblick auf die Theaterspielzeit* veranlaßten, in Hinsicht auf das »starke Interesse« des Publikums von einem »Durchbruch des Zeitstücks« zu sprechen; außer Fischers Stück nannte Schroeder noch Gustav von Wangenheims *Auch in Amerika* und Alfred Kantorowicz' *Die Verbündeten*.[32]

Mehr als ein Jahr zuvor war Wolfgang Langhoff, Intendant des Deutschen Theaters und der Kammerspiele Berlin, in seinem Referat auf dem Deutschen Volksbühnentag von der Gefahr für den Frieden ausgegangen, die in der »Spaltung unseres Vaterlandes« liege, und hatte der »Bühne« »eine gewaltige Aufgabe« gestellt: »Der konkrete Kampf um die Einheit Deutschlands ist ein untrennbarer Bestandteil des Kampfes um die Erhaltung des Gesamtfriedens in der Welt«.[33] Langhoff beschwor Hans Sachs und Martin Luther, Gryphius und Lessing, um das Theater in der »Geschichte unserer nationalen Einheit« zu verankern: »[...] überall kämpfte

das Volk mit allen Formen der Kunst um seine Nationwerdung.«[34]
So energisch Langhoff die »gewaltige Tradition der deutschen fortschrittlichen, humanistischen, friedliebenden Kräfte« betonte, so
wenig verschwieg er deren Mangel an politischem Aktivismus, den
er in den aktuellen Begriffen der Theorie des Sozialistischen Realismus beschrieb: »Man wandte sich sehr bald von der Realität ab und
hatte nicht die Möglichkeit, umgestaltend auf das Bewußtsein der
Mitbürger einzuwirken. Man verlor sich in reinem Idealismus, entfernte sich vom Leben des Volkes und den Aufgaben, die diesem
Volke gestellt waren.«[35] Indem Langhoff dem in die »Isolation«[36]
geratenen Humanismus der Tradition die Chance politischer Wirkung in der Gegenwart zusprach, entwarf er ein Modell des Intellektuellen als nationaler moralischer Vorkämpfer.

Diesem Modell suchte er selbst als Theaterleiter zu entsprechen.
Deshalb wurden an Langhoffs Bühnen die drei für die Friedensbewegung zentralen Stücke der Jahre 1950/51 uraufgeführt.

Wangenheims von der Theaterkritik hoch gelobte »Familientragödie« *Auch in Amerika* war das bei weitem erfolgreichste der drei
Dramen; sie wurde auch in Altenburg, Döbeln, Gera, Halle, Rostock, Stralsund und Greiz gespielt, wo sie mit 45 Aufführungen
die höchste Vorstellungszahl der Spielzeit erreichte.[37] Kantorowicz' »Tragikomödie« *Die Verbündeten*[38] hingegen wurde in Berlin
sehr schnell abgesetzt und trotz einer Ankündigung in der nächsten Saison nicht in einer bearbeiteten Fassung wiederaufgenom-
men. Zehn Jahre später spielte »Der Fall des Schauspieles *Die Verbündeten*« eine Schlüsselrolle im Abschnitt »Die Kristallnächte der
Funktionäre« von Kantorowicz' *Deutschem Tagebuch*. In dieser
zwar nicht authentischen, aber auf Tagebuchaufzeichnungen beruhenden Veröffentlichung seines Wechsels von Ost nach West schildert er die Absetzung des Stücks als ›symptomatischen Fall‹: »Er
zeigt beispielhaft die Methoden, mit denen die Kulturfunktionäre
des Zentralkomitees der SED in jenen Jahren nicht nur dieses, sondern etwa zwanzig andere Schauspiele – einschließlich Brechts *Das
Verhör des Lukullus* – zur Strecke brachten und somit die allgemeine
geistige Lähmung herbeiführten, von der auch die bedeutendsten
und bekanntesten deutschen Schriftsteller, die sich in ihrem Macht-
bereich befanden, ergriffen wurden.«[39] Kantorowicz unterwarf das
Material seiner Erfahrung einem Deutungsmuster, dessen Erfolg
1961 nicht zweifelhaft sein konnte: »Was immer die beiden Teile
Deutschlands trennen mag, der Antiintellektualismus verbindet

sie. Das Vokabular für die nicht zu normierenden, nicht anpassungswilligen Schriftsteller und Geisteswissenschaftler stimmt noch überein.«[40] Während für den Kantorowicz der frühen fünfziger Jahre die Rolle des Geistesführers den Intellektuellen mit der kommunistischen Bewegung verband, bewies die Verfolgung des Intellektuellen dem Kantorowicz der sechziger Jahre die Wesensgleichheit zwischen Kommunismus und Faschismus sowie die Ähnlichkeit der »kommunistisch oder antikommunistisch stets ›rechtgläubigen‹ Zeitgenossen«.[41] Noch in der Absage blieb er bei der illusionären Überschätzung des Intellektuellen als gesellschaftliches Zentrum.

Auch der Autor des dritten Friedensdramas – *Der große Verrat* – brach, in den sechziger Jahren, mit der kommunistischen Partei. Aber für Ernst Fischer läßt sich nicht geltend machen, was Hans-Albert Walter zum »gänzlich unmaterialistischen, auch undialektischen Argumentieren überall in Kantorowicz' Schriften« »lediglich als Faktum festgehalten« wissen wollte: »[...] es ist ein Grundzug seines Wesens und Denkens«, der Kantorowicz als »bürgerlichen Intellektuellen« ausweise, »der er gewesen und auch in der Zeit geblieben ist, da er sich der KPD angeschlossen hatte«.[42] Gerade weil Ernst Fischer keineswegs zu einem geistesaristokratischen Idealismus neigte, stellt sich die Frage, ob nicht die Situation des Kalten Krieges in Deutschland wichtiger für die Moralisierung der Politik in der Darstellung des Intellektuellen war als die ideologische Vorgeschichte einzelner.

In einem ersten Schritt sollen die in der Genrebezeichnung ›Familientragödie‹ zusammengefaßten Erwartungen an ein Friedensstück anhand der Theaterkritik zu Wangenheims Drama rekonstruiert werden; sodann wird der Skandal, den Kantorowicz' Schauspiel verursachte, geprüft, ob ihm der vom Autor nachträglich erhobene Anspruch auf Abweichung von der Parteilinie zugrunde liegt, den dieser vor allem auf das dramaturgische Problem der »Individualisierung«[43] bezieht; zuletzt werden die Intellektuellenfiguren in Fischers Drama einer Analyse unterzogen.

Zwischen den drei Stücken besteht nicht nur hinsichtlich des Themas Frieden, sondern auch stofflich eine Beziehung: Alle drei spielen in einem der gegen Hitlerdeutschland verbündeten Länder.

In Wangenheims in den USA angesiedeltem und überdeutlich von Arthur Millers *All My Sons* inspiriertem Drama *Auch in Amerika* stehen sich gegenüber: der Vater, ein Fliegerinstruktor, der durch eine Erfindung – eine Abwurfkonstruktion für Atombomben – der drohenden Entlassung in die Arbeitslosigkeit als noch nicht Vierzigjähriger zu entgehen sucht, und der Sohn, ein dichtender Literaturstudent, der Unterschriften für den 1950 vom Weltfriedensrat verabschiedeten Stockholmer Appell zur Ächtung der Atombombe sammelt. Beiden zugeordnet sind die Mutter und der Großvater, um deren Seelen Vater und Sohn gewissermaßen ringen.

Ernst Fischers *Der große Verrat* trägt zwar den Untertitel »Ein politisches Drama«, könnte aber auch ›Eine Familientragödie‹ heißen. Die englischen Intellektuellen, Diplomaten und Journalisten, die »Irgendwo in Europa« den sowjetischen Einfluß auf die Regierung eines Landes, das sich im Partisanenkampf von der deutschen Besatzung befreit hat, zurückdrängen wollen, bemühen sich im wesentlichen um die Kinder des Präsidenten. Malabrancas Sohn Diego und seine Tochter Marina fällen am Schluß der intrigenreichen Handlung gegensätzliche Entscheidungen, die der Vater, in der Illusion eines Dritten Weges befangen, vermeiden zu können meint.

Scheinbar noch weiter ab vom Stoff des Friedenskampfes der frühen fünfziger Jahre führt Kantorowicz' ›Tragikomödie‹ *Die Verbündeten*. Auf dem Stammsitz einer Familie der französischen Hochfinanz lösen die US-amerikanischen Truppen die deutschen Besatzer ab; nur die Tochter scheint aus dem Bündnis mit noch jeder Okkupationsmacht auszubrechen, indem sie vor einer von den Eltern arrangierten Geldheirat in den Maquis flüchtet und dort mit einem romantischen US-Captain flirtet, doch kehrt sie mit der ›Normalisierung‹ ins Elternhaus zurück und geht eine Vernunftehe ein.

In den Fabeln aller drei Dramen geht es um Verrat: Wangenheims Techniker verrät die Moral von Beruf und Familie, Fischers Präsident sein Volk und die eigene revolutionäre Vergangenheit, und Kantorowicz' Aristokraten und Bourgeois fahren fort mit dem Verrat an Frankreich. Die Ähnlichkeit des Handlungsschemas lenkt den Blick auf die Unterschiede: Wie wird der Verrat motiviert? Hier werden die dargestellten Beziehungen zwischen sozialökonomischer Lage und Moral bedeutsam.

Betrachtet man die zahlreichen Besprechungen von Wangenheims »Kampfstück gegen die Atombombe«[44], dann verwirren sich zunächst einmal die Beziehungen zwischen sozialer Realität und moralischen Idealen erheblich.

Die meisten Rezensionen rühmen nämlich einerseits politisch den »bedeutenden Beitrag in der Friedenspropaganda«[45], loben oder tadeln andererseits psychologisch die Menschlichkeit der Figuren, die im einzelnen durchgegangen werden.

Durch den politischen Gesichtspunkt bestimmt war insbesondere Johanna Rudolphs Besprechung im ›Neuen Deutschland‹: »Das aktuelle, das aktuellste Thema, das ein Spielplan heute aufweisen kann: Was können wir für den Frieden tun, wie kann die Weltfriedensbewegung die noch Zögernden erfassen, die Unwissenden unter den einfachen Menschen, die Irregeführten? Wie schwer wiegt eine mit hartnäckiger Geduld erworbene Unterschrift zur Ächtung der Atombombe?«[46] Nach dem menschlich-psychologischen Aspekt fragten andere; während die ›National-Zeitung‹ eine »allzu ungleiche [...] Verteilung der menschlichen Rollen« tadelte, lobte der ›Nacht-Expreß‹: »Der dramatische Konflikt ergibt sich von selbst, er liegt in den Menschen.«[47]

Diesem dramaturgischen Prinzip des Vorrangs des Charakters – des Individuums vor den gesellschaftlichen Verhältnissen und Verhaltensweisen – trugen alle Rezensionen mit moralisch tadelnden Porträts des Vaters Rechnung. Er erscheint als einer, »der unentrinnbar den Imperialisten verfallen ist, dem der Mensch nichts bedeutet, das Geschäft aber alles« (so das ›Volk‹).[48] Der Mangel an Menschlichkeit wurde immer wieder als einer an familiärer Moral beschrieben, so daß im Vater ein Typus des »kaltschnäuzig[en]«[49], »skrupellosen Verbrecher[s]« gesehen wurde, »der brutal jede familiäre und menschliche Bindung seiner Dollarbesessenheit aufzuopfern bereit ist«[50], der »sich um der persönlichen Interessen willen selbst von der Denunziation der eigenen Familie nicht abhalten läßt«.[51] Wenn die ›Freiheit‹ den »Typ des skrupellosen Geldjägers« bestimmte als »einen Menschen, in dem der Kapitalismus mit seinen Ideologien das letztliche Fünkchen gesellschaftlicher Moral und Sauberkeit getötet hat«[52], dann lag die Betonung weniger auf dem Sozialökonomischen als auf der privat-familiären Moral, die als natürlich erschien.

Ökonomische Lage und Moral verbanden sich ebenfalls in dem Begriff der »Geisteshaltung«[53], den das ›Volk‹ benutzte, um die individuelle Psychologie der Figuren zu verallgemeinern. Doch nur die ›Norddeutsche Zeitung‹ behauptete: »Die Mitwirkenden prägten ihre Rollen überzeugend als zwangsläufige Produkte ihrer Lebensumstände«[54], und kehrte so die in den übrigen Rezensionen vorherrschende Beziehung um. Hier unterschieden sich nämlich die bösen von den guten Figuren dadurch, daß die einen durch materielle Interessen, die anderen durch Ideale bestimmt wurden.

Diese Determination verfolgten alle Besprechungen anhand der Figuren von Mutter und Sohn. Während die Mutter stereotyp die Möglichkeit der Wandlung belegen mußte, geriet der Sohn zur Verkörperung des Ideals. Beide Vorgänge wurden immer wieder als ›natürlich‹ gelobt. Dies konnte in der Form geschehen, daß die Identifikation der Zuschauer beschrieben wurde – so von der ›Berliner Zeitung‹: »Das Publikum nahm und verstand diese Entscheidungen als seine eigenen«[55]; in einer anderen Variante wurde die eigene ideologische ›Gesundheit‹ erkannt in der angeblichen Heilung der Mutter von der als Krankheit aufgefaßten Gegenposition – so, wenn nicht nur die ›Thüringische Landeszeitung‹ eine »Wandlung von der depressiven Kriegsfurcht zum entschlossenen Friedensbekenntnis« vor sich gehen sah[56]; Larry schließlich, »der junge, denkende Mensch, der sich vom Dollar löst und an der Befreiung der Welt von der Kriegsgefahr mutig und tatkräftig mithilft«[57], wurde deshalb »natürlich« genannt, weil er »jedem Zuschauer« klar mache: »Der Weg dieses jungen Amerikaners und seiner Freunde ist ebenso richtig wie erfolgreich.«[58]

So stimmten die meisten Kritiker – ohne nach sozialer Genese und Funktion der Werte viel zu fragen – darin überein, daß die private Moral ›natürlich‹ sei. Nur der Verfasser einer ausführlichen Besprechung für den ›Sonntag‹ stellte die schlichte Gleichsetzung von ›richtig und erfolgreich‹ in Frage. Max Schroeder brachte durch seinen Vorschlag, das Stück umzuschreiben, den verschämten Idealismus von dessen Konstruktion ans Licht, indem er für gattungsmäßige Konsequenzen aus dem moralischen Idealismus eintrat. Offenbar wurde Schroeder durch die am Schluß stehende Selbstfeier der Unterschriftensammler irritiert; jedenfalls stellte er für die Leser der Wochenzeitung des Kulturbundes zunächst das Happy end in Frage, indem er den »scheinbar siegreichen Abgang des Sohnes und der Mutter«[59] ironisierte. Aber den »tragischen Schluß«, den »das Stück verlangt«[60], leitete Schröder dann nicht aus der politischen Problematik der ›siegreichen‹ Perspektive ab, sondern aus den Schwächen der privaten Motivierung. Nicht die unrealistische Verallgemeinerung des individuellen Unterschriftensammelns als Vorschein der Menschheitszukunft, sondern die ungenügende Dramatik der familiären Beziehungen erregte Schroeders Mißfallen.

Durch eine bloße Veränderung der ›menschlichen‹ Beziehungen sollte das Schauspiel zur Tragödie werden können. Damit erwies sich das Politische als sekundär. Die Sammlung von Unterschriften für den Stockholmer Appell wurde zum bloßen Material einer beliebigen kleinfamiliären Auseinandersetzung. Darin, daß die Struktur der Familie die Dynamik der Handlung bestimmen sollte, zeigt sich der Primat des Privaten in der öffentlich wirksamen Dramaturgie des Friedensstücks der frühen fünfziger Jahre: »[...] zwischen dem Helden (dem Sohn) und dem Gegenspieler (dem Vater) besteht kein echtes Vater-Sohn-Verhältnis. Sie sind einander völlig fremde Menschen ohne gemeinsamen Boden. Daher wirkt ihr Zusammenprall nicht tragisch. [...] Auch das Verhältnis zwischen den Eltern ist bereits zu Beginn so weit erschüttert, daß die Wahl der Mutter für den Sohn nur eine äußere, keine innere Entscheidung mehr braucht.«[61] Im Hinblick auf die Bedeutung privater Moralität für das Bild des Intellektuellen im Theater des Kalten Kriegs ist zu vermuten, daß sich die Tragödienform deshalb großer Sympathie erfreute, weil sie es ermöglichte, den kulturpolitisch programmierten moralischen Idealismus des nationalen Vorkämpfers bis zur Selbstlosigkeit des heroischen Charakters zu steigern.

Die öffentliche und die, wenn nicht öffentliche, so offizielle Auseinandersetzung um Kantorowicz' Schauspiel *Die Verbündeten* belegt diesen Zusammenhang. Auch hier stoßen wir auf die auffällige Neigung der Kritik, für das Stück Veränderungen vorzuschlagen, die vermeintlich feststehenden dramaturgischen Normen entsprechen sollen. Wie Schroeder aus Wangenheims Drama eine Tragödie machen wollte, so forderte Heinz Lüdecke den inneren moralischen Konflikt, zunächst ans Stück anknüpfend, dann darüber hinausgehend: »Sympathisch ist Horst Drinda als moralisch sauberer amerikanischer Fliegercaptain. (Die einzige Person des Stücks, in der sich ein dramatischer Konflikt vollzieht.)«[62] Der Kritiker des ›Neuen Deutschland‹ vermißte letztlich, »[...] daß das Hauptproblem – die Entscheidung für das französische Volk und gegen den amerikanischen Imperialismus – in einem zentralen menschlichen Konflikt gestaltet ist. Wie wäre es, wenn z.B. die Figur der Cécile von Grund auf verändert und in einen wirklichen Menschen verwandelt würde, der diesen Konflikt in sich ausficht? Eine patriotische junge Adlige, die sich von ihrer verfaulten Klasse trennt, um mit dem Maquis zu kämpfen, könnte zum typischen Ausdruck des Bündnisses aller nationalen Kräfte werden«.[63] Lüdeckes Vorwurf mangelnder Menschlichkeit richtete sich gegen die komischen, insbesondere satirischen Elemente des Dramas und setzte diesen sowohl die Moral als auch die Psychologie entgegen. Diese Vermischung unter dem Vorzeichen des Menschlichen läßt sich wiederum in Schroeders Besprechung von Kantorowicz' Stück besonders deutlich erkennen. Schroeder tadelte an den *Verbündeten* den Mangel an psychologischer Individualisierung und meinte damit den an moralischer Vorbildlichkeit: »Das Stück hat viele scharfumrissene Figuren, besonders auf der Gegenseite, Typen, die mit klugem Sinn aus der Tradition der gesellschaftskritischen Komödie abgeleitet sind. Die Figuren der positiven Seite hingegen sind in ihrer Typik wohl konzipiert, in ihrer Individualität aber nicht hinreichend gestaltet.«[64] Hieraus folgerte Schroeder, das Schauspiel bleibe »uns aber den starken Eindruck schuldig, daß es den Amerikanern nicht gelingen wird, in den sogenannten ›befreiten‹ Völkern zuverlässige Verbündete für ihre neuen Agressionspläne zu finden«.[65] Spätestens hier wird deutlich, daß der Verwechslung von Psychologie und Moral eine politische Einschätzung zugrunde liegt: Eine überaus illusionäre Auffassung vom Wachstum der Friedensbewegung in Westdeutschland – so vermittelte das ›Neue Deutschland‹ den Eindruck, das ›Adenauer-Regime‹ stehe unmittelbar vor dem Zusammenbruch – wurde von Schroeder auf die in Kantorowicz' Stück dargestellte Resistance zurückprojiziert. »Der Maquis vertritt hier nicht deutlich genug die Macht, die er tatsächlich verkörpert. Des Autors Blick in die Zukunft enthüllt wohl die Absichten des Gegners, erfaßt aber nicht das Wachstum der Kräfte im Friedenslager, das heute zu einem sogar börsenerschütternden Faktor geworden ist. Der Blick des Autors haftet zu stark an der richtig gedeuteten Parallelität im Auftreten des deutschen und des amerikanischen Imperialismus: in dieser Szene aber müßte dem amerikanischen Stab demonstriert werden, daß er vor einer neuen Situation steht, daß Beispiele aus der Geschichte sich nicht ungestraft wiederholen lassen.«[66] Sowohl die Besprechungen, vor allem die äußerst positive Walther Pollatscheks in der ›Täglichen Rundschau‹, als auch die damit übereinstimmenden Stellungnahmen verschiedener Instanzen des Parteiapparats der SED, die Kantorowicz im *Deutschen Tagebuch* anführt, belegen, daß *Die Verbündeten* durchaus den öffentlich wirksamen Normen des Friedensstücks entsprachen. Kantorowicz vertrat in seiner autobiographischen Darstellung die »parteioffiziöse« Forderung der Individualisierung, gerade indem er von den »Funktionären« das Gegenteil behauptete: »Sie wollen Schemen, bestenfalls ›Typen‹, Musterknaben, Parteiprimusse, die Spruchbänder hersagen und mit optimistischem Zahnpastalächeln der Zukunft entgegenstrahlen.«[67]

Obwohl Kantorowicz nachträglich jede Phase der Entstehungsgeschichte des Schauspiels in Gegensatz zur ›Parteilinie‹ zu sehen bemüht war, geht noch aus den Widersprüchen im *Deutschen Tagebuch* hervor, wie sehr Kantorowicz 1951 ›auf Linie war‹; Langhoff nahm das Stück, dessen 1. Akt unter dem Titel *Befreiung* 1949 in ›Ost und West‹ vorabgedruckt worden war, für das Deutsche Theater an und erhielt vom Autor Änderungen zugesagt.[68] Umstritten war von vornherein die konkrete Stellungnahme zur nationalen Frage; unumstritten die Bedeutung des Themas: Es »[…] zielt auf die brennendsten Fragen des gegenwärtigen Deutschlands. Es weist im Bilde des noch nicht beendeten zweiten Weltkriegs auf den Kampf um die Verhinderung des dritten Weltkriegs hin. Und es spricht vom Frieden, vom Frieden und vom Kampf um den Frieden«.[69] Wie in der Rezeption von Wangenheims *Auch in Amerika* standen neben den Trägern des Ideals die sich im Sinne des Ideals Wandelnden im Zentrum einer Aufmerksamkeit, die sich auf Psychologie und Moral gleichzeitig richtete: »So ist es schon politisch-historisch bemerkenswert, wie zwischen den Aggressoren und den Widerstandskämpfern die durch Angst, Unklarheit und egoistisches Interesse getriebenen subjektiven oder objektiven Klassenverräter stehen.«[70] Unter diesem Aspekt erweist sich der von Kantorowicz ironisierte Vorwurf des ›Sektiererischen‹ als gar nicht so abwegig.[71]

Kantorowicz' ›Tragikomödie‹ wollte ein breites Bündnis gegen den Krieg propagieren und endete mit dem Idealismus und Moralismus ihrer Figurenkonstellation beim ›Bündnis‹ der Kommunisten mit sich selbst. Alle nicht-kommunistischen Verbündeten erweisen sich im Verlauf der Handlung nicht nur als unzuverlässig, sondern gehen auf die Seite des Feindes über. Dieser Feind heißt zwar anfangs deutscher Faschismus, aber dessen Nachfolger, der US-Imperialismus, kennzeichnet ersteren als einen bloßen Sonderfall des allgemeinen Monopolkapitalismus. So moralisch die *Form* der Kritik an diesem Stadium des Kapitalismus ausfällt, so ausschließlich ökonomisch wird ihr *Inhalt* aufgefaßt.

Hieraus ergibt sich die entscheidende dramaturgische Schwäche der ›Tragikomödie‹. Alle Gegenspieler der Antifaschisten sind sich ihrer sozialökonomischen Interessen in einem äußersten Maße bewußt; permanent stellen die französischen Aristokraten und Bourgeois, die kollaborieren, der deutsche SS-Mann, der in den Nachkrieg investieren will, und der US-amerikanische Militärberater, der Vizepräsident einer Bank ist, gewissermaßen die leninistische Klassenfrage: Wer wen? Kaum alltägliche Redeweisen, sondern eher die publizistische Öffentlichkeit des Leitartikels bestimmen das Sprechen der Marquise, des Industriellen Emmanuel Laban und Oberstleutnant Howclays. »Ein bißchen Distinktion«, »die besseren Leute«, »mit der Zeit gehen« oder »modus vivendi« sind Formeln, in denen das Klasseninteresse eher umgangssprachlichen Ausdruck findet; stets geschieht dies jedoch in Zusammenstellungen wie dieser: »Wer auch immer diesen Krieg gewinnt, es ist das gemeinsame Interesse aller besseren Leute in allen Ländern, [...] revolutionäre Umwälzungen zu verhindern.«[73]

Die Abgrenzung von den gefährlichen Massen ermöglicht den Herrschenden verschiedene Bündnisse. Hierauf verweist der Geschäftsmann Laban schon im 1. Akt, ohne daß seine während des Kriegs in Portugal gepflegten Kontakte bereits deutlich würden: »Internationale Wirtschaftsinteressen und der Kontakt zwischen den zivilisierten Leuten der verschiedenen Länder reißen doch auch im Krieg nicht völlig ab.«[74] Folgerichtig wird in einer Szene, in der Laban und die Marquise den »Flaggenwechsel«[75] vom Hakenkreuz zum Sternenbanner vorbereiten, der SS-Offizier Huber zur komischen Figur, wenn er »verkniffen« darauf besteht, daß nicht nur auf den »Sieg der Ordnungskräfte über das bolschewistische Chaos« zu trinken sei, sondern auch auf »die Vernichtung der jüdisch-plutokratischen Alliierten des Bolschewismus«.[76] Hubers Dienste werden zwar noch in Anspruch genommen, insofern er die auch für die Nachkriegsordnung gefährlichen Unruhestifter als Geiseln umbringen lassen will (die Marquise und Laban ergänzen die Liste bereitwillig um ökonomische und politische Konkurrenten), doch wird deren ideologische Legitimation durch Antisemitismus schon belächelt, als Huber meint: »Ich weiß aber auch, daß es immer noch Schwachsinnige gibt, die sich einbilden, daß die Anglo-Amerikaner auf ihre Weise ebenso gut für Ruhe und Ordnung und gute Geschäfte sorgen können wie wir.«[77]

Auch die antifaschistischen Helden zeichnen sich durch große Bewußtheit aus. Sie kennen oder durchschauen von vornherein die ökonomisch determinierte Strategie und Taktik ihrer aristokrati-

schen und bourgeoisen Klassenfeinde. Unter den Widerstandskämpfern ragt der deutsche Stabschef, der ehemalige Altphilologe
Werner, hervor; er erklärt den anderen – französischen, polnischen,
tschechischen, italienischen, spanischen – Maquisarden, aus welchem Grund die Briten nur den »rechtsstehenden Gruppen« Waf-
fen liefern: »Zum Aufbewahren für den Bürgerkrieg gegen uns.«[78]
Antikommunismus erscheint nicht nur hier als identisch mit dem
ökonomischen Klasseninteresse, Vorbereitung zum Bürgerkrieg
als ein Synonym für Geschäftemachen.

Ebenso statisch wird von Werner die Außenpolitik der Westalliier-
ten erläutert: »Für die Westmächte ist es immer zweckmäßig, Nazis
und ihre Kollaborateure mit Glacéhandschuhen zu streicheln und
Antifaschisten mit der nackten Faust unters Kinn zu hauen.«[79] Indem Werner fortfährt, entwickelt er das zentrale Motiv der Figurenkonstellation von Kantorowicz' *Die Verbündeten*: »Während die
Besten der Völker sich im Kampf gegen die Nazis verbluten, bauen
die korrupten Geschäftemacher, dieselben, die Faschismus und Na-
zismus finanziert haben, in unserem Rücken ihre Machtpositionen
wieder auf.«[80]

Diese Figurenrede wird auf vielfältige Weise von der Handlung
bekräftigt. Cecilie schließt ihren Ehefrieden mit Laban, vor dem sie
zunächst in die Romantik und Filmwelt des Maquis geflüchtet war.
Der Chauffeur Henri, der mit der Resistance zusammenarbeitet,
solange die von ihm angebetete Zofe Sophie mit SS- oder US-Offi-
zieren geht, sichert sich nicht nur die durch antifaschistische Sym-
pathien gefährdete Stellung, sondern auch die Zofe, indem er zur
ökonomischen Vernunft kommt.

Auf der einen Seite stehen immer die moralischen Werte, auf der
anderen die ökonomischen Interessen: Kampf gegen die Nazis und
Geschäfte, Offenheit und Intrige, Front und Etappe, Selbstlosigkeit und Korruption werden einander entgegengesetzt. In Kantorowicz' Konstruktion verbinden sich moralische Wertungen unter-
schiedlicher sozialer und historischer Herkunft zu einem Ideal. Als
dessen Träger erscheint insbesondere der Intellektuelle.

In der Figur des deutschen Studienrats Werner, dem die Handlung
kaum zufällig die führende Rolle gegenüber den Arbeitern und
Kleinbürgern anderer Nationalität zuspielt, entwirft Kantorowicz
ein Modell intellektueller Politik. Nach und nach erfährt der Zuschauer Werners Geschichte. In dieser deutschen Intellektuellen-
biographie stechen vor allem zwei Trennungen hervor: die von sei-

nem Vaterland und die von seiner Frau. Beide werden aus dem ›Geist‹ abgeleitet; sie sind moralisch motiviert, insofern Werner der Verpflichtung des Intellektuellen treu bleibt und deshalb seine ökonomische Existenz wie seine erotische Beziehung opfert. Wie konsequent das Private dem als öffentlich begriffenen Geist untergeordnet wird, geht aus Werners Verbannung der Sexualität aus der Realität des Widerstands hervor; diese Ausschließung gilt auch für die anderen vorbildlichen Figuren. Die tschechische Medizinstudentin erklärt Cecilie, weshalb Francois nichts als ein »Kamerad« sei: »Wo kämen wir da hin, wenn das bei uns einreißen würde unter achthundert Männern und dreißig Frauen.«[81]

Für Werner ist »die Vergangenheit«»tot«; mit Jan und Luigi kennt er keine »Familienbande«, sondern nur die »Zukunft«; bei allen gehört das Private zum »Dreck« der Vergangenheit: »Wir kämpfen, um sie loszuwerden.«[82] Werner verknüpft das Private und das Politische in seiner Biographie als zwei aufeinanderfolgende Etappen, wenn er dem Captain erklärt, weshalb er, ein ›unpolitischer‹ Professor, Nazideutschland verlassen habe. »Damals war ich kein Kommunist. Wie viele deutsche Intellektuelle hielt ich es für unter meiner Würde, mich um das politische Gezänk, wie ich es nannte, zu kümmern. Ich lebte in meiner freien Zeit in meinen vier Wänden mit meinen Büchern und meiner jungen Frau; manchmal gingen wir ins Theater oder in ein Konzert. [...] Die Politik hat sich um mich gekümmert. Ich sollte Heine für einen Untermenschen erklären und einen irrsinnigen Kriminellen wie Streicher als einen nationalen Heros bejubeln; Heinrich Mann Landesverräter schimpfen und einen zynischen Lügner, wie Goebbels als Volkserzieher anerkennen. Die Bücher von Romain Rolland, Gorki, Theodor Dreiser, Selma Lagerlöf und H.G. Wells wurden verbrannt; dafür sollte ich meinen Schülern blutrünstige Kriegsschmöker und das unsäglich gemeine und falsche Deutsch der Sudelei von Hitler ans Herz legen. Ich wäre erstickt, wenn ich den Irrsinn widerspruchslos hingenommen hätte. Im Frühjahr 1934 bin ich über die Grenze. Seither habe ich gelernt. Die politischen und sozialen Zusammenhänge sind mir jetzt klarer. Ich weiß, warum und wofür ich hier kämpfe...«[83]

Werner kennt nur die Alternative unmoralischer Privatheit oder moralischer Politik. Auch den anderen Intellektuellenfiguren, Lenka oder dem Captain, verlangt Kantorowicz' Stück diese Entscheidung als unausweichlich ab. Lenka wurde von Cecilie in gewisser Hinsicht zu Recht vorgehalten: »Aber wenn Ihr Vater Arzt ist, hätten Ihnen die Deutschen doch nichts getan, und Sie hätten ruhig weiter studieren können. Zu besseren Leuten sind sie korrekt, das muß man ihnen lassen.«[84] Der Captain hingegen erweist sich zwar für Cecilie zusehends als »Prolet«[85], er selbst aber schreckt – wie die Handlung drastisch demonstriert – nicht zuletzt seines Hangs zu Alkohol und Promiskuität wegen vor Parteinahme zurück. Unverhältnismäßig breit stellt das Stück hier, um die Zuschauer zu entrüsten, außereheliche Sexualität als typisch amerikanisch heraus.[86]

So gerät das Bild des Intellektuellen in Kantorowicz' Drama sehr asketisch. Der Intellektuelle wird vom Geist bestimmt, moralische Werte, nicht Interessen determinieren sein Verhalten als öffentliche Person, die keine Privatheit kennt. Sein Humanismus erhält etwas Soldatisches. *Am Brunnen vor dem Tore*, vom Nazi-Rundfunk gesendet, wird von Werner zurückgewiesen: »Es gibt keine idyllischen Träume mehr, kein Ausruhen im Schatten, solange Mord und Lüge und Verbrechen und Wahnsinn in unserem Erdteil herrschen. Der Friede, die Liebe, der Traum können nur durch Blut, Gewalt und Haß zurückerobert werden. Das kann noch Jahre dauern, vielleicht unser Leben lang.«[87]

Deshalb kann es über das Problem ›Freiheit‹ keine Diskussion geben; Freiheit wird zum Synonym des Kampfes und dem Konzept des Klassenfeindes eindeutig entgegengesetzt. Dem Militärberater wird von Werner vorgehalten: »Ihr Begriff von Freiheit ist gleichgeschaltet den Profitinteressen«[88], während Jan den der Antifaschisten erklären darf: »Frei und stark, frei von allen inneren und äußeren Unterdrückern. Frei von Faschismus und Reaktion. Frei von den Labans und ihren amerikanischen Beschützern.«[89]

Aus dieser Entgegensetzung von Moral und Geschäft, die auf der unmittelbaren Gleichsetzung von Faschismus und US-Imperialismus beruht, ergeben sich für Kantorowicz' Stück Probleme der Aktualität.

Einerseits kann sich Werner »einen echten Frieden«, der mehr wäre als »eine Atempause vor neuen Weltkriegen«, nur vorstellen nach weltweitem Sieg des Sozialismus, andererseits geht es um die »Verhinderung« eines neuen Krieges.[90] In der Antwort auf die Frage: »Wird es gelingen?« triumphiert einmal mehr die Moral; der gute Wille gilt für das Ergebnis: »Wenn wir für den Frieden ebenso hartnäckig kämpfen, wie wir jetzt Krieg gegen den Faschismus führen, wird es uns gelingen.«[91] Dieser politisch-strategische Verweis auf die Moral unterstreicht, wie sehr Kantorowicz' Tragikomödie über den Idealismus ihres Verfassers hinaus der Situation des Kalten Krieges verpflichtet war. Zwischen der Moral und der Ökonomie stellt sie nämlich eine unmittelbare Beziehung her, wenn die moralische Stärke – im Unterschied zur numerischen oder technischen – folgendermaßen erläutert wird: »Unsere Kraft ziehen wir aus der Unterstützung der überwiegenden Mehrheit des Volkes. Für jeden von uns stehen im Lande tausend andere bereit, seinen Platz einzunehmen. Wir sind nur der Vortrupp: die große Armee, auf die wir uns stützen, das sind die Bauern und Arbeiter, aber auch die Kleinbürger, die patriotischen Intellektuellen, selbst die Priester Frankreichs.«[92] So verschmelzen in Kantorowicz' Tragikomödie *Die Verbündeten* das Ideal des Intellektuellen als Vorkämpfer, moralische Werte des ›Geistes‹ und die von der Politischen Ökonomie analysierten Klassenverhältnisse zu einem optimistischen politischen Aktivismus.

Wie schwierig das Verhältnis zwischen einem traditionellen Selbstverständnis von Intellektuellen und dem Marxismus in der Friedensbewegung der späten vierziger und frühen fünfziger Jahre wirklich war, machen die Breslauer Referate von Georg Lukács und Ernst Fischer aus dem Jahr 1948 deutlich. Fischers Vortrag auf dieser Gründungsveranstaltung der Weltfriedensbewegung[93] enthielt die zentrale Idee seines Friedensstücks von 1950, *Der große Verrat*, das wir abschließend betrachten wollen.

Fischer sprach in Breslau auf dem Weltkongreß der Intellektuellen für den Frieden über *Das intellektuelle Eunuchentum*. Sein Beitrag war – was beim ersten Lesen kaum einleuchtet – ein Versuch der Differenzierung, denn er widersprach Alexander Fadejew, dessen einfache Unterscheidung von Kriegstreibern und Friedensfreunden u. a. Max Frisch, wie dessen *Tagebuch* bekundet, tief verstört hatte.[94] Fischer ging von drei Gruppierungen innerhalb der Intelligenz aus: Die Intellektuellen, die begriffen haben, daß es »keinen ernsten Kampf um den Frieden ohne entschlossenen Kampf gegen den Imperialismus« gebe, und sich deshalb für das »Lager des Antiimperialismus entscheiden«; zweitens diejenigen, »die sich bewußt und offen auf die Seite des Imperialismus stellen«, und drittens die »große Mehrheit der anderen, die faktisch den Imperialismus unterstützen, ohne sich dessen klar bewußt zu sein«.[95] Fischer kam es darauf an, anders als Fadejew, diese Mehrheit nicht von vornherein als »unanständig«[96] zu verurteilen. Aber dieser Ansatz einer Differenzierung ging in der Polemik schnell verloren. Wie schon die Metapher vom »persönlich ehrenhaften und anständigen Eunuchen«[97] zeigt, meinte Fischer, die objektive Funktion der »politische[n] und gesellschaftliche[n] Selbstentmannung«[98] dieser ›Geistigen‹ aus der Tatsache ableiten zu können, daß sie sich nicht für den Sozialismus entschieden hätten. So radikalisierte er fast noch Fadejews Urteil, wenn er die Zweifel als besonders gefährliche Methode der Apologie des Imperialismus ausgab: »Die Leute, die sich mit hundert pseudomoralischen und pseudophilosophischen Argumenten um eine klare Entscheidung herumdrücken, ja, die eine solche Entscheidung geradezu als eines Intellektuellen unwürdig zurückweisen, sind vom Gefühl ihrer Anständigkeit durchdrungen, und eben darum sind sie die brauchbarsten Reserven des Imperialismus.«[99]

Fischer wandte sich besonders gegen zwei ideologische Konzepte der unentschiedenen Intellektuellen, gegen die »mimosenhafte […] Individualität« und den »sogenannte[n] dritte[n] Weg«.[100] Beide führte er letztlich auf einen Mangel an »Mut« zurück: Derselbe Intellektuelle, der sich so viel auf seine »Nuance« einbilde, werde »mit der Regelmäßigkeit eines Automaten alles vermeiden, was zwischen ihm und der imperialistischen Welt einen ernsten Gegensatz heraufzubeschwören vermöchte«.[101] Das aus der Tradition bezogene Ideal der »Objektivität« wurde von Fischer als eine »Ausrede«, »nicht Partei zu ergreifen«, gewertet und deshalb als »eine unentbehrliche Hilfe für die imperialistischen Kriegsspekulanten«.[102]

Fischers Polemik ist in mehrfacher Hinsicht lehrreich: Sie zeigt das Übergewicht der Moral in der Friedenspropaganda der Kommunisten und beweist, wie wenig direkt der Weg vom traditionellen Selbstverständnis des Intellektuellen, das Fischer mit Individualität und Objektivität zumindest ansprach, zum Friedensengagement führte. Konzepte, die Kantorowicz' Stück schlicht vereinnahmte, wurden hier als hinderlich diagnostiziert; Fischers Lösungsvorschlag war jedoch derselbe wie der in Kantorowicz' *Verbündeten*: »Ich halte es für eine entscheidende Aufgabe jener fortschrittlichen und aktivistischen Intellektuellen, die den Mut haben, sich klar und unzweideutig zum antiimperialistischen Lager zu bekennen, die Massen der persönlich anständigen, aber von Befürchtungen und Vorurteilen paralysierten Intellektuellen von der Jämmerlichkeit ihres politischen und gesellschaftlichen Eunuchentums zu überzeugen.«[103] Das Modell des moralischen Vorkämpfers wurde rhetorisch über die ideologischen Schwierigkeiten gestülpt.

Wider Willen belegt Fischers Referat damit die Bedeutung der Analyse der *Verantwortlichkeit der Intellektuellen*, die Georg Lukács auf dem Breslauer Weltkongreß der Intellektuellen für den Frieden vortrug. Zwar fanden sich auch bei Lukács die problematischen Thesen von der einfachen Kontinuität zwischen Faschismus und US-Imperialismus, doch versuchte Lukács, neue Züge der ideologischen Reaktion zu bestimmen. Er wies eine ökonomistische Reduktion zurück, nicht jedoch eine politische, wenn er schrieb: »Zwar ist die allgemeine Essenz einer jeden Reaktion in unserer Epoche insofern die gleiche, als ihr jedenfalls der Herrschaftsanspruch des Monopolkapitalismus zugrunde liegt, der ständig die Gefahr neuer Weltkriege heraufbeschwört. Aber aus dieser fundamentalen Gleichartigkeit folgt noch nicht, daß der neue Faschismus sich auch ideologisch mit den Methoden Hitlers durchsetzen müßte.«[104] Vom »zynischen Nihilismus« des deutschen Faschismus, »der mit allen Traditionen des Humanismus offen brach«, wollte Lukács die »nihilistische [...] Hypokrisie« im »Namen der Demokratie, des Humanismus, der Kultur und der Freiheit« unterschieden wissen.[105] Deshalb waren für Lukács, im Unterschied zu Fadejew, Sartre oder Toynbee nicht schlicht Faschisten.

Während diese analytischen Probleme der Differenzierung Lukács' und Fischers Referat in Breslau verbinden, trennt beide Lukács' Plädoyer für die »zentrale Stellung«[106] der Ökonomie. Aus dem Vorrang von Philosophie, Geschichte und Psychologie im Bewußtsein der Intellektuellen, aus der »Tendenz, ökonomische Einsichten zu bagatellisieren, ja als ›untief‹ und ›unwesentlich‹ herabzusetzen«, folgerte Lukács »die Wehrlosigkeit der Intelligenz gegenüber dem Imperialismus«.[107] Er sah das Denken der zeitgenössischen Intellektuellen bestimmt durch »Fetischisierungen« der Begriffe vor allem Demokratie und Kultur; ›Fetischisierung‹ definierte er als Abstraktion von der ökonomischen Determination: »Sie bedeutet, daß eine geschichtliche Erscheinung von ihrem realen Boden losgelöst wird, daß ihr abstrakter Begriff (zumeist nur einige Züge davon) zum angeblich selbständigen Sein, zur eigenen Entität fetischisiert wird.«[108] In der Herrschaft fetischisierter Begriffe über das politische Denken der Intelligenz erblickte Lukács eine Gefahr für »die historisch-soziale Orientierungsmöglichkeit der Intelligenz«[109]; aus diesem Sachverhalt ergab sich für ihn eine spezifische Rolle der marxistischen Intellektuellen in der Friedensbewegung: »Viele von uns wenden sich mit starkem moralischen Pathos gegen den Imperialismus, gegen die Kriegsvorbereitung. Aber unsere Würde als Vertreter der Intelligenz fordert gerade von uns, aus diesem Gefühl ein Wissen zu machen. Und dies kann nur durch die Ökonomie des Marxismus-Leninismus erreicht werden.«[110]

Vergleicht man Lukács' Bestimmung des Intellektuellen als Avantgarde mit dem Typus des moralischen Vorkämpfers, den Fischer oder Kantorowicz entwarfen, so liegt der Unterschied beider im Verhältnis von Ökonomie und Moral. Kantorowicz wie Fischer favorisierten den moralischen Appell als Mittel der Friedenspropaganda und faßten den Intellektuellen als Vertreter des ›Geistes‹, während Lukács der Intelligenz Einsichten in die Realität abverlangte.

Ernst Fischers 1950 in Berlin sehr erfolgreich aufgeführtes Stück *Der große Verrat* handelt vom Verrat des Intellektuellen am ›Geist‹. Die leicht durchschaubare Kulisse eines Balkanstaates verweist auf den Bruch der Kommunisten Jugoslawiens mit der KPdSU. Fischers Tito heißt Pablo Malabranca und verrät ›geistig‹ die Revolution, weil er sich ideologisch zum Individualismus bekennt. Der sowjetische Gesandte spricht im Stück aus, was die Fabel über Malabranca lehrt: »Er teilt die Welt in drei Teile. Der eine Teil, hunderte Millionen Menschen, hier, im Lager des Sozialismus, der andre Teil, Staaten, Banken, Parteien, dort, im Lager des Imperialismus. Und der dritte Teil, das ist er, seine Majestät der Übermensch. Aber es gibt in der Welt nur zwei Pole, nicht drei. Für ihn ist die Sowjetunion ein Land wie jedes andre, wie England oder Amerika, und nicht das Land des siegreichen Sozialismus. Aber wer damit beginnt, wer nur den eignen Ehrgeiz kennt im größten Klassenkampf der Weltgeschichte, der endet dort, wo bisher jeder Verräter geendet hat.«[111] In der 2. Szene des ersten Akts fragt Malabrancas Tochter Marina, ob dies Morosows »persönliche Überzeugung« sei, damit dieser – wie das Stück insgesamt – antworten kann: »Es kommt nicht auf die Person an, nur auf die Wahrheit.«[112] Am Ende des vierten Akts ruft Marinas Stimme »das Volk zum Kampf gegen den Verrat Malabrancas«: »Politiker kann man kaufen, Völker nicht«, worauf der nun neben Malabranca stehende britische Gesandte die

Perspektive ergänzt: »Ein Volk, das man nicht kaufen kann, ist reif für den Kommunismus.«[113] Die auf diesen Schluß zulaufende Handlung führt eher beiläufig vor, wie Malabranca von den Briten ›gekauft‹ wird und welche Aktion vom Volk als dramatis persona zu erwarten ist.

Das Familiendrama Fischers spielt unter Politikern, von denen die meisten Intellektuelle sind. Der britische Militärberater und die amerikanische Journalistin vertreten in diesem Zirkel die ›offen und bewußt‹ für den Imperialismus Partei ergreifenden Intellektuellen. Sie werden weniger durch ihre Meinungen als durch ihren Umgang mit Alkohol und Sexualität charakterisiert. Wiederholt malt das Stück Schlafzimmerszenen aus; eine der Anweisungen lautet: »Auf einem breiten Lotterbett liegt Robin im Pyjama, rauchend. Auf einem kleinen Tisch ausgetrunkene Flaschen, Gläser, Obst, alle möglichen Überreste. Über einen Sessel geworfen Kleidungsstücke. Auf dem Boden ein Frauenkamm.«[114]

Malabrancas Kinder Diego und Marina gehören zu jener ›Reserve‹, für die Fischer in Breslau den Begriff ›Eunuchen‹ benutzte: Um ihre moralische Entscheidung wird gekämpft. Die Form dieses Kampfes ist der Weltanschauungsdialog, während die moralische Verurteilung Robin Leslies und Annabell Stimpsons von Anfang an szenisch feststeht. Der Brite wirbt um Diego: »Ich experimentiere mit ihm wie mit einem Lieblingsschüler. Lächerliche Gefühle, wie Eifersucht, Mitleid und dergleichen, sollen in Fetzen auseinanderfliegen.«[115] Marina wird hingegen vom sowjetischen Gesandten über die »Wahrheit« belehrt: »Auf jeden kommt es an, auf jeden Kommunisten. Ich kann Ihnen Ihre Verantwortung nicht abnehmen, Genossin Marina. Aber denken Sie an Stalingrad. [...] Sie werden den Weg finden.«[116] Diego werden Sentenzen Nietzsches und Sartres in den Mund gelegt, die seine Wehrlosigkeit gegenüber Robin Leslies Manipulationen begründen sollen. So erscheint er als Existentialist, indem er sich auf die mit dem britischen Major geteilte Erfahrung des bewaffneten Kampfes beruft: »Wir haben gekämpft [...], dieser westliche Major und dieser östliche Oberst. Wir wissen beide, was ein Flugzeug ist, eine Bombe, ein Bajonett. Wir schätzen ein schönes Pferd, eine schöne Frau, ein schönes Gedicht. Wir können Spießbürger aller Konfessionen nicht ausstehen. Die Himmelsrichtung, aus der wir kommen, ist mir bis zum Ekel gleichgültig.«[117] Der Schwester gegenüber leitet Diego seinen Individualismus aus dem Partisanenkampf ab: »Frei sein, Marina, einer

gegen alle. […] Alles andre ist Schwindel. Siehst du, ich war ein guter Partisan, Du auf Du mit dem Tod. Für euren Kollektivismus bin
ich vollkommen untalentiert. Da hast du das Bekenntnis – wie sagt
ihr so sinnvoll? – eines zersetzten Menschen.«[118] Hier zeigt sich die
Schwäche von Fischers Dramaturgie: Alle negativen Figuren messen sich selbst an dem moralischen Ideal der positiven; sie sind sich
ihrer Abweichung bewußt, so wie die Aristokraten und Bourgeois
in Kantorowicz' ›Tragikomödie‹ über ihre ökonomischen Interessen wie Politökonomen reden können.

Aber wichtiger noch als die Robin Leslie und Diego gemeinsame
Erfahrung und deren philosophische Deutung ist für die Motivierung des Verrats die moralische Enttäuschung des Präsidentensoh-
nes über Malabranca. Im Rückblick auf den Krieg und die Nachkriegszeit wird der Gegensatz zwischen moralischer Politik und
unmoralischer Privatheit, zwischen Selbstlosigkeit und Geschäft
greifbar. »Einmal war ich bereit, dich anzuerkennen, als mir gestattet wurde, am Freiheitskrieg teilzunehmen. Zum erstenmal war ich
nicht mehr der überflüssigste Mensch der Welt. Ich hatte eine Aufgabe. Plötzlich für etwas Großes kämpfen, nicht mehr die tägliche
Balgerei mit dem Schmutz der Emigration – es war wie ein Rausch.
Vorher hab ich das Volk nicht gekannt, nichts von den Menschen gewußt, nur, daß sie dumm sind, gemein, egoistisch – und jetzt auf
einmal Menschen, die sterben konnten für etwas, das über den kleinen Egoismus hinausgeht. […] Ich war ein Mensch, der lernen
wollte. Aber du, was hast du mich gelehrt? […] Was war das Volk
für dich? Nichts als ein Stück Natur, […] Werkzeug. Keinen Menschen hast du geliebt, aber jeden gehaßt, der größer war als du. […]
Wofür hast du gekämpft? Dort zu stehn, wo früher ein König stand.
Das Volk ist dumm und blind, das hast du mir gesagt, mir, einem
jungen Menschen, der lernen wollte. Mit jedem hast du paktiert,
den du brauchen konntest für dein Geschäft. Den Glauben des Volkes hast du mißbraucht für deine elende Eitelkeit.«[119]

Mit der Figur der Tochter Marina, die sich gegen den geliebten Vater für das Volk entscheidet, entsprach Fischers ›politisches Drama‹
Der große Verrat in einem viel größeren Maße den in der Öffentlichkeit der DDR herrschenden Anforderungen an das Friedensstück
als katharthische Familientragödie, als es Alfred Kantorowicz' *Die
Verbündeten* der komischen Elemente wegen und Gustav von Wangenheims *Auch in Amerika* mit seinem Happy end gelingen konnten. Der Heroismus der Selbstlosigkeit beruht in Marinas Ge-

schichte auf einem inneren Konflikt, den die Kritik in den beiden anderen Dramen so sehr vermißt hatte. So entging Fischers Stück allen Einwänden gegen die Typisierungstechnik; es enthielt ein unzweideutiges Vorbild; die Wandlung beglaubigte es als solches. Keine Besprechung zweifelte an dem Modell moralischer Politik, das dieser Dramaturgie zugrunde lag.[120] Gesellschaftliche Veränderung erschien als die Summe individueller Veränderungen, die wiederum als Erziehung vorgestellt wurden. Der Intellektuelle als nationaler Vorkämpfer schien selbstverständlich zu diesen Erziehern zu gehören. Seine Legitimation war seine Moral.

Einigen dieser Selbstverständlichkeiten widersprach implizit die dramaturgische Praxis Bertolt Brechts, der sich in den frühen fünfziger Jahren keineswegs zufällig mit denselben Themen befaßte wie die Autoren der Friedensstücke. Die Rolle des Intellektuellen im Kampf für den Frieden beschäftigte Brecht nicht nur als Schreiber von Offenen Briefen an westdeutsche Kolleginnen und Kollegen, sondern auch als Autor des *Herrnburger Berichts*. Brecht interessierte sich weniger für die Führer als für die Massen, weniger für das mitreißende moralische Vorbild als für die konkreten Hindernisse des Fortschreitens. Seine »semiszenische Chorkantate« über die Rückkehr westdeutscher Jugendlicher vom Deutschlandtreffen in Berlin/DDR Pfingsten 1950, die an der bundesrepublikanischen Grenze von der Polizei festgehalten wurden, enthält keineswegs die »Meinung« des Einzelgängers Brecht, »gegen die westliche Restauration den einheitlichen Staat doch noch durchzusetzen«[121]; die Kantate zeigt vielmehr, wie sehr Brecht – trotz seiner Skepsis gegen jede idealistische Überhöhung der Rolle der Intelligenz – in seinen illusionären Einschätzungen der Stärke der, als Bewegung für die nationale Einheit aufgefaßten, Friedensbewegung mit der DDR-Regierung übereinstimmte. Kein Detail spricht hier wohl deutlicher als das moralisierende Bild vom Judas, mit dem Kurt Schumacher und Konrad Adenauer als »böse Greise« des nationalen Verrats gleichgesetzt werden: »Adenauer, Adenauer, zeig deine Hand / Um dreißig Silberlinge verkaufst du unser Land.«[122]

Anmerkungen

1 Wolfram Buddecke, Helmut Fuhrmann, *Das deutschsprachige Drama seit 1945. Schweiz. Bundesrepublik. Österreich. DDR. Kommentar zu einer Epoche*, München 1981, S. 249 f.

2 Ebd., S. 247.

3 Manfred Jäger, *Kultur und Politik in der DDR. Ein historischer Abriß*, Köln 1982, S. 30.

4 Vgl. *Geschichte der Literatur der Deutschen Demokratischen Republik*, in: *Geschichte der deutschen Literatur von den Anfängen bis zur Gegenwart*, Bd. 2, Berlin 1976, S. 373–376.

5 Zitiert nach Klaus Jarmatz u. a. (Hg.), *Kritik in der Zeit. Literaturkritik der DDR 1945–1975*, Bd. 1, 1945–1965, Halle, Leipzig 1978, S. 152.

6 Ebd.

7 Ebd., S. 156f.

8 Ebd., S. 153.

9 Ebd., S. 155.

10 Ebd., S. 156f.

11 Hermann Weber, *Geschichte der DDR*, München 1985 (dtv 4430), S. 188.

12 Ebd., S. 208.

13 Ebd., S. 207.

14 Ebd., S. 230.

15 Vgl. ebd., S. 213.

16 H.L., *Weltfriedensbewegung im Jahre 1950*, in: Neues Deutschland, 3. 1. 1951.

17 Ebd.

18 Robert Havemann, *Die führenden Kulturschaffenden stehen im Weltfriedenslager*, in: Tägliche Rundschau, 31. 5. 1951.

19 Robert Havemann, *Kriegsziel: Niemandsland Europa. Was wollen die Amerikaner mit der Atombombe?*, in: Sonntag, 3. 6. 1951.

20 Jarmatz u. a. (Hg.), a. a. O., S. 155.

21 Ebd.

22 Ebd.

23 Ebd., S. 153.

24 *Im Kampf für eine neue deutsche Architektur. Ludwig Renn antwortet Dr. Kurt Liebknecht. Stellungnahme des ›ND‹*, in: Neues Deutschland, 14. 3. 1951.

25 *Im Geiste der Wiesbadener Tagung*, in: Neues Deutschland, 6. 2. 1951.

26 Vgl. hierzu Ernst Nolte, *Der Weltkonflikt in Deutschland. Die Bundesrepublik und die DDR im Brennpunkt des Kalten Krieges 1949–1961*, München 1981 (Serie Piper 222), S. 106.

27 Näheres in meinen Aufsätzen »*Die Freiheit fordert klare Entscheidungen*«. *Die Spaltung des PEN-Zentrums Deutschland*, in: kürbiskern 3 (1985), S. 105–124, sowie, vor allem zur Vorgeschichte, »*Der Eiserne Vorhang… ist gefallen.*« *Ein Brennpunkt der Nachkriegsliteratur: Der deutsche Schriftstellerkongreß in Frankfurt am Main 1948*, in: Gabriele Dietz u. a., *Trümmer Träume Truman. Die Welt 1945–49. Bilderlesebuch*, Berlin 1985, S. 177–183.

28 Jarmatz u. a. (Hg.), a. a. O., S. 153.

29 Ebd.

30 Ebd.

31 Ebd.

32 Max Schroeder, *Rückblick auf die Theaterspielzeit*, in: Sonntag, 29. 7. 1951.

33 Wolfgang Langhoff, *Theater – eine Waffe im Kampf um den Frieden*, in: Theater der Zeit 5/8 (1950), S. 1.

34 Ebd., S. 2.

35 Ebd.

36 Ebd.

37 Max Schroeder, »*Auch in Amerika*«. *Ein Kampfstück gegen die Atombombe in den Kammerspielen, Berlin*, in: Sonntag, 10. 12. 1950; zu den anderen Aufführungen vgl. die Berichterstattung in ›Theater der Zeit‹; zu Greiz: Theater der Zeit 6/5 (1951), S. 12f.

38 Vgl. *Kantorowicz arbeitet »Die Verbündeten« um*, in: Tägliche Rundschau, 15. 6. 1951.

39 Alfred Kantorowicz, *Deutsches Tagebuch. Zweiter Teil*, München 1961, S. 180.

40 Alfred Kantorowicz, *Berlins Friedenstüchtigkeit*, in: ders., *Etwas ist ausgeblieben. Zur geistigen Einheit der deutschen Literatur nach 1945*, Hamburg 1985, S. 41.

41 Ebd., S. 42.

42 Hans-Albert Walter, *Das Risiko des Moralisten – Begegnungen mit Alfred Kantorowicz*, in: Kantorowicz, *Etwas ist ausgeblieben*, S. 15.

43 Kantorowicz, *Deutsches Tagebuch*, S. 181.

44 Schroeder, »*Auch in Amerika*«.

45 Ebd.

46 Zitiert nach: Theater der Zeit 6/1 (1951), S. 25.

47 Ebd.

48 Zitiert nach: Theater der Zeit 6/5 (1951), S. 13.

49 ›Der Demokrat‹ zitiert nach: Theater der Zeit 6/11 (1951), S. 24.

50 ›Die Union‹ zitiert nach: Theater der Zeit 6/9 (1951), S. 14; ›Thüringische Landeszeitung‹ zitiert nach: Theater der Zeit 6/7 (1951), S. 17.

51 ›Das Volk‹ zitiert nach: Theater der Zeit 6/7 (1951), S. 18.

52 Zitiert nach: Theater der Zeit 6/13 (1951), S. 17.

53 Zitiert nach: Theater der Zeit 6/5 (1951), S. 13.
54 Zitiert nach: Theater der Zeit 6/7 (1951), S. 17.
55 Zitiert nach: Theater der Zeit 6/1 (1951), S. 26.
56 Zitiert nach: Theater der Zeit 6/7 (1951), S. 17; vgl. ebd., S. 18 das Zitat aus dem ›Volk‹, das einen Wandel von »verängstigt« zu »überzeugt« feststellte.
57 ›Die Union‹ zitiert nach: Theater der Zeit 6/9 (1951), S. 14.
58 ›Das Volk‹ zitiert nach: Theater der Zeit 6/7 (1951), S. 18/20.
59 Schroeder, »Auch in Amerika«.
60 Ebd.
61 Ebd.
62 Heinz Lüdecke, Ein Schauspiel gegen die Kriegstreiber. »Die Verbündeten« von Alfred Kantorowicz in den Kammerspielen des Deutschen Theaters Berlin, in: Neues Deutschland, 9. 6. 1951.
63 Ebd.
64 Max Schroeder, »Die Verbündeten«. Schauspiel von Alfred Kantorowicz in den Kammerspielen, Berlin, in: Sonntag, 10. 6. 1951.
65 Ebd.
66 Ebd.
67 Kantorowicz, Deutsches Tagebuch, S. 141; als Beispiel für positive Resonanz vgl. Walther Pollatschek, Verbündete gegen das Volk, in: Tägliche Rundschau, 6. 6. 1951.
68 Befreiung. Ein Tragi-Komödie, in: Ost und West 3/5 (1949), S. 32–53. Die redaktionelle Vorbemerkung für dieses »dramatische [...] Erstlingswerk, dem noch Schwächen anhaften« und das deshalb anonym erschien, endete: »Wir veröffentlichen nachstehend den ersten Akt des Schauspiels, dessen zweiten und dritten Akt der Autor nach einer Rücksprache mit uns gegenwärtig noch überarbeitet« (S. 32). Später bestritt der Verfasser alle Bearbeitungsabsichten.
69 Pollatschek, Verbündete gegen das Volk.
70 Ebd.
71 Vgl. Kantorowicz, Deutsches Tagebuch, S. 188.
72 Alfred Kantorowicz, Die Verbündeten. Schauspiel in drei Akten, o. O. 1951, z. B. S. 52, 39, 35.
73 Ebd., S. 39.
74 Ebd., S. 43.
75 Ebd., S. 45.
76 Ebd., S. 46.
77 Ebd., S. 47.
78 Ebd., S. 27.
79 Ebd., S. 33.
80 Ebd.
81 Ebd., S. 42.
82 Ebd., S. 30.

83 Ebd., S. 44.

84 Ebd., S. 41.

85 Ebd., S. 68.

86 Vgl. ebd., S. 64.

87 Ebd., S. 50.

88 Ebd., S. 74.

89 Ebd.

90 Ebd., S. 77.

91 Ebd.

92 Ebd., S. 40.

93 Vgl. hierzu neuerdings Hans Mayer, *Ein Deutscher auf Widerruf. Erinnerungen*, Bd. 1, Frankfurt 1982, S. 397–414; zu einigen Lükken in Mayers Gedächtnis s. meine Rezension in: Das Argument 26 (1984), S. 128–130.

94 Vgl. Max Frisch, *Tagebuch 1946–1949*, Frankfurt 1950, S. 278–301.

95 Ernst Fischer, *Das intellektuelle Eunuchentum*, in: *Der Weltfriedenskongreß der Kulturschaffenden. Ein Material für Referenten*, hg. v. Kulturbund zur demokratischen Erneuerung Deutschlands. o. O. u. J., S. 41.

96 Ebd.

97 Ebd.

98 Ebd.

99 Ebd.

100 Ebd., S. 42.

101 Ebd.

102 Ebd.

103 Ebd.

104 Georg Lukács, *Verantwortlichkeit der Intellektuellen*, in: *Der Weltfriedenskongreß der Kulturschaffenden*, S. 26f.

105 Ebd., S. 27.

106 Ebd., S. 28.

107 Ebd.

108 Ebd., S. 29.

109 Ebd.

110 Ebd., S. 30.

111 Ernst Fischer, *Der große Verrat. Ein politisches Drama in fünf Akten*, Wien 1950, S. 31.

112 Ebd.

113 Ebd., S. 56.

114 Ebd., S. 28.

115 Ebd., S. 29.

116 Ebd., S. 30.

117 Ebd., S. 10.

118 Ebd., S. 16.

119 Ebd., S. 50f.

120 Vgl. Walther Pollatscheks Besprechung in der ›Täglichen Rund-
     schau‹ (zitiert nach: Theater der Zeit 5/9 [1950], S. 30). »Dies Stück
     ist nicht nur politisch-historisch richtig, nicht nur eminent drama-
     tisch in Dialog und Kontrastierung der Figuren, es ist in Sprache
     und Gestaltung auch wahrhaft dichterisch. [...] Der Verräter Wal-
     lenstein mit seinem persönlich-sittlichen Konflikt kann ein tragi-
     scher Held sein, der Verräter Tito als ein Volksschädling unmög-
     lich...«

121 So die Behauptung Jan Knopfs, *Brecht-Handbuch*, Bd. 2: *Lyrik,
     Prosa, Schriften*, Stuttgart 1984, S. 181.

122 Bertolt Brecht, *Herrnburger Bericht*, in: ders., *Gesammelte Werke*,
     Supplementband 4, Frankfurt 1982, S. 423.

David Bathrick
Agitproptheater in der DDR
Auseinandersetzung mit einer Tradition

Das ist die Frage, wie wir, abgesehen von dem großen Stück für die Theater, wieder zu den kleinen, wendigen Kampfformen kommen, wie wir sie einmal in der Agitprop-Bewegung gehabt haben. Die kleine Form gestattet ein direktes Sichengagieren im Kampf. Denn wir werden mit einer Kampfphase rechnen müssen, und wir werden unsere Gemütlichkeit irgendwann ablegen, bekämpfen müssen, zusammen mit anderen kleinbürgerlichen Bestrebungen. Wie können wir die Dramatik jetzt in den Kampf um den Sozialismus führen? Das ist die wirkliche Schwierigkeit. Was wir erreichen müssen, ist, daß im Publikum ein Kampf entfacht wird, und zwar ein Kampf des Neuen gegen das Alte. Wenn wir uns die neue Welt künstlerisch-praktisch aneignen wollen, müssen wir neue Kunstmittel schaffen und die alten umbauen (Bertolt Brecht auf dem IV. Schriftstellerkongreß im Januar 1956).[1]

Am Ende der 50er Jahre haben einige Autoren der DDR auf die Agitprop-Bewegung der 20er Jahre zurückgegriffen: dies markierte einen wichtigen Wendepunkt in der Gegenwartsdramatik dieses Landes. Daß das Entstehen eines »didaktischen Theaters« zu dieser Zeit von Brechtschülern und nicht vom Meister selbst verwirklicht werden mußte, lag nicht allein daran, daß der Stückeschreiber ein halbes Jahr nach dem großen Aufruf plötzlich starb. Brecht war es von Anfang an schwergefallen, gegenwartsbezogene Zeitstücke für die neue Gesellschaft zu produzieren. Seine Unfähigkeit, aus dem Garbe-Stoff ein Lehrstück zu machen, erwuchs aus demselben Dilemma, das er 1952 als Regisseur mit der Inszenierung von Erwin Strittmatters *Katzgraben* schon am Berliner Ensemble erlebt und in den *»Katzgraben«-Notaten* theoretisch problematisiert hatte: Wie kann man die auf Negativität und Widersprüche gegründete kritisch-epische Methode aus dem Klassenkampf gegen den Kapitalismus in ein affirmatives Agitationstheater umfunktionieren? Sind die langwierigen sozialen Umwälzungen im täglichen Leben der Menschen überhaupt dramatisch sichtbar zu machen? Kann man das »neue ansteckende Lebensgefühl«[2] im Sozialismus demonstrieren, ohne auf »Vorbild-Charaktere« zurückzugreifen? Das waren die Probleme, welche 1956 im Hinblick auf den unübersehbaren Schematismus in der Literaturlandschaft der DDR auch von Anna Seghers, Georg Lukács, Hans Mayer und sogar von Johannes R. Becher zur Diskussion gestellt wurden. Auf diese Fragen haben im Theaterleben der DDR Heiner Müller, Peter Hacks, Helmut Baierl, Volker Braun und nicht die Überlebenden der Exilgeneration die ersten Antworten gegeben.

Brecht war nicht der einzige Autor aus der Weimarer Zeit, der den Herausforderungen eines neuen affirmativen Literaturmodells nicht ganz gewachsen war. Die ersten Versuche, dem Ruf nach einer Gegenwartsliteratur nachzukommen, kamen fast ausschließlich von der alten Garde, die in den Jahren der Weimarer Republik im aktiven politischen Kampf gestanden hatte. Friedrich Wolf, Gustav von Wangenheim, Hermann Kubsch und Karl Grünberg – alle Mitglieder der damaligen KPD – schrieben schon 1950, im ersten Jahr nach der Gründungs der DDR, ihr obligatorisches Agitationsstück. Doch von Anfang an zeigte sich, wie wenig ihnen ihre Erfahrungen aus den Tagen der Agitation und des Klassenkampfes für die neue Aufgabe nützten.

Gustav von Wangenheim war vor Hitlers Machtantritt einer der aktivsten Organisatoren der Theaterbewegung und der Spieltruppen gewesen. Diese Erfahrungen äußerten sich in seinen Stücken (*Die Mausefalle* [1931], *Hier liegt der Hund begraben* [1932] und *Wer ist der Dümmste?* [1932/33]) sowie bei seiner Regieführung in thematischen und stilistischen Neuerungen, die den Proletkulttraditionen der LEF, dem Piscator-Theater und dem epischen Theater Brechts nahestehen. Seine Versuche, diese Traditionen in der DDR wieder aufzugreifen – erst in der total mißlungenen Neubearbeitung der *Mausefalle* (unter dem Titel *Die Maus in der Falle* [1947]) und dann in dem moralisierenden Wandlungsdrama für die FDJ *Du bist der Richtige* (1950) – sind Paradebeispiele für das Dilemma, in dem sich diese Autoren befanden. In der *Mausefalle* wird die Wandlung des Helden vom Kleinbürger zum proletarischen Kämpfer, trotz des verklärten Pathos, durch die immanent vorhandenen Widersprüche innerhalb der damaligen kapitalistischen Gesellschaftsordnung bewirkt. Der Konflikt in *Du bist der Richtige* ist hingegen von außen aufoktroyiert. Durch die Einführung Westberliner Rowdies als der entscheidenden Bösewichte wird das oft gebrauchte Agentenmotiv aufgegriffen, um thematisch und formal eine personifizierte Kontrahentenbeziehung herzustellen. All das weist auf die Schwierigkeit hin, innerhalb einer offiziell für nichtantagonistisch erklärten Gesellschaftsordnung Kampfformen umzufunktionieren und wirkliche Konflikte ausfindig zu machen. Zwei Industriestücke dieser Periode, Kubschs *Die ersten Schritte* (1950) und Grünbergs *Golden fließt der Stahl* (1950), begnügen sich ebenfalls mit Motiven moralischer Korruption und innerer Wandlung. Nur in dem emanzipatorischen Kampf der Heldin in Friedrich Wolfs Bauernstück *Bürgermeister Anna* (1950) entsteht eine Dynamik, die sich aus den Konflikten innerhalb der eignen Gesellschaftsordnung ergibt.

Aber nicht nur wegen der Kritik am Schematismus plädierte man auf der Kulturkonferenz der SED im Oktober 1957 dafür, den »Reichtum der revolutionären Tradition aus der Arbeiterbewegung zur Entwicklung eines interessanten sozialistischen Kulturlebens«[3] nutzbar zu machen. Dieser Aufruf auch von seiten der Partei nach operativen Kampfformen aus der Tradition des Arbeitertheaters (»Agitprop-Gruppen«, »Formen der ›Lebenden Zeitungen‹« und »die Roten Revuen« wurden erwähnt) und nach einem größeren politischen Engagement der künstlerischen Intelligenz entstammte einer Zeit der politischen und wirtschaftlichen Krise. Die auf dem xx. Parteitag der UdSSR beginnende Entstalinisierung und die darauf folgenden Aufstände in Ungarn und Polen erforderten für das seit dem Tod Stalins verunsicherte sozialistische Lager eine neue Legitimation. Die DDR reagierte nach einer kurzen Tauwetterphase außenpolitisch mit einer noch radikaleren Abgrenzung gegenüber dem Westen, innenpolitisch mit der Ankündigung eines Fünfjahresplanes, welcher neue eigenständige Impulse im wirtschaftlichen Wachstum und im politischen Engagement der Gesellschaft einleiten sollte.

Doch die Rückkehr zu einer entschieden agitatorischen Kulturpolitik, offiziell unter der Überschrift »Kulturfragen sind Machtfragen«[4] angekündigt, bedeutete nicht, daß die Entwicklungen der vorangegangenen Jahre einfach rückgängig gemacht werden sollten. Mit dem Angriff auf den Schematismus war nämlich das offene Eingeständnis verbunden, daß der Aufbau einer wirklich engagierten, politisch effektiven sozialistischen Gegenwartsliteratur nicht ohne die aktive Beteiligung breiterer Volksschichten zu erreichen war. Es ist deshalb kein Zufall, daß es vor allem Theaterschaffende waren, die zuerst diesen neuen Anspruch zu realisieren versuchten. Schon seit der Weimarer Republik war das Theater die geeignetste Form, Agitpropaganda zu machen, Parteilichkeit zu erwecken und Leute in den Kampf zu ziehen. Piscators Mammutrevuen wie *Trotz alledem* oder *Revue Roter Rummel* waren in dieser Hinsicht Öffentlichkeitsarbeiten *par excellence* gewesen. Sie zeichneten sich dadurch aus, daß sie mit Hilfe von epischen Mitteln wie dokumentarischem Film und Faktenmaterial, Projektionen, Massenszenen und Publikumsbeteiligung Tausende von Menschen ins Theater ziehen und für die Partei mobilisieren konnten.

In der DDR waren es Heiner Müller und Hagen Müller-Stahl, die in ihrem im November 1957 uraufgeführten Dokumentarstück *Zehn Tage, die die Welt erschütterten* diese Tradition für die Gegenwart nutzbar zu machen versuchten. Die Ziele dieser »Szenen der Oktoberrevolution nach Aufzeichnungen John Reeds« waren: An die damaligen Aufführungen anderer Revolutionsdramen wie Brechts *Die Tage der Kommune* und des Russen Bill-Bjelozerkowskis *Sturm* anknüpfend, versuchten die Autoren einerseits durch kurze »didaktische« Bilder politische Parallelentwicklungen zwischen der 40 Jahre vorher ausgebrochenen Oktoberrevolution und der Gegenwart herzustellen, um einem völlig entpolitisierten Publikum wieder zu eigenem revolutionären Elan zu verhelfen. Ebenso wichtig wie diese im Vordergrund stehende agitatorisch-propagandistische Absicht war andererseits der damit verbundene Versuch, das bis zu diesem Zeitpunkt in der DDR verpönte proletarisch-revolutionäre Erbe aus der Weimarer und frühsowjetischen Avantgarde für eine »Neuakzentuierung«[5] der damaligen Kulturpolitik relevant zu machen. Trotz der mißglückten Inszenierung dieser »Agitprop-Montage«[6] an der Berliner Volksbühne gelang es den Autoren dennoch, Stilmittel (Verzicht auf eine Fabel, Abbau von das Stück tragenden Charakteren, epische Kurzszenen, demonstrative Projektionen usw.) einzuführen und darüber hinaus eine revolutionäre Theatertradition wieder ins Bewußtsein zu rufen, welche, abweichend von den eher auf Fabel, Charakter und Bühne zentrierten »Theaterstücken« Brechts und Bill-Bjelozerkowskis, neue Möglichkeiten für die Entfaltung einer breiteren proletarischen Öffentlichkeit anbieten sollte.

Wie eng das Aufgreifen und Umfunktionieren des proletarisch-revolutionären Erbes mit dem Kampf um eine neue »proletarische« Öffentlichkeit in der DDR verknüpft war[7], läßt sich an Hand der Entstehung und Rezeption von Heiner Müllers nächstem Stück *Der Lohndrücker* (1957) exemplarisch nachweisen. Hauptthema des Stückes war die aus Presse, Propaganda und mehreren Prosawerken (Eduard Claudius' *Vom schweren Anfang* [1950] und *Menschen an unserer Seite* [1951]; Käthe Rülickes *Hans Garbe erzählt* [1952]) den Zuschauern bekannte Geschichte des Aktivisten Hans Garbe, der 1948/49 in einer spektakulären Arbeitsleistung einen beheizten Ringofen in den volkseigenen Siemens-Plania Werken in Berlin reparierte. Damit hatte er dem Staat den Produktionsausfall erspart, der mit der sonst üblichen Kaltlegung des Ofens verbunden gewesen wäre. Die Garbe-Story war also schon in der Überlieferung zu einer öffentlichen Legende geworden, die Müller dann systematisch zu entmystifizieren und neu zu gestalten versuchte. In seinem Stück ist Hans Garbe (er heißt Balke) alles andere als eine Modellfigur. Die Perspektive, schon für den Titel konstitutiv, ist negativ auf Widersprüche fixiert. Im Dritten Reich hatte der Arbeiter Balke »staatstreu« eine Sabotage verhindert, indem er einen Widerstandskämpfer (der in der Gegenwart als Parteisekretär Schorn wieder erscheint) denunzierte; in der neuen Gesellschaft »verrät« er wieder seine Mitarbeiter durch Lohndruck bzw. durch hervorragende Arbeitsleistung. Damit will Müller keineswegs Balke als Bösewicht hinstellen, vielmehr verändert er die Perspektive. Müllers Held der Produktionsschlacht wird nicht nur aus Sicht der Partei und des Staates gesehen, sondern auch von seiten der Produktion und der Arbeiterinteressen.

Diese thematische Aufspaltung in Arbeiter- und Parteiinteressen sowie die Doppelperspektive ihrer Darstellung führen uns wiederum auf das Problem einer proletarischen Öffentlichkeit, die in allen Momenten ihrer Entstehung ein zentrales Anliegen dieses Stückes war. Am Ende der ersten Szene findet man z. B. folgende Regieanweisung: »Auf der Straße erscheint ein Plakatankleber und klebt ein Plakat mit dem Text: ›SED – Partei des Aufbaus‹ an die Trümmerwand. Als er gegangen ist kommt ein junger Mann, bleibt vor dem Plakat stehen, blickt sich um, reißt es ab und geht pfeifend weiter. Drei Arbeiter, müde, Aktentaschen unterm Arm, gehen über das am Boden liegende Plakat.« Auf der einen Seite sehen wir die offizielle Parteiöffentlichkeit mit ihren Losungen, mit ihrem durch die Wirklichkeit entleerten Versprechen; andererseits *den Blick* darauf von einer »müden« Arbeiterschaft, die in diesem Moment die Gegenöffentlichkeit bildet. Müller will aber diese Anti-Perspektive keineswegs verherrlichen (sie wird im Stück zum Teil von ehemaligen Faschisten und Antikommunisten vertreten), sondern versucht durch das Hineinbringen proletarischer Erfahrung und die Konstruktion einer oft ignorierten Produktionsöffentlichkeit[8] das repräsentative Öffentlichkeitsangebot des Staates zurechtzurücken, die *zwei* Interessensphären dialektisch miteinander zu vermitteln und die Entscheidung darüber, wer letzten Endes im Recht ist, ins Publikum zu verlagern. Widersprüche und offene Fragestellungen, nicht »wahre« Antworten liegen diesem Stück zugrunde.

Werden Müller/Müller-Stahls *Zehn Tage* wegen ihres ausgesprochen »didaktischen« Charakters oft als Agitprop-Montage bezeichnet, so finden wir in dem eher einem Brechtschen Lehrstück verwandten *Lohndrücker* eine andere Rezeptionsvorgabe. Hier wird das Publikum nicht angebrüllt, sondern als Mitgestalter der Wirklichkeit vorausgesetzt, was wiederum mit einem neuen Begriff von Öffentlichkeit zusammenhängt. Wenn Brecht in seinem Aufruf vom Theater verlangt, daß »im Publikum ein Kampf entfacht wird und zwar ein Kampf des Neuen gegen das Alte«, so ist Müllers Prolog zum *Lohndrücker* eine direkte Antwort darauf und zugleich eine programmatische Weiterentwicklung des Brechtschen Ansatzes. Das Stück versucht nicht, so Müller, »den Kampf zwischen Altem und Neuem, den ein Stückeschreiber nicht entscheiden kann, als mit dem Sieg des Neuen vor dem letzten Vorhang abgeschlossen darzustellen; es versucht, ihn in das neue Publikum zu tragen, das ihn entscheidet«.[9] Hier findet sich eine Neuakzentuierung des Agitpropbegriffs, die gleichzeitig das innere Verhältnis zwischen Formgestaltung und Publikum berührt und den alten Begriff vom didaktischen Theater umwirft. Formelemente wie Montage, Abbau von Charakteren und Fabel funktionieren jetzt dialogisch, um »Partnerschaft«[10] herzustellen – Müller spricht in einem anderen Kontext provozierend von der Notwendigkeit eines »pluralistischen Publikums« im Sozialismus, das nicht mehr »in ›Feinde und Freunde‹ strukturiert« sei[11] –, und tragen dazu bei, auch im Theater neue Formen demokratischer Öffentlichkeit herzustellen.

Die Rezeptionsschicksale von Müllers *Lohndrücker* und seines nächsten Lehrstücks *Die Korrektur* zeigen exemplarisch die Potenzen sowie die Aporien eines solchen Theaters in der damaligen DDR. Nach seiner Uraufführung im März 1958 durch ein Studio in Leipzig kam *Der Lohndrücker* ein halbes Jahr später unter der Regie des jungen Regisseurs Hans Dieter Mäde am Berliner Maxim-Gorki-Theater heraus. Obwohl in der Presse und auch im Zuschauerraum kontrovers diskutiert und sogar von Walter Ulbricht auf dem 5. Parteitag der SED 1958 gelobt[12], wurde das für eine Arbeiteröffentlichkeit konzipierte Lehrstück nach kurzer Spieldauer abgesetzt.

Eine ähnliche, noch kompliziertere Rezeption erfuhr das ebenfalls von Mäde im Maxim-Gorki-Theater inszenierte Stück *Die Korrektur*. Hier ging es thematisch nochmals um Widersprüche und historisch bedingte Konflikte in der Produktionssphäre: Bremer, ein alter Kommunist, wird vom Brigadier zum Arbeiter degradiert, weil er einen Ingenieur wegen seiner faschistischen Vergangenheit angreift; eine Brigade versucht durch Betrug die wegen Produktionsschlamperei eingetretenen Ungleichheiten im Lohn auszugleichen. Die offengelassenen Probleme und Ungereimtheiten sowie die durch karge Sprache und knappe Szenen »auf Lücke« konzipierte Formstruktur erfordern wiederum ein aktives Beteiligtsein auf seiten des Publikums. Das Stück entstand im Winter 1957/58 als Hörspiel im Auftrag des Rundfunks nach einem längeren Aufenthalt von Heiner und Inge Müller im Kombinat »Schwarze Pumpe«. Die erste Fassung wurde vom Tonband Arbeitern in der »Schwarzen Pumpe« vorgespielt und mit ihnen diskutiert. Das Protokoll dieser heftigen Diskussion erschien mit der ersten Fassung in der Zeitschrift ›Neue Deutsche Literatur‹ im Mai 1958. Kurz darauf brachte das Maxim-Gorki-Theater *Die Korrektur* auf die Bühne, stellte aber nach einer »Vorführung vor Produktions- und Parteiarbeitern von Berliner Betrieben« die Proben ein, weil die »Aufführung [...] Depression [bewirkte], statt, wie erwartet, Aktivität«.[13] Es entstand sodann die zweite Fassung der *Korrektur*, in der Bremer mit einer Rüge davonkommt und Charakterzüge wie Widersprüche viel klarer und ohne Lücken dargestellt werden. Sie wurde im September 1958 uraufgeführt und dabei mit dem *Lohndrücker* gekoppelt.

Vergleicht man die zwei Fassungen der *Korrektur*, so zeigt sich, daß die zweite Fassung durch ihre im Vordergrund stehende didaktische Geste viel an »Aktivierungspotenzen« eingebüßt hat. Aus Müllers eigener Stellungnahme wird auch deutlich, daß er die »souveränere (un-depressive, aktive) Haltung des Publikums im Kombinat ›Schwarze Pumpe‹«[14] beim Anhören der ersten Fassung für viel angebrachter hielt als die bei der Vorführung im Maxim-Gorki-Theater. Wenn Müller selbst diesen ganzen Prozeß mit dem Satz »Die Selbstkritik der Autoren ist in die exekutive Phase getreten:

Die *Korrektur* wird korrigiert. Die neue Literatur kann nur *mit dem neuen Publikum* entwickelt werden«[15] kommentierte, dann ist dies keineswegs *nur* ironisch gemeint. Wichtig für ihn war nicht einfach die Korrektur bzw. Zensur eines Textes, sondern der öffentliche, dialektische Prozeß, in dessen Verlauf ein Text zustande kommt. Insofern war das erste große Experiment mit der Agitprop-Tradition Kommunikationsmuster für ein neues Theater, das leider Ausnahme blieb und nicht zur Regel wurde. In einem späteren Beitrag faßte Müller die Paradoxie vieler der damaligen Theaterstücke zusammen, die durch kritisches Aneignen historischer Prozesse den tieferen dialogischen Sinn der Brechtschen Lehrstücktradition für den Sozialismus wiederbeleben wollten: »In einer Diskussion der *Lohndrücker*-Aufführung des Maxim-Gorki-Theaters 1957 wurde die Szene moniert, in der ein Arbeiter und ehemaliger SA-Mann um Aufnahme in die SED nachsucht. Es dürfe nicht in der Luft hängenbleiben, ob er aufgenommen wird oder nicht. Gegenkritik eines anderen Zuschauers: Wieso in der Luft. Wir reden doch darüber. Zwei Ansichten über Funktion und Wirkungsweise des Theaters. In der Praxis hat sich, aus welchen Gründen auch immer, die erste durchgesetzt: Theater als Zustand. Es scheint mir an der Zeit, die zweite in Erinnerung zu bringen, die Theater als Prozeß begreift.«[16]

Müller war nicht der einzige, der damals das Brechtsche Lehrstückmodell in Anspruch nahm. Helmut Baierls »Agroprop«-Drama *Die Feststellung* (1958) ist vor allem ein Versuch, dialogisch und dialektisch das heikle Thema der Republikflucht, wie sie auf dem Lande als Ergebnis der damals radikal vor sich gehenden Kollektivierung stattfand, in seiner Widersprüchlichkeit auf die Bühne zu bringen und agitatorisch-parteilich als Diskussionsangebot vorzustellen. In diesem Stück werden der Mittelbauer Finze und seine Frau von dem örtlichen Vorsitzenden der LPG (Landwirtschaftliche Produktionsgenossenschaft) ideologisch genötigt, der LPG beizutreten. Sie lehnen aus wirtschaftlichen Gründen ab und verlassen, Repressalien befürchtend, die DDR. Nach ihrer Rückkehr werden sie gebeten, ihr Verhalten zu erklären. In Anlehnung an die Prinzipen des Brechtschen Lehrstücks spielen Finze und der Vorsitzende – als »Spiel im Spiel« – alle Aspekte des Konflikts mit vertauschten Rollen durch. Indem sie sich so mit der jeweils anderen Seite identifizieren, beginnen sie ihr Versagen zu verstehen. Die Moral des Stückes basiert auf folgender Einsicht:

DER KLEINE BAUER Damit ist die Frage geklärt, wir danken euch. Hätten wir über diese Dinge öfter beraten, wäre uns viel Ärger erspart geblieben. Finze wäre hier geblieben, nicht wahr Finze?
DER BAUER Ja. Ich habe dich jetzt begriffen ... da will ich nicht zusehen länger, sondern eintreten.[17]

Vergleicht man Baierls *Die Feststellung* mit Müllers zur gleichen Zeit geschriebenen Produktionsstücken, so werden diametral entgegengesetzte Auffassungen einer dramatischen Darstellung sozialer Konflikte im Sozialismus deutlich. Bei Müller existiert der Widerspruch innerhalb des gesamtgesellschaftlichen Zusammenhangs selbst; die primitiven, unterentwickelten, noch keineswegs sozialistisch ausgebildeten Produktionsmittel und -verhältnisse stehen im echten Widerspruch zu den menschlichen Bedürfnissen. Wenn die Arbeiter in der *Korrektur* Normenschaukelei begehen, dann ist dies im Verhältnis zu den existierenden Mißerfolgen in der Produktion zu bewerten und nicht bloß als Resultat des falschen Bewußtseins abzutun. In Baierls *Die Feststellung* hingegen wird die Kollektivierung einfach als ein Problem der geschickten Überredung gesehen. Der Widerstand Finzes erwächst nicht aus der Problematik der ökonomischen Umstände (die damalige Unrentabilität der Kollektivierung bleibt unerwähnt), sondern basiert auf seinem Unvermögen, gerade diese Umstände als rechtmäßig und unabwendbar zu *verstehen*. Indem Baierl das auf dem Behaviorismus beruhende Brechtsche Lehrstück benutzt, um Finze *und* den Zuschauern ideologischen Nachhilfeunterricht zu geben, verwandelt er es aus einem Versuchsvehikel in ein Manipulationsinstrument.

Aber so einfach ist die Sache letztlich auch nicht, da wir hiermit nur die thematisch-politische Aussage von Baierls *Die Feststellung* behandelt haben, nicht aber dessen theatralische Funktion innerhalb des Kulturrahmens der späten fünfziger Jahre. Wichtig für ein Verständnis dieses Stücks (sowie von Herbert Kellers ebenfalls das Thema Republikflucht behandelndem Lehrstück *Die Begegnung* [1957]) ist vor allem seine Herkunft aus der Laientheaterbewegung, »die um 1957 in der DDR einen deutlichen Aufschwung nahm«[18] und deren Ziel es war – hier liegen die Korrespondenzen zum Brechtschen Lehrstück –, Arbeiterlaienspielern die Gelegenheit zu gewähren, eigene Probleme aus dem Alltag ins Spiel zu bringen und sie therapeutisch-kollektiv aufzuarbeiten. »Dieser Spielgestus«, schreibt Klatt, »beim Spielen lernen, Haltungen einnehmen, abfertigen, überwinden, zu den neuen Haltungen gelangen – ist die

Grundlage des Stücks, das zugleich einen zentralen Nerv der Wirklichkeit berührt.«[19] Was Klatt nicht erwähnt – und das ist der Grund dafür, daß dieser Formtypus trotz des jeweils strukturierten, politisch affirmativen Inhalts (Happy end = Zunähen des Widerspruchs) eine kritische Funktion gewinnt – ist ein dem Lehrstück selbst immanenter Polyvalenzfaktor. Grundlegend für das Brechtsche Lehrstück ist sein nicht kalkulierbarer Experimentiercharakter, der gerade durch das improvisatorische Hineinbringen außerhalb des Textes liegender Erfahrungsmomente die eindimensionale Bühne-Publikum-Beziehung aufhebt und potentiell den Erwartungshorizont politischer Praxis umwirft. Damit wird jede Einbahnstraße politischer Didaktik außer Kraft gesetzt.

In Baierls *Die Feststellung* wird die Szene, in welcher der Vorsitzende Finze entweder »erpreßte« (sagt Finze) oder »überredete« (sagt der Vorsitzende), der LPG beizutreten, beim zweiten Demonstrationsspielen mit vertauschten Rollen gespielt. Hier bietet der Text als offene Projektionsfläche mehrere Möglichkeiten – durch Improvisation, Spielweise und Gegen-den-Text-Spielen – diese durchaus »historische« Konfrontation zweier damals entgegengesetzter Interessensphären mit Erfahrungen und Problemen zu bereichern, die nicht automatisch durch das harmonische »Happy-End« im geschriebenen Dialog auszugleichen bzw. aufzuheben wären. Die Textform selbst beinhaltet zwei miteinander konkurrierende Auffassungen von Rezeption und Öffentlichkeit: einerseits das im Text konstituierte richtige Bewußtsein einer vorgegebenen Interpretation – Finze »sieht ein«, daß es in seinem Interesse liegt, der LPG beizutreten; anderseits das mögliche »Eingreifen« seitens eines aktiven Spielers/Publikums, welches als *Mitautor* der Wirklichkeit fungiert und »selber entscheidet«. In Baierls widersprüchlicher Handhabung des Brechtschen Lehrstücks findet man die Aporien, wie sie sich damals aus dem Zusammenbringen von Agitprop-Erbe und Parteibedürfnissen ergaben.

Das dritte wichtige Ergebnis des damaligen didaktischen Theaters war Peter Hacks' Gegenwartsstück *Die Sorgen und die Macht*, welches 1958 mit dem Titel *Die Briketts* geschrieben wurde und dessen zweite (1960) und dritte (1962) Fassung kurzfristige Inszenierungen erlebten. Kontrovers bei diesem Versuch, »als erstes [...] unsere industrielle Wirklichkeit in großer Form wiederzuspiegeln«[20], war der im Stück thematisierte Grundwiderspruch zwischen Quantität und Qualität in der sozialistischen Produktionsweise:

eine Brikettfabrik liefert – weil für den Plan die Quantität der Produktion allein entscheidend ist – massenhaft schlechte Waren an die benachbarte Glasfabrik, die ihrerseits wegen der schlechten Qualität nicht damit arbeiten kann. Eine Umkehrung der Ausgangssituation bringt auch keine Lösung. Der Brikett-Arbeiter Max Fidorra verliebt sich in die arme Glasarbeiterin Hede Stoll und sorgt ihr zuliebe dafür, daß seine Fabrik bessere, aber weniger Briketts produziert. Max wird wegen mangelnder Planerfüllung arm, Hede anderseits durch neu gewonnene Prämien reich – der Grundwiderspruch bleibt erhalten, die subjektive Liebesbeziehung wird darüber hinaus gefährdet, weil der Chauvi Max seiner Freundin ständig überlegen sein will.

Wie Heiner Müller in seinen Industriestücken gelingt es hier Hacks, im Grundentwurf gesellschaftliche Widersprüche dramaturgisch als formbildende Elemente zu realisieren und dadurch die Menschen als Individuen abzubauen und zu relativieren. Aber statt diese objektiven und subjektiven Widersprüche offen zu lassen und dadurch ins Publikum zu verlagern, bricht Hacks deren dialektische Spitze durch zwei scheindialektische *Dei ex machina* ab. Auf der gesellschaftlichen Ebene wird eine technische Lösung gefunden, die *sowohl* Qualität *als auch* Quantität ermöglicht: die vorwärtstreibenden Produktivkräfte tauchen auf einmal hier gut marxistisch als über den Individuen waltende Mächte auf, welche unerwartet in das menschliche Schicksal eingreifen und Rettung herbeiführen. Das subjektive Pendant dazu trifft scheindialektisch – »wie in einer mittelmäßigen Boulevard-Komödie«[21] – am Ende des Stückes ein: das im ganzen Stück quer zu der objektiven Wirklichkeit stehende, egoistisch motivierte Bewußtsein von Max wird auf einmal hellsichtig aufgeklärt.

Trotz der scheindialektischen Lösungen in den Stücken von Hacks und Baierl wurden sie zusammen mit denen Heiner Müllers im Januar 1959 von Walter Ulbricht auf dem 4. Plenum des ZK der SED wegen »sektiererischer Tendenzen« gerügt, weil sie »unter Verzicht auf echte künstlerische Gestaltung das sogenannte ›didaktische Lehrstück‹ als *die* sozialistische Kunstform verkünden«.[22] »Sektiererisch« heißt hier nicht nur die auf Emotionen und Charaktere verzichtende Agitpropform, welche wegen avantgardistischer Esoterik und Überbetonung der Rationalität eine Literaturentwicklung hemmt, »die wirklich zu Millionen Menschen zu sprechen versteht«.[23] Sektiererisch bedeutet auch die proletkultische, anarchistische Tendenz, die dieser *Form* seit jeher zugrunde liegt und deren auf offene Widersprüche und Selbstentscheidung zielende Rezeptionsvorgabe die führende Rolle der Partei in Frage stellt.

Es ist deshalb auch kein Zufall, daß vier Monate danach Walter Ulbricht eine neue kulturpolitische Richtung bekanntgab, welche gerade die Ziele und sogar die Methoden vom verpönten »didaktischen« Theater in Anspruch nahm. Der auf der Bitterfelder Konferenz verkündete »Bitterfelder Weg« stellte in gewissem Sinne eine Programmatik dar, die schon zwei Jahre früher im didaktischen Theater vorgebildet war. Heiner und Inge Müller sowie Peter Hacks waren schon »an die Basis gegangen«, um die Erfahrungen der Arbeitswelt aus erster Hand kennenzulernen. *Der Lohndrücker* und *Die Sorgen und die Macht* waren bereits Stücke, die versuchten, die Entfremdung zwischen Kunst und Leben aufzuheben und die Arbeitsteilung zwischen Produktionsarbeitern und Kulturschaffenden zu überwinden. Daß die Ergebnisse nicht zufriedenstellten und dennoch in Bitterfeld usurpiert werden mußten, zeigt die ihnen immanente Dialektik der Erbeproblematik in der DDR. Eine auf Antagonismus eingestellte Theatertradition ließ sich nicht ohne weiteres in eine Affirmationsliteratur umbiegen – auch wenn sie affirmativ angelegt war. Die Versuche von seiten der Partei (vor allem durch den Bitterfelder Weg), dies trotzdem zu tun, brachten in den sechziger Jahren weitere Konflikte.

Vom didaktischen zum historisch-»dialektischen« Gegenwartstheater

Der von Walter Ulbricht benutzte Ausdruck »didaktisches Lehrstück« als Bezeichnung für das Agitproptheater der fünfziger Jahre hat sich in der DDR-Forschung fest etabliert. Dabei werden zwei Elemente immer wieder hervorgehoben. Als Bezeichnung für die Form sind es deren Kürze, montageartiges Aufbauprinzip, nichtpsychologische Charaktergestaltung und »rationale Stoffbehandlung« – also ihre »kurz-epischen« und »didaktisch-aufklärischen« Züge –, welche diesen Stücktypus am meisten auszeichnen. Doch gerade wegen einer vermeintlichen »Verabsolutierung der hier erprobten Strukturen und Schreibweisen«[24] werden sie literaturhistorisch meistens im Sinne einer experimentellen Vorstufe des Nachfolgenden eingeschätzt. Hermann Kähler z. B. betrachtete diese

Stücke nur als »Präludium« zur eigentlichen Entwicklung der Dramatik, als »Ausdruck einer Übergangsentwicklung nach neuen ästhetischen Positionen suchender Künstler«.[25] Obwohl in der Gesamteinschätzung bedeutend positiver als Kähler, ist in dem von Werner Mittenzwei herausgegebenen *Theater in der Zeitenwende* ebenfalls von einem »Entwicklungsabschnitt im Prozeß der Herausbildung unserer Dramatik« die Rede, der »zugleich weiterreichende Aufgabenstellungen offenbarte« (S. 57). Impliziert in beiden Darstellungen ist eine kulturpolitisch-dramaturgische Historiographie, die das didaktische Lehrstück abschätzig auf eine – zum Teil noch nicht voll gelungene – Fingerübung des darauf folgenden großen »dialektischen« Gegenwartsstücks reduziert.

Die Frage, inwiefern die Flut der in den sechziger Jahren geschriebenen und vom Bitterfelder Weg beeinflußten Zeitstücke tatsächlich eine Weiterentwicklung oder umgekehrt eine Nivellierung des revolutionären Anspruchs der Agitpropperiode darstellten, kann man nur durch die Analyse einzelner Stücke beantworten. Eine derartige Darstellung würde den Rahmen dieses Aufsatzes sprengen. Trotzdem darf man wohl einige Tendenzen nennen, die der Entwicklung der Gegenwartsdramatik nach 1960 immanent sind und die gleichzeitig durchaus mit dem Versuch zusammenhängen, die Agitproptradition für die DDR weiter aktuell zu erhalten.

Sah man am Ende der fünfziger Jahre eine Rückkehr zu den »kleinen wendigen Formen« der Agitproptradition (Brecht), so findet man als das zentrale Merkmal des Gegenwartsstücks der sechziger Jahre eine Wiederbelebung des klassischen epischen Stückes. Dabei sind zwei Elemente von Belang, die in fast allen Stücken die Oberhand gewannen: die Hervorhebung des großen Individuums und die Erweiterung der historischen Perspektive. Diese zwei Aspekte sind nicht voneinander zu trennen, wie man schon auf Anhieb den Titeln ablesen kann. Strittmatters *Die Holländerbraut* (1960), Baierls *Frau Flinz* (1961), Peter Hacks' *Moritz Tassow* (1961), Heiner Müllers *Die Umsiedlerin oder Das Leben auf dem Lande* (1961), Hartmut Langes *Marski* (1962) und Volker Brauns *Kipper Paul Bauch* (1966) sind Stücke, deren vitale, zum Teil legendär großgezeichnete Helden-Individuen die widersprüchliche Bewußtseinsentwicklung einer ganzen Etappe der Aufbaugeschichte der DDR darstellen sollten. Das Wiedererscheinen des Individuums bedeutete nicht nur ein Zugeständnis dem von der Kulturpolitik geforderten, den Akzent auf Charakter- und Emotionendarstellung legenden Sozialistischen Realismus gegenüber sowie eine individual-psychologische Reduzierung gesamtgeschichtlicher Prozesse; in manchen Fällen spiegelte diese überlebensgroße Charaktergestaltung geschichtsmetaphorisch geradezu die Notwendigkeit übermenschlicher Leistung (*Kipper Paul Bauch*) oder einer vom Individuum behaupteten utopischen Zukunft (*Moritz Tassow*) in einer Gesellschaft der Knappheit und unzureichenden Produktion. Betonen muß man auch, daß die Verschiebung vom didaktischen zum historischen Zeittheater keineswegs auf epische Dimensionen der Brechtschen Tradition verzichten oder ihren Anspruch auf Agitation aufgeben wollte.

Helmut Baierls *Frau Flinz,* vom Berliner Ensemble mit Helene Weigel in der Hauptrolle uraufgeführt, versucht z. B. die inhaltliche Fabel sowie die dialektische Methodik von Brechts *Mutter Courage* exemplarisch für den Sozialismus umzufunktionieren. Verliert Brechts Marketenderin ihre drei Kinder an den Tod, weil sie in der vorkapitalistischen Kriegswirtschaft nicht lernen kann, Familieninteressen mit der Erzielung von Gewinn in Einklang zu bringen, so bedeutet der ›Verlust‹ der fünf Kinder von Baierls Frau Flinz an das Kollektivleben der sozialistischen DDR eine komische Aufhebung der ursprünglichen Tragik. Ihr Irrtum kann, im Gegensatz zu Mutter Courage, von der neuen Gesellschaft »freundlicherweise widerlegt werden«[26] – mit Hilfe der Partei wird sie zur Vorsitzenden einer LPG –, weil die Gesetzmäßigkeiten des Sozialismus ihre eigentlichen Interessen vertreten. Wie in der *Feststellung* wird eine Brechtsche Vorlage affirmistisch entschärft: Historisierung bedeutet bei Baierl Reduzierung des Widerspruchs auf ein individuelles Bewußtseinsproblem und dessen Auflösung in der offiziellen historiographischen Selbstdarstellung. Im Gegensatz zum Lehrstück Brechtscher Prägung trägt die episch-historische Formstruktur hier dazu bei, jede Offenheit seitens eines kritischen Publikums zu verhindern. Einsicht in die Notwendigkeit heißt hier *nicht* eingreifen.

Diese Banalisierung und Verengung der marxistischen Geschichtsdialektik mit Hilfe von Grundprinzipien der »dialektischen« Theatertradition war, wie Wolfgang Emmerich betont[27], nicht nur Baierls Stück eigen. Einer ganzen Reihe von agitatorischen Agrodramen und Brigadestücken der damaligen Zeit (Sakowskis Fernsehspiel *Steine im Weg* [zweite Fassung], Strittmatters *Die Holländerbraut* [1951], Fred Reichwalds *Das Wagnis der Maria*

Diehl [1959], Sakowskis *Die Entscheidung der Lene Mattke* [1960], Joachim Koeppels *Heiße Eisen* [1959], Gerhard Fabians *Die Stärkeren* [1959]) lag eine Geschichtsauffassung zugrunde, welche die sozialistische Gegenwart eo ipso als die Aufhebung aller ungelösten Probleme der Vergangenheit präsentierte. Ihre Belehrung bestand darin, das Publikum als Objekt eines Erziehungsprozesses zu behandeln.

Ein Agrodrama, das dieser Aufgabe nicht entsprach, war Heiner Müllers *Die Umsiedlerin oder Das Leben auf dem Lande,* das zwischen 1956 und 1961 geschrieben wurde und dessen 1964 umgearbeitete Fassung *Die Bauern* hieß. Dieses historische Zeitstück besteht aus 15 epischen Bildern, die rückhaltlos von dem brutalen Leben auf dem Lande zwischen 1945 und 1960 erzählen: von der Landreform und der Kollektivierung, von den nicht enden wollenden Mißerfolgen, Selbstmorden, Konflikten, Heucheleien, von Terror, menschlicher Schwäche und Widersprüchen der geschichtlichen Umwälzung. Rückhaltlos ist Müller auch in seiner Handhabung der Geschichte. Bei ihm gibt es weder positive Helden noch automatisch ablaufende Gesetzmäßigkeiten, die den Prozeß befördern und ein Happy end garantieren. Die Dynamik seines Geschichtsbegriffs (und die des entsprechend strukturierten Dramenaufbaus!) beruht gerade auf Destruktion und auf negativ gegeneinander wirkenden Kräften, von denen der Aufbauprozeß vorwärts getrieben wird. Die Beschreibung der Nachkriegszeit durch den Parteisekretär Flint grenzt ans Apokalyptische: »Aus dem Osten kamen die Trecks, Umsiedler wie Heuschrecken, brachten den Hunger mit und den Typhus, die Rote Armee kam mit der Rechnung für vier Jahre Krieg, Menschenschinden und verbrannte Erde, aber mit Frieden auch und Bodenreform.«[28]

Poetische Sprache und historische Grundstruktur des epischen Bilderkomplexes in Heiner Müllers *Die Bauern* ähneln eher einem Shakespeareschen Historiendrama[29] als der knappen Formstruktur des eingreifenden Agitpropdramas. Trotzdem findet man auf der Ebene der Rezeptionsvorgabe einen parallel strukturierten Erwartungshorizont. In beiden Fällen fordert der Text durch seine Lücken und durch das Fehlen einer alles aufwiegenden, allwissenden Bewußtseinsinstanz die aktive Mitarbeit des Publikums heraus, um den Sinnzusammenhang zu produzieren – was sich für die Rezeption der *Bauern* als sehr problematisch erweisen sollte. Konkret betrachtet: Müllers Stück wurde kurz nach dem Bau der Mauer und dem Abschluß der radikalen Kollektivierung in der Landwirtschaft zu Ende geschrieben bzw. uraufgeführt, und sein Widersprüche und Kritik provozierendes Zeichensystem stieß – trotz des als positiv dargestellten Ausgangs – auf harten Widerspruch von seiten der Partei. Das Stück wurde nach einer einzigen Aufführung durch eine studentische Laienbühne an der Hochschule für Ökonomie in Karlshorst abgesetzt und erst 1976 an der Volksbühne »uraufgeführt«. Als Ergebnis der Aufführung der Erstfassung wurde die Studentenbühne aufgelöst, jeder einzelne Mitspieler hatte eine Stellungnahme zu schreiben, Heiner Müller selbst wurde aus der SED und aus dem Schriftstellerverband ausgeschlossen.

In dem zwanzigjährigen Entstehungsprozeß der *Bauern* – vom Schreibanfang 1956 bis zur Uraufführung an der Volksbühne – zeichnet sich *in nuce* ein paradigmatisches Schicksal des dialektischen Zeittheaters als Erbe des Agitprops in der DDR ab. Die ursprüngliche Studentenaufführung wurde im Geist der Bitterfelder Bewegung von allen Teilnehmern als ein Modell für experimentelles Kollektivtheater, als »neuer Weg in der Laienkunst«[30] begrüßt. Die Inszenierung entstand in enger Zusammenarbeit zwischen Laienspielern des Studententheaters und Berufskünstlern – etwa dem Regisseur B. K. Tragelehn und dem Stückeschreiber Müller –, der endgültige Text wurde, »parallel zu den Proben, geschrieben, geändert und neu geschrieben«.[31]

Aber das war nur der erste Schritt. Der zweite Schritt war für Müller immer der Austausch mit dem Publikum. In einem Interview über »das Theater in einer sozialistischen Gesellschaft« befragt, zitierte er den DDR-Philosophen Wolfgang Heise, der einmal das Theater im Sozialismus als »Laboratorium sozialer Phantasie« definiert hatte. Phantasie im Theater zu mobilisieren, sagte Müller weiter, auf Brecht hinweisend, heiße einfach, dem Publikum zu ermöglichen, »immer fiktive Gegenbilder oder Gegenvorgänge zu entwerfen [...], daß der Zuschauer sich einen anderen Dialog vorstellen kann, der möglich gewesen wäre oder der wünschbar wäre«.[32] Das Theater als Labor war von Anfang an für Müller grundlegend, und so hätte sein Stück *Die Bauern* damals von der Textgestaltung über die Inszenierung bis hin zur Publikumsaufnahme durchaus als modellhaft für ein so geartetes Theater fungieren können. Es war ein Stück, das die Möglichkeit kritischer Auseinandersetzung mit der eigenen Geschichte und nationalen Identität zu einer Zeit anbot, als diese Geschichte gerade abgeschlossen war und in die Gegenwart mündete. Daß diese Auseinandersetzung nicht zustande kam, daß *Die Bauern* als »ein vollkommen negatives Bild über unsere Republik«[33] in der Kritik der Studenteninszenierung abgetan wurde, daß das Stück eine Öffentlichkeit erst erreichte, nachdem die dargestellte geschichtliche Zeitspanne als historisch gelungen angesehen wurde und insofern veraltet und nicht mehr umstritten war, kennzeichnet gerade Grenzen und Paradoxien des dialektischen Theaters.

Heiner Müllers Stück *Die Bauern* war nicht das einzige Zeitdrama, dem wegen politischer Spannungen und widersprüchlicher Stoffbehandlung der notwendige Diskussionsprozeß mit der Öffentlichkeit der sechziger Jahre verweigert wurde. Peter Hacks' zur gleichen Zeit geschriebenes Drama *Moritz Tassow* (1961), ebenfalls ein Landstück über die Anfangsjahre der Republik, erlebte erst 1965 seine Uraufführung und wurde kurz danach abgesetzt. Ähnlich erging es dem Lyriker Volker Braun mit seinem ersten Dramenversuch *Die Kipper*. Dessen erste unveröffentlichte Fassung entstand 1962 (*Der totale Mensch*), die zweite Fassung *Kipper Paul Bauch* wurde 1966 gedruckt, aber nicht aufgeführt, eine weitere Fassung erreichte 1972 ihre Uraufführung im Deutschen Theater mit Alexander Lang als Paul Bauch. In beiden Stücken geht es um gigantische Ich-Figuren, »totale Menschen«, wenn man so will, deren Ansprüche und subjektive Bedürfnisse nicht in die Zeit passen, in der sie leben. Der Schweinehirt und erste DDR-Hippie *avant la lettre* Moritz Tassow will schon 1945, also zur Zeit der Landreform und wirtschaftlicher Verwüstung, eine utopische Kommune gründen. Der Brigadier Paul Bauch versucht durch Energieaufwand und Produktivität die graue entfremdete Realität der fünfziger Jahre zu überwinden, um den Kommunismus hic et nunc einzuführen. Beide scheitern an der eigenen Naivität, aber auch an den objektiven Zuständen, an den sturen instrumentalen Normen »des real existierenden Sozialismus«. Doch wird in beiden Stücken zur Zeit des NÖS ein tabuisiertes Grundproblem der neuen Generation angesprochen, welches mit Hilfe des Theaters hätte öffentlich ausgetragen werden können, nämlich die Frage: Darf das Individuum in einer Zeit des noch nicht Gewordenen (Bloch) die subjektiven Bedürfnisse von morgen im Heute einfordern, wenn nicht realisieren?

Das kontroverseste Theaterstück der sechziger Jahre war wohl Heiner Müllers *Der Bau* (1964). Die zu *sieben* Fassungen umgearbeitete Dramatisierung von Erik Neutschs Industrieroman *Spur der Steine* behandelte ebenfalls den Konflikt zwischen subjektivem Anspruch und den »Mühen der Ebenen« während der Aufbaujahre, kam aber erst 1980 in einer brillanten Inszenierung von Fritz Marquardt auf die Bühne. Der DDR-Germanist Frank Hörnigk äußerte über die »freundliche« Reaktion des Publikums auf die »verspätete« Uraufführung: »Junge Leute, Studenten, die die Inszenierung sahen, betonten in Gesprächen immer wieder, daß die Vorgänge für sie außerordentlich fremdartig, ja frühgeschichtlich wirkten: wie Sozialismuserfahrungen einer früheren Generation.«[34] Für diese Leute waren solche Stücke Historiendramen, Bilder aus einer »frühgeschichtlichen« Vergangenheit, die als unterdrücktes Erbe aus der klassischen Periode der DDR-Avantgarde gefeiert wurden, deren Bezugssystem aber nicht mehr in die Wirklichkeit eingreift und weiterwirkt. Deshalb ist das Scheitern der Arbeit am *Bau* in den sechziger Jahren, wie Hörnigk zutreffend schreibt, »mehr als nur die Nichtannahme eines poetischen Modells: Nicht angenommen wurde ein aus der Mitte der sozialistischen Gesellschaft erwachsendes Diskussionsangebot zur weiteren Entwicklung eben dieser Gesellschaft«.[35]

Die institutionalisierte Ungleichzeitigkeit im Entstehungsprozeß einiger der wichtigsten Gegenwartsstücke aus den sechziger Jahren, die sich kritisch beziehungsweise agitatorisch-dialektisch mit der jüngsten Vergangenheit auseinandersetzten, ermöglicht uns im nachhinein einige Verallgemeinerungen über Funktion und Entwicklung des avantgardistischen Erbes: Der Versuch einer Wiedergeburt der klassischen Avantgarde ist an den Strukturen und an den historischen Realitäten der sozialistischen DDR gescheitert. Mit dem »Schematismus« einer verdinglichten stalinistischen Kulturpolitik Mitte der fünfziger Jahre konfrontiert, versuchte man durch Inanspruchnahme des Agitproperbes der Weimarer und der frühsowjetischen Avantgarde neue Impulse für die Regeneration einer engagierten Theateröffentlichkeit jener Zeit zu gewinnen. Grundlegend für dieses Modell waren drei wichtige Prinzipien, die formal-inhaltlich mit der politischen Aussagefähigkeit dieser Tradition gekoppelt waren: a) die *Selbstinitiative* des proletarischen Subjekts, als Träger der Geschichte und als dramatischer Kontrahent; b) die industrielle und gesellschaftliche Produktivität als eine über die Individuen hinausgehende Energie für eine neue ästhetische Dynamik, welche die organischen Modelle der alten Autonomieästhetik in Frage stellt; c) ein neuer Begriff von demokratischer Öffentlichkeit, der das *Mit*produzieren der Sinngebung und Interpretationsstrategie von seiten des Publikums einschließt. Daß ein derartiges Theater mit den schon existierenden Modellen eines Sozialistischen Realismus schwer in Einklang zu bringen war, ist durchaus zu verstehen. Positiv für die Gegenwart ist andererseits die Konsequenz, mit der eine auf Rezeptionsgeschichte fundierte neuere Literaturwissenschaft in der DDR heute den Verlust der damaligen Öffentlichkeitsdiskussion wahrnimmt und sich für eine Neueinschätzung dieser Tradition einsetzt.[36]

Trotz der wichtigen Neueinschätzung der klassischen Avantgarde in der DDR stellt sich die Frage, inwiefern diese Tradition für das Gegenwartstheater in der *heutigen* DDR überhaupt eine Rolle spielen kann. Das Befremden des jungen Publikums der *Bau*-Inszenierung gegenüber sagt viel über den Strukturwandel ästhetischer und politischer Bedürfnisse und Normen in der neueren Zeit. Wo einst die Produktionsstücke und Geschichtsdramen der fünfziger und sechziger Jahre Probleme individueller Befreiung mit Prozessen gesamtgesellschaftlicher Entwicklung gekoppelt bzw. sie darunter subsumiert haben, findet man heute eine Literaturlandschaft, in welcher Geschichtsfortschritt problematisch, das entfremdete Individuum zum Mittelpunkt des dramatischen Interesses geworden ist.

Diese Verschiebung weg von der materialistischen Geschichtsauffassung als Movens dramatischen Geschehens und als Grundlage für die Figurenbildung schlägt sich auch im Agitprop- und Avantgardebegriff nieder, wie er im Theater der siebziger und achtziger Jahre zum Vorschein gekommen ist. Avantgardistisches wird nicht mehr mit einem kulturpolitischen Vorhutsmodell gleichgesetzt, innerhalb dessen proletarische Erfahrung die ästhetische und politische Basis für eine kritisch-agitatorische Kunst ausmacht. Andere Traditionen aus der europäischen Moderne werden aufgenommen, um gerade auch die Normen dieses klassischen Agitproptheaters der Weimarer Zeit in Frage zu stellen. Das ist der Grund dafür, daß Autoren wie Heiner Müller, Volker Braun und Christoph Hein mit Vorliebe auf Traditionen des Surrealismus und das Theater des Absurden, auf Künstler wie Artaud, Kafka und Beckett zurückgreifen, um die durch die Produktionslegitimation und die offizielle Geschichtsschreibung verdrängten Erfahrungen mit Hilfe eines »konstruktiven Defaitismus« (Müller) auszugraben und weiter zu bearbeiten. Daß solche Experimente, genau wie zuvor das klassische Agitpropmodell, durch ihr radikal provokatorisches Zeichensystem eine kritisch-politische Funktion in der DDR haben können, zeigt, wie stark das Theater ein Locus öffentlicher Auseinandersetzung in dieser Gesellschaft geblieben ist.

Anmerkungen

1 Werner Hecht, *Brecht im Gespräch,* Frankfurt/Main 1975, S. 169, 172.

2 Bertolt Brecht, *»Katzgraben« – Notate,* in: ders., *Gesammelte Werke,* Bd. 16, Frankfurt/Main 1967, S. 780.

3 Elimar Schubbe (Hg.), *Dokumente zur Kunst-, Literatur- und Kulturpolitik der SED,* Bd. 1, Stuttgart 1972, S. 504.

4 Ebd., S. 508–511.

5 Vgl. Gudrun Klatt, *Proletarisch-revolutionäres Erbe als Angebot vom Umgang mit Erfahrungen proletarisch-revolutionärer Kunst während der Übergangsperiode,* in: Ingeborg Münz-Koenen u. a. (Hg.), *Literarisches Leben in der DDR,* Berlin 1980. Klatt spricht von »Neuakzentuierungen im Erbeverhalten um 1956/57« (S. 250).

6 Werner Mittenzwei (Hg.), *Theater in der Zeitenwende,* Berlin 1972, Bd. 2, S. 42. In dieser offiziellen Theatergeschichte der DDR findet man die folgende Definition des didaktischen Theaters in der DDR: »Das didaktische Theater der fünfziger Jahre tritt uns vor allem in drei Versionen entgegen: Agitprop-Montage, als Lehrstück und in Form des kurzen epischen Theaterstücks« (S. 42).

7 Vgl. Bernhard Greiner, *Arbeitswelt als Perspektive literarischer Öffentlichkeit in der DDR,* in: Heinz Ludwig Arnold (Hg.), *Handbuch zur deutschen Arbeiterliteratur,* München 1977, S. 83–121, und Bernhard Greiner, *Im Zeichen des Aufbruchs: die Literatur der fünfziger Jahre,* in: Hans-Jürgen Schmitt (Hg.), *Hansers Sozialgeschichte der deutschen Literatur,* Bd. 11, München und Wien 1983, S. 337–384. Greiner spricht ganz richtig von der literarischen Entwicklung der fünfziger Jahre in der DDR als einer »Vorform und [einem] vorwegnehmende[m] Vollzug proletarischer Öffentlichkeit« (Arnold, S. 340), bleibt aber in seiner Diskussion der Entwicklung der gesellschaftlichen Strukturbedingungen einer proletarischen Öffentlichkeit in der DDR viel zu optimistisch: »Der Prozeß des Sich-Durchdringens von Staat und Gesellschaft, in dem sich die Arbeitswelt als Sphäre *eigner Ordnung* [Hervorhebung von mir – D.B.] herausbildet, zeigt sich in der DDR in einem an Umfang und Intensität

weit fortgeschrittenen Stadium. Arbeitswelt fungiert hier nicht nur als Sphäre eigner Ordnung, sondern konstituiert die Wirklichkeit der Gesellschaft: private und staatliche Sphäre tendenziell aufhebend« (Schmitt, S. 91). Greiners Behauptung einer »Vergesellschaftung des Staates« in der DDR wird historisch durch den real existierenden »demokratischen Zentralismus« des Staatsapparats als märchenhaft entlarvt. Zu einer anderen Darstellung von Öffentlichkeit in der DDR siehe meinen Aufsatz *Öffentlichkeit und Kultur in der DDR*, in: Peter Hohendahl, Patricia Herminghouse (Hg.), *Literatur und Öffentlichkeit in den siebziger Jahren*, Frankfurt/Main 1983, S. 53–81.

8 Vgl. Oskar Negt und Alexander Kluge, *Öffentlichkeit und Erfahrung*, Frankfurt/Main 1972.

9 Heiner Müller, *Geschichten aus der Produktion 1*, Berlin 1974, S. 15.

10 Vgl. Gudrun Klatt, *Erfahrungen des ›didaktischen‹ Theaters der fünfziger Jahre in der DDR*, in: Weimarer Beiträge 7 (1977); Klatt führt aus, daß beim »didaktischen« Theater »der Zuschauer gerade *nicht* als Erziehungsobjekt behandelt, daß er *nicht* von einem Erzieher erzogen oder belehrt wurde. Intendiert war statt dessen ein wirklich partnerschaftliches Verhältnis, dessen objektive materielle Basis sich auf die politisch-gesellschaftlichen Veränderungen des revolutionären Prozesses selbst gründete« (S. 54).

11 Werner Hecht (Hg.), *Brecht 73. Dokumentation*, Berlin 1973, S. 202.

12 Schubbe, a. a. O., S. 534.

13 Heiner Müller, *Zwischenbemerkung zur ›Korrektur‹*, in: ders. *Geschichten aus der Produktion 1*, S. 62.

14 Ebd.

15 Ebd., S. 61

16 Heiner Müller, in: *Theater-Arbeit*, Berlin 1975, S. 121.

17 Helmut Baierl, *Die Feststellung*, in: Karl-Heinz Schmidt (Hg.), *Sozialistische Dramatik*, Berlin 1968, S. 238.

18 Klatt, a. a. O., S. 47.

19 Ebd., S. 48.

20 Peter Hacks, *Eine Neufassung, warum?*, in: Hacks, *Die Maßgaben der Kunst*, Düsseldorf 1977, S. 329.

21 Wolfgang Schivelbusch, *Sozialistisches Drama nach Brecht*, Darmstadt und Neuwied 1974.

22 Schubbe, a. a. O., S. 543.

23 Ebd.

24 Werner Mittenzwei (Hg.), *Theater in der Zeitenwende*, Bd. 2, S. 56.

25 Hermann Kähler, *Gegenwart auf der Bühne*, Berlin 1966, S. 18f.

26 Ebd., S. 102.

27 Wolfgang Emmerich, *Kleine Literaturgeschichte der DDR*, Darmstadt und Neuwied 1981, S. 108.

28 Heiner Müller, *Die Umsiedlerin oder Das Leben auf dem Lande*, Berlin 1975, S. 50.

29 Vgl. Genia Schulz, *Heiner Müller*, Stuttgart 1980, S. 46f.

30 Zitiert nach: Marianne Streisand, *Frühe Stücke Heiner Müllers. Werkanalyse im Kontext zeitgenössischer Rezeption*, Diss. Akademie der Wissenschaften der DDR 1983, S. 144. Streisand diskutiert die Rezeption dieses Stücks an Hand von Protokollen aus dem Archiv der Hochschule für Ökonomie in Karlshorst.

31 Ebd.

32 Heiner Müller, *Rotwelsch*, Berlin 1982, S. 111.

33 Zitiert nach Streisand, a. a. O., S. 146.

34 Frank Hörnigk, ›*Bau*‹-*Stellen. Aspekte der Produktions- und Rezeptionsgeschichte eines dramatischen Entwurfs*, in: Zeitschrift für Germanistik 1 (1985), S. 52.

35 Ebd.

36 Wichtig in dieser Hinsicht sind die schon erwähnten Arbeiten von Klatt, Hörnigk und Streisand sowie: Karlheinz Barck und Dieter Schlenstedt (Hg.), *Künstlerische Avantgarde. Ein unabgeschlossenes Kapitel*, Berlin 1979; Dieter Schlenstedt, *Wirkungsästhetische Analysen. Poetologie und Prosa in der neueren DDR-Literatur*, Berlin 1979; Werner Mittenzwei, *Brecht und die Schicksale der Materialästhetik*, in: *Dialog 75*, Berlin 1975.

Knut Hickethier
Auseinandersetzung mit der Gegenwart
Fernsehdramatik in den sechziger Jahren

Dramatische Form und publizistischer Auftrag

›Fernsehdramatik‹ als Gattungsbezeichnung für das DDR-Fernsehspiel: im Begriff formulieren sich Selbstverständnis und Praxis der auf mediale Gemeinsamkeit statt Gegensatz abzielenden DDR-Dramatik. Fernsehdramatik hatte ihre Anfänge, nach experimentierenden Versuchen in den fünfziger Jahren, zu Beginn der sechziger Jahre. »Dramatik auf der Suche nach neuen Wegen« war die Vorgabe für dieses Jahrzehnt in der offiziellen DDR-Literaturgeschichtsschreibung[1], und der Weg ins Fernsehen war einer der neu beschrittenen Wege, so wie die Benutzung des Hörfunks für die Dramatiker in den fünfziger Jahren. Am Ende der sechziger Jahre wurde dieser Weg in die Medien, wurde die Arbeit der Hauptabteilung ›Dramatische Kunst‹ im Fernsehen in der DDR, wurde die Arbeit der Fernsehspielautoren nicht nur als erfolgreich eingeschätzt. Eine neue mediale Kunstform hatte sich herausgebildet, und der DDR-Literaturwissenschaftler Hans Koch kam 1969 nach einer ›Theoretischen Konferenz des Deutschen Fernsehfunks‹ zum Ergebnis, daß die dramatische »Fernsehkunst als ausgeprägt kollektive Kunstform im Hinblick auf die Gesamtheit der Künste eine ›federführende‹, vorangehende Rolle zu spielen berufen ist.« Und Horst Haase, der Projektleiter der großen *Geschichte der Literatur der Deutschen Demokratischen Republik,* schrieb 1974, daß die Fernsehdramatik, die Bühnendramatik »zeitweilig hinter sich zurücklassend«, in den sechziger Jahren »eine besondere Bedeutung für die literarische Entwicklung« erlangt habe.[2]

Die relativ schmalen Ressourcen des schriftstellerischen Potentials der DDR im Vergleich zu der übergroßen Nachfrage nach DDR-spezifischen Stücken hatte schon früh den für mehrere Medien schreibenden Autor (wie z. B. Günther Rücker, Werner Bräunig, Gerhard Rentzsch, Brigitte Reimann, Erwin Strittmatter, Bernhard Seeger, Heiner Müller und Peter Hacks, um nur Autoren der jüngeren, in der DDR erstmals sich zu Wort meldenden Generation zu nennen) hervorgebracht.[3] Zwar gab es in der Wertschätzung der verschiedenen Medien auch in der DDR ein deutliches Gefälle, und noch zu Beginn der sechziger Jahre wurde die Kunstfähigkeit des neuen Mediums Fernsehen selbst von einem erfahrenen Fernsehspieldramaturgen wie Günter Kaltofen nur mit einem skeptischen Unterton über den kunstabträglichen Programmkontext bejaht.[4] (Auch die von Hans Koch benannte Führungsposition der Fernsehdramatik bezog sich vor allem auf den *kollektiven* Entstehungsprozeß der Fernsehspiele; damit war weniger das Mitwirken vieler Beteiligter – wie auch beim Film, beim Theater und Hörspiel – gemeint, als vielmehr die ständige dramaturgische Begleitung des Autors durch den Fernsehspieldramaturgen und damit die direkte Einflußnahme des Auftraggebers auf alle Phasen der dramatischen Produktion, die allerdings dem Werkverständnis und Arbeitsprozeß nicht jeden Autors entsprach.) Dennoch wurde gerade Anfang der sechziger Jahre im Fernsehspiel die neue Möglichkeit erkannt, publizistisch wirksam zu werden und ein wachsendes Publikum auf neue Weise zu erreichen. Ende 1960 hatte die Fernsehausbreitung in der DDR bei einer Million angemeldeter Geräte (ca. 2,5 Millionen Zuschauer) eine neue Qualität erreicht, die (bei den in weiten Teilen der DDR damit zu empfangenden bundesdeutschen Programmen) auf der Kulturkonferenz 1960 zur Forderung nach einer stärkeren künstlerischen Nutzung des Mediums führte. Im Mittelpunkt der Aufmerksamkeit standen dabei das Fernsehspiel und die Herausbildung einer »sozialistischen Fernsehkunst«, innerhalb derer dem Gegenwarts-Fernsehspiel eine besondere Bedeutung zugemessen wurde. Diese neue Einschätzung war zugleich auch Reaktion auf das bundesdeutsche Fernsehspielangebot, das zu dieser Zeit mit publikumsattraktiven Mehrteilern (*Am grünen Strand der Spree, Soweit die Füße tragen, Die Revolution entläßt ihre Kinder* oder den Durbridge-Krimis) viele DDR-Bürger an den Bildschirm lockte.[5]

Wollte das DDR-Fernsehen hier mithalten, mußte es seine Fernsehspiele attraktiver machen, mußte es zugleich Antwort geben auf Gegenwartsfragen. Werner Fehlig, Abteilungsleiter beim Fernseh-Funk, faßte auf der Kulturkonferenz 1960 die neue Sonderstellung, die der gegenwartsbezogenen Fernsehdramatik zugebilligt wurde, zusammen, wenn er feststellte: »denn wenn das Fernsehspiel die Seele des Programms ist, dann ist jenes, das sich mit unserer unmittelbaren Gegenwart befaßt, die Seele der Seele«.[6]

Fernsehdramatik ist das Fernsehspiel der sechziger Jahre auch von seinen technisch-ästhetischen Produktionsbedingungen her. Da es in der DDR erst ab 1963 (in der Bundesrepublik ab 1958) eine elektronische Aufzeichnungsmöglichkeit gab, wurde das Fernsehspiel bis in die erste Hälfte der sechziger Jahre hinein live im Studio produziert: analog dem Spiel auf der Bühne (und anders als im Film) in einem durchgespielt, brauchte es eine Bühne, Kulissen und war in seiner Ästhetik insgesamt vom theatralen Spiel stark beeinflußt, auch wenn die von mehreren Kameras aufgenommenen und sofort gemischten Bilder beim Zuschauer einen quasi-filmischen Eindruck entstehen ließen.

Zu dieser theaterorientierten Produktionsweise (die sich mit der Einführung der elektronischen Aufzeichnung und der Verwendung des Films als Produktionsmittel in den sechziger Jahren in eine filmische verwandelte) trat der ausgeprägt publizistische Auftrag hinzu: »schnell, wirkungsvoll und aktuell mit den Mitteln der Kunst wichtige Aufgaben der Agitation und Propaganda zu erfüllen«.[7]

Die wiederholte Verpflichtung der Fernsehdramatik auf die DDR-Gegenwart zu Beginn der sechziger Jahre ist vor dem Hintergrund der Bitterfelder Konferenz von 1958 zu sehen, die eine verstärkte Verbindung von DDR-Gegenwart und Produktionsalltag mit der Literatur gefordert hatte. Das Fernsehen mit seiner Einbettung des Spiels in einen Programmkontext, der den Zuschauer im idealen Fall über diese Realität zugleich informierte und damit den Gegenwartsbezug dieser Stücke verstärken konnte, schien als Medium für eine stärker am Produktionsalltag orientierte Kunst besonders geeignet zu sein.

Der publizistische Auftrag des Fernsehspiels war eingebunden in den propagandistischen Gesamtauftrag des Fernsehens, in bestimmten Phasen spezifische bewußtseinsbildende (ideologische) Aufgaben zu erfüllen. Das Hineingehen in den Produktionsalltag zielte deshalb nicht darauf, Schriftsteller mit sensibler Wahrnehmung neue, dramatisch nutzbar zu machende Konflikte aufspüren, individuell gestalten und damit zugleich eine bislang in der Literatur weitgehend ausgeblendete Realität literarisch vermitteln zu lassen. Die publizistischen Ziele waren, mit ihren jeweils aktuellen Modifikationen vorgegeben (etwa im Herbst 1961 in der Kampagne zur Steigerung der Produktivität). Unter diesen Bedingungen geriet Fernsehdramatik als ein auch journalistisches Genre zwangsläufig in das Dilemma, gesellschaftliche (parteiliche) Zielvorgaben nur mehr zu illustrieren, Thesenstück, Themenfernsehspiel zu sein. Umgekehrt entstand daraus in der offiziellen Beurteilung solcher Produktionen die Folgerung, das Handeln der Figuren vorrangig unter dem Gesichtspunkt der Opportunität für konkrete, reale gesellschaftliche Situationen zu beurteilen.

Die von Hans Koch gerühmte Kollektivität der Produktion in der Fernsehdramatik, die ständige dramaturgische Kontrolle der Stückentwicklung diente damit auch der kontinuierlichen Anpassung des Stücks an die aktuellen ideologischen Erfordernisse sowie dem Abwägen der Funktionalität des dramatischen Produkts für den ideologischen Gesamtauftrag. Diese Spezifik der DDR-Fernsehdramatik schloß nicht grundsätzlich die Möglichkeit dramatischer Kunst aus, doch die Gefahr einer willfährigen Auftragsdramatik war damit sicherlich viel größer. So versuchten auch parteitreue Autoren, sich ihren fernsehdramatischen Freiraum zu bewahren. Helmut Sakowski beispielsweise, dessen langjährige Zusammenarbeit mit der Dramaturgin Helga Korff-Edel als prototypisch für diese neue Form kollektiver Arbeit angesehen werden kann, betonte deshalb, wie wichtig ihm die Zusammenarbeit in der Phase der Recherche, der Disposition und Vorbereitung sei: »Und dann will ich möglichst allein gelassen werden beim Niederschreiben.«[8]

Auseinandersetzung mit dem anderen System

Im Vordergrund stand Ende der fünfziger und Anfang der sechziger Jahre im Fernsehspiel die Auseinandersetzung mit dem anderen politischen System, mit dem ›Klassenfeind‹. Die »amerikanischen« Lebensverhältnisse in der Bundesrepublik wurden in krassen Farben mit dem Ziel der Desillusionierung der eigenen Bürger dargestellt, die Abwanderung der Bevölkerung in den Westen wurde als Republikflucht durch Abwerbung und Menschenraub kriminalisiert. Eine Wagenburg-Mentalität wurde beschworen, die Abwanderung sollte verhindert, die Bürger sollten abgeschreckt werden. Unter dieser ganz offenkundigen Absicht litten Glaubwürdigkeit und Überzeugungskraft der Fernsehspiele, wobei der oft ausgestellte dokumentarische Gestus durch die häufig kolportagehafte Form der Spiele zusätzlich desavouiert wurde.

Mit dem Mauerbau 1961 hatten diese ideologischen ›Gebrauchsstücke‹ ihre Funktion verloren. Doch waren sie weiterhin im Programm, und ihre Zahl stieg sogar noch an, um die vollzogene Abschottung nachträglich zu rechtfertigen. Längerfristig stellten sie jedoch für die politische Bewußtseinsbildung kein brauchbares Konzept mehr dar. Da das direkte, durch Figuren nacherlebbare Gegeneinander der Systeme nicht mehr als Gegenwartshandlung plausibel darstellbar war, wurden die Auseinandersetzung mit den konträren Weltanschauungen und die Frage nach der Identifikation mit dem Sozialismus in einen zurückliegenden Zeitraum (besonders beliebt: die Zeit unmittelbar nach 1945) verlegt bzw. in das Innere der Figuren als Gewissensentscheidung verlagert. Herausragendes Beispiel dafür ist das mehrteilige Fernsehspiel *Gewissen in Aufruhr* (gesendet im September 1961), das auf dem bereits 1956 als Fortsetzungsgeschichte (*Befehl des Gewissens*) in der Zeitschrift ›Freie Welt‹ und 1957 als Buch erschienenen Tatsachenbericht von Rudolf Petershagen beruhte. Geschildert wird der Lebensweg eines Wehrmachtsoffiziers in seinen Stationen als Regimentskommandeur in Stalingrad, als Stadtkommandant in Greifswald, dann in der russischen Gefangenschaft und seine Entscheidung für die DDR, schließlich auch seine Verhaftung und ein Gefängnisaufenthalt in der Bundesrepublik und die Rückkehr in die DDR. Der lebensgeschichtliche Ablauf band die Erfahrungen mit dem Faschismus, den Antifaschismus und das Engagement für die DDR zusammen und stellte zugleich den Lebensweg als einen Prozeß von Entscheidungen dar, die subjektiv zu treffen waren, die sich aber in einem übergeordneten Sinn auf ihre historische Richtigkeit überprüfen ließen.

Die DDR-Kritik hob den engen Konnex zwischen dem gerade erfolgten Mauerbau und dem antifaschistischen Kampf hervor, sah in dem im Fernsehspiel thematisierten Beispiel Stalingrad eine Rechtfertigung für den Bau der Mauer und die militärische Machtdemonstration von Sowjet- und Volksarmee. Rückblickend sah die Fernsehwissenschaftlerin Ingeborg Münz-Koenen darin noch die »operative Stoßkraft des Fernsehromans«.[9] Doch für die Weiterentwicklung der Fernsehdramatik war vor allem die Gestaltung subjektiver Entscheidungsprozesse bestimmend. Die Hauptfigur des Fernsehmehrteilers, der Offizier Ebershagen (dargestellt von Erwin Geschonneck), steht jedesmal wieder neu vor einer Entscheidung, die zum Vergleichen und Bewerten durch den Zuschauer herausfordern und diesen zu einer eigenen Stellungnahme veranlassen sollte.

Identifikation mit der Wirklichkeit – die Bauernstücke Helmut Sakowskis

Die Literatur der frühen sechziger Jahre ist als ›Ankunftsliteratur‹ bezeichnet worden, weil sie die Entscheidung der Helden für den Sozialismus und die – nicht immer unkritische – Identifikation mit der DDR zum Thema erhebt. Die Helden, meist aus kleinbürgerlichen Verhältnissen und Vorstellungswelten kommend, müssen sich erst aufgrund neuer Erfahrungen zu ihrem Bekenntnis zum Sozialismus durchringen, müssen dieses Bekenntnis dann auch praktisch beweisen. Auseinandersetzung mit der DDR-Realität heißt in dieser Zeit Auseinandersetzung mit der sozialistischen Produktion, mit der Arbeit im Betrieb, in der Partei, in den gesellschaftlichen Organisationen. Vor allem die industrielle Produktion und die Arbeit in der LPG gelten als Metaphern für die DDR-Realität insgesamt. Christa Wolfs *Der geteilte Himmel*, Erik Neutschs *Spur der Steine*, Erwin Strittmatters *Ole Bienkopp*[10], aber auch Helmut Baierls *Frau Flinz* und Erwin Strittmatters *Holländerbraut* waren dafür Beispiele im Roman wie auf der Bühne. Daß sich die Wandlung der Helden immer in Konfrontation mit der Produktion zu vollziehen hatte, war Resultat der seit der Bitterfelder Konferenz angestrebten Annäherung von Literatur und Arbeitswelt. Die Fernsehdramatik erfüllte diesen Auftrag mit einer Reihe kleinerer und mittlerer sogenannter ›Produktionsstücke‹, schilderte darin die Arbeit in den Brigaden, griff – im Herbst 1961 – auch im Zusammenhang einer Kampagne zum Produktionsaufgebot das Thema der Produktionssteigerung auf. Aus dieser funktionalen Dramatik traten jedoch einige Autoren wie Gerhard Bengsch, Helmut Sakowski, Benno Pludra, Benito Wogatzki und andere hervor, die als Fernsehspielautoren das DDR-Fernsehspiel der sechziger Jahre wesentlich bestimmten. Vor allem die Arbeiten von Helmut Sakowski und Benito Wogatzki gewannen dann in der Fernsehspieldiskussion der siebziger und achtziger Jahre eine geradezu paradigmatische Funktion.

Beispielhaft ist die Entwicklung von Helmut Sakowski, der als Forstamtswalter in Salzwedel eine zuvor im ›Sonntag‹ abgedruckten Geschichte auf Anregung des DDR-Fernsehens zu einem Stück machte: *Die Geschichte der Lene Mattke*. Das Stück wurde 1958 in einer Fernsehinszenierung von Wilhelm Gröhl (Dramaturgie Hans Müncheberg) live gesendet und danach in 16 Inszenierungen mit über 380 Aufführungen auf den DDR-Bühnen nachgespielt. Nach einem weniger geglückten Forststück zeigte das Fernsehen 1960 von ihm *Steine im Weg*, anschließend war das Stück in 25 Theaterinszenierungen zu sehen. 1964 folgte das ebenfalls im Theater nachgespielte Fernsehspiel *Sommer in Heidkau*, 1968 kam das fünfteilige Fernsehspiel *Wege übers Land* auf den Bildschirm.

Ankunftsdramatik im eigentlichen Sinne sind Sakowskis Stücke nicht mehr. Die Helden – es sind bezeichnenderweise durchweg Heldinnen – haben sich fast immer bereits entschieden, oder ihre Entscheidung erfolgt nicht nach reiflicher Abwägung des Für und Wider, sondern wird ihnen von außen aufgedrängt bzw. in einer Notsituation abgefordert. Lene Mattke ist beispielsweise die Frau eines Melkers einer LPG, der ständig betrunken ist, seine Arbeit vernachlässigt und seine Frau despotisch niederhält. Als er nach einer Schlägerei mit dem LPG-Vorsitzenden ins Krankenhaus kommt, wird seiner Frau (gespielt von Giseal May) die Verantwortung für den Stall anvertraut, und sie, die bislang Unselbständige, entwickelt in ungeahnter Weise Engagement, Tatkraft und Selbstbewußtsein. Ein von der LPG geschenkter Wohnzimmerschrank, den sie sich schon immer sehnlichst gewünscht hat, gibt ihr dabei besonderen Auftrieb.

Als ihr Mann aus dem Krankenhaus zurückkommt, sieht sie sich vor die Entscheidung gestellt, seinen Vorstellungen zu folgen und mit ihm auf einen anderen Hof in ein anderes Dorf zu ziehen oder in der LPG zu bleiben. Die Entscheidung wird vom LPG-Vorsitzenden forciert, und wieder ist es der geschenkte Schrank, der ihre Selbständigkeit wachsen läßt, so daß sie den eigenen Mann ziehen läßt. Doch reumütig und mit dem Willen, einen neuen Anfang zu wagen, kehrt dieser um und nimmt nun auch die schlechtere Arbeit in der LPG in Kauf. Das Happy end ist das Ergebnis erfolgreicher Leitungs- und Erziehungsarbeit des LPG-Vorsitzenden: die Selbständigkeit der Frau wird gefördert und damit eine neue Arbeitskraft für die LPG gewonnen, der Mann als arbeitsbewußtes Mitglied wieder integriert. Individuelle Probleme, familiäre Beziehungen und der Produktionsauftrag kommen sich nicht in die Quere, sondern arbeiten sich, von der dramaturgischen Anlage des Stückes her, gegenseitig in die Hände.

Sakowskis *Steine im Weg* spitzt die Gegensätze stärker zu. Unmittelbar nach der abgeschlossenen Kollektivierung der Landwirtschaft geschrieben, verbindet das Stück ökonomisch-politische und individuell-private Verhaltensweisen. Auf dem ehemaligen Großbauernhof erklärt der siebzigjährige Knecht Anrees, daß er nicht länger Knecht sein, sondern in die LPG gehen wolle. Der Bauer Alfred Bergemann weiß, daß er nun die Arbeit auf dem Hof mit seiner kranken ungeliebten Frau nicht mehr bewältigen kann. Er will deshalb, gegen den Widerstand seiner Frau, ebenfalls in die LPG eintreten, sofern er als ausgewiesener Viehzüchter dafür den LPG-Rinderstall leiten kann. Doch den betreut bereits seit Jahren Lisa, die ihn aufgebaut hat und der einmal Bergemann die Ehe versprochen hatte. Doch ließ er sie damals mit einem Kind von ihm sitzen, um die reiche Bäuerin Agnes zu heiraten. Zwischen Alfred, Lisa und dem LPG-Vorsitzenden Paul, der Lisa heiraten will, entspinnt sich nun eine Dreiecksgeschichte, aus der nach langem Hin und Her der moralisch schuldbeladene Alfred als Verlierer hervorgeht. Er verläßt das Dorf, Agnes bringt ihren Hof (obwohl sie immer dagegen war) doch noch in die LPG ein, und Paul und Lisa finden endlich zueinander.

Die LPG-Bäuerin Lisa ist in der moralisch stärkeren Position: sie hat sich als Magd hochgearbeitet, sich früh für die LPG und damit für die richtige Seite entschieden, hat aus schlechten Verhältnissen die Rinderzucht der LPG aufgebaut, hat gleichzeitig ein uneheliches Kind großgezogen, dessen Vater sie aus rein egoistischen Motiven (die reiche Partie) sitzen ließ. Doch auch ihr Kontrahent Bergemann hat neben seinen vielen negativen Seiten Positives: er ist voller Energie und Tatkraft, ist Meisterbauer und will die bislang privat gehaltenen ›Leistungskühe‹ in die LPG einbringen. Im Streit darum, wer nun die Rinderzucht leiten darf, wird ganz klassisch der Knoten geschürzt, muß auch der Zuschauer zu einer Entscheidung sich durchringen: für langjährige Verdienste und moralisches Recht bei minderer fachlicher Qualifikation oder für bessere Qualifikation und opportunistische und egoistische Haltung mit der Tendenz zur Besserung. War es also richtig, am Schluß des Stückes den Meisterbauern gehen zu lassen (wobei das Weggehen aus dem Dorf eindeutig auch als Weggehen aus dem Sozialismus – das Stück spielt 1960 – zu verstehen ist)?

Exemplarisch ist die Rezeption solcher Fernsehspiele zu sehen: die im Stück vorgeführten Verhaltensweisen werden als direkt auf die Realität übertragbare Verhaltensmodelle diskutiert. An jeder einzelnen Figur des Stücks soll das richtige Verhalten demonstriert werden – so fordert es die offizielle Kritik und geht damit von der

Annahme aus, Rezeption von Fernsehspielen finde nur in planem Nachvollzug der Figurenentwicklung und der Identifikation mit ihr statt. Daß gerade auch falsche Verhaltensweisen, daß das kontroverse Gegenüber gleichberechtigter Interessen den Zuschauer leichter zur eigenen Problematisierung und damit zu einer Aktivierung herausfordern können, blieb außerhalb des Blickfelds. Ein möglicherweise offen bleibender Schluß des Fernsehspiels hätte nicht zur offiziellen Vorstellung der Rezeption von Fernsehdramatik gepaßt. Nach anfänglichem Lob (daß »die Arbeit im Rinderstall einer LPG eine derart erregende Spannung hervorbringen« könne[11]) wird die Behandlung des Meisterbauern bemängelt: »Man läßt den Meisterbauern, von dessen Arbeit im Stall man sich soviel versprach, fortgehen aus dem Dorf. Das ist wahrhaftig kein Musterbeispiel für die Behebung alter Gegensätze im Dorf«[12], und ein LPG-Vorsitzender hakte auf dem VI. Deutschen Bauernkongreß und dem 11. Plenum des ZK der SED im Dezember 1960 nach, daß die Darstellung des Bauern, der ein uneheliches Kind mit einer anderen Frau habe, »sehr beleidigend« sei. »Die Schlußfolgerungen, die man in diesem Fernsehspiel zieht, sind brutal, ich möchte sagen direkt parteifeindlich, weil man einfach mit diesem Konflikt nicht fertig wird und zu der Schlußfolgerung kommt: [...] Wir werden mit euch nicht fertig, geht nach drüben.«[13]

Das Fernsehspiel hatte fertige Lösungen parat zu halten. Was als Konflikt nicht lösbar war, durfte, selbst wenn es reale Widersprüche und gegensätzliche, in sich jeweils plausible und begründbare Interessen thematisierte, nicht dargestellt werden. Aufgrund der Kritik arbeitete Sakowski das Stück dahingehend um, daß der Meisterbauer nun doch in der LPG bleibt und sich mit Lisa die Viehaufzucht teilt, wobei diese Fassung dann von der Kritik einhellig als positiv begrüßt wurde. Damit war jedoch das mobilisierende Potential im Stück verschwunden, wurde auch – aufgrund von Harmoniewünschen und einem falschen Werkideal – das eigene Parteiinteresse an politischer Agitation unterlaufen. Die konfliktverschleiernde Lösung wurde offenbar auch von Sakowski als unzureichend empfunden. 1962 erschien schließlich eine dritte (Bühnen-)Fassung des Stückes, die im wesentlichen in einer Rückkehr zur ersten bestand.[14]

Im Mittelpunkt von Sakowskis Stücken stehen Frauen, die selbständig und selbstbewußt werden, entsprechend dem Grundsatz, daß sich die Entwicklung des Sozialismus an der Emanzipation der

Frau (damit ist die Gleichstellung im Produktionsalltag und im gesellschaftlichen Leben gemeint) ablesen lasse. Sakowski selbst sagt dazu: »Ich glaube, was für eine Gesellschaft charakteristisch ist, das läßt sich mit einer Geschichte über Frauen am besten nachweisen.«[15] Auch die Magd Hete Zimmer, alleinstehend mit drei Kindern (»die wilde Hete«), in *Sommer in Heidkau* (1964) ist eine solche Heldin, die sich mit viel Courage durchs Leben wurstelt und schließlich aus ihrer Abhängigkeit befreit. Anders als bei Lisa Martin in *Steine im Weg* erlebt der Zuschauer bei ihr den Prozeß der Verselbständigung direkt mit. Hete (dargestellt von Lissy Tempelhof) plant zunächst den Fortgang aus dem Dorf, doch wird ihr dann vom neuen LPG-Vorsitzenden die Chance geboten, sich als Traktoristin zu qualifizieren. Erst dieses Angebot von der ›Leitungsebene‹ her setzt ihre Entwicklung in Gang.

Gleichzeitig findet, dies gilt für alle Heldinnen Sakowskis, eine Anpassung statt. Die Selbständigkeit ist kein Selbstzweck, sondern (und nur soweit ist sie zugelassen) Moment der Integration in den sozialistischen Arbeitsprozeß. Deutlich wird dies gerade bei der Darstellung von erotischen Beziehungen und sexuellen Bindungen. Hete Zimmer beispielsweise geht mit dem LPG-Vorsitzenden Robert ein Verhältnis ein. Daß damit Roberts Ehe kaputtgeht, was an sich nicht sein darf, wird dadurch gerechtfertigt, daß dessen Frau ihm nicht ins Dorf gefolgt ist und die Ehe ohnehin schon brüchig war. Aber Sakowski vermittelt auch die Forderung der Partei an Robert, das Verhältnis mit Hete aufzugeben: »Wer seine persönlichen Dinge nicht in Ordnung hat, kann nicht im Dorf für Ordnung sorgen.«[16] Robert will über seine Liebe nicht am Versammlungstisch und nicht vor der Partei reden. Seine Widerspenstigkeit wird zunächst durch Verlust seines Amtes (er legt es selbst nieder) bestraft, doch erhält er es am Ende aufgrund der großen Solidarität der Dorfgemeinschaft wieder.

Obwohl Sakowskis Stücke leicht kolportagehaft durch ihren positiven Ausgang und die Zeichnung von positiven und weniger positiven Figuren wirken, müssen vor allem diese kleinen Verhaltensabweichungen von der allgemein gültigen Moral als für seine Stücke und ihre Wirksamkeit zentral angesehen werden; durch die naturalistische Zeichnung der Figuren, durch den an traditionelle geschlossene Formen angelehnten Handlungsaufbau wird die Übertragbarkeit der Handlungsweisen der Figuren in den Alltag nahegelegt, wird das vorgeführte Verhaltensmodell als ein auch im realen Leben brauchbares zur Diskussion gestellt. Die Erweiterung des Spielraums der Figuren im moralischen Bereich bedeutet eine Herausforderung, gerade auch deshalb, weil sie innerhalb eines ökonomisch-politisch konformen Stückes vorgeführt wird.

Das bekannteste Fernsehspiel von Helmut Sakowski ist sein fünfteiliger Fernsehfilm *Wege übers Land* (1966). Wieder steht eine Magd im Mittelpunkt der Handlung, die diesmal bereits während des letzten Krieges einsetzt und dadurch die alten und die neuen Lebensverhältnisse auf dem Land miteinander konfrontiert. Auch Gertrud Habersaat (gespielt von Ursula Karusseit) will aus den elenden Verhältnissen heraus, doch das Heiratsversprechen des Großbauernsohns, von dem sie ein Kind erwartet, wird gebrochen. Ein Aufstieg kann unter faschistischen Verhältnissen für sie nicht zustande kommen. Sie heiratet stattdessen den hoflosen Kleinbauernsohn Kalluweit, der im besetzten Polen einen Hof erhält, von dem die Polen vertrieben wurden. Gertrud trifft hier, ohne viel zu begreifen, auf einen Transport von Juden, erlebt Mißhandlungen und Verfolgungen von Polen und Juden, sammelt schließlich drei verschiedene Kinder auf und erzieht sie als eigene, während Kalluweit, mit dem sie nichts verbindet, zu einem Einsatzkommando geht. Bei Kriegsende schlägt sie sich allein mit den Kindern in das heimatliche Dorf durch und hilft dem Altkommunisten Heyer, der jetzt Bürgermeister geworden ist (dargestellt von Manfred Krug), bei der Durchsetzung der neuen Gesellschaftsordnung. Jahre später – die Kollektivierung steht an – kehrt Kalluweit, inzwischen im Westen Melker, zurück, will sie ›rüberholen‹, doch sie entscheidet sich für die DDR. Die letzte Folge bringt die polnische Mutter des zweiten, von Gertrud großgezogenen Kindes zu ihr: der Junge, inzwischen 18 Jahre alt, entscheidet sich, nach Polen zu gehen: Ausdruck der Gemeinsamkeit und Verbundenheit im sozialistischen Lager.

Trotz der Absicht, die Figuren durch mehrere Motivstränge plausibler und differenzierter erscheinen und ihnen »Gerechtigkeit widerfahren zu lassen« (Sakowski)[17], bleibt der »dramatische Fernsehroman« *Wege übers Land* oft plakativ, wird gerade in der Darstellung der NS-Machthaber Geschichte nur vordergründig illustriert. In der Darstellung des Statthalters Frank oder auch in den Ausführungen zur Blut-und-Boden-Ideologie werden den Figuren Zitate aus historischen Dokumenten in den Mund gelegt, wird die Spielhandlung auch durch dokumentarische Filmaufnahmen gebrochen. Mit diesem dokumentarischen Gestus, der für die zweite Hälfte der sechziger Jahre im Fernsehspiel prägend wird und sich im Dokumentarspiel auch in der Bundesrepublik zu einer eigenen Form ausbildet[18], verträgt sich jedoch nur schwer die dramatische Struktur der Spielszenen. Sakowskis Fähigkeit liegt eindeutig in der Beherrschung des Genres der Bauerngeschichte, wie gerade auch sein Fernsehspiel *Die Verschworenen* (1971) über den kommunistischen und sozialdemokratischen Widerstand in den NS-Zuchthäusern und den Neubeginn in der sowjetischen Besatzungszone zeigt, das von der DDR-Kritik eindeutig als schwächer empfunden wurde. Erst in *Daniel Druskat* (1976, Regie: Lothar Bellag, mit Hilmar Thate und Manfred Krug), einem Mehrteiler, der wieder auf dem Lande spielt, konnte Sakowski an seinen Erfolgen in den sechziger Jahren anknüpfen.

Die Betriebsstücke von Benito Wogatzki

Wenn der Sozialismus Engagement, Ideenreichtum und Tatkraft von jedem Einzelnen verlangt, wie war das eigenbestimmte Handeln mit der ideologisch geforderten zentralen Planung aller gesellschaftlichen Prozesse zu vereinbaren? Diese in der Fernsehdramatik immer wieder behandelte Thematik, die bei Sakowski (z. B. in *Sommer in Heidkau*) als Einsicht der Individuen in das als notwendig Gesetzte seine Lösung findet, wurde in der Form der ›Leitungsproblematik‹, also in der Behandlung von Problemen von Werksleitern, bei Benito Wogatzki zum zentralen Problem seiner Fernsehspiele in den sechziger Jahren.

Benito Wogatzki beschäftigte sich in seinen Betriebsstücken vor allem mit der Einführung neuer Fertigungstechniken, die mit Risiken behaftet sind und die eine neue, »wissenschaftliche« Vorgehensweise in der Leitung erfordern. Hier geht es nicht mehr um die Ankunft im Produktionsbetrieb DDR, sondern darum, wie er auf der Höhe des gesellschaftlichen Fortschritts gehalten, wie der »Weltmaßstab« erreicht werden könne. Zwischen den Figuren gibt es deshalb auch keine ›antagonistischen Widersprüche‹ mehr, die Konflikte sind prinzipiell lösbar. So wie der negative Gegenspieler fehle der positive Held, meinte die DDR-Filmwissenschaftlerin Käthe Rülicke-Weiler 1969: »Auch dem ›Verlierer‹ werden objektiv gute Absichten zugestanden – ›Gewinner‹ ist immer die Gesellschaft, das Kollektiv, für die die einzelnen ihre Kämpfe führen, und zwar auf durchaus individuelle Weise.«[19]

Wogatzki, der als Arbeiter über das Studium an der Arbeiter- und Bauern-Fakultät zum Journalismus kam, schrieb 1965 das Fernsehspiel *Der Unschuldige* und 1966 *Besuch aus der Ferne*. Seine Fernsehspiele *Die Geduld der Kühnen* (1967) und *Zeit ist Glück* (1968), zu denen dann noch *Die Zeichen der Ersten* (1969) (alle in der Regie von Lothar Bellag) kam, gelten als die Produktionen, in denen Wogatzki sein eigenes Thema gefunden hat.[20]

Die Konflikte sind immer ähnlich: die Leiter von Industriebetrieben, die einmal die Werke mit viel Pioniergeist aufgebaut haben, können bei einer inzwischen veränderten Produktionsplanung nicht mehr recht mithalten, werden neu und ganz anders gefordert. Junge Ingenieure, die die entscheidenden produktionstechnischen Neuerungen in forcierter Zeit (immer als spannungsverschärfendes Mittel genutzt) durchsetzen wollen, stoßen auf Widerstände, überwinden sie aber schließlich: sei es im Fernmeldebau (*Die Geduld der Kühnen*), im Chemieunternehmen (*Zeit im Glück*) oder in der Stahlproduktion (*Die Zeichen der Ersten*). Wogatzkis Fernsehspiele, die wohl am ausgeprägtesten das Produktionsthema in den Mittelpunkt dramatischer Gestaltung stellen, zeigen zugleich deutlich die Begrenztheit des Sujets. Aus dem Streit darüber, ob sich die betriebseigene Forschung nun auf die Herstellung von Methacrylnitril oder von Polyurethanen konzentrieren soll, entsteht nur wenig dramatische Spannung, und so bleibt auch der Konflikt zwischen dem Werkleiter Rambach, dem Forschungsleiter Schellenbaum und der Diplomchemikerin Bolzien und anderen (in *Zeit im Glück*) weitgehend ein Spiel mit verdeckten Karten, das seinen Sinn erst bekommt durch eine ministerielle Enthüllung über die wahren Zusammenhänge der Konkurrenz zwischen den westlichen und östlichen Chemieunternehmen auf dem Weltmarkt.

Die Konflikte in Wogatzkis Fernsehspielen der sechziger Jahre werden von einer Figur wesentlich vorangetrieben, die, obwohl jedes Fernsehspiel einen anderen Betrieb und Produktionszweig zum Gegenstand hat, immer dieselbe ist: dem Brigadier Falk (dargestellt von Wolf Kaiser), einem klassenbewußten Arbeiter, der auf die Zukunft setzt, dem keine Anstrengung zu viel ist und kein Problem zu schwierig, der immer an der richtigen Stelle zur richtigen Zeit das richtige menschliche Wort weiß, um eine verfahrene Geschichte wieder in Gang zu bringen. Falk ist inmitten des Produktionsnaturalismus eine allegorische Figur, er ist der Arbeiter schlechthin, er »personifiziert den Führungsanspruch der Arbeiterklasse«.[21] Daß er volkstümlich wirkte, lag wohl mehr an dem Schauspieler Wolf Kaiser, der ihn darstellte, und weniger an seinem »Vorbild-Charakter«, wie Käthe Rülicke-Weiler 1969 meinte.[22] Als Kunstfigur stieß er auch auf Kritik, vor allem in seiner dramatischen Konstruktion als deus ex machina: »Da er – den Erwartungen entsprechend – alle Schwierigkeiten aus dem Wege räumte, wurden die Konflikte flach. Die Spannung ließ nach und das Interesse erlosch. Auch schauspielerisch ließ sich an der Figur nichts Neues mehr entdecken.«[23] Aus heutiger Sicht muß diese im DDR-Fernsehspiel der sechziger Jahre einmalige Figurenkonstruktion als etwas halbherziger Versuch gesehen werden, einen Serienhelden zu kreieren, so wie etwa in der Bundesrepublik zu dieser Zeit Fernsehspiele mit gleichbleibenden Figuren in größeren Abständen produziert wurden (z. B. *Die Unverbesserlichen*). Da in der DDR zu dieser Zeit die Serienform bei vielen noch als kapitalistische Ausgeburt galt, mußte es bei diesem bald wieder abgebrochenen Versuch bleiben.

Wogatzki verzichtete in seinen Fernsehspielen in den siebziger Jahren auf die Figur des Brigadiers Falk und fand 1975 in *Broddi* (Regie Ulrich Thein) in der Gestalt des jungen Arbeiters Jochen Brodalla (gespielt von Christian Grashof) zu einer neuen überzeugenden Arbeiterfigur.

Die Produktionsthematik, die in den sechziger Jahren auch von Fernsehspielautoren wie Ralph Knebel (*Revision*, 1965; *Ein mittlerer Held*, 1965; *Zwischenbilanz*, 1963), Ruth und Karl-Heinz Schleinitz (*Sie heißt Meta Hall*, 1964) und anderen behandelt wurde, war spätestens Ende der sechziger Jahre erschöpft. Die Ursache dafür lag weniger in der grundsätzlichen Distanz zwischen literarischem Schreiben und industrieller Produktion – die Franz Fühmann bereits Anfang der sechziger Jahre in einem langen Schreiben an den damaligen Kultusminister Bentzien als Grund dafür benannt hatte, daß er keine Betriebsromane schreiben könne[24] –, als darin, daß nicht nur die Problemstellungen, sondern auch ihre Lösungen weitgehend vorgegeben waren.

In Wogatzkis *Die Zeichen der Ersten* spielt ein Zweig-Zitat von der Entdeckung des Pazifischen Ozeans hinter den Hügeln von Panama durch Balboa im 16. Jahrhundert eine die Darstellung der Produktion erhellende Rolle. Das Zitat steht für die Zuversicht,

mit dem Neues, Unbekanntes angegangen wird. Der Brigadier
Falk erzählt im Schlußbild den Kindern: »Er [Balboa] hat gesagt,
schaut, Freunde, schaut! Das ist ein Blick, für den es sich zu leben
gelohnt hat! Seht hin – und, ihr seid im Vorteil! Was wir gesehen haben, haben wir gesehen! Wir glauben den Zweiflern nicht mehr!
Unseren Schiffen sind keine Grenzen gesetzt!«[25] Das war programmatisch zu verstehen, denn der Blick der Kinder im Film ging über
weites Land, über die DDR.

Doch bereits in der zweiten Folge dieses Dreiteilers kam es unter
Bezug auf dieses historische Bild zu einem Wortwechsel zwischen
dem Werkleiter Paulenz und seiner Frau Rita: »RITA Es geht uner-
müdlich bergauf! PAULENZ Das strengt am meisten an. Hinter jedem Hügel werdet ihr es finden oder so ähnlich. Weiß nicht mehr
was da war…«[26] Hier ist nicht mehr von Zuversicht die Rede, sondern Ermüdung durch viele Selbstverpflichtungen und Produk-
tionsaufgebote zu spüren – und die Ahnung, daß hinter dem Hügel
nur neue Hügel sich auftürmen und statt des versprochenen Blicks,
der sich »in die Unendlichkeit weitet«[27], nur die Mühen der Ebenen
sich eröffnen.

Gegen die »bestimmte Langeweile«

Ende der sechziger Jahre war die Produktionsmetapher für die
Identifikation mit dem DDR-Staat verbraucht, neue Probleme
schoben sich in den Vordergrund. Die Ablösung Walter Ulbrichts
durch Erich Honecker 1971 schuf auch in der Kulturpolitik eine
Zäsur. Die Bedeutung der Fernsehdramatik trat für einige Zeit hinter der Unterhaltung im Fernsehen zurück. Der belehrend-didakti-
sche Grundton vieler Fernsehspiele wurde eher abgelehnt, seitdem
der VIII. Parteitag der SED im Juni 1971 auch die Überwindung »einer bestimmten Langeweile« im Fernsehen gefordert und eine größere Anpassung des Programms an »Erwartungen der werktätigen
Bevölkerung« verlangt hatte.[28] In den Mittelpunkt der Fernseh-
spielproduktion trat dann in den siebziger Jahren die Gestaltung
widersprüchlicher Figuren in unterschiedlichen Lebensbereichen
der DDR-Gesellschaft, trat auch eine verstärkte Produktion leichter und unterhaltsamerer Fernsehspiele.

Gleichwohl ist die intensive Auseinandersetzung mit den Problemen auf dem Lande und in der industriellen Fertigung, wie sie in

der Fernsehdramatik der sechziger Jahre forciert worden war, für die weitere Fernsehspielentwicklung bestimmend geworden, weil sie diesen Bereich, dieses ›Milieu‹, als etwas Selbstverständliches etabliert hat. Die Einbeziehung der Arbeit als ein die Figuren kennzeichnendes Element ist in den Fernsehspielen der DDR seither alltäglich, auch dann, wenn es in den Fernsehspielen um ganz andere als Produktionsprobleme geht.

Anmerkungen

1 Horst Haase u. a., *Geschichte der Literatur der Deutschen Demokratischen Republik*, Berlin/Ost 1976, S. 637.

2 Zit. nach: Heinz Kersten, *Televisionäre Schule der Nation. Fernsehen in der DDR. Hauptakzent: Fernsehspiel*, in: Frankfurter Rundschau, 6. 9. 1969; Horst Haase, *Dramatik im Fernsehen*, in: Weimarer Beiträge 20/10 (1974), S. 97.

3 Vgl. Käthe Rülicke-Weiler u. a., *Film. und Fernsehkunst der DDR. Traditionen, Beispiele, Tendenzen*, Berlin 1979, S. 164 ff.; auch: Peter Gugisch, *Das Hörspiel in der DDR*, in: Christian W. Thomsen und Irmela Schneider (Hg.), *Grundzüge der Geschichte des Europäischen Hörspiels*, Darmstadt 1985, S. 158 ff.; H. Haase u. a., *Geschichte der Literatur* (vgl. Anm. 1).

4 Günther Kaltofen, *Dramatische Kunst auf dem Bildschirm*, in: *Das Bild, das Deine Sprache spricht*, Berlin/Ost 1962, S. 8 ff.

5 Zu den Wechselbeziehungen vgl. Knut Hickethier, *Schwierigkeiten beim Umgang mit der Wirklichkeit. Fernsehspiel und Kinospielfilm der sechziger und siebziger Jahre*, in: Thomas Koebner (Hg.), *Tendenzen der deutschen Gegenwartsliteratur*, Stuttgart 1984, 2. neuverf. Aufl., S. 382 ff.

6 Zit. nach: Jörg Lingenberg, *Das Fernsehspiel der DDR*, München-Pullach 1968, S. 29.

7 Zit. nach: Ingeborg Münz-Koenen, *Fernsehdramatik, Experimente – Methoden – Tendenzen. Ihre Entwicklung in den sechziger Jahren*, Berlin/Ost 1974, S. 16.

8 Helmut Sakowski und Hermann Kähler, *Fernsehen ist kein Genre* [Teilabdruck], in: Helmut Sakowski, *Wege übers Land. Ein Lesebuch*, Berlin/Ost 1984, S. 372.

9 I. Münz-Koenen, *Fernsehdramatik*, S. 51.

10 Vgl. Knut Hickethier, *Bekenntnis, Kritik und Identifikation. Prosa der DDR zu Beginn der 60er Jahre*, in: Georg Bollenbeck u. a., *Deutsche Literaturgeschichte. Zwanzigstes Jahrhundert*, Düsseldorf 1981, S. 105 ff.

11 Zit. nach: I. Münz-Koenen, *Fernsehdramatik*, S. 83.

12 Ebd.

13 Ebd.

14 Ebd., S. 87.

15 In: Neues Deutschland, 20. 3. 1981.

16 H. Sakowski, *Wege übers Land*, S. 138.

17 Zit. nach: I. Münz-Koenen, *Fernsehdramatik*, S. 264.

18 Vgl. Knut Hickethier, *Fiktion und Fakt. Das Dokumentarspiel und seine Entwicklung bei ZDF und ARD*, in: Helmut Kreuzer und Karl Prümm (Hg.), *Fernsehsendungen und ihre Formen*, Stuttgart 1979, S. 53 ff.

19 Käthe Rülicke-Weiler, *Erkenntniswert fürs Leben. Überlegungen zu den Fernsehspielen Benito Wogatzkis*, in: Neues Deutschland, 19. 2. 1969.

20 Benito Wogatzki, *Die Geduld der Kühnen. Zeit ist Glück. Die Zeichen der Ersten*, Berlin/Ost 1969.

21 Käthe-Rülicke Weiler, *Arbeiterklasse und wissenschaftlich-technischer Fortschritt*, in: K. Rülicke-Weiler, *Film- und Fernsehkunst*, S. 279.

22 Käthe-Rülicke Weiler, *Nachwort*, in: B. Wogatzki, *Die Geduld der Kühnen*, S. 320.

23 H. Haase, *Geschichte der Literatur*, S. 698 f.

24 In: Erwin Kohn (Hg.), *In eigener Sache. Briefe von Künstlern und Schriftstellern*, Halle 1964, S. 34 ff.

25 B. Wogatzki, *Die Geduld der Kühnen*, S. 317.

26 Ebd., S. 227.

27 Ebd., S. 318.

28 Zit. nach: K. Rülicke-Weiler, *Film- und Fernsehkunst*, S. 425.

Marlies Janz
Das Ich und die Gleichen
Versuch über Stefan Schütz

In dem 1983 geschriebenen Theaterstück *Die Seidels* von Stefan
Schütz sagt ein Irrer namens Gross, der sich verfolgt fühlt von einer
allgegenwärtigen Mörderbande, die er als »die Seidels« bezeichnet:
»bald wirds geben von keinem Menschen mehr ein Original, alles
seidlisch, die Revolution selbst«.[1] Und in demselben Zusammenhang heißt es: »Seidels, wo man geht und steht, Seidels überall, ein
Seidel schon mein eigenes ICH.«[2] Die »Seidels« also sind der
Name für das Namenlose, für die Zerstörung von Identität und
Differenz. Wenn es aber »von keinem Menschen mehr ein Original« gibt, wenn alle schon zu austauschbaren Seidels geworden
sind, erledigt sich auch die Hoffnung auf eine Revolution, weil deren Ideale der sozialen und politischen Gleichheit durch die
Gleichschaltung des Bewußtseins aller bereits überboten zu sein
scheinen. Was bleibt, ist eine neue Variante der List der Vernunft.
»Ich muß zurück ins Irrenhaus«, sagt der Irre Gross, »Vernunft zeigen, um verrückt bleiben zu können.«[3] Indem er ins Irrenhaus
geht, stellt er seine Vernunft unter Beweis, d.h. er hat verstanden
oder glaubt doch verstanden zu haben, daß die Vernunft in der Geschichte nicht weiter weiß.
    Antipode des Irren Gross ist in dem Stück *Die Seidels* der Psychia-
ter Groß. (Nur zur Orientierung des Lesers sind die beiden Namen
in der Schreibweise unterschieden; sie markiert keine phonetische
Differenz.) Diese Spaltung ein und derselben Person in den Irren
und den Psychiater ist inspiriert durch verschiedene Texte von
Franz Jung, auf die sich Stefan Schütz, z. T. wörtlich zitierend, bezieht.[4] Der Psychiater Otto Groß, ein Schüler Freuds, war u. a. mit
Franz Kafka befreundet, mit dem zusammen er eine Zeitschrift mit
dem Titel ›Blätter zur Bekämpfung des Machtwillens‹ herausgeben
wollte. Kurz vor dem Ersten Weltkrieg war Otto Groß auf Betreiben seines Vaters selber in eine Irrenanstalt eingewiesen worden,
wo er den paranoiden Anton Wenzel Gross kennengelernt hatte.
Franz Jung, der sich publizistisch stark engagierte für die Freilas-
sung des Psychiaters, lernte den Irren Anton Wenzel Gross bei einem Besuch in der Anstalt auch selber kennen. Von Anton Wenzel

Gross wiederum gibt es detaillierte Aufzeichnungen über seine Paranoia, die Stefan Schütz gleichfalls mit verwendet hat.[5]

Wenn der Autor in den *Seidels* seine literarischen und psychiatrischen Vorlagen nirgendwo angibt, so dürfte dies vor allem darin begründet sein, daß er seine Interpretation als nicht mehr vereinbar angesehen hat mit den historischen Quellen. Und tatsächlich läßt Schütz die Begegnung von Groß und Gross, von Psychiater und Irrem, nicht vor dem Ersten Weltkrieg, sondern erst im Februar 1920, nach der gescheiterten Revolution, in Berlin stattfinden. »Die Revolution im Arsch, der Mensch braucht einen Zusammenhalt«[6], so formuliert es einer der dubiosen Freunde des Psychiaters Groß, der Kunstmaler Schmidt, am Anfang des Stücks. Diesen »Zusammenhalt« vermag Schmidt sich nur in sadistischen Aktionen – er vergewaltigt die Geliebte von Groß – zu geben, ebenso wie sein Kumpan, der Ingenieur Ziegler, nur noch in Beweisen seiner Willenskraft – im »Männlichkeitswahn« wie Groß diagnostiziert[7] – sein Ich zusammenhalten kann. Destruktiver Machtwille und Geldgier sind die Mittel, mit denen Schmidt und Ziegler ihren Persönlichkeitszerfall kompensieren. Und auch die Frauen des Stücks, die sich von der Revolution erhofft hatten, niemals wieder Opfer zu sein, geben sich schließlich selber auf. Von Groß, der allen immerzu helfen will, wollen sie zuletzt nur noch Geld, um mit einem Schmidt und einem Ziegler zu leben. Groß, der sich von keinem Verrat in seiner Menschenfreundlichkeit beirren läßt, beschafft das Geld, um am Ende selber in den Straßen von Berlin zu verhungern.

Der Psychiater Groß, der nicht als Verrückter enden will, beharrt bis zum Schluß darauf, daß der Weg gefunden werden müsse, der »in die Zukunft führt«, während der Irre Gross repliziert: »Ihr werdet ihn nicht finden.«[8] Unbeeinträchtigt von seinen sozialen Erfahrungen hält der Arzt an der Utopie einer menschenwürdigen Gesellschaft fest und verhungert, weil die Realität diese Utopie nicht nährt. Er geht an seinem eigenen Ich zugrunde – einem Ich, das die Wirklichkeit nicht zur Kenntnis nehmen will und weiter auf die Vernunft der Menschheit setzt. Der Irre Gross dagegen hat die Realität erkannt und ist eben darüber wahnsinnig geworden. Er ist das alter ego des Psychiaters in einem Zustand nach der Erkenntnis der Realität. »Um das, was dir die Seidels voraus sind«, so formuliert der Irre hellsichtig die Relation zwischen sich selbst und dem Arzt, »sind sie mir hinterher, du bleibst vernünftig, und ich bin verrückt.«[9]

Groß und Gross also befinden sich auf beiden Seiten der Realität. Während der eine sein Ich nur behaupten kann, indem er die Wirklichkeit verleugnet – und insofern ist der Psychiater der eigentliche Irre des Stücks –, flüchtet sich der andere in Identitätslosigkeit, um der Gleichschaltung unter dem Zeichen von Macht, Geld und »Männlichkeitswahn« zu entgehen. »Immer im Strom halten«, doziert der Irre Gross, »durch Bewegung unsichtbar. / Nur nicht fixiert werden, sich in ständigem Wechsel befinden, / Bis die Tür kommt in laufender Wand, / Durch die man paßt im richtgen Moment. / Kleine Lebenshilfe an das Publikum, um den Seidels zu entgehn.«[10]

Eine wirkliche »Lebenshilfe« ist dieser Rat eines Irren, der aus der Schule von Deleuze als ›aktiver Schizo‹ hervorgegangen zu sein scheint, selbstverständlich nicht, ebensowenig wie es der von einem Seidel gesprochene Epilog des Stücks ist, in dem der zu erwartende Endknall der Geschichte als ästhetisches Faszinosum angepriesen wird, wenn es nämlich heißt: »Sehr geehrtes Publikum! / Sie leben in einem / Pompejischen Zeitalter. / Sinnlos, etwas anfangen zu wollen, / Lächerlich, einen Gedanken weiterzuführen –/ Einzig, das Ende auskosten vorm Knall, / Sinnvoll.«[11]

Die Seidels, die im Stück zunächst auf die zwanziger Jahre und den aufkommenden Faschismus bezogen werden müssen, werden in diesem Epilog zum Menschentypus, der die Gegenwart beherrscht. Nicht mehr die mißlungene Revolution, sondern der wahrscheinlich gewordene Weltuntergang wird zur Legitimation für einen Zynismus, der nur noch kulinarisch »das Ende auskosten« will. Das Stück vermag dem keine handhabbare Alternative entgegenzusetzen, aber es opponiert doch gegen den Zynismus, sei es nach der gescheiterten Revolution, sei es angesichts der Katastrophe. Es ist eine Opposition, deren Hilflosigkeit sich in der ungeschützten Spannung von Spruch und Widerspruch dekuvriert. »Die Frau muß werden die Mutter aller Dinge«, sagt der verhungernde Groß, während Gross, der Irre, dagegensetzt: »Sie wird erst, wenn wir nicht mehr wissen.«[12] Und nicht mit der Frau als Hoffnungsträger, sondern mit einer Frau, die sich selbst zu Tode metzelt, endet schließlich das Stück.

In der Verdichtung zu einer knappen, enigmatischen Bilderfolge enthalten *Die Seidels* die Problematik, die für das Gesamtwerk von Stefan Schütz – von den ersten, um 1970 geschriebenen Stücken bis hin zu seinem monumentalen Prosawerk *Medusa* – bestimmend ist.

Es handelt sich um die Frage, welcher Entwurf für das Individuum heute noch möglich ist oder, mit den Worten des Irren Gross gesprochen, ob es vom Einzelnen überhaupt noch »ein Original« geben kann. Die Seidels, von denen der Irre Gross sich verfolgt fühlt, sind das Sinnbild einer symbiotischen Gemeinschaft, in der keiner vom anderen sich mehr unterscheidet, sondern alle gleich, eben zu Seidels geworden sind. Diese Gleichheit ist in dem Stück von 1983 die von Macht, Geld und »Männlichkeitswahn« und deutlich auf den Faschismus bezogen. Die Problematik ist indessen auch dort bei Schütz relevant, wo er sich mit der DDR-Gesellschaft und dem Sozialismus auseinandersetzt. Das heißt nicht, daß er sich der reaktionären Rede anschlösse über die sogenannte sozialistische Gleichmacherei. Vielmehr geht er davon aus, daß im Sozialismus die soziale Frage dank der Aufhebung des Privateigentums grundsätzlich erst einmal gelöst sei und gerade deshalb die Voraussetzungen vorhanden seien für neue Formen von Produktivität und individueller Kreativität.

In seiner ersten und einzigen Buchpublikation in der DDR im Jahre 1977 wurde dem Autor im Nachwort seine Ungeduld mit der Entwicklung des Sozialismus kritisch vorgehalten. Schütz, so heißt es dort, neige zum »Ausschluß der realen Konfliktsituationen«, so daß sein Werk »Züge des Individualistischen« zeige. »Die objektiven Möglichkeiten des Sozialismus«, so heißt es weiter, »sind eben in vielen Fällen subjektiv noch nicht zu realisieren.«[13] Gegen eben dieses »eben« und »noch nicht« des vermeintlich realitätsgerechten Standpunktes richten sich die Stücke von Stefan Schütz. Sie lassen sich auf kein ›Bitte warten‹ ein, sondern persiflieren es als absurdes Endspiel, als sozialistisches Warten auf Godot. »Das vom bürgerlichen Standpunkt Unangemessene der Reaktion«, so hatte Heiner Müller 1975 über Stefan Schütz geschrieben, »weist ihn als Dramatiker aus. Kleist ist der deutsche Modellfall.«[14]

Als unangemessen, nicht nur »vom bürgerlichen Standpunkt« aus, mußte vor allem die Weigerung des Autors verstanden werden, Konflikte als bloße Übergangsphänomene oder Akzidenzien zu sehen und damit nicht zuletzt auch vom Ich und seiner Betroffenheit fernzuhalten. Im Werk von Stefan Schütz wirken sich die jeweils beschriebenen Konflikte immer aus als Angriff auf das Ich. Das Scheitern von Individuationsprozessen wird zum Generalthema der Stücke: sie enden fast ausnahmslos mit Wahnsinn oder Tod.[15] Von den ersten Stücken der siebziger Jahre bis hin zur Prosa der achtziger Jahre geht es um die Frage, wie sich ein authentisches Ich überhaupt erhalten kann. An die Stelle des Klassenkampfes tritt – so heißt es in *Medusa* – der Antagonismus zwischen dem Ich und den »Gleichen«, die keine Form individueller Erfahrung mehr zulassen wollen. »Das Ich mit all seinen angehäuften listigen Selbsterkenntnissen« – so formuliert es in *Medusa* ein kindlicher Funktionär der »Gleichen« – »wird Schauplatz sein einer gigantischen Schlacht, dagegen ist der Klassenkampf ein Spaziergang gewesen [...], ihr werdet das Ich zugunsten Aller enteignen, [...] Archäologen des eigenen Hirns, die verabscheuungswürdigen Stücke werden auf dem Platz hier ausgestellt, und langt die Einsicht nicht für die neue Denkungsart, wir helfen nach, wir helfen nach.«[16]

Was in diesen Sätzen aus *Medusa* als Alptraum einer zukünftigen Entwicklung erscheint, war bereits das Thema des ersten bedeutenden Stücks von Stefan Schütz. Das 1971 geschriebene *Majakowski*-Drama ist eine Denkmalschändung am offiziellen Majakowski-Bild; nach seinem Tod, so schrieb Pasternak, sei Majakowski in der Sowjetunion ›eingeführt‹ worden wie unter Katharina der Großen die Kartoffeln.[17] Ausgangspunkt für Stefan Schütz waren Majakowskis Satiren auf die sowjetische Bürokratie und sein Selbstmord im Jahre 1930. Diesem Selbstmord, der angeblich rein persönliche Gründe hatte, gibt Schütz eine andere Deutung, indem er das makabre Faktum einbezieht, daß einige Stunden nach Majakowskis Tod im Moskauer Institut für Hirnforschung sein Gehirn amputiert und mit einem Gewicht von 1700 Gramm als überdurchschnittlich schwer registriert worden ist. Erst aufgrund der Lektüre von Artauds Schrift *Das Theater und sein Double,* in der anläßlich des balinesischen Theaters von der Aufspaltung ein und derselben Person in zwei Darsteller die Rede ist[18], wurde der vorliegende Stoff für Stefan Schütz dramatisierbar. Das Stück läßt den Eingriff in das Gehirn Majakowskis noch zu seinen Lebzeiten stattfinden und stellt dar, wie aus einem mißlungenen wissenschaftlichen Experiment nicht nur, wie beabsichtigt, der bedingungslos staatshörige Majakowski hervorgeht, sondern daß daneben der alte Majakowski erhalten bleibt. Der echte Majakowski – ›Majakowski 1‹ genannt – steht nun seinem eigenen Double – ›Majakowski 2‹ – gegenüber, bei dem das »stalinsche Menschheitstraumserum« angeschlagen hat und der »nur glückliche Menschen« sieht, nachdem seine »Erfahrungswerte« durch das Serum »positiv« beeinflußt worden sind.[19]

Das Verhältnis zwischen Majakowski 1 und Majakowski 2, von Original und Double, ist das zwischen einem Majakowski, der als überzeugter Kommunist die Revolution verraten sieht durch Bürokratie und eine Ideologie, die den ökonomischen Interessen einiger Weniger dient und einem von jeder kritischen Wahrnehmung befreiten Majakowski, der gleichgeschaltet ist mit der offiziellen Ideologie und von Stalin mit einem »Sieg Heil« beauftragt wird, sein anderes Ich von dem zu überzeugen, was ihm die »Menschheitsbeglückungsmaschine« beigebracht hat.[20] Als Schriftsteller, als »Ingenieur der menschlichen Seele«, soll Majakowski 2 die »Erfahrung und Erinnerung« von Majakowski 1 auslöschen.[21] Das Problem des Stücks ist also die Frage nach der Möglichkeit der Bewahrung von Authentizität, in diesem Fall des Intellektuellen und Schriftstellers. Das letzte Bild des Stücks, in dem Majakowskis Denkmal spricht, nachdem Majakowski 2, das Double, Majakowski 1, das Original, erschossen hat, verlängert diese Problematik in die Gegenwart mit einer Adresse ans Publikum: »Das war kein Spiel für Philosophen, die das Einmaleins für Schwarz-Weiß-Malerei halten und sich mit der Kompliziertheit ein Alibi erkaufen. Geschichte verlangen, da wo man aufschreien muß. – Und nichts für die, welche sich die feuchten Hände reiben, hellhörig nach jedem Wort schnappen, das den Makel der Anrüchigkeit besitzt, und sich befriedigen lassen.«[22]

»Geschichte verlangen, da wo man aufschreien muß« – das ist die Position, gegen die Stefan Schütz, mit einem Seitenhieb auch gegen westliche Dissidentenjagd, sich hier wendet. Nicht Geschichtsschreibung in dem Sinn, daß Konflikte relativiert werden zu Notwendigkeiten in der Aufbauphase des Sozialismus, soll in der Literatur geleistet werden, sondern jede Verletzung des Ichs schon beim Aufbau des Sozialismus wird als peinigender Verrat an dessen Substanz und als Restitution eines gesellschaftlichen Machtapparats angeklagt. Mit der Gleichmacherei unter der Herrschaft des Geldes, des Kapitals, die in den *Seidels* als Phänomen der gescheiterten Revolution und des Präfaschismus in der Weimarer Republik beschrieben wird, konvergiert nach Schütz die Gleichmacherei unter der Herrschaft einer offiziellen Ideologie: Kapital und Ideologie – als Machtinstrumente benutzt – enteignen das Ich und führen in diesem Sinn zu einer Gleichheit aller, in der sich die soziale und politische Ungleichheit perpetuiert.

In seiner DDR-Parabel *Odysseus' Heimkehr* von 1972 hat Stefan

Schütz die Perversion des kommunistischen Gleichheitsgedankens zum Zweck der Sicherung von Macht satirisch dargestellt. Bei seiner Heimkehr nach Ithaka findet Odysseus ein Volk vor, das vom Aussatz befallen ist und in unproduktiver Arbeit dahinvegetiert, ohne zu erkennen, daß es von den Herrschenden ausgebeutet wird. Denn diese haben das Volk indoktriniert, im Aussatz ihre kommunistische Zukunft zu erblicken: »die Zukunft im Grind«, so wird Odysseus belehrt, »macht alle gleich. Ob Palast oder Hütte, es wird kein Unterschied sein zwischen den Menschen«.[23]

Wird in *Odysseus' Heimkehr* die Machtgier, der auch Odysseus verfällt, namhaft gemacht als Grund für den Stillstand der Geschichte und eine organisierte Verblödung der Massen – und insofern gilt das Stück genauso für westliche Verhältnisse –, so ist es in dem 1976 entstandenen *Kohlhaas*-Drama im Gegenteil die Weigerung des Kohlhaas, zu irgendwelchen Formen von Macht zu greifen, die beiträgt zur Fortsetzung der deutschen Misere. In einer Badewanne auf dem Marktplatz von Wittenberg sitzend, beobachtet Kohlhaas, wie Arme und Reiche die Rollen tauschen und gleich werden im Tanz um das goldene Kalb, ums Geld. Kohlhaas hat nur noch den Wunsch, sich diesen »deutschen Brei«[24] abzuwaschen und sucht den Tod. Nicht nur die Manipulierbarkeit oder Korruptheit des Volkes, sondern auch die Schwäche des Ichs, das von allem genug hat und nur noch regredieren will, wird bei Schütz angeführt als Grund für das Scheitern des Fortschritts. Die elementaren Formen des sozialen Austauschs in *Arbeit, Liebe* und *Sprache* werden als so hochgradig gestört erfahren, daß jeder Individuationsprozeß scheitert, sei es an äußeren Eingriffen, sei es an der Selbstaufgabe des Subjekts.

Hatte der Autor Mitte der siebziger Jahre noch gemeint: »Ein Stück, nur aus einem Schrei gebaut, das wäre ehrlich«[25], so stellt bereits die fast gleichzeitig entstandene *Stasch*-Sequenz dar, wie der Schriftsteller zunächst in ein »schreiloses Wesen«, sodann in einen Körper, der seinen eigenen Schädel zertrümmert und zuletzt in einen kommunikationslos in sich verschlossenen Organismus – halb Embryo, halb Tier – verwandelt wird.[26] Und in dem 1979 geschriebenen Stück *Laokoon* bleibt der Schrei des Laokoon, der in eine grandiose dramatische Handlung transformiert ist, ohne Resonanz: Laokoon macht sich selbst gleichsam zur Schlange und erwürgt seine Söhne, um den Trojanern vor Augen zu führen, welche Gefahr von dem hölzernen Pferd ausgehen wird, aber die Trojaner schenken diesem Bild gewordenen Schrei kein Gehör. Laokoon gelingt es nicht, den »Schmerzpunkt« seiner Rede begreiflich zu machen und als Verstandener zum »Gleichen unter gleichen« zu werden. Vielmehr wird er von Priamos zum Feind und Fremden erklärt »trotz gleicher Sprache«, weil sein »Wort nicht gleich« dem der Trojaner sei.[27]

So wie in *Laokoon*, einem der sprachgewaltigsten Stücke von Stefan Schütz, das Scheitern der *Sprache* als Medium der sozialen Integration und einer richtigen, der Wahrheit und nicht bloßen Wunschvorstellungen verpflichteten Form von Gleichheit thematisch ist, machen die übrigen Stücke der siebziger und achtziger Jahre die Möglichkeit bzw. Unmöglichkeit von Interaktion und damit auch von Individuation in den Bereichen von *Arbeit* und *Liebe* zu ihrem Gegenstand. In dem Stück *Gloster* von 1970, dem frühesten der publizierten Stücke, sind es – noch ganz dogmatisch – am Ende die Arbeiter, die sich wehren gegen hierarchische Strukturen im Betrieb und die einem Gloster, der unmißverständlich Züge Stalins trägt, nicht erlauben, sich selbst als ihresgleichen anzusehen: während Gloster davon phantasiert, mit dem Volk zu verschmelzen, wird er erschossen und verscharrt. Problematischer schon wird die Möglichkeit der Selbstverwirklichung in der Arbeit eingeschätzt in dem nach Motiven des gleichnamigen Romans von Anna Karawajewa geschriebenen Stück *Fabrik im Walde* von 1973, das in der Sowjetunion der zwanziger Jahre spielt und von der zunehmenden Isolierung eines Parteiarbeiters von der Partei handelt. Es endet mit dem Dialog: »›Sie haben dich gebrochen, Petja.‹ – ›Sagen wir lieber, sie haben es versucht.‹«[28] Wie in *Gloster* bleibt in dieser Bearbeitung eines vorgegebenen Stoffes die Perspektive auf den »neuen Menschen«[29] im Volk erhalten, die in den unmittelbar zuvor geschriebenen völlig eigenständigen Stücken *Majakowski* und *Odysseus' Heimkehr* bereits erloschen war. Und in dem 1981 geschriebenen Stück *Die Schweine*[30] kann sich die Schweinezüchterin Selma gegen ein urteilsloses und staatshöriges Arbeitskollektiv nur behaupten, indem sie ihm ihr Kollektiv von außerordentlich individuierten Schweinen als positive Utopie entgegenhält. So wie sich Selma zuletzt nur retten kann, indem sie die Identität ihrer Lieblingssau Rosa annimmt und mit einem blutigen Schweinekopf erscheint, hatte schon die Komödie *Der Hahn* von 1977 dargestellt, wie die Arbeiterin Alma sich nur noch in der Identifikation mit einem Hahn, der die Ordnung des sozialistischen Arbeits- und Ehealltags durcheinander bringt, behaupten kann – ein Modus der Selbstbehauptung freilich, mit dem auch sie reif wird für die Irrenanstalt. Im Wahn aber vervielfacht sich Alma zu Alma 1, 2, 3, 4 usw., d. h. zu vielen Frauen, die sich krähend immer weiter vermehren, bis die Bühne angefüllt ist mit krähenden Frauen. Identitätswechsel und Identitätsaufspaltung haben in dieser Komödie die Funktion, den Widerstand des Ichs gegen die »Arbeitspeitsche« des sozialistischen Alltags und das Übergreifen dieses Widerstands auf Massen von Frauen als wie immer auch ›surreal‹ anmutende Alternative zum realen Sozialismus zu beschreiben. »Kommunismus ist der Zwang zum Glück«, so formuliert es ein Parteifunktionär, während Alma ketzerisch mit einer anderen Form von Kommunismus sympathisiert: »Es geht ein Gespenst um in Europa«, so sagt sie, »gefedert und nicht in Ketten.«[31]

In der bei Stefan Schütz am stärksten vertretenen Gruppe von Stücken, in denen Frauenfiguren im Mittelpunkt stehen – auch *Der Hahn* und *Die Schweine* gehören dazu –, geht es im übrigen zumeist nicht primär um die Arbeitswelt, sondern um das Versagen und Scheitern von Individuationsprozessen in einem anderen elementaren Bereich des sozialen Austauschs: in der Liebe. In dem frühen Amazonen-Stück *Antiope und Theseus* von 1974 verrät Theseus, König von Athen, unter dem Druck der herrschenden Clique seine Liebe zur Amazonenkönigin Antiope. Antiope fordert Theseus zum Schwertkampf auf – diese Szene ist im Mythos nicht bekannt – und läuft freiwillig in sein Schwert; mit ihrem Selbstmord kommt sie dem seelischen Mord durch Theseus zuvor, den seine geplante Heirat mit der mitgiftträchtigen Phaidra für sie bedeuten würde. Sie bewahrt sich selbst und ihr Bild von Theseus als einem Mann, der partiell ausschert aus einer Männergesellschaft, die nur geprägt ist durch Macht und Geld, indem sie den Mord durch den Selbstmord verhindert.

Die Patriarchatskritik, die das Amazonenstück mit deutlicher Beziehung auf kapitalistische Verhältnisse übt, in denen letztendlich der Marktwert der Frau über ihr Schicksal entscheide und Frauen nur im reinen Objektstatus – als »Leichenfrauen«, wie es heißt[32] – geduldet seien, wird in dem nur ein Jahr später entstandenen Stück *Heloisa und Abaelard* insofern auch für den Sozialismus geltend gemacht, als hier der Antifeminismus in Zusammenhang gebracht wird mit einer herrschenden Ideologie und mit einem Dogmatismus, gegen den Abaelard mit seinen ketzerischen Lehren verstößt.

Abaelard entlarvt in der Version von Stefan Schütz die christliche Lehre als Legitimation für männliche Machtgier und die Unterdrückung der Frau, aber widerruft seine Auffassungen schließlich unter dem Druck der Kirche. Anders als in den historischen Vorlagen für den Stoff, tötet der gebrochene Abaelard am Ende Heloisa, weil sie in ihrer Ungebrochenheit und Nichtunterwerfung unter das Dogma ihm sein verratenes besseres Ich vor Augen führt.

Während Antiope und Heloisa an der Liebe festhalten als einer Form der sozialen Interaktion, die keine Machtverhältnisse gegenüber dem jeweils anderen produziert, unterwerfen sich Theseus wie Abaelard der herrschenden Macht. Die Utopie einer richtigen Form von Gleichheit, der die Frauenfiguren die Treue halten, wird von den Männern verraten. Deshalb ist es nur konsequent, daß die späteren, in den achtziger Jahren geschriebenen Frauenstücke von Stefan Schütz, *Sappa* (1980) und *Spectacle Cressida* (1984), schon im Titel keinen männlichen Namen mehr nennen. Beide Stücke sind Dramen gleichsam jenseits des Dramas, weil sie eine Geschichte, gar eine Liebesgeschichte, überhaupt nicht mehr in Szene setzen. Der Konflikt zwischen den Geschlechtern ist als so unüberwindbar vorausgesetzt, daß den Frauen nur noch die totale Verweigerung bleibt. In *Sappa*, einer auf die Spitze getriebenen Variante des Medea-Mythos, ist es die Weigerung schwangerer Frauen, ihre Kinder zu gebären, auf die Funktionäre und Generale schon warten, um sie brauchbar zu machen für Staat und Krieg. Die Frauen im Kreißsaal bringen sich um, damit eine solche Männerwelt sich nicht fortsetzen und überleben kann. Diesem Gebärstreik der Frauen in *Sappa* entspricht im *Spectacle Cressida* die Liebesverweigerung der Frauen: »Die Liebe ist der Frauen schlimmster Feind«[33], so heißt es in diesem Stück, das von dem von Chaucer und Shakespeare bearbeiteten Troilus-und-Cressida-Stoff außer marginalen Anspielungen nichts übrig läßt und zu einem Endzeit-Spectacle aus grotesken Zirkusnummern wird. »So konnte ich nur noch den Abgang der Geschichte formulieren«, heißt es in der Schlußbemerkung des Autors: »Dem Urknall des Patriarchats den Endknall entgegensetzen.«[34]

Die Komplexität sowohl kapitalistischer als auch kommunistischer Machtstrukturen wird in der Dramatik von Stefan Schütz, die sich erklärtermaßen dagegen wendet, Geschichtsschreibung zu sein, zurückgeführt auf das »Einmaleins«[35] des Unterdrückungsverhältnisses zwischen Mann und Frau. Der Gleichmacherei unter der Herrschaft von Kapital oder Ideologie wird die Frau entgegengesetzt als Instanz, die ein Prinzip von Alterität bewahrt gegenüber den bestehenden Machtverhältnissen. Dieser Alterität wird freilich in den Stücken unter den vorhandenen Bedingungen – unter der Vorherrschaft des Mannes – keine Überlebensmöglichkeit eingeräumt. So wie Antiope und Heloisa sterben, vermögen die Frauen in *Sappa* ihren Widerstand nur noch im Gebärstreik und im gemeinsamen Selbstmord zu realisieren, und im *Spectacle Cressida* kann nur noch in der Vision vom »Abgang der Geschichte«, vom Überspringen jeder historischen Entwicklung überhaupt, die Utopie eines gesellschaftlichen Seins jenseits patriarchaler Macht behauptet werden.

Anders als die Dramatik von Stefan Schütz, die von der provozierenden Zuspitzung von Widersprüchen bis zum katastrophalen Ende lebt – was nicht zuletzt auch als Spezifikum der literarischen Gattung des Dramas gewertet werden sollte –, nimmt das monumentale Prosawerk *Medusa*, an dem er in den ersten Jahren seines Aufenthalts in der Bundesrepublik von 1980 bis 1984 in Wuppertal geschrieben hat, zwar keinen versöhnlichen, aber auch keinen katastrophalen Ausgang. Auf 870 Seiten, die in drei Kapitel gegliedert, ansonsten aber ohne jeden Absatz und z. T. auch ohne Punkt und Komma geschrieben sind und die schon deshalb eine Zumutung sind für jede bloß konsumierende Lesegewohnheit, stellt *Medusa* eine einzige Traumsekunde dar.[36] Es handelt sich bei dieser Variante eines stream of consciousness um die Traumsekunde einer Theaterregisseurin namens Marie Flaam – der Name ist eine Analogiebildung zu Molly Bloom –, die im Traum eine Odyssee durch den Alltag der DDR erfährt. Die drei Kapitelüberschriften *Kathedrale des Ichs*, *Anabasis* und *Free Play of Love* benennen den Ausgangspunkt, einen negativen und schließlich einen wie immer auch gebrochenen positiven Zukunftsentwurf der Prosa. Im ersten Kapitel, *Kathedrale des Ichs*, will Marie Flaam ihr Ich zunächst reinhalten von den breughelschen Schreckensvisionen, zu der sich ihre Alltagserfahrungen im Traum verzerren; das Gesicht eines Theaterleiters, der ihre Arbeit diffamiert, erscheint ihr als riesiger Hintern, in dem Ströme von Menschen geduldig verschwinden in dem stupiden Glauben, auf diese Weise zu neuen Ufern zu gelangen. Marie Flaam weigert sich, in diese Kloake einzutreten, bis ihr die Reinkarnation der Medusa in Gestalt der Gorga Sappho erscheint und sie darüber belehrt, daß ihr Ich selber ein Teil dieses Infernos sei, dem sie sich zu stellen habe. Das zweite Kapitel, *Anabasis*, d. h. ›Heraufmarsch‹, handelt vom Weg der Marie Flaam und ihres Mannes Naphtan in eine Kinderrepublik in der Nähe von Berlin, wo alle Menschen umerzogen werden zu »Gleichen« und Naphtan sich erinnert an den 1945 von den Amerikanern angeordneten Marsch der Weimarer Bevölkerung auf den Ettersberg zum KZ Buchenwald. Im dritten Kapitel schließlich, *Free Play of Love* genannt, stimmen Frauen im gynäkologischen Wartesaal einer Klinik ein Gewirr von Schmäh-, Schimpf- und Lobreden auf die Männer an, bis Gorga Sappho eingreift und ihnen, keineswegs unwidersprochen, die Utopie eines gewaltfreien Spiels der Geschlechter vorhält – eine Utopie, die durch die abschließenden Passagen der Prosa, in denen nun umgekehrt geile Schimpf- und Lobtiraden von Männern dominant werden, in eine höchst ungewisse Ferne gerückt wird.

Der neue Entwurf für das Individuum, den die *Medusa*-Prosa zu leisten versucht, macht sich fest an der Frau oder genauer an einer »Energie«, die dem Weiblichen unterstellt wird.[37] Es handelt sich um die Energie, die sich den Worten der Gorga Sappho zufolge im Laufe der Geschichte der Unterdrückung der Frau angestaut hat und die durch historische Erinnerung freigesetzt werden könne: »Ravensbrück und Majdanek, Auschwitz und Trebljinka, Hiroshima und Nagasaki, Mord in Vietnam, und Tod in den Lagern Sibiriens, und Kambodscha, lichterloh der Hexenbrand, endlose Vergewaltigung, seit Perseus Zeiten, da man der Frauen Köpfe rollen läßt, um jegliche Spuren ihres Geistes zu verwischen, damit sie sich an nichts erinnere, außer an die gottgewollte und wissenschaftlich begründete Vorherrschaft des Mannes [...].«[38]

Die Geschichte nicht nur von Unterdrückung, sondern gesellschaftlich organisierter Vernichtung im Namen gleich welcher Politik oder Ideologie wird hier mit der Geschichte von Frauen seit der Enthauptung der Medusa durch Perseus, den Gorga Sappho darstellt als Urvater männlicher Gewalt, in Verbindung gebracht, ohne daß im *Medusa*-Werk die realen Frauen idealisiert würden zu bloßen Opfern. Im zentralen Teil, im *Anabasis*-Kapitel, ist vielmehr ausführlich die Rede von Ilse »Athene« Koch, der Frau des Kommandanten von Buchenwald, die sich aus der Haut der Ermordeten Lampenschirme machen ließ, so wie die mythologische Athene die Haut der Medusa auf ihre Aigis gespannt hat. Die eigene aktive Beteiligung an den Perversionen der Geschichte muß sich auch Marie Flaam eingestehen. Sie selber hat für Stalins Ideen Propaganda gemacht, während Tausende hinter Stacheldraht gebracht worden sind. Sich solchen Selbsterkenntnissen, an denen ihr Ich zu zerbrechen droht, zu stellen, bedeutet für Marie Flaam, die »Kathedrale ihres Ichs« zwar nicht als vermeintlich reinen Ort, aber als Mauerwerk, in das die eigene Lebensgeschichte sich mit allen ihren Brüchen eingeprägt hat, retten zu können.

Eben ein solches Ich aber, das sich als Brennpunkt von historisch Uneingelöstem begreift, soll in jener Republik der »Gleichen«, in die Marie Flaam und Naphtan zufällig gelangen, nicht geduldet werden. »Schaff dich ab«[39], lautet dort die Parole und: »nichts ist reaktionärer als eine individuelle Vergangenheit«.[40] Die Authentizität des Ichs also soll vernichtet werden; es gelte, so heißt es, »die eigenen Wahrnehmungen zugunsten der gesellschaftlich notwendigen einzuäschern«.[41] Diese schwarze Zukunftsvision der Enteignung des Ichs von authentischer Erfahrung hatte Marie Flaam freilich bereits im ersten Kapitel, bei ihrem Gang durch das geträumte Horrorkabinett des Alltags der DDR, als gegenwärtig schon verwirklicht erlebt, etwa in Gestalt eines Theaterregisseurs, der Augen, Nasen und Ohren verspeist, weil die natürlichen Organe des Menschen, wie er meint, nicht geeignet sind, die Realität angemessen, d. h. der offiziellen Ideologie entsprechend, wahrzunehmen; sie durch besser funktionierende künstliche Organe zu ersetzen, so erklärt der Regisseur, sei die Voraussetzung einer »sozialistischen Ästhetik«.[42]

Es ist kein Zufall, daß in *Medusa* nach dem ersten Kapitel mit dem Titel *Kathedrale des Ichs* im zweiten und zentralen Kapitel die negative Utopie der Kinderrepublik der »Gleichen« auftaucht und enggeführt wird mit Naphtans Erinnerung an Buchenwald. Zwar gibt es in der Kinderrepublik, in der eine absurde Variante der Sprache der Jungen Pioniere gesprochen wird, keine physische Vernichtung, aber in der Perspektive Marie Flaams erstarrt doch ihr Geliebter Naphtan, der sich gegen die Indoktrination durch die »Gleichen« schließlich nicht mehr wehren zu können scheint, zu Stein.[43] Diese Umerziehung zu einem Wesen, das keine Erfahrung und Erinnerung mehr kennt, spielt in vielen Einzelheiten an auf GULAG und Kambodscha. Daß sich heute über den Sozialismus nicht mehr reden lasse, ohne sich die Realität der Lager und des Völkermords unter sozialistischem Vorzeichen zu vergegenwärtigen, ist der Ausgangspunkt für die negative Zukunftsvision einer Kinderrepublik, in der zwar keine physische Gewalt angewandt wird, aber doch die Ausrottung alles Ungleichen, Individuellen im Bewußt-sein der Menschen erreicht werden soll.

Nur das Ich der Frauen – darauf läuft die *Medusa*-Prosa hinaus – habe die Kraft, sich zu wehren gegen eine Zukunft in der Republik der »Gleichen«, in der die Authentizität lebensgeschichtlicher und historischer Erfahrung vernichtet worden ist. Dieses Ich konstitu-iert sich der Metapher von der »Kathedrale des Ichs« zufolge eben in der Erinnerung an die Geschichte der Unterdrückung der Frau wie auch der eigenen aktiven Teilnahme an den Untaten der Menschheit. Wenn aber Gorga Sappho, die ja anfangs Marie Flaam gerade in diesem Sinne belehrt hatte, schließlich die Frauen im gy-näkologischen Wartesaal aufzuwiegeln versucht mit einem Appell an die »große Mutter« Kybele[44], die ihnen die Kraft zum Wider-stand verleihen soll, so erntet sie nur schallendes Gelächter. Gewiß ist das zum Teil ein Gelächter, mit dem sich die Trägheit zu legiti-mieren versucht. Aber es ist auch ein Gelächter, das solche Mythen nicht mehr nötig hat und eine Gorga Sappho als dea ex machina, die ihre Funktion erfüllt hat, in den Theaterfundus zurückschicken kann.

Die letztgenannte Interpretation des Gelächters und der Figur der Gorga Sappho – der Reinkarnation der Medusa – als Theaterkla-mauk wird indessen im Text selber nicht gegeben; er meint es mit dem Mythos von der »großen Mutter« und matriarchalen Zeiten, in denen Gesellschaften ohne Machtstrukturen existiert haben sol-len, weitgehend ernst, ja das dritte Kapitel beginnt mit der Anru-fung eines solchen angeblich historischen Orts matriarchaler Idyl-lik jenseits gesellschaftlicher Machtverhältnisse überhaupt. Und es wird auch im Text nicht problematisiert, daß Gorga Sappho die Frauen auffordert, allein der »Liebe« zu dienen und sich in keiner-lei Weise zu involvieren in bestehende Macht.[45] Die »Liebe« als Me-tapher eines gewaltfreien Spiels der Geschlechter, das gegenwärtig nicht möglich sei, soll nach dem von Gorga Sappho entworfenen Zukunftsmodell möglich werden durch die aktuelle Liebesverwei-gerung der Frauen, d. h. durch den Rückzug vom männlichen Ge-schlecht. Daß solche Rückzugstrategien nicht notwendig ein Wi-derstandspotential darstellen, sondern ebensogut enden können in Sektierertum und Obskurantismus, wird im Text nicht reflektiert. Allen Ernstes konstruiert er immer wieder – und auch dort, wo nicht die mythologische Figur Gorga Sappho spricht – eine erd- und ursprungsnahe weibliche Denkungsart, die sich jenseits

›männlicher‹ Logik und Dialektik, jenseits auch des systematisierend ›hierarchischen‹ Denkens befinden soll und die in der *Medusa*-Prosa selbst als einem ›fließenden‹ und nicht ›hierarchischen‹ Lebensstrom als Modus vermeintlich ›genuin‹ weiblicher Denkungsart auch literarisch verwirklicht sein soll.

Der in *Medusa* nachdrücklich erhobene Anspruch auf eine strikt historische Selbstreflexion auch des weiblichen Ichs wird in solchen Passagen, in denen dann doch zurückgegriffen wird auf eine zum Lebensquell der Welt hypostatisierte weibliche Vitalität ad absurdum geführt und eine ahistorische Substanz von Weiblichkeit schlechthin angenommen, die sich im Unterstrom der Historie jenseits aller Deformationen gleichsam ›rein‹ erhalten habe und nur erst wieder aktualisiert werden müsse. Diese Aktualisierung wiederum soll vonstatten gehen, ohne daß Frauen zu partizipieren versuchen an gesellschaftlicher und politischer Macht – als ob jemals in der Weltgeschichte eine privilegierte Klasse oder Schicht oder in diesem Fall die männliche Hälfte der Menschheit freiwillig und gewaltlos auf ihre Privilegien verzichtet hätte. Daß jede Macht ›männlich‹ und deshalb verwerflich sei – also die einfache Gleichsetzung von Männlichkeit und Macht, mit der die Macht nicht historisch analysiert, sondern als das Urböse in die männliche Seele verlagert wird –, ist der Schwachpunkt der Patriarchatskritik von Stefan Schütz auch in den Stücken seit *Antiope und Theseus*. Mit der einfachen Gleichsetzung von Macht und Männlichkeit glaubt er den Schlüssel gefunden zu haben für eine Gesellschaftskritik, die in ›dem‹ Patriarchat schlechthin jenseits aller historischen Differenzierungen die Urgestalt des Bösen im Menschen entdeckt zu haben glaubt. Als Männer-Macht-Systeme gesehen – was ja nicht grundsätzlich falsch ist, aber wobei doch gefragt werden müßte, um welche Männer und um welche Art von Macht es sich jeweils handelt –, werden tendenziell alle Gesellschaftsordnungen gleich und kann ihnen nur noch die zur glücklichen Anarchie idealisierte »Frauenherrschaft«[46] entgegengesetzt werden. »Die Frau muß werden die Mutter aller Dinge« – dieser Satz des verhungernden Psychiaters Groß, der in dem Stück *Die Seidels* konterkariert und aufgehoben wird durch den Gegenspruch des Irren Gross: »Sie wird erst, wenn wir nicht mehr wissen«, wird in der *Medusa*-Prosa letztlich verabsolutiert, ohne als Wunschprojektion einer männlichen Phantasie, die in der Geschichte nicht weiter weiß und nur noch auf die ernährende »große Mutter« hoffen kann, erkannt zu werden.

Das enorme Fusionsbedürfnis aber, das sich in jenem Satz des Psychiaters artikuliert, erklärt sich aus der Unmöglichkeit wohl auch für den Autor Stefan Schütz, sich mit irgendeinem der bestehenden Gesellschaftssysteme, sei es kapitalistischer, sei es sozialistischer Provenienz identifizieren zu können. Zwischen den Systemen bleibt schließlich nur noch der Fluchtpunkt ›Frau‹, die als »große Mutter« den *ohnmächtigen* Mann ernähren und als Medusa den *mächtigen* Mann versteinern soll.

Anmerkungen

1 Stefan Schütz, *Die Seidels (Groß & Gross)*, in: ders., *Die Seidels (Groß & Gross) – Spectacle Cressida*, Frankfurt/Main 1984 (Fischer Taschenbuch 7083), S. 49.

2 Ebd., S. 48.

3 Ebd., S. 48f.

4 Wichtigste Grundlage für die Szenenfolge ist Franz Jungs Text *Eine Anekdote*, in: Otto Gross, *Von geschlechtlicher Not zur sozialen Katastrophe. Mit einem Textanhang von Franz Jung*, hg. und kommentiert von Kurt Kreiler, Frankfurt/Main: Robinson 1980, S. 137ff. Ferner wird Bezug genommen auf die in derselben Ausgabe enthaltenen Texte *Sophie*, *Der Kreuzzug der Demut* (S. 115ff.) und *Das Ende des Dr. Gross* (S. 146ff.). Von den übrigen zahlreichen Texten von Franz Jung über Otto Groß und Anton Wenzel Gross ist für das Stück vor allem noch relevant der Text *Akzente II*, in: Franz Jung, *Werke*, hg. v. Lutz Schulenburg, Bd. 1/2, Hamburg: Edition Nautilus 1982, S. 136ff. – Weniger die Schriften von Franz Jung als diejenigen von Otto Groß, der nicht nur auf Kafka, sondern auch auf Werfel und viele Autoren im Umkreis des Expressionismus einen – soweit ich sehe, bis heute noch nicht untersuchten – bedeutenden Einfluß hatte, scheinen mir insgesamt für Stefan Schütz sehr wichtig gewesen zu sein. So findet sich bei Otto Groß nicht nur die Kritik des ›Machtwillens‹ im Anschluß an Adler, dessen Psychoanalyse er mit derjenigen Freuds zu vermitteln versucht hat, sondern auch die Kritik des Patriarchats, von deren Bedeutung bei Schütz noch die Rede sein wird.

5 Anton Wenzel Groß, *Aufzeichnungen 1913/14*, in: *Grosz, Jung und Grosz*, Berlin: Brinkmann & Bose 1980, S. 11ff.

6 Stefan Schütz, *Die Seidels*, S. 22.

7 Ebd., S. 44.

8 Ebd., S. 77.

9 Ebd.

10 Ebd., S. 72.

11 Ebd., S. 79.

12 Ebd., S. 77.

13 Elli Jäger, *Nachwort* zu: Stefan Schütz, *Odysseus' Heimkehr, Fabrik im Walde, Kohlhaas, Heloisa und Abaelard*, Berlin: Henschel 1977 (Sammlung dialog), S. 242f.

14 Heiner Müller, *Über den Dramatiker Stefan Schütz*, in: ders., *Theater-Arbeit*, Berlin 1975 (Rotbuch 142), S. 123f.

15 Als Ausnahme kann nur *Fabrik im Walde* angesehen werden – ein Stück, das als Bearbeitung des gleichnamigen Romans von Anna Karawajewa nur wenig Spielraum ließ für einen eigenständigen Schluß.

16 Stefan Schütz, *Medusa, Prosa*, Reinbek bei Hamburg: Rowohlt 1986, S. 490.

17 Nach Michael Futrell, *Angry Young Giant, Vladimir Mayakovsky*, in: Programmheft zur Inszenierung von *Majakowski* von Stefan Schütz am Freddy Wood Theatre, Vancouver/Kanada, 27. 2. 1985.

18 Antonin Artaud, *Das Theater und sein Double, Das Théâtre de Séraphin*, Frankfurt/Main 1979 (Fischer Taschenbuch 6451), S. 58f. – Der Einfluß Artauds auf Schütz erschöpft sich m. E. in dem genannten dramentechnischen Aspekt. Anders als Heiner Müller scheint mir Schütz das ›Theater der Grausamkeit‹ mit seinem Appell ans Unbewußte nicht rezipiert zu haben. Der wichtigste historische Orientierungspunkt für Schütz ist das expressionistische Theater, dessen Stationentechnik er mit seinen durchweg als Bilderfolgen angelegten Stücken weiterführt.

19 Stefan Schütz, *Majakowski*, in: ders.: *Stasch* (enthält: *Majakowski, Der Hahn, Stasch 1 und 2*), Berlin 1978 (Rotbuch 192), S. 27f.

20 Ebd., S. 29f.

21 Ebd., S. 30, 27.

22 Ebd., S. 51.

23 Stefan Schütz, *Odysseus' Heimkehr*, in: ders., *Odysseus' Heimkehr, Fabrik im Walde, Kohlhaas, Heloisa und Abaelard*, S. 18.

24 Stefan Schütz, *Kohlhaas* (vgl. Anm. 23), S. 164.

25 Stefan Schütz, *Schwierigkeiten beim Schreiben eines Stücks*, in: ders., *Stasch*, S. 116.

26 Vgl. Stefan Schütz, *Stasch 1*, in: ders., *Stasch*, S. 141; *Stasch 2*, ebd., S. 142f.; *Stasch 3*, in: *Jahresring 79–80*, Stuttgart: Deutsche Verlags-Anstalt 1979, S. 193.

27 Stefan Schütz, *Laokoon*, in: ders.: *Laokoon* (enthält: *Kohlhaas, Gloster, Laokoon*), Berlin 1980 (Rotbuch 236), S. 137f.

28 Stefan Schütz, *Fabrik im Walde*, in: ders., *Odysseus' Heimkehr, Fabrik im Walde, Kohlhaas, Heloisa und Abaelard*, S. 131.

29 Ebd., S. 124.

30 Stefan Schütz, *Die Schweine*, in: ders., *Sappa, Die Schweine, Zwei Theaterstücke*, Frankfurt/Main 1981 (Fischer Taschenbuch 7062).

31 Stefan Schütz, *Der Hahn*, in: ders., *Stasch*, S. 61, 91, 93.

32 Stefan Schütz, *Antiope und Theseus*, in: ders., *Heloisa und Abaelard* (enthält: *Antiope und Theseus, Odysseus' Heimkehr, Heloisa und Abaelard*), Berlin 1979 (Rotbuch 216), S. 17.

33 Stefan Schütz, *Spectacle Cressida*, in: ders.: *Die Seidels (Groß & Gross) – Spectacle Cressida*, S. 111.

34 Ebd., S. 118.

35 Vgl. den oben zitierten Epilog Majakowskis (Anm. 22).

36 Vgl. Melchior Vischer, *Sekunde durch Hirn, Ein unheimlich schnell rotierender Roman* (1920), in: *Sekunde durch Hirn, 21 expressionistische Erzähler*, hg. und mit einem Nachwort von Thomas Rietzschel, Leipzig: Reclam 1982, S. 318ff. – Zeit- und Raumstruktur in *Medusa* variieren im übrigen vor allem den *Ulysses* von James Joyce; die ohne Punkt und Komma geschriebene Passage im ersten Teil von *Medusa* ist deutlich dem inneren Monolog der Molly Bloom nachgebildet. Überhaupt scheint die Vorstellung von der ›lagernden Frau‹ – von Molly Bloom als der »Gea-Tellus«, also der ›erdnahen‹ Frau – maßgeblich gewesen zu sein für das *Medusa*-Werk.

37 Stefan Schütz, *Medusa*, z. B. S. 701. Vgl. auch das Bergson-Motto des Buchs.

38 Ebd., S. 714.

39 Ebd., S. 570.

40 Ebd., S. 489.

41 Ebd., S. 541.

42 Ebd., S. 155.

43 Naphtans Versteinerung verdankt sich nicht dem Medusenblick, sondern beruht darauf, daß er »frei« zu werden scheint »von Erinnerung an die ungleiche Vergangenheit« (ebd., S. 625).

44 Ebd., S. 693. Kybele ist eine eng mit Dionysos verbundene Muttergottheit, deren Priester sich entmannt haben, um in ekstatischer Einheit mit ihr zu verschmelzen. (Interessant wäre ein Vergleich mit den Konnotationen der Kybele in Christa Wolfs *Kassandra*, Darmstadt und Neuwied: Luchterhand 1983, z. B. S. 23.)

45 Vgl. Gorga Sapphos Rede an die Frauen, ebd., S. 702: »[...] erlernt eure eigene Sprache, die der Empfindung dient und nicht der Macht, [...] EURE Liebe ist ein sicheres Gebäude, von dem aus ihr die Welt erneuern könnt.«

46 Ebd., S. 697: »[...] so wurde die Arbeit des Tötens, um zu überleben, gleichzeitig der Beginn vom Ende unserer Frauenherrschaft, und nur die Arbeit des Nichttötens bringt sie uns zurück.« – Unter das Verdikt, sich affirmativ zur Macht zu verhalten, fallen in *Medusa* auch

Peter Hacks und Heiner Müller, die Schütz als systemkonforme Clowns, als »Freund Knüppelvers« und »Henker Seelenzart«, auftreten läßt (ebd., S. 66f.). Der Bruch mit Heiner Müller, dem Schütz bis hin zum *Laokoon* (1979) vor allem in der Wahl der Stoffe und in vielen dramentechnischen Details nahestand, scheint damit endgültig vollzogen zu sein. Hatte sich die Divergenz der Positionen schon früh darin angedeutet, daß die Stücke von Schütz – entgegen den Prinzipien des Brecht-Theaters – Identifikationsfiguren schaffen, wie sie das Theater Heiner Müllers nicht kennt, so ist die Unterschiedlichkeit mit dem Entwurf einer positiven Utopie in *Medusa* offenkundig geworden. Während übrigens Müller – von *Zement* über *Medeaspiel* bis hin zur *Hamletmaschine* – die Selbstdestruktion der Frau als ›Mutter‹ als eine der Voraussetzungen dafür beschreibt, daß ihr wahres Gesicht hinter der Maske männlicher Projektionen sichtbar werde, scheint für Schütz der Projektionscharakter seiner Weiblichkeitsbilder nie zum Problem geworden zu sein.

Hans-Thies Lehmann
Theater der Blicke

Zu Heiner Müllers »Bildbeschreibung«

Es ist ein eigentümlicher Text. Eine Traumlandschaft, darin eine gewalttätige, toderfüllte Szene, zum Bild erstarrt, von der Schilderung immer wieder zur (Theater-)»Vorstellung« verlebendigt: eine Frau, wiederkehrend aus dem Totenreich, ein Mann, der sie mordet, ein Sexualakt. Gewalt überall: der Mann erscheint als Jäger, hält einen in Todesangst flatternden Vogel in der Faust, im Baum ein Vogel, Blick und Schnabel aggressiv gegen die Frau gerichtet. Eine mythische, geträumte Landschaft, eine von ewigem Krieg (zwischen den Geschlechtern, zwischen Mensch und Tier, ja zwischen Lebenden und Toten) erfüllte Realität. Visionen der Auferstehung folgen, aber sie ist keine Erlösung, wird abgewiesen, als Bedrohung der Lebenden durch die Toten gedeutet. Am Ende der etwa sieben Druckseiten eine Coda: ein Betrachter der Szene, ein Ich, löst sich in die Szene auf, zerteilt in ihre Protagonisten.

Der Text wurde für den Grazer ›steirischen Herbst‹, ein Theaterfestival, geschrieben; Müller deklarierte ihn mehr als einmal als Theatertext und nach der Uraufführung (Regie: Ginka Tscholakowa) stehen weitere Inszenierungen an. Doch inwiefern handelt es sich um einen Theatertext? Es gibt keine szenischen Anweisungen, keine eindeutige Handlung, keine Rollen, kein Drama. Heiner Müller: »Ich glaube nicht, daß eine Geschichte, die ›Hand und Fuß‹ hat – die Fabel im klassischen Sinn – der Wirklichkeit noch beikommt.«[1] Die Unterscheidung von dramatischem und theatralischem Text muß am Anfang der Analyse von Müllers neueren Texten stehen. Ihre Ästhetik ist, wenn nicht als postmodern, so doch als *postdramatisch* zu kennzeichnen – und damit freilich zugleich vor-dramatisch, lag doch der Ursprung des Theaters keineswegs im »Dramatischen«, sondern in chorischen Gesängen und episch breiten Erzählungen, bei denen der Dialog nur eine untergeordnete Rolle spielte. In Müllers *Zement* waren bereits lange Prosapassagen eingefügt, die aber das dramatische Kontinuum nicht sprengten. Der Text ist problemlos auch ohne diese Passagen aufführbar. In *Hamletmaschine* und *Der Auftrag* geht das dramatische Gefüge zu Bruch, indem lange Prosatexte sich verselbständigen, die indessen zur Not noch als ausufernde Monologe verstehbar sind. Dennoch löst sich die Fixierbarkeit von dramatis personae dort zugunsten eines *Theaters von Stimmen* auf, in dem die Figuren Träger von Diskursen, nicht mehr zentrierende Identitäten sind.[2] Schon für *Mauser* gilt ähnliches, ebenso für *Medeamaterial* und den *Shakespearekommentar*, wo der Bearbeiter/Übersetzer Müller sich aufspaltet in die vielstimmige Textinstanz »Titus Andronicus« und einen »Kommentator« – vergleichbar der Spaltung in Bild und Betrachter in *Bildbeschreibung*. *Quartett* kehrte zum dramatischen Dialog zurück – scheinbar. Die langen Redeblöcke Merteuils und Valmonts konstituieren sich als dramatische Ansprache an Partner. Doch es bleibt bei einem Theater der Stimmen, weil das vielschichtige Rollenspiel mit Geschlechtertausch, in dem zwei Akteure den Part von mehreren Figuren übernehmen, die Identität der Sprecher(innen) fortwährend aufbricht.[3]

Nun sagt Müller gern von sich, daß er nur an den Konflikt glaube. Konfrontation, Widerspruch, Differenz, Zuspitzung offener Probleme versteht er als das Lebenselixier seines Schreibens. »Antworten und Lösungen interessieren mich nicht. Ich kann keine anbieten.«[4] Nimmt man hinzu, daß Müller seine Abneigung gegen größere Prosatexte damit begründet, daß sich der Autor beim Prosaschreiben nicht verstecken könne wie in den Masken und Rollen eines Stücks[5], so sollte man meinen, eine solche Grundposition müsse naturwüchsig das Drama geradezu suchen. Statt dessen sind in die »gerade-noch-dramatischen« Theatertexte der letzten Jahre immer wieder traumartige, bedrängend surreale Passagen eingelassen, die den dramatisch vorantreibenden Konflikt scheinbar suspendieren und in eine erstarrte Szenerie verwandeln. Auf der einen Seite also das Festhalten an einer (dramatischen) Konfliktformulierung, auf der anderen mythisierende Wiederholung, akausale Zeit des Unbewußten, *Stillstellung*. In Müllers Texten wandert das dramatische Konfliktpotential immer öfter in die paradoxe »Raum-Zeit« von Landschaften ein, in das Tableau, das die lineare Zeit aufhebt.[6]

Der Einfluß von Robert Wilsons Ästhetik auf die neueren Texte Müllers dürfte kaum zu überschätzen sein. Die Ästhetik von parallelen Abläufen ohne notwendige Verknüpfung in Zeit und Raum, die Nähe zum bewegten Tableau, selbst die Art und Weise der Auftritte bei Wilson lassen sich in *Bildbeschreibung* wieder auffinden – wenn die Figuren mehr auftauchen und verschwinden als auftreten und abgehen. Wilsons konsequentes Theater ohne Drama korrespondiert der postdramatischen Ästhetik Müllers. Höchst bezeichnend und zum Verständnis von *Bildbeschreibung* fast unverzichtbar ist diese Notiz, die Müller über Robert Wilsons Theater verfaßt hat:

Robert Wilson kommt aus dem Raum, in dem Ambrose Bierce verschwunden ist, nachdem er die Schrecken des Bürgerkriegs gesehen hatte. Der Wiedergänger hat den Schrecken unter der Haut. Sein Theater ist die Auferstehung. Die Befreiung der Toten findet in Zeitlupe statt. Mit der Weisheit der Märchen, daß die Geschichte der Menschheit von der Geschichte der Tiere, Pflanzen, Steine, Maschinen nicht mehr getrennt werden kann außer um den Preis des Untergangs, formuliert Civil Wars das Thema der Epoche: Krieg der Klassen und Rassen, Arten und Geschlechter, Bürgerkrieg in jedem Sinn. Auf dieser Bühne hat Kleists Marionettentheater einen Spielraum, Brechts episches Theater einen Tanzplatz. Eine Kunst ohne Anstrengung, der Schritt pflanzt den Weg. Der tanzende Gott ist die Marionette, sein/ihr Tanz entwirft den Mensch aus neuem Fleisch, der aus der Hochzeit von Feuer und Wasser geboren wird, von der Rimbaud geträumt hat. Wie der Apfel vom Baum der Erkenntnis noch einmal gegessen werden muß, damit der Mensch den Stand der Unschuld wiederfindet, muß der babylonische Turm neu gebaut werden, damit die Verwirrung der Sprachen ein Ende hat. A TREE IS BEST MEASURED WHEN IT IS DOWN. Aber die abgehauenen Wälder wachsen unter der Erde fort. Der Lärm der Börse wird das Schweigen der Bühne nicht überdauern, das der Grund ihrer Sprache ist. Wenn die Panther zwischen den Schaltern der Weltbank spazierengehen und die Adler im Gleitflug die Banner der Trennung zerreissen, wird das Theater der Auferstehung seine Bühne gefunden haben. A TREE IS BEST MEASURED WHEN IT IS DOWN.[7]

Wenn in dem Text über Wilson Maschinen, Steine, Pflanze und Tier nebeneinander figurieren, so drückt sich darin eine paradoxe Begegnung von mythischer und ökologischer Überschreitung des anthropozentrischen Geschichtsmodells aus. Gegenstand eines »anderen« Blicks auf Geschichte werden die Elemente, die Energieströme und Fluchtlinien, Verkettungen und Blöcke, die menschliche Körper, Tiere, Landschaften und Maschinen miteinander bilden. In diesem Kontext spielt die Problematisierung der inneren Einheit des Subjekts eine Rolle, denn Müllers Auflösung der dramatis personae resultiert nicht bloß aus der historisch schrumpfenden Bedeutung des einzelmenschlichen Subjekts. Es geht ihm vielmehr um die Erkundung von Bereichen, in denen Zeit, Logik,

Raum nicht funktionieren, in denen sich das Subjekt nicht als zentriert, sondern als widersprüchliche Vorstellungs-*Landschaft* erfährt. Müller destruiert mit einer diskontinuierlichen und seriellen Dramaturgie ein lineares Geschichtskonzept, aber er befindet sich in einer Abstoßungsbewegung davon, einer höchst dramatischen dazu, die seine Texte manifestieren. Er löst die dramatis personae auf, doch in einer Bewegung, in der sie hartnäckig wiederkehren. Er sucht nach einer Überwindung der Last von Schuldgeschichte, doch die persönliche, politische, historische Erfahrung von Schuld, Verantwortung, Verhaftung im Vergangenen widersetzt sich dem Vergessen. Im Gegensatz zur naiven Idee des Neubeginns zeigen Müllers Arbeiten immer wieder neu den Konflikt, die Schwelle, das Vor und Zurück jenes Prozesses, in dem die Epoche des europäischen Humanismus problematisch wird, das Zeitalter des Menschen im Sinne Foucaults vielleicht zu Ende geht, die idealistischen wie die materialistisch gemeinten Modelle des geschichtlichen Fortschritts bröckeln, ohne daß ein neues Wissen schon in der Morgenröte erkennbar wäre.

Bildbeschreibung scheint nun in neuer Weise diesen inneren Konflikt in Müllers Schreiben selbst noch einmal zu reflektieren. Dabei sind die letzten Konzessionen an das Drama (Monolog, Ansprache, Handlung) geschwunden. Mit dem Genre der Bildbeschreibung – dem Text liegt in der Tat die kolorierte Zeichnung einer Bühnenbildstudentin aus Sofia zugrunde[8] – hat der Autor dabei eine Möglichkeit gefunden, analog zum dramatischen Rollenspiel wiederum *den Ursprungsort der Rede aufzuspalten*. Indem der Text sich auf ein vorgegebenes Bild bezieht, teilt sich das Aussagefeld von Anfang an in zwei Positionen: für das Dargestellte übernimmt der Betrachter ja keine Verantwortung. Der Text ist ebensosehr der Bildtext einer fremden Instanz wie der eigene Text. Es handelt sich daher nicht, wie man zunächst zu sagen versucht ist, um einen Monolog angesichts eines Bildes, sondern um eine konfliktuöse – dramatische – Begegnung zwischen einem Blick und einem Bild, in dem der eine das andere zum Sprechen bringt. Müllers Text blendet die *dargestellte Szene* und die *Szene der Darstellung* kunstvoll ineinander. Vermittelt über die Thematik des Sehens wird der Betrachter des Bildes zum Zuschauer einer Szene, trifft sich mit und entfernt sich von den Protagonisten der Szene, die nicht zufällig selbst wieder wesentlich als Instanz von Blicken erscheinen.

Die interpretierende Beschreibung des Bildes durch die ortlose

Stimme (Schrift) eines Betrachters vollzieht sich zunächst relativ geordnet. Das Gesamt einer »Landschaft zwischen Steppe und Savanne der Himmel preußisch blau« wird evoziert, die Formulierungen lassen den Kenner von Müllers Werk unweigerlich an die polit-geographischen Konnotationen (Ost-West, Asien-Amerika, Dritte Welt, »dazwischen« die politische Landschaft Preußen) denken. Formeln wie »bei genauerem Hinsehen«, »vielleicht«, »augenscheinlich«, »kann sein«, »kann geschlossen werden«, »ist aus dem Bild nicht zu beweisen« stellen von Anfang an den Blick in Äquivalenz mit der *Frage* – am Ende wird es heißen »wer ODER WAS fragt nach dem Bild«. Sehen ist vermutendes Lesen, Folgern, das scheinbar Gewisse bleibt ungewußt. Über den ganzen Text ist das Thema des »zwischen« verteilt. Es verweist auf den Status einer textlichen Gegebenheit des Wirklichen, das sich den begrifflichen Oppositionen und dem fixierenden Blick entzieht. Ein Haus scheint zwischen Industrie und Handwerk angesiedelt, die Landschaft zwischen zwei fixierbaren Typen, oder die Bewegung, »die den Rahmen sprengt«, ist nur »sichtbar *zwischen* Blick und Blick«.

Die offenkundig wichtigste Figur des Bilds, die Frau, wird eingeführt über einen Blick:

auf einem Baumast sitzt ein Vogel, das Laub verbirgt seine Identität, es kann ein Geier sein oder ein Pfau oder ein Geier mit Pfauenkopf, Blick und Schnabel gegen eine Frau gerichtet, von der die rechte Bildhälfte beherrscht wird

Pfau und Geier: Pfauenauge, Narzißmus, sexuelle Parade und: Aggression, Tod, Kadaver. Als Mischwesen zwischen zwei Blickweisen und ihren Konnotationen ist der durch das Wort »Identität« zudem anthropomorphisierte Vogel angesiedelt. Die Frau, offenbar Opfer eines Unfalls oder Überfalls, wird ebenfalls mit dem Thema Blick und Bild verbunden. Bei ihr ist »der Blick auf den Boden gerichtet, als ob *er* ein Bild nicht vergessen kann und/oder ein anderes nicht sehen will«. Müller konstruiert die Stelle so, daß er den »inneren« Blick der Frau zum Subjekt macht und das spätere Motiv des Geschlechtertauschs anspielen kann. Der erste kleinere Abschnitt der Beschreibung endet bei der Wendung »der Arm ist am Handansatz vom Bildrand *abgeschnitten*«, es folgt eine Passage, bei der die Beschreibung zum erstenmal über den Bildrahmen hinausgeht und genau in dieser Übertretung eine Bewegung, »die den Rahmen sprengt«, in Gang setzt:

die Hand kann eine Klaue sein, ein (vielleicht blutverkrusteter) Stumpf oder ein Haken, die Frau steht bis über die Knie im Nichts, amputiert vom Bildrand, oder wächst sie aus dem Boden wie der Mann aus dem Haus tritt und verschwindet darin wie der Mann im Haus, bis die eine unaufhörliche Bewegung einsetzt, die den Rahmen sprengt, der Flug, das Triebwerk der Wurzeln Erdbrocken und Grundwasser regnend, *sichtbar zwischen Blick und Blick, wenn das Auge ALLES GESEHN sich blinzelnd über dem Bild schließt*

Diese Passage ist in Verbindung zu bringen mit einer eben übergangenen Stelle des 1. Abschnitts, in der es um das Bild als Ganzes ging, exakter: um das Licht, die Ermöglichung der Sichtbarkeit selbst. Dort wurde »geschlossen«,

daß die Sonne, oder was immer Licht auf diese Gegend wirft, im Augenblick des Bildes im Zenith steht, vielleicht steht DIE SONNE dort immer und IN EWIGKEIT: daß sie sich bewegt, ist aus dem Bild nicht zu beweisen

Was Galilei – und das Bewußtsein der ganzen Epoche des historischen Entwicklungsdenkens – weiß, hindert nicht, daß die Sonne zugleich als mythische Größe erscheinen kann, als kontrollierendes Gottes-Auge in einem absoluten, zeitlosen Zenith, imaginärer höchster Punkt aller visuellen Realität. Im Wort »Augenblick« ist es mitgesagt: die Sonne ist vorgestellt als jenes Auge, das in der zuvor zitierten Passage gleichsam den Namen ALLES GESEHN erhält. Durch diese Beobachtung erschließt sich die Logik des dramatischen Konflikts, den *Bildbeschreibung* formuliert. Es geht um ein *Drama zwischen zwei Blicken*. Es gibt einen Blick der Erstarrung (später ist vom »Ausbleichen« die Rede), der Stillstellung in Ewigkeit, der Wiederholung. Dieser mythische Blick ist der der Sonne – und es besteht kein Zweifel: es ist der *eine* Blick auch jener Instanz, die das Bild betrachtet. Wenn und solange dieser Blick in Kraft bleibt, kann kein anderes Sehen neue Wirklichkeit herbeirufen. Dieses andere Sehen: das andere Theater, die andere Theoria, funktioniert »*zwischen* Blick und Blick«. Sie nimmt in einer – die Formel ist hier kein leeres Paradox – unsichtbaren Unsichtbarkeit, näherungsweise im »Blinzeln« metaphorisiert, ihren Platz ein. Dieser zweite Blick, in einem Krieg mit dem anderen begriffen, löst sprengend die geschlossene, ewige Gegenwart des Bilds auf. Die »unaufhörliche Bewegung« ist indessen nicht zu verwechseln mit einer befreienden Utopie, die von der Erstarrung befreit. Müllers Text beschreibt den Konflikt von zwei Sehweisen, deren theoretische, politische Implikationen auf der Hand liegen, aber er schreibt beide in- und übereinander. Die fixierte Wirklichkeit des Bilds scheint (sofern nicht eine den Rahmen und zugleich die stillgestellte Zeit sprengende Lektüre einsetzt) vollendet, abgeschlossen, ohne Zukunft. Doch schreibt Müller in diese Bildpräsenz eine Bewegung ein: Gegenwart verwandelt sich in den Rhythmus von Kommen und Gehen. Die Frau »wächst aus dem Boden« und »verschwindet darin« wie der Mann auf der Türschwelle des Hauses erscheint und wieder verschwindet. Die Präsenz ist so überführt in eine Bewegung der Wiederholung – bis »die *eine* unaufhörliche Bewegung« die Wiederkehr des Gleichen ablösen wird.

Bei der folgenden Schilderung des »großen einzigen Fensters« handelt es sich offenkundig um die wohlbekannte Struktur des Bilds im Bild, das die Thematik der Szene denn auch repetiert: die Todesbilder Skelett und Asche sind Reste, Zeichen einer vorausgegangenen Gewalt, *Spur*, die als verweisender Signifikant gelesen wird und die präsentische Gegebenheit (Sehen) dementiert zugunsten eines nur zu lesenden Bedeutens. Auch hier findet sich die Spaltung des Blicks wieder, heißt es doch vom Vogel im Baum:

das Skelett seines Artgenossen an der schwarzgeäderten Innenwand, durch das Fensterviereck sichtbar, das er von seinem Platz im Baum nicht sehen kann, hätte keine Botschaft für ihn

Der Abschnitt 4 schildert genauer den Mann, der, einen noch lebenden Vogel in der Jägerfaust, aus dem Haus tritt:

der Mann lächelt, sein Schritt ist beschwingt, ein Tanzschritt, nicht auszumachen, ob er die Frau schon gesehn hat, vielleicht ist er blind, sein Lächeln die Vorsicht des Blinden, er sieht mit den Füßen, jeder Stein, an den sein Fuß stößt, lacht über ihn, oder das Lächeln des Mörders, der an die Arbeit geht

Dieser Mann mit dem »Jägergriff«, der sich nicht um die Qual des Vogels in seiner Faust kümmert, ist unverkennbar *Ödipus* angenähert wie Müller ihn im *Ödipuskommentar* gezeichnet hat. Ödipus, der, nachdem er die geflügelte Sphinx besiegte, am Ende alles Sichtbare, die Welt, »in den Augenhöhlen begräbt« (»in welcher Augenhöhle ist die Netzhaut aufgespannt« heißt es später) und dessen Blindheit ganz ähnlich geschildert wird:

Stand ein *Baum* hier?/ Lebt Fleisch außer ihm? Keines, es gibt keine Bäume, mit Stimmen/ Redet sein Ohr auf ihn ein, der *Boden* ist sein Gedanke/ Schlamm oder *Stein, den sein Fuß denkt*

Mit der Schilderung der Frau, des Mannes und der Vögel ist das »Personal« der Szene komplett. (Die drei Vögel, einer lebendig-aggressiv, einer als Opfer in der Faust des Mannes, einer als Skelett, bilden einen kleinen Kreislauf der Gewalt für sich.) Mit der Frage »was *wird* geschehn an dem kreuzbeinigen Tisch« beginnt der 2. Akt, die phantasierende Ausdeutung der Szene auf eine Zukunft, aber zugleich auf eine Vergangenheit hin (»welche Last hat den Stuhl zerbrochen«). Das Bild dynamisiert sich zur Szene eines Mords, eines Geschlechtsakts (»oder beides in einem«) und einer unbestimmt bleibenden mörderischen »Arbeit«. Im 3. Akt, beginnend mit der Wendung »oder kehrt die Bewegung sich um«, verallgemeinert sich die Szene zwischen Leben und Tod zur katastrophisch-apokalyptischen Vision einer Auferstehung der Toten, die sehr körperlich als Rückkehr aus dem Inneren der Erde an die Oberfläche, dann als »Begattung des Sterns durch seine Toten« imaginiert wird. Die dritte Variante (Akt 4) zeigt zugleich eine Verschmelzung des Dargestellten mit dem Akt der (Bild-)Darstellung: »oder alles ist anders, das Stahlnetz die Laune eines nachlässigen Malstifts, [...] mit einer schlecht ausgeführten Schraffur [...], der Gebirgszug ein Museumsstück«. Wird hier der Akt der bildnerischen Darstellung selbst zum Thema, so formuliert die Coda (5. Akt), beginnend mit der Stelle »gesucht: die Lücke im Ablauf«, erneut in drei Varianten eine Utopie der Durchbrechung der Bild-Zeit, einhergehend mit der Vorstellung des Nicht-mehr-Sehens (der Mann wird von dem Vogel geblendet) und ausmündend in eine Dispersion des Text-Ich in die Gestalten des gesehenen Bilds – als solle die Legende von dem japanischen Maler nachgestellt werden, der nach Vollendung seiner Malkunst eines Tages in sein Bild eintrat und nicht mehr zurückkehrte. Der Text, der zunächst wie ein unterschiedsloses Dahinströmen anmutet, von keinem Satzpunkt oder Absatz gegliedert, erweist sich als sorgfältig konstruiert und von der Dichte eines klassischen poème en prose.

Es können in den Grenzen dieser Studie, die der Textkonstitution von *Bildbeschreibung* nachfragt, die Visionen im einzelnen nicht ausgelegt werden. Wir beschränken uns auf eine Lektüre der Schlußpassage; doch einige Anmerkungen sind notwendig: 1. Wie etwa bei Shakespeare die Toten oftmals nicht tot sind, sondern als »auferstehende« Gespenster weiterwirken, so lebt hier die akkumulierte geschichtliche Schuld weiter, fühlen die Lebenden die Last des Gewesenen als Schuld und das schlechte Gewissen der Überlebenden gegenüber den Toten. Die Gespenster bei Shakespeare sind zuletzt nichts anderes als die Geschichte selbst, die fortwirkt und nicht tot ist. Auch für Müller wird die Totenwelt zum Gleichnis für die schuldhafte Vergangenheit der Lebenden. Das Unrecht, das Menschen und Natur an allen Toten begingen und begehen, bedroht individuell und kollektiv die Lebenden. Das meint der bedrohliche »Steinschlag«, den die unruhigen Toten auslösen und gegen den die »Arbeit« des Mannes einen Schutz schaffen will. 2. Daß es in dem Abschnitt des Textes, in dem von der »Arbeit« des Mannes die Rede ist, um das Ende der Schuldgeschichte, aber zugleich um das Geschichtsende als Katastrophe gehen könnte, wird nicht nur durch die bei Müller notorische Äquivalenz von Arbeit, Mord und revolutionärer Aktion nahegelegt. Ein direktes Selbstzitat weist *Bildbeschreibung* einmal mehr als Selbstreflexion auf Müllers eigenes Schreiben aus: »überflüssig das Gras auszureißen, die SONNE, vielleicht eine Vielzahl von SONNEN, verbrennt es«. In *Mauser* hatte die paradoxe Formel »wissend, das Gras noch/ Müssen wir ausreißen, damit es grün bleibt« für die radikale politische Aktion gestanden. *Bildbeschreibung* antwortet darauf mit einer Anspielung auf das mögliche Ende der Geschichte und des Lebens überhaupt im Zeichen (unter dem Blick) der apokalyptischen Sonne, die vielleicht auch »heller als 1000 Sonnen« sein könnte und alle geschichtliche Aktion sinnlos macht. 3. Aus dem Bild, das etwas »zeigt«, wird ein Bild, das etwas »meint«: eine Realität, die nurmehr gelesen werden kann. Es gibt in dieser Sequenz schwankender Vermutungen nur eine einzige Stelle, in der, gleichsam aus Versehen, eine positiv fixierende Aussage über das Bild gemacht wird – wenn die Rede ist vom »Steinschlag, der von den Wanderungen der Toten im Erdinnern ausgelöst wird, die *der heimliche Pulsschlag des Planeten sind, den das Bild meint*«. Das Sichtbare, das vom Bild gezeigt wird, verweist auf eine mit dem fixierenden, passiv aufnehmenden Blick nicht zu erfassende Wirklichkeit: sie ist ein *Innen* (das Erdinnere), und sie ist niemals eine Gegenwart, ein präsentes Wirkliches, weil es sich um einen *Rhythmus* handelt, einen Pulsschlag, ebenso »heimlich« (verborgen) wie unheimlich sich der Präsentation entziehend. 4. Den Versionen der Auferstehung ist gemeinsam, daß die Toten als »natürliche Feinde« der Lebenden erscheinen. Die »Begattung des Sterns durch seine Toten« ist keine glückliche Vereinigung, sondern vampirartiges Aussaugen oder Erstickung. Die Schrecken der Auferstehung entsprechen denen der Mord- und Sexualitätsszene zuvor. Die Wiederkehr der Toten wird explizit zurückgewiesen: »ICH HABE DIR GESAGT DU SOLLST NICHT WIEDERKOMMEN TOT IST TOT.« Die gespaltene Wahrnehmung der von Gewalt beherrschten Realität tritt hervor, wenn Mann, Frau und Vogel einerseits als »Versuchstiere« erscheinen, deren tägliches mörderisches Treiben die Verachtung ihres Schöpfers hervorruft (»die Roheit des Entwurfs ein Ausdruck der Verachtung für die Versuchstiere Mann, Vogel, Frau«), zugleich aber eines von Müllers Leitmotiven, die lebensnotwendige Produktivität von Gewalt und Tod formuliert wird: »die Blutpumpe des täglichen Mords [...] versorgt den Planeten mit Treibstoff, Blut die Tinte, die sein papiernes Leben mit Farben beschreibt«.

An dieser Stelle ist die Bildbeschreibung in einer vollkommenen, fast schizoiden Blockade gelandet – point of no return eines Blicks in die Wirklichkeit aus Kopulation, Mord und Krieg von allen gegen alle (»Mann gegen Vogel und Frau, Frau gegen Vogel und Mann, Vogel gegen Mann und Frau«), ein Blick, der Hamlets Melancholie mit Hitchcocks sarkastischem Katastrophensinn verbindet. Das Bild hat sich erschlossen und verschlossen zugleich. Jetzt aber beginnt nach der Beschreibung, dann nach der dynamisierenden Auslegung des Bildes das Ich des Textes selbst sich zu formulieren, seine *Suche* nach etwas jenseits der Geschlossenheit des Bildes: »gesucht: die Lücke im Ablauf, das Andre in der Wiederkehr des Gleichen, das Loch in der Ewigkeit, der vielleicht erlösende FEHLER«.

Drei Bilder der Zeit werden angesprochen: die Zeit als Linie, als kreisende Wiederkehr, als unendliche Fläche der Ewigkeit. Auf diese drei Bilder antworten drei »u-topische« Formeln: nicht die Verneinung der Linie, sondern darin ein Spalt, die sei's auch winzige Unterbrechung des Kontinuums, ein winziger Mangel, ein *Fehl*. Auch nicht das Aufhören der Ewigen Wiederkehr, sondern in der Wiederholung selbst das Andere, die Hoffnung, im Rhythmus des Gleichen könne die Wiederholung selbst die Qualität des Gleichen ändern, als Tanz vielleicht, als erotisches Glück, als Heimholen des Verlorenen, als die in der Wiederkehr des Gleichen im Kreisen der Natur mögliche Auflösung der Grenze zwischen Leben und Tod (Hamlet an Yoricks Grab).

Die nächsten Sätze Müllers entfalten eine kleine Ästhetik des Fehlers. Erste Konkretisierung:

zerstreuter Blick des Mörders, wenn er den Hals des Opfers auf dem Stuhl mit den Händen, mit der Schneide des Messers prüft, auf den Vogel im Baum, ins Leere der Landschaft

Zerstreuung eignet dem »gesuchten« Blick. Metapher eines Sehens, das nicht gezielt identifiziert, sondern bei dem der Blick irgendwohin »fällt«, statt zu treffen. Er fällt auf den Vogel im Baum, von dem es heißt, daß seine Identität ungewiß bleibt, er fällt ins »Leere«, ziellos, abweichend, abschweifend. Die Gewalt der Identifizierung ist gebrochen, zerstreut, einen Augen-Blick lang. Gegen den gewalttätig-sexuellen Blickstrahl die Phantasie des zerstreuten, in gewisser Weise *nicht-sehenden* Blicks. Dann:

Zögern vor dem Schnitt, *Augenschließen* vor dem Blutstrahl, *Lachen* der Frau, das *einen Blick lang* den Würgegriff lockert, die Hand mit dem Messer zittern macht

Das Zögern steht wie die Zerstreuung für die Ästhetik der Verschiebung, des Aufschubs, der Abweichung. Augenschließen (Mann) und Lachen (Frau) korrespondieren. Zugunsten einer Lockerung, eines Zitterns setzt der fixierende, tötende, würgende Begriff und die Messerschärfe der Analyse aus. Gegen die totalisierende Bewegung des Logos, die zugleich ein Mord ist, wird nicht der irrationale Taumel gesetzt, sondern eine Bewegung der Abweichung gesucht: Abdrift der Wirklichkeit (in) der Schrift.

Das Aufbrechen des Logos der Herrschaft und der Souveränität wird begleitet vom *Lachen* der Frau. (Es ist kaum gewagt, hier daran zu erinnern, daß Georges Bataille das Lachen gegen den schließenden Ernst der Dialektik ins Feld geführt hat.) Diesem Lachen kommt eine Schlüsselfunktion für den Anti-Vorgang der Utopie zu:

Lachen der Frau, das [...] die Hand mit dem Messer zittern macht, Sturzflug des Vogels, vom Blinken der Schneide angelockt, Landung auf dem Schädeldach des Mannes, zwei Schnabelhiebe rechts und links, Taumel und Gebrüll des Blinden, Blut sprühend im Wirbel des Sturms, der die Frau sucht

Man sieht die Logik: das Lachen der Frau bringt das Messer zum Zittern, das daher blinkt, so den Vogel anlockt und die Blendung verursacht. Im Lachen der Frau, das allen Sinn zerplatzen läßt, wird am Ende ein Nicht-mehr-Sehen, die Befreiung vom »lebenslänglichen Sehzwang« (Müller) möglich, die trotz der Gewalt und des Schmerzes eine Unterbrechung, eine Lücke im tödlichen, ewig repetierten Ablauf herstellt. In diesem Nicht-(oder Anders-)Sehen besteht das Gesuchte, der Fehler, die Utopie, die Hoffnung. Aber sie ist nicht gewiß. Der Text fährt fort:

Angst, daß der Fehler während des Blinzelns passiert, der *Sehschlitz in die Zeit* sich auftut zwischen Blick und Blick, die Hoffnung wohnt auf der Schneide eines mit zunehmender Aufmerksamkeit gleich Ermüdung schneller rotierenden Messers

Der Ausbruch aus der unerbittlichen Geschlossenheit der Zeit (die zugleich die undurchlässige, allzu vollständige Sichtbarkeit des Bilds ist) könnte verpaßt werden, immer rascher folgen die Momente der Blindheit und Ermüdung mit zunehmendem Alter des Ich, der Welt. An dieser Stelle leitet erneut die dargestellte Szene über zur Szene der Betrachtung des Bildes durch ein Subjekt, zum Hervortreten des Betrachter-Ich, daß nach der Angst um das Versäumen der Utopie (des Fehlers) nun als Spur einer Hoffnung auf das Bessere eine Verunsicherung formuliert: Vielleicht stehen sich die fixierten, in sich geschlossenen Einzelsubjekte überhaupt nicht scharf getrennt gegenüber, vielleicht ist die Landschaft des Bewußtseins so beschaffen, daß das Schreckliche, der Mord, unter einer anderen Perspektive nur die Auflösung der Grenze von Täter und Opfer anzeigt. Ist das Bild der Realität, das hier erscheint, die *Bearbeitung von Gewaltphantasien*, so ist vielleicht das Bewußtsein bzw. die Landschaft des Unbewußten, das diese Träume und Phantasmen hervorruft, verteilt in alle Beteiligten der »Urszene«:

blitzhafte Verunsicherung in der Gewißheit des Schrecklichen der MORD ist ein Geschlechtertausch, FREMD IM EIGNEN KÖRPER, das Messer ist die Wunde, der Nacken das Beil

Nicht als neuer Zustand, nur als aufblitzend und wieder verschwindend ist die hoffnungsvolle »Verunsicherung« zu formulieren. In ihr könnte das Ich zugleich Opfer, Täter, Werkzeug, Mann, Frau, Vogel sein, Mörder (als Mann) und zugleich in diesem eigenen Körper »fremd« (nämlich auch Frau). In der Auflösung und Auszehrung der erstarrten Gegensätze, der Fremdheit zwischen den Lebewesen entsteht eine ersehnte Fremdheit im eigenen Selbst, eine schizoid-entfremdete Selbst- und Realitätswahrnehmung, die den einschließenden Panzer der wahnhaften Ich-Identität sprengt zugunsten einer phantasierten, geschriebenen, gemalten Dissemination des Ich über alle Teile der Wirklichkeit – Subjekt im Prozeß. Doch ist die Spaltung des Blicks in den *erstarrenden* der Sonne (die

»Aufsicht«) und den *auflösenden,* die Lücke nutzenden Blick nicht verschwunden. Im Gegenteil: immer klarer wird, daß die beiden gegnerischen Blickweisen selbst es sind, die das Subjekt in schizophrene Spaltung stürzen:

gehört die fehlbare Aufsicht, die dem Bild die Farben aussaugt, zum Plan, an welchem Gerät ist die Linse befestigt, in welcher Augenhöhle ist die Netzhaut aufgespannt, wer ODER WAS fragt nach dem Bild

Das Ich ist nicht mehr nach dem Modell einer selbstbewußten, selbstpräsenten personalen Einheit gedacht, sondern erweist sich als ein *Apparat,* ein Photo- oder Filmapparat, eine Maschine des Blickens, in der der totalisierende und der »zögernde« Blick koexistieren. Vielleicht streiten beide in einem nicht-subjektiven »Gerät«, vielleicht weist das Ich Züge einer Mechanik, einer Seh-Vorrichtung auf, ganz Auge, bei der die Frage nicht mehr wer, sondern »was« heißt und der Blick nicht mehr sistiert, sondern eine *Frage* wird. In diesem Moment ist das Selbst nicht mehr bei sich, eingeschlossen, sondern verstreut »sich« über die Szene seiner Vorstellung (das Wort in jedem Sinn genommen) als Ich-Einheit sterbend, indem es als gespiegeltes existiert: »IM SPIEGEL WOHNEN, ist der Mann mit dem Tanzschritt ICH, mein Grab sein Gesicht«. Geteiltes Ich: mein Grab, mein Nichtsein, meine Schrift ist das Antlitz, die Vision, das »Gesicht« des Mannes. Statt im eigenen Körper, in dem das Ich nun fremd ist, »wohnt« es in seinen vielfältigen Projektionen, seiner selbst endlich un-gewiß, entzogen, verzogen in ein Außen, so daß es nicht mehr *eine* Position, sondern alle in der Urszene möglichen einnimmt:

ICH die Frau mit der Wunde am Hals, rechts und links in Händen den geteilten Vogel, Blut am Mund, ICH der Vogel, der mit der Schrift seines Schnabels dem Mörder den Weg in die Nacht zeigt, ICH der gefrorene Sturm

Mit diesen Worten endet *Bildbeschreibung.* Bei Mann und Frau war jeweils nur eine Hand sichtbar, das Ich hat in »Händen« beide Hälften des *geteilten* Vogels, letzter von vielen Hinweisen darauf, daß es dem Text um das Theater einer vielschichtigen, fast schizophrenen Spaltung des »ICH« geht. Das Ich als schreibendes identifiziert sich mit dem Mörder, mit der Frau als Opfer und Opfernder zugleich und zuletzt mit dem Vogel, der das andere Ich des Schreibenden, den Mörder, mit seiner Schrift blendet, ihm/sich »den Weg in die Nacht zeigt«. Diese Schrift ist brutal und blutig, aber nur sie ist in ihrer blendenden, spaltenden, lückenhaften und ungesicherten Bewegung die Chance, im Paradox auszuhalten, das Ungewisse und Ungewußte auszutragen; was der revolutionäre, Geschichte produzierende, vorantreibende, zeugende und schwängernde Sturm sein will, muß zugleich in grausamer Mimesis die Erstarrung in der Kälte (oder der ausbleichenden Hitze) der Schrift aushalten – »der gefrorene Sturm«.

Überblickt man Müllers Werk der letzten anderthalb Jahrzehnte, so erweist sich *Bildbeschreibung* als ein Spiegel und Zerrspiegel, in dem der Autor eine künstlerische (und zugleich wohl sehr persönliche) Selbstbefragung formuliert. Der gedoppelte Blick, der in der Realität erbarmungslos die wiederkehrenden quasimythischen Modelle der Zeugung und Zerstörung sieht, zugleich aber immer wieder nach Formeln der Durchbrechung sucht, zeugt von der gespaltenen Verfassung eines illusionslosen politischen Denkens. In Müllers Texten geht zusammen mit der Kontinuität der Raum-, Zeit- und Geschichtsbegriffe immer mehr auch die Identität des Subjekts verloren, die Möglichkeit, sich in abgrenzender Opposition noch zu bezeichnen. *Bildbeschreibung* spricht von den Gedanken, die aufsteigen, um das Selbst zu erhalten, von der Angst, keine Identität zu haben, aus der der Wunsch nach Auslöschung resultiert. Doch zugleich wird in der Formulierung des Grauens vor der Dispersion des Ich auch eine Möglichkeit sichtbar: die Annahme des »Schwarzen« in den eigenen Phantasien, die freiwillig widerspruchsvolle, lückenhafte Schreib- und Daseinsform, die Annahme der Nichtidentität, die in ihrer Lückenhaftigkeit das Schließen der Panzer verhindert, verzögert.

Vom Theater bleibt dabei wenig. Trotzdem ist der Text durch und durch vom (und für das) Theater mitgeschrieben. Es ist ein selbstreflexiver Text *über* das Theater, wenn auch das Theater keineswegs die einzige Kunst ist, um die es in *Bildbeschreibung* geht. Verstreute Anspielungen auf Malerei von Kokoschkas *Windsbraut* und Magrittes Denkbildern über die »willkürliche Bezeichnung Himmel« (etwa *Die leere Maske* von 1928) bis zu der Reflexion im Text auf Schraffur und Komposition etablieren einen Diskurs über das Verhältnis von Schrift, Zeichnung und Farbe, dem man gesondert nachgehen könnte. Interessanterweise gemahnt auch die Schlußformel »ICH der gefrorene Sturm« nicht nur an Kafkas berühmte Wendung vom »stehenden Sturmwind«, sondern auch an eine Bildbeschreibung aus der Feder Hofmannsthals. In dessen *Briefen des*

Zurückgekehrten wird über van-Gogh-Gemälde so gehandelt, daß man an ein heimliches Zitat Müllers glauben könnte, der die Bewegung – den »Flug, das Triebwerk der Wurzeln Erdbrocken und Grundwasser regnend« – in den »erfrorenen Sturm« münden läßt. Hofmannsthal:

In einem Sturm gebaren sich vor meinen Augen, gebaren sich mir zuliebe diese Bäume, mit den Wurzeln starrend in der Erde, mit den Zweigen starrend gegen die Wolken, in einem Sturm gaben diese Erdenrisse, diese Täler zwischen Hügeln sich preis, noch im Wuchten der Felsblöcke war erstarrter Sturm.[9]

Andererseits läßt sich *Bildbeschreibung* weithin nach dem Muster des Films verstehen mit Totale, Schwenk, Großaufnahme und sogar einer Sequenz, in der der Film rückwärts läuft – wie es Godard, in der Absicht bewußtmachender Reflexion auf das Darstellungsmedium Film, oft praktizierte.[10] Was also bleibt vom Theater? Der Nachspann verweist auf *Alkestis*, das No-Spiel *Kumasaka* und Shakespeares *Sturm*. Als »Übermalung« der *Alkestis* des Euripides könne der Text gelesen werden – also als ein bewußtes Zum-Verschwinden-Bringen der alten Tragödie, von der zwar ein Thema (die Rückkehr der Frau aus dem Totenreich) noch erkennbar bleibt (wie z. B. von den übermalten Vorlagen eines Arnulf Rainer meist noch ein Rest sichtbar bleibt), die aber ansonsten bewußt *unsichtbar* gemacht wird. Das No-Spiel und Shakespeares *Tempest* werden dagegen nicht übermalt, sondern zitiert. Auch in *Kumasaka* spielt die Wiederkehr der Toten eine Rolle, vielleicht aber zielt der Verweis vielmehr auf die No-*Bühne* und ihre traditionell mit einer stilisierten Kiefer im Hintergrund verzierte Rückwand. Der Text spielt auch an mehreren Stellen auf die Theatermaschinerie an. So denkt man bei der Vermutung, das Gebirge der dargestellten Szenerie könne aus einem »unterirdischen Ausstellungsraum« stammen, an einen Theaterfundus und an die Requisiten, bei dem »Greifarm«, der vielleicht das Haus in die Landschaft verbracht haben könnte, an die antike Mechané, und bei der Frage nach der Realität des Himmels – »auch die Wolken, wenn es Wolken sind, schwimmen vielleicht auf der Stelle, das Drahtskelett ihre Befestigung an einem fleckig blauen Brett mit der willkürlichen Bezeichnung Himmel« – stellt sich neben der Erinnerung an manche Bilder Margrittes der Gedanke an eine Bühnendekoration ein.

Die eigentliche Theatralik aber resultiert aus der Dramatisierung einer Bewußtseinslandschaft, deren Widersprüche, Phantasien und Erinnerungen sich verselbständigen, Protagonisten einer gewalttätigen Szene, die das Ich ebenso wie den Rahmen des Bildes, das man mit dem zentrierenden Blick erfassen könnte, sprengt. Als Text über das Theater ist *Bildbeschreibung* ein Text über das Theatron, den Zuschauerraum des antiken Theaters, wörtlich: ein Raum zum Schauen. Wichtiger als das Drama auf der beschriebenen Bühne (das Müller im übrigen so oder ähnlich schon öfter dargestellt hat) ist die Szene, in der ein Betrachter einem Bild begegnet, zwei Blicke sich den Rang streitig machen, ein Realitätsmodus zwar nicht jenseits, aber am Rand des Denkens der Repräsentation sich entfaltet.[11]

Anmerkungen

Bildbeschreibung wird zitiert nach: Heiner Müller, *Shakespeare Factory 1*, Berlin 1985, S. 7–14. Kursive Hervorhebung in den Zitaten vom Verfasser.

1 Heiner Müller, *Rotwelsch*, Berlin 1982, S. 115.
2 Verf., *Intertextualität als Problem der Inszenierung*, in: Christian W. Thomsen (Hg.), *Studien zur Ästhetik des Gegenwartstheaters*, Heidelberg 1985, S. 33–45.
3 Genia Schulz, *Abschied von Morgen. Zu den Frauengestalten im Werk Heiner Müllers*, in: Text und Kritik 73 (*Heiner Müller*), S. 58–70.
4 Müller, *Rotwelsch*, S. 65.
5 Ebd., S. 72.
6 Verf., *Raum-Zeit*, in: Text und Kritik 73 (*Heiner Müller*), S. 71–81.
7 Text nach einer aufgezeichneten Lesung.
8 Die Bildvorlage lag Verf. in Kopie vor. Es gibt keine signifikanten Abweichungen, die Beschreibung ist »korrekt«. Es fällt nur auf, daß die Formulierung »der Arm ist am Handansatz vom Bildrand abgeschnitten« nicht nahegelegt wird. Hier ging es wohl um die Einführung des Wortelements »abgeschnitten«. Außerdem läßt – was aus Müllers Beschreibung kaum hervorgeht – das Bild an den Topos einer Verkündigung Mariae denken.
9 Hugo von Hofmannsthal, *Gesammelte Werke. Erzählungen, Erfundene Gespräche und Briefe, Reisen*, Frankfurt/Main 1979, S. 566.
10 Müller bezieht sich öfter auf Godards Filme. Vgl. z. B. *Theaterarbeit*, Berlin 1975, S. 126: »Der Riß zwischen Text und Autor, Situation und Figur, provoziert/zeigt an die Sprengung der Kontinuität. Wenn das

Kino dem Tod bei der Arbeit zusieht (Godard), handelt Theater von den Schrecken/Freuden der Verwandlung in der Einheit von Geburt und Tod.« – Diese für das Verständnis von *Bildbeschreibung* aufschlußreiche Formulierung trifft ins Zentrum der thematisch-formalen Komplexion von Müllers Werk. Vgl. dazu Genia Schulz, *Heiner Müller*, Stuttgart 1980, S. 1–22.

11 Die Kohärenz der Motive des Textes wird hier nur am Rand diskutiert. Doch zeigt ein Blick auf frühere Arbeiten Müllers, daß er in der Beschreibung des Bildes fortwährend auf früher formulierte Themen zurückkommt. *Herakles 2 oder die Hydra* weist schlagende Parallelen zu Struktur und Motiven der *Bildbeschreibung* auf. In *Traktor* ist die Rede vom »lebenslangen Sehzwang« oder dem »Bombardement der Bilder«, mit dem verblüffend analogen Zusatz »Baum Haus Frau«! Es gibt ein Gedicht, das vom Wunsch handelt, die tote Frau auszugraben (*Germania Tod in Berlin*, Berlin 1977, S. 30). *Todesanzeige* schildert, wie der Erzähler, der, nach Hause kommend, seine Frau tot findet, sich selbst sieht, wie er sich selbst, in einem Türrahmen stehend, Theater spielen sieht – Spaltung des Ich in eine Szene und einen Betrachter. Allgegenwärtig in Müllers Texten sind die tötenden und bedrohlichen Vögel, auch als Mischwesen wie in *Bildbeschreibung*, so etwa der »hundsköpfige Adler« des in *Zement* eingefügten Prometheustextes. Auch die unheimliche Bedrohung durch Blinde (*Liebesgeschichte*) kommt früher vor, ebenso die eigentümliche Konstellation Frau (Medea) – Gift – Sonne (*Medeamaterial*). Dort auch der Spaltungsthematik von *Bildbeschreibung* nahe Wendungen wie Medeas Wunsch, sie wolle »die Menschheit in zwei Stücke brechen/ Und wohnen in der leeren Mitte Ich / kein Weib kein Mann ...«; ein Himmel, der »eisige Aufsicht« übt; Formeln wie »Landschaft meines Todes« und wörtliche Parallelen wie »Wolken unbekannter Bauart«, ein Ausdruck, der also ebenfalls nicht etwa durch das vorgegebene Bild erst hervorgerufen wurde. Die Liste ließe sich fortsetzen bis zu den Grundmotiven des Inhalts (Schuld, Haß, Fremdheit zwischen den Geschlechtern, Ich-Spaltungen, Zusammenhang von Mord, Arbeit, Geschichte usw.).

Manfred Jäger
Eine passende Mütze für die achtziger Jahre?
Kabarettistische Repertoirestücke als theatralische Mischform

Das Kabarett wird in der DDR zusammen mit Rock und Pop, Folklore und Chanson, Zirkus und Artistik der sogenannten »Unterhaltungskunst« zugeschlagen. In dieser Einordnung erscheint vielen die Nähe von Kabarett und Theater, von Kabarett und Literatur aus der Sichtweite geraten. Brettl-Darsteller sehen den Theaterverband, Sketch-Autoren den Schriftstellerverband als ihre Berufsorganisationen an. Die Direktive des Kulturministeriums, bis 1990 müsse jede Bezirksstadt mindestens ein Berufskabarett haben, ließ und läßt sich in der Regel nur dadurch verwirklichen, daß die bestehenden Stadttheater geeignete kleine Spielstätten besorgen und ausgewählte Schauspieler aus ihren Ensembles dort mit Kabarettprogrammen auftreten lassen.

Der rege Zuspruch des Publikums führt dazu, daß diese Programme bis zu zwei Jahren auf dem Spielplan bleiben, daß ältere zusammen mit dem jeweils aktuellsten ein Repertoire bilden. Improvisation und spontaner Einfall als Reaktion auf die jeweiligen Tagesereignisse bleiben die rare Ausnahme, weil die Spieltexte vor einer Abnahmekommission verantwortet werden müssen. Aus all diesen Gründen wirkt das Kabarett in der DDR besonders theaternah. Die Arbeitsteilung von Autor und Interpret ist die Regel. Neben die »Hausdichter«, die speziell für bestimmte Spieler schreiben, deren Stärken sie gut kennen, traten Schreiber, die für die verschiedensten Ensembles Vorlagen liefern. Einer von ihnen, Peter Ensikat, betonte mehrfach die Gefahr, daß die rein quantitative Ausweitung und die nur am Amüsierbedürfnis der Zuschauer orientierte Erfolgskontrolle dem Niveau des DDR-Kabaretts schaden könnte.

Mehr Kabaretts machen nicht unbedingt besseres Kabarett, viele Kabaretts bedeuten noch längst keine Vielfalt. [...] Wir haben es leichter als früher. Wir werden nicht nur besser bezahlt, die Texte werden uns förmlich aus der Hand gerissen. Da gibt ein Kabarettdramaturg oder -direktor dem anderen die Klinke in die Hand, und alle wollen neue Texte. Welchem Autor gelingt es da noch, bessere Texte zu schreiben? Wir schreiben mehr. Die Zeit, die man früher brauchte, um Änderungswünschen von Dramaturgen oder Darstellern zu entsprechen, diese Zeit sparen wir uns für neue Texte. Denn wenn der eine meinen Text nicht so will, wie er ist, will ihn der andere. Wichtig scheint in erster Linie immer noch zu sein, daß jedes Kabarett jedes Wort uraufführt. Nachspielen gilt für viele als ehrenrührig. Längst nicht mehr für alle, zum Glück.[1]

Dem Nachspiel-Angebot konnte dadurch Nachdruck gegeben werden, daß man anstelle der üblichen Nummernfolge Kabarettstücke mit durchgehender Handlung verfaßte. Am bekanntesten wurden die beiden von dem Autorenteam Peter Ensikat und Wolfgang Schaller zunächst für die Dresdner ›Herkuleskeule‹ geschriebenen Stücke *Bürger, schützt eure Anlagen oder Wem die Mütze paßt* (uraufgeführt 1980)[2] und *Wir sind noch nicht davongekommen oder Aus dem Leben eines Taugewas* (uraufgeführt 1984). Gastspiele bei den in zweijährigem Turnus in der thüringischen Bezirksstadt Gera stattfindenden »Werkstattagen der Berufskabaretts« führten 1981 bzw. 1985 zu bemerkenswerten, teilweise kontroversen Diskussionen unter den Fachleuten.

Da das ältere Stück 1983 vom Henschel-Verlag als Buch herausgebracht und in der DDR inzwischen über zwanzigmal inszeniert wurde, soll es hier als Beispiel dienen und ausführlicher betrachtet werden. Daß die Germanistik in Ost und West, die unbedeutenderen Erzeugnissen, wenn sie nur in seriösem Gewand daherkommen, ohne Zögern Aufmerksamkeit schenkt, an solchen Arbeiten gern vorübergeht, liegt an der traditionellen Unterbewertung der Kleinkunst-Mischformen in Deutschland. Sogar die Versuche der Befürworter des Experiments, die Gattung zu definieren, benennen ungewollt ein Manko: »stücknahe politische Kabarettrevue« (Hanskarl Hoerning)[3] und »fast schon ein Gegenwartstheaterstück« (Adelheid Wedel).[4] Es klingt so, als fehle doch noch etwas, als habe es zum »richtigen« Stück nicht ganz, eben nur beinahe gereicht. Das korrespondiert mit dem klischeehaften theaterkritischen Urteil, ein Bühnenwerk weise kabarettistische Züge auf, was allemal auf einen Tadel hinausläuft. Die satirische Kabarettrevue im Deutschland der zwanziger Jahre antwortete auf die Ausstattungsrevue der großen Varietés mit minimalem Aufwand.[5] Die aneinandergereihten Szenen und Bilder (mit Gesang und Tanz) wurden durch die Conférence zusammengehalten. Damit die Einzelteile nicht ein bloßes Potpourri ergaben, wählte man einen meist wortspielerischen Titel, der so weit gefaßt war, daß auch Heterogenes zum Thema zu passen schien. Die Kabarettstücke von Ensikat/ Schaller verzichten zwar nicht auf diese Konvention der komponierten Nummernrevue, und sie bedienen sich auch der erprobten parodistischen Kleinformen, aber all dies wird überwölbt durch eine immer gegenwärtig bleibende Fabelführung, deren Gewicht daher viel stärker durchschlägt als es eine Rahmenhandlung tun könnte, die nur an den Anfangs- und Endpunkten Signale zu setzen vermag, weshalb man sie über weite Strecken aus den Augen verliert und oft nur durch direkte Verweise des Conferenciers wieder auf sie zurückgeführt wird.

Dem langen Titel ihres ersten gemeinsamen Stücks haben die Autoren – anstelle einer Gattungsbezeichnung – noch den Untertitel *Satirische Sätze aus dem Nachlaß vom Roten Paul* hinzugefügt. Das erinnert auf den ersten Blick an die Form, in der Adolf Endler bei seinem ironischen Prosaband *Nadelkissen* eine Herausgeberschaft fingierte: *Aus den Notizzetteln Bobbi Bergermanns – im Auftrag der geschiedenen Witwe*. Aber es handelt sich nicht um die Imitation oder Parodie der aus der Literaturgeschichte wohlvertrauten angeblichen Edition eines durch Zufall aufgefundenen oder im Vertrauen überlassenen Manuskripts. Denn der Genosse Paul war kein Schreiber, bei dem man nach dem Tode satirische Texte hätte finden können. Sein Nachlaß besteht in der Erinnerung der Hinterbliebenen an sein bewegtes Leben, und aus dieser Biographie werden im Verlauf des Stücks satirische Sätze abgeleitet, die all denen von Nutzen sein könnten, denen Pauls Mütze paßt, seinen mutmaßlichen geistigen Erben also. An die Stelle des Tricks, einer erfundenen Figur die Autorschaft zuzuschieben, tritt der moralische Anspruch, dem Vorbild nachzufolgen, das sich durch Unangepaßtheit auszeichnete und dadurch die geradlinige Karriere verfehlte. Statt des korrekten, aus 17 Wörtern bestehenden Gesamttitels hat sich in der DDR auch die inoffizielle Kurzform *Pauls Mütze* eingebürgert.

Das »Stückchenstück« besteht aus der Montage von 19 Einzelteilen, die mit knappen Überschriften versehen sind, von denen einige nur die benutzte Form (Requiem, Wiegenlieder, Gebet, Anekdote, Kantate) anzeigen. Das Personal bleibt anonym, die Akteure sind von 1 bis 5 durchnumeriert. 1, 2 und 3 werden von Männern, 4 und 5 von Frauen gespielt. Zu Beginn soll ein Denkmal zu Ehren Pauls eingeweiht werden. Alle haben sich an seinem Grab eingefunden, und mit einer Gedenkrede und einem weltlichen Requiem (»scheinheilig zu singen und ehrlich zu sprechen«) wird des

Verstorbenen gedacht. Als danach das weiße Tuch vom Denkmal fällt, zeigt sich nicht der in Stein gehauene werte Verblichene, sondern ein Kleiderständer, an dem seine Mütze und ein paar andere Requisiten hängen.

Der Held des Stücks ist während des Theaterabends nur als Garderobenständer anwesend. Wenn sich einer der Darsteller Pauls Mütze aufsetzt, spielt er nicht deren früheren Besitzer – Rückblenden kommen in der Handlung nicht vor. Der jeweilige Mützenträger hat vielmehr vorzuführen, wie er mit Situationen der achtziger Jahre fertig würde, hätte er die Möglichkeit und die Kraft, wie jener Paul zu handeln.

Die rasche Verwandlung der Figuren durch die Veränderung markanter Details in Maske und Gewandung ist ein im Kabarett seit jeher beliebtes Mittel, das zügigen Szenenwechsel garantiert. Viele Redewendungen stellen Bezüge zwischen Kleidungsstücken und dem Charakter oder Temperament ihres Trägers her. Es wird befürchtet, die Schuhe, in die der Neuling geschlüpft sei, könnten sich für ihn als ein paar Nummern zu groß erweisen, oder es wird erhofft, jemand werde schon noch in den einstweilen schlabbrig weiten Anzug hineinwachsen. Einer, der sich von Kritik nicht betroffen fühlen will, verkündet, die Jacke werde er sich nicht anziehen. Die Symbolkraft der Mütze erlaubt besonders weitreichende Assoziationen: die traditionelle Arbeitermütze, die Schirmmütze, signalisiert die Zugehörigkeit zum Proletariat, erinnert an gute alte Werte, für die sich die Klasse einst im revolutionären Kampf stark gemacht hat. Weil diese Kopfbedeckung aus der Mode gekommen zu sein scheint, kann man im Spiel mit ihr anschaulich und überzeugend Diskrepanzen zwischen Ideal und Wirklichkeit vermitteln.

Um besser verstehen zu können, welchen Maßstab Paul für die Bewertung heutiger Zu- und Mißstände abgibt, muß seine Biographie herangezogen werden, wie sie sich im Lauf des Stücks aus den Erinnerungen aller Spieler, die ihn kannten, ergibt: Geboren 1915, wurde der rote Paul nach der Befreiung aus dem KZ Buchenwald FDJ-Funktionär und Aktivist der ersten Stunde. Aufgrund diverser politischer Fehler erhielt er im Lauf der Zeit mehrere Parteistrafen, weil er undiszipliniert verschiedentlich von der Linie abwich und seinen Kopf zum Selberdenken im Sinne seiner kommunistischen Überzeugung benutzte. Ablösung von der Funktion, Zurückstufung in die Produktion, hoher persönlicher Einsatz in der

Arbeitswelt und daraufhin Berufung in eine neue Funktion – dieser Kreislauf kehrt ständig wieder. Was ihm als Fehler und Abweichung angekreidet wird – mit erheblichen Konsequenzen für sein Leben –, erklärt die Partei in der Regel später zur Basis oder wenigstens zum Bestandteil ihrer Politik. Paul leistet sich so gut wie kein Privatleben, obwohl er Familie hat und kaum Krankheiten. Nachdem er wieder einmal als Betriebsleiter eingesetzt ist und sich dort erfolgreich durchsetzt, ereilt ihn ein plötzlicher Tod:

Die Ärzte untersuchten den sterblichen Rest
und stellten den üblichen Herzinfarkt fest.
Nebenbei haben sie sehr viele Narben verheilter Wunden
an Paules roter Seele gefunden.
Und ob ihr darüber nun lacht oder weint –
sie stammten nicht alle vom Klassenfeind. (S. 43)

Wenn es einmal von Paul heißt, er sei ein Genosse gewesen, »wie er im Buche steht« (S. 11), wird damit auch auf literarische Traditionen angespielt. Figuren dieses Typus hat es in kritischen Texten aus der DDR immer wieder gegeben. Die Landwirtschaftspolitik bot zum Beispiel Gelegenheit, Konflikte zwischen auf eigene Faust handelnden Kommunisten und der Partei aufzugreifen. Die tragische Variante lieferte Ole Bienkopp in Erwin Strittmatters Roman, die komische Moritz Tassow in Peter Hacks' Theaterstück. Tassow sieht nicht ein, daß die Bodenreform, die das Besitzdenken der Kleinbauern stimuliert, kommunistisch sein soll. Ole Hansen, der Bienkopp genannte eigenbrötlerische Imker, gründet gegen den Widerstand der lokalen Funktionäre und ohne Weisung von oben eine Genossenschaft, was ihm als parteischädigendes Verhalten angekreidet wird. Zum Glück hat er seine Initiative erst verwirklicht, als die neue sozialistische Politik auf dem Dorfe schon in der Luft lag. »Denn als schon im Juli 1952 auf der II. Parteikonferenz der SED die Gründung landwirtschaftlicher Produktionsgenossenschaften (LPG) beschlossen wird, findet Ole seine Pionierarbeit bestätigt«, heißt es im Romanführer des Ostberliner Verlags Volk und Wissen.[6] (Der Held scheitert erst später, als er den Kampf gegen die von der Partei propagierten Rinder-Offenställe verliert, die zur Dezimierung des Viehbestands führen. Auch in diesem Fall sieht die Führung ihren Fehler später ein und korrigiert die falsche Direktive im Sinne der vorher als »objektiv feindlich« gescholtenen kritischen Einzelgänger.)

Das politische Leben des Paul wird von dem beschriebenen Grundkonflikt geprägt. Er ist eine Modellfigur, direkt aus dem literarischen Leben gegriffen, er könnte auch Ole Tassow oder Moritz Bienkopp heißen und viele andere Namen dazu tragen, weil er einen universellen Gegensatz repräsentativ vorzeigt, der in der gesellschaftspolitischen Diskussion nicht aufgenommen wird, denn der »demokratische Zentralismus« gilt als eine Bedingung der unantastbaren Machtstruktur und ist daher zumindest außerhalb der literarischen Fiktion ein Tabuthema. Ensikat und Schaller fassen Pauls Erfahrungen von 1945 bis in die fünfziger Jahre so zusammen:

In den Köpfen steckten noch Krieg und Faschismus –
da sprach Paul schon vom Kommunismus.
Er schoß für die Zeit also weit übers Ziel,
und rein theoretisch verstand er nicht viel
von Taktik und Strategie.
Für ihn galt nur: Jetzt oder nie!
Man hat ihn mehrmals auf Lehrgang geschickt,
doch da ist er praktisch meist eingenickt.
So hat man ihn schließlich aufs Dorf verbannt,
was Paul aber nicht mal als Strafe empfand.
Er warb dort im Namen der SED,
bevor sie das guthieß, für die LPG.
Was tut man mit einem guten Genossen,
der wieder mal über das Ziel geschossen
und mit bestem Willen nur Schaden anrichtet?
Man schickt ihn dorthin, wo man malt oder dichtet.
So wurde Paule Kulturfunktionär,
und alle dachten, da stört er nicht mehr (S. 41 f.)

Die als politisch Handelnde Gescheiterten sehen sich in den für unwichtiger gehaltenen Kulturbereich abgedrängt: Moritz Tassow beschließt Schriftsteller zu werden, weil ihn das der Verpflichtung enthebt, »kapiert zu werden oder Anhänger zu haben«,[7] und Paul soll durch die Entfernung aus dem Entscheidungsfeld Ökonomie kaltgestellt werden. Ein gewichtiger Unterschied besteht freilich darin, daß Tassow, der verkappte Intellektuelle, aufgrund theoretischer Positionen mit der Linie in Konflikt gerät, während der Arbeiterfunktionär aus praxisnahem Instinkt spontan das richtige Handeln antizipiert. Auch in seinem neuen Aufgabengebiet, wo man bloß malt, dichtet oder musiziert, eckt er bald wieder an:

Doch dann kam die Diskussion um den Jazz
und da sprach Paule den feindlichen Satz:
Zwar klingt die Musik für uns Alte verwegen,
doch wenn die Jungen sie lieben, hab ich nichts dagegen.
Womit man klar erwiesen fand,
daß Paul nicht mal von Kultur was verstand (S. 42)

Zur Bewährung in die Produktion geschickt, überbietet er dort sogleich die Norm, bezieht deswegen von den Kollegen zunächst
Prügel, bis sie seine Autorität anerkennen und ihn zum Brigadier
machen. Als er sich jedoch zum Fürsprecher ihrer materiellen Interessen erhebt, wird er durch Beförderung erniedrigt: er fällt ganz
steil nach oben in die Plankommission, wo er jedoch skeptisch über
die in den sechziger Jahren hochgeschätzte Kybernetik redet, was
wiederum zu seinem »gesetzmäßigen Sturz« führt, denn wieder
hatte er einen schweren Fehler begangen, »der erst viel später als
richtungweisend erkannt wurde« (S. 11).

  Die verknappte Kompilation von vertrauten Handlungselemen-
ten aus zahllosen belletristischen Werken hat natürlich auch parodistische Züge. Aber im Unterschied zu den meisten Vorlagen, denen
das kabarettistische Konzentrat zu verdanken ist, stellt Paul die
Personalunion von treuem Genossen und spontanem Selbsthelfer
dar. In den Gegenwartsromanen und erst recht in den Gegenwarts-
stücken wird der Widerspruch auseinandergefaltet und auf Spieler
und Gegenspieler aufgeteilt. Oft wird der gutwillige, mitdenkende,
aber leider immer wieder übers Ziel hinausschießende oder am
jeweiligen Erkenntnisstand oder auch an den realpolitischen Begrenzungen der Partei vorbei handelnde Einzelgänger einem be-
dächtigen und weitblickenden Funktionär gegenübergestellt, und
damit dessen Weisheit noch strahlender leuchtet, darf dieser sich
nicht selten auch noch von einem administrativ-borniertem oder sogar dogmatischen Genossen absetzen, der natürlich die von oben
kommenden Anleitungen und Weisungen nur mißversteht oder
mißachtet.

  Auch die Komödie des Peter Hacks bietet solche Dreierkonstella-
tion, wobei der Autor nur den beschränkten Funktionär Blasche
desavouiert, der als »neuer Mensch« ins Amt einrückt, während
Tassow und Mattukat, die eigentlichen Kontrahenten, die noch miteinander zu diskutieren vermögen, abtreten. Mattukat bestreitet
dem Tassow die Berechtigung, eines Tages »recht zu haben«, also
seiner Zeit voraus gewesen zu sein. Da das Verwirklichte zugleich

das Richtige war – von den sogenannten Überspitzungen abgesehen, die gemeinhin subjektiver Unzulänglichkeit zugeschrieben
werden –, entfällt vom Standpunkt der Partei aus die Notwendigkeit einer Fehlerdiskussion, denn die Korrektur erfolgt erst, wenn
die Zeit dafür reif ist, in der sogenannten neuen Entwicklungs-
etappe. Diese Position (in Mattukats Worten: »Recht haben kann
man nie als hier und heut«[8]) erhält bei Ensikat/Schaller keine
Stimme mehr.

Paul hatte in den verschiedenen Kontroversen recht, und die Partei hat dies bestätigt, indem sie nachzog. Freundlich ausgedrückt,
heißt dies, die SED schafft es, kritische Haltungen zu integrieren,
die demjenigen viel Ärger, Krankheiten, Wunden und Narben eingebracht haben, der sie »zur Unzeit« einnahm. Das ist ein ähnlicher
Optimismus wie in den Schlußzeilen von Wolf Biermanns 1963 ge-
schriebenem Gedicht *Frühzeit* über den durch Klingeln störenden
Sohn, der am Sonntagmorgen Milch geholt hatte:

Die Zufrühgekommenen sind nicht gern gesehn.
Aber ihre Milch trinkt man dann.[9]

Ausgespart bleiben kritische Punkte, bei denen Paul recht gehabt
haben könnte, ohne daß die Parteipolitik wenigstens verspätet dies
einräumte. Insbesondere denkt Paul überhaupt nicht daran, dagegen zu protestieren, daß er bei jedem Widerspruch von Belang abgesetzt, bestraft oder wenigstens auf einen anderen Arbeitsplatz berufen wird. Enttäuschung oder Resignation kennt er nicht, er läßt
durch solche Stimmungen jedenfalls nicht sein bewußtes Handeln
bestimmen. An jedem Platz, auf den die Partei den roten Helden
hinstellt, gibt er sogleich wieder sein Bestes. Er denkt nicht an die
Karriere und überlegt folglich auch nicht, ob ihm diese oder jene
Äußerung schaden kann. Sogar in Leitungsfunktionen bleibt er Arbeiter in Stil und Auftreten, verlottert nicht zum arroganten Bonzen. Treue zu seiner Herkunft und zu seinen Idealen gehören zu
Paul ebenso wie seine Bereitschaft, für die Partei auch diejenigen
Leiden zu ertragen, die sie ihm zufügt. Man darf unterstellen, daß
es für ihn ein unerträglicher Gedanke wäre, aus der Gemeinschaft
der Kampfgefährten ausgeschlossen zu werden.

Erst auf der Folie dieser übertreibenden Idealisierung ist es wirkungsvoll möglich, eine Reihe von Tabus aufzugreifen. Der positive Held erscheint zugleich als Exponent einer kritischen Einstellung. Sie ist durch die Vorfälle verbürgt, die die auftretenden

Personen aus Pauls Leben kennen. Die Widersprüche der DDR-Wirklichkeit bündeln sich so in einer einzigen Figur, die aber gar nicht leibhaftig erscheint, sondern der Imaginationskraft der Zuschauer überantwortet wird. Durch diesen Kunstgriff vermeiden die Autoren den Vorwurf der Unglaubwürdigkeit. Im übrigen spricht man über einen Toten, und da sind Beschönigungen üblich.

Wenn einer tot ist und war nicht bequem,
dann nennt man ihn rastlos.
Man ist ihn ja fast los.
Als Denkmal ist keiner mehr unangenehm (S. 12)

In der Gedenkrede wird von Mützenpaul gesagt, selbst im Wolga habe man ihn noch für den Chauffeur gehalten. Das Verhältnis von oben und unten in einem Staat mit verstaatlichten Produktionsmitteln hat innerhalb der DDR-Literatur Volker Braun am gründlichsten behandelt, vor allem in dem Prosatext *Die Tribüne,* dem vierten Stück des Bandes *Das ungezwungene Leben Kasts,* und in den verschiedenen Versionen des *Hinze und Kunze*-Stoffs. Ensikat/Schaller greifen mit ihren kabarettistischen Mitteln das gleiche Thema auf – nicht nur in den Anspielungen auf das Verhältnis leitender Genossen zu Dienstwagen und Fahrer. Sie überantworten wortspielerisch das ungeklärte Verhältnis von Funktionärsschicht und Arbeiterklasse dem Nachdenken der Zuschauer:

Obwohl unser Paul immer einen festen Standpunkt hatte, wechselte er doch manchmal sein Dienstfahrzeug – heute Wolga, morgen Tatra-Straßenbahn. Denn Paul hatte seine Fehler immer auf eigene Verantwortung gemacht, wozu er denn auch manchmal gezogen wurde. So bewährte er sich mehrmals in der Produktion. Mal war er also Schicht, dann war er wieder Klasse und arbeitete in drei Schichten, und zwar so klasse, daß er bald wieder Schicht wurde (S. 11)

Wer hat die Macht im Staat? Ob Klasse oder Schicht, wer Pauls Mütze auf hat, soll sich nach der Spielregel der Kabarettisten als Machtträger erweisen, mindestens als ein Teil jener kollektiven Kraft, die in der Theorie die Macht ausübt. Mag sein, daß das Sprichwort »Kleider machen Leute« weiter gilt, die Mütze aber macht noch nicht den Genossen mit Einfluß. Im Gegenteil, die mit Symbolkraft aufgeladene Kopfbedeckung wird innerhalb der Handlung zum Zeichen von Schwäche und Hilflosigkeit.

5 zu 3 Also, schreite ein. Stell dir vor: Du hast die Macht. *Setzt 3 die Mütze auf.* Du bist Arbeiter.

3 Ich hab die Macht. Stell ich mir vor. *Will die Mütze schnell wieder weiter-geben.* Ich bin aber bloß ein ganz kleiner Arbeiter! *Ruft 2 auf die Bühne.* Setz du die Mütze auf.
2 tritt auf Nein, ich nicht! Ich hab mir erst vor kurzem die Mütze aufge-setzt! Nie wieder! (S. 33)

Wenn es schon kläglich endet, sich wie in diesem Falle gegen einen unfreundlichen Busfahrer durchzusetzen, hat es wenig Sinn, Amts-träger in ihre Schranken weisen zu wollen. Von ihnen heißt es, daß sie Gedanken schlachten und auf die Linie achten, egal wohin sie führe. Der Wunsch nach »ein bißchen Amtsmißbrauch« wird von ihnen geäußert. Auch heißt es unter Anspielung auf den nicht mehr gesungenen Text Bechers zur DDR-Nationalhymne, daß sie mit Herzen aus Ruinen nur sich selber dienen wollen. Jeder Ansatz zum Widerstand gegen ihre Anmaßung bricht in einer lächerlichen Geste zusammen:

5 zu 3 Also, schreite ein! Sag was! Stell dir vor...
3 Ich hab die Macht! *Hilfesuchend zu 5* Die feixen!
5 Denk daran, wie es Paul gemacht hätte! Gibs ihnen!
3 stellt sich linkisch an Dudu! (S. 35)

Für alle diese Szenen des Scheiterns bietet sich eine deutende Lesart an, derzufolge die Kritik dem einzelnen gilt, weil er sich seiner wahren Macht nicht bewußt sei, weil er sich der Möglichkeiten be-gibt, die die sozialistische Gesellschaftsordnung biete. Insofern das Theater- oder Kabarettpublikum nicht in einer bloß rezeptiven Haltung verharrt, sondern sich mobilisieren läßt, könnte es an Trai-ningsstunden für aufrechten Gang teilnehmen. Noch im *Hinze-Kunze-Roman* Volker Brauns wird die Kritik am bürokratischen System durch den Tadel an denjenigen ergänzt, die ihr Einverständ-nis schon erklären, ehe eine Aufforderung ergeht. Ensikat/Schaller zitieren, was ihr Paule oft gesagt habe: »Feinde kann man bekämp-fen. Mit Mitläufern muß man leben« (S. 15)

Auf die operativen Wirkungen des Kabaretts zu setzen, ist nicht nur eine ideologische Leitlinie, sondern auch eine gattungsspezifi-sche Konvention. Die Kabarettstücke, die sich vom unverbind-licheren Amüsement des üblichen Nummernprogramms qualitativ absetzen wollen, betonen den Aufforderungscharakter ihrer Inten-tionen durch intensive Publikumsnähe. Schon der Titel *Bürger, schützt eure Anlagen* oder *Wem die Mütze paßt* stellt das klar. Die Chancen für Wortspielereien mit »Anlagen« werden nicht nur bei der Umweltthematik (Grünanlagen, Unterschied von privatem Garten und öffentlichem Park usw.) genutzt, sondern auch für Reflexionen über den Umgang mit den eigenen Talenten und Fähigkeiten. (Bemerkenswert ist, daß die lukrative Geldanlage im Sozialismus entfällt und folglich Spiele mit diesem Wortsinn außer kabarettistischem Betracht bleiben.)

Der Aufruf an die Bürger, ihre Anlagen vor der Deformierung durch die Umwelt (S. 16) zu schützen, stößt jedoch auf eine Zuhörerschaft, die durch Ohnmachtserlebnisse entmutigt ist. Würden die Autoren dies nicht beachten, verlören sie ihre Glaubwürdigkeit. Die mechanistische Entgegensetzung fehlerhafter Menschen mit einer lobenswerten Gesellschaftsordnung mag weiter ideologische Geltung beanspruchen, als Maxime einer vom Publikum akzeptierten künstlerischen Wirklichkeitsdeutung kann sie nicht taugen.[10] Die alte Losung, das Instrument sei gut, es könnten nur noch nicht alle fehlerfrei darauf spielen, wird daher von den Praktikern des Kabaretts längst nicht mehr akzeptiert. Die Erziehungsfunktion, die ihm aber häufig noch von außen aufgebürdet werden soll, können sie aber dennoch nicht rundheraus von sich weisen. Der Gestus der Besserwisserei entfernte die Akteure jedoch vom Publikum. Wenn dem Satiriker schon zugestanden werden muß, daß er klüger sei als die Zuschauer, dürfen sie es doch nicht merken, weil sonst ihr Lachen im Mißtrauen gegenüber der Bevormundung ersticken würde. Das führte zu der Einsicht, daß das Kabarett nicht eine bestimmte Auffassung zu konkreten Problemen »in die Massen hineintragen« kann. Das »Eingreifen in die gesellschaftlichen Prozesse« wird daher neuerdings von manchen Kennern des Metiers als das Bemühen beschrieben, eine anti-resignative Haltung zu erzeugen oder zu bestärken:

Der Satiriker formuliert die Meinung des Mannes im Publikum, nur besser, als der sie sich denken konnte. So funktioniert Didaktik im Kabarett, die man aber nicht überschätzen soll. Tiefe Einsichten in gesellschaftliche Gesetzmäßigkeiten und Impulse zur praktischen Bewältigung von Problemen gehen von Satire wohl kaum aus. Im Grunde pfeift jedes Kabarettprogramm neu die alte Melodie: Nicht unterkriegen lassen, stur sein![11]

In den Kabarettstücken vom Typus *Pauls Mütze* wird das Publikum mit einem zwar widersprüchlichen, aber insgesamt sympathischen Helden konfrontiert, der sich nicht unterkriegen läßt. Die ihm folgen sollen, scheitern jedoch innerhalb der szenischen Vorgänge.

Sie setzen sich seine Mütze nur widerwillig auf. Sie erfahren, was sie schon immer gewußt haben: von den proletarischen Insignien der Herrschaft geht keine Zauberkraft aus. Die dringliche Empfehlung, der Arbeiter solle sich »wie herrschende Klasse« verhalten, wird durch Alltagserfahrung desavouiert. Keiner will die Mütze eigentlich haben – nur die Kabarettisten suchen unbeirrt passende Köpfe.

Am Schluß des Stücks, wenn die ersten Zuschauer schon aufstehen, soll sie ihnen aufgedrängt werden:

Moment mal, bitte! Pauls Mütze hängt noch hier. Und Sie wollen den Saal verlassen, ohne sie sich aufzusetzen? Das ist Flucht vor dem Freund! (S. 59)

Selbstverständlich stößt das Angebot auf keinerlei Interesse. Die forcierte Einbeziehung des Zuschauers schafft in der Regel peinliche Situationen, aus denen verlegenes Lachen heraushelfen muß. Die Kabarettisten münzen die erwartbare, eigentlich selbstverständliche Zurückhaltung in eine billige Schlußpointe um: Sie danken für den »überwältigenden Beweis einmütiger Unschuld« und wünschen »einen geruhsamen Abend im Kreise Ihrer Eigenliebe«. Zu zaghaft, um als Publikumsbeschimpfung gelten zu können, wirkt das Stückfinale als Rückfall in die abgedroschene Ermunterungspädagogik im Stil von »Nicht nur lachen – besser machen!«.[12]

Der Ärger über die passiven Leute muß auch deshalb deplaciert wirken, weil innerhalb des Stücks mehrfach Gründe für das Scheitern von Aktivierungskampagnen geliefert wurden. Die Überfütterung mit Wettbewerbsverpflichtungen und mit propagandistisch aufgeputzten Vorbildfiguren, denen es nachzueifern gelte, dient den Autoren als Basis einer ambivalenten Kritik, die nicht den Einzelnen zum Hauptschuldigen stempelt. So soll in der Szene *Ein Vorbild am andern* eine Schule den »verpflichtenden Namen« Paul Mütze erhalten – dann könne man immer allgemein und nichtssagend versprechen, man eifere seinem Vorbild Paul nach (S. 48). An anderer Stelle überlegen die Akteure, ob sie es riskieren sollten, die fatale Mütze einfach jemandem in der ersten Reihe aufzusetzen. Unbedingt soll einer gefunden werden, der – anstatt nur am Biertisch zu fluchen – offen Beschwerde führt und für eigenes und fremdes Recht streitet.

4 Denn nur, wenn wir uns für seine menschlichen Ziele einsetzen, führt der Sozialismus zum Sieg.

3 Und zum Kreislaufkollaps.
5 Es sei denn, dir gelingt es vorher, in eine Klapsmühle aufgenommen zu werden.
1 Aber man hat ja nicht überallhin Beziehungen.
4 Du meinst also: Wenn du dich überall für deine Rechte einsetzt, wirst du irre?
2 Na und? Da hast du wenigstens was erreicht. (S. 35)

Es wäre unvorstellbar, das Stück mit einer solch scharfen Pointe abzuschließen. Innerhalb des Kontexts werden die rücksichtslosen Spitzen durch ausgewogene Ergänzungen wieder abgeschliffen – auf dem Heimweg soll keiner eine radikal bissige Quintessenz als letztes Wort im Ohr haben.

Die Leitlinie, daß die Bevölkerung die Probleme durch eigenes Handeln »prinzipiell« lösen kann, dürfte aber nicht die Grenzen fürs Kabarett markieren, sie müßte selber Objekt der satirischen Bearbeitung sein. Denn »im Prinzip ja« ist die unfreiwillig komische Antwort, die der »historische Optimismus« der herrschenden Weltanschauung auf alle Anfechtungen parat hat, die von den Fakten herrühren. Gisela Oechelhaeuser-Keller, Germanistin, lange im Ensemble der Leipziger »academixer«, heute in Ostberlin Vizepräsidentin des Komitees für Unterhaltungskunst, beharrt als Kulturfunktionärin auf dieser Grundhaltung:

Die Komik beruht in der aus Erfahrung gewonnenen Erkenntnis von der Vermeidbarkeit zu beobachtender Fehlhaltungen und von der Beeinflußbarkeit selbst äußerst komplizierter Bedingungen. Also rührt die Komik ursächlich aus dem historischen Optimismus unserer Gesellschaft. Aber, im konkreten, satirisch formulierten Beispiel tritt dieser Optimismus selten direkt auf, häufiger dagegen als Motor für Unduldsamkeit falschen Haltungen gegenüber. Als Methode, die genannten falschen Haltungen durch ihre öffentliche satirische Darstellung in den Bereich der nachweislichen Beeinflußbarkeit zu rücken.[13]

Historischer Optimismus und fatalistische Ausweglosigkeit – diese Gegenüberstellung erschiene sogleich als Scheinalternative, öffnete sich das Kabarett *allen* Auswegen. Dann erst geriete der Prozeß der Enttabuisierung nicht immer wieder ins Stocken. Die Kabarettstücke (und die thematisch gefaßten Nummernprogramme) sind durchaus schon ein Erweis größerer Freiräume. Vor allem ließ sich die Beschränkung auf gelöste oder (zum jeweiligen) gegenwärtigen Zeitpunkt lösbare Probleme nicht mehr aufrechterhalten.[14] Aus dem fröhlichen Verulken überwundener oder für überwunden gehaltener Schwächen waren und sind keine satirischen Funken zu schlagen, und das Aussparen der bedrängenden Probleme, deren Existenz entweder offiziell bestritten wird oder deren Lösung allenfalls in näherer oder fernerer Zukunft »heranreift«, nahm dem Kabarett die Chance zur Provokation. Ensikat/Schaller lassen ihre Figuren auch über das fortschrittliche rückschauende Lachen meditieren:

5 Nach vorne lachen heißt über das lachen, was hinter uns liegt.
3 Also: Wer zuletzt lacht, lacht am sichersten?
1 Genau. Wer zu früh lacht, lacht sich ins eigene Fleisch.
2 Deshalb sollten wir uns hüten, schon heute über Dinge zu lachen, die erst morgen offiziell als komisch erkannt werden.
3 Gibt es denn über das, was vor uns liegt, gar nichts zu lachen?
5 Doch. Aber erst wenn es hinter uns liegt. (S. 57)

Die komische Erinnerung an die einstige Verteufelung des Jazz oder an die Lobpreisung der Kybernetik als Allheilmittel ist nach wie vor gefahrloser als das Aufspießen der Dummheiten, die der Führung heute unterlaufen. Auch Ensikat/Schaller, die ja wissen, daß der Satiriker nicht »gerecht« sein und daß es in Wahrheit »satirische Besänftigung«[15] nicht geben kann, sind ab und an zu nachgeschobenen Abschwächungen genötigt. Nachdem sie mit Mut und Witz die Erziehung zu Anpassung, Duckmäusertum und Karrieredenken in der DDR-Schule angeprangert haben, ist prompt eine Rückversicherung fällig:

Zum Glück sind Tausende bei uns was geworden, ohne so erzogen zu sein. Denn wäre das nicht so, dann wäre aus uns allen nicht viel geworden (S. 17)

Neben solcher wohl absichtlich plumpen Begütigung, die das Recht auf satirische Übertreibung einfach preisgibt, nachdem es kurz zuvor keck und gekonnt in Anspruch genommen worden war, findet sich auch die witzig gemeinte Generalprävention für den real existierenden Sozialismus, der trotz der angeprangerten Verhaltensweisen funktioniert:

Eine Gesellschaftsordnung, die bei solcher Arbeitsmoral nicht in die Knie geht, muß sehr stark sein. (S. 30)

Bei solchen Sätzen steigt der Sprecher aus seiner Rolle. Der krampfhafte Zwang zur Abschwächung, der den Autoren natürlich bewußt ist, wird von ihnen allerdings auch kräftig ironisiert, etwa als ein Spieler den Träger der Paul-Mütze kritisch angeht:

Du spielst wohl den Positiven, hm? Willst dich bei der Partei einkratzen, hm? Warte ab. Dafür hab ich die ganzen Pointen, und du mußt die scheiß-positiven Sätze sprechen. (S. 28)

Der Grundwiderspruch, die Mißstände und Fehlhaltungen mit der Biographie einer positiv gemeinten Figur zu kontrastieren und daraus Beurteilungsmaßstäbe zu gewinnen, wurde im zweiten Kabarettstück von Schaller und Ensikat (*Wir sind noch nicht davongekommen oder Aus dem Leben eines Taugewas*) weniger geschickt als in *Pauls Mütze* kaschiert. Die latente Gefahr, doch wieder ins Moralisieren zurückzufallen, machte Engelbert Kämpfer [!], der »Taugewas«, augenfällig. Sein treuer Einsatz für den Sozialismus, ohne Weisung und Auftrag, aus vollem Herzen und Verstand, wirkt im Unterschied zu der Haltung Pauls, die nur im indirekten Bericht vorgestellt wird, gelegentlich aufdringlich, weil er absichtsvoll als Sprachrohr der Autorenintention vorgeführt wird, auch wenn diese auf Entlarvung, statt auf Akklamation zielt. Kritiker mit sehr unterschiedlichen Sichtweisen beschrieben dieses Manko:

Lutz Kämpfer […] ist szenisch präsent, und in dem Maße, wie er mit den Jahren an Reife gewinnt, nehmen seine Auftritte eine moralisierende Wende. Der Zuschauer muß nach und nach die Hoffnung aufgeben, daß seine Persönlichkeit eine bestimmte Dichte annimmt und daß in ihm Widersprüche auftreten, wie er sie bei den anderen anprangert.[16]

Diese Wertung des Lyoner Germanisten Jacques Poumet stimmt weithin mit den Einwänden Mathias Wedels, des Kabarettkritikers des ›Sonntag‹, überein:

Die Konflikte können nicht mit aller Konsequenz aufgerissen werden, denn die ›Lösung‹ wandelt ja in Persona Lutz Kämpfer auf der Bühne. Dem Zuschauer wird Entlarvungs-Arbeit abgenommen, weil die Widersprüche eben nicht widersprüchlich sind, sondern in eine ›gute‹ Seite (Lutz Kämpfer) und eine ›schlechte‹ zerfallen.[17]

Trotz der Einwände gegen die modellhafte Dramaturgie stellen die durchkomponierten Kabarettstücke der achtziger Jahre eine anspruchsvolle Form der Gegenüberstellung von Ideal und Wirklichkeit dar. Gesellschaftskritik verpufft hier nicht in der Nennung von Reizworten, die – beliebig vorgebracht und beliebige Lacher erzeugend – immer nur darauf weisen, daß öffentliche Meinung in der DDR kaum Publizität findet. Ensikat/Schaller sind auf Reaktionen aus, nicht auf Abreaktionen, weil sie dem Kabarett mehr zutrauen als eine Ventilfunktion.[18] Die Stücke sind weniger volkstümlich als das gängige Humorkabarett, ihr intellektueller Anspruch wird gestützt durch die anspielungsreiche Literarisierung, die insbesondere die Verwandtschaft mit dem Epischen Theater betont.[19] Die Darsteller geben sich selbst Spielanweisungen, als seien sie auf der Probe. In den aus Einzelteilen gebauten Stücken läuft eine fragmentarische Fabel lose mit, die auch bei den wechselnden Gegenständen des uneinheitlichen Texts vorher Gesagtes oder Angedeutetes ohne rhetorischen Aufwand in der Erinnerung hält.

Der Bezug auf Brecht und die Lehrstück-Tradition wird sowohl durch emphatisches Zitieren wie durch parodistische Imitation von Stilformen und Sprechweisen hergestellt, etwa durch Umdichtung von Brechts *Lob des Lernens* (aus *Die Mutter*) zu einem *Lob des Lachens* (S. 59). Für ›Die Lachkarte‹ schrieb Wolfgang Schaller, der außer der Dramaturgie der ›Herkuleskeule‹ auch die künstlerische Leitung dieses Amateurkabaretts im Dresdner VEB ›Robotron‹ übernahm, neben vielen anderen Texten auch eine *Dreimillionenoper* nach Brecht. Andere Brecht-Parodien Schallers tragen Titel wie *Seht, wie brechtig wir bauen; Die Rund- und die Eckköpfe* oder *Die Schaumschläger des VEB Schlagfix ehren Lenin.* Die Dialektik von Ehren und Nützen wird gern mit Hilfe des Brecht-Gedichts über die Teppichweber von Kujan-Bulak behandelt.

In *Pauls Mütze* findet sich auch eine knappe Anspielung darauf, wenn es ironisch heißt, man nütze sich heutzutage mehr, indem man sich ehrt (S. 15). Das Abrufen von Denkanweisungen für den politischen Hausgebrauch bei einem Stammvater mit höchster Autorität deutet freilich auch auf die Schwierigkeit, Heikles auf eigene Faust zu sagen. Brechts Buckower Elegie *Die Wahrheit einigt* wird vollständig zitiert (S. 51), was die Berufung auf Lenin zusätzlich abstützt, der mit Bemerkungen über die Bürokratie und das Absterben des Staates als Kronzeuge für Kritik am real existierenden Sozialismus herangezogen wird. Die Autoren lassen sich nicht von immanenter Kritik zurückhalten und trauen sich, die Realität mit Gedanken der Klassiker des Marxismus zu konfrontieren, ohne dadurch gleich als unproduktive bürgerliche Utopisten zu gelten.

Die Repertoirestücke fürs Kabarett verdienen eine ebenso ernsthafte Beachtung und sorgfältige Interpretation wie die auf repräsentativen Bühnen gezeigten dramatischen Vorlagen, zumal das DDR-Gegenwartstheater stagniert und die Lücken mit sowjetischen Zeitstücken publizistischen Typs (A. Gelman) nur notdürftig geschlossen werden können. In der DDR wurde *Pauls Mütze* durch den Kunstpreis des FDGB für die beiden Autoren gewürdigt, und Peter Ensikat (der auch fürs Kindertheater schreibt) erhielt 1985 den Lessing-Preis des Ministeriums für Kultur.

Anmerkungen

1 Peter Ensikat, *Abschied vom Meckerkabarett,* in: Sonntag, 1. 2. 1981, S. 7.

2 Die Seitenzahlen im Text beziehen sich auf die 1983 im Henschelverlag, Berlin (Ost) erschienene Ausgabe.

3 Hanskarl Hoerning, *Geh hin, wo der Pfeffer wächst. Drei Jahrzehnte Leipziger ›Mühlen-Mahlerei‹,* Berlin (Ost) 1984, S. 228.

4 Adelheid Wedel, *Mehr als Lachen,* in: Sonntag, 1. 2. 1981, S. 7.

5 Vgl. Franz Peter Kothes, *Die theatralische Revue in Berlin und Wien 1900–1938,* Wilhelmshaven 1977.

6 *Romanführer A–Z,* Bd. II 2, Berlin (Ost) 1974, S. 358.

7 Peter Hacks, *Ausgewählte Dramen,* Berlin und Weimar ²1974, S. 275.

8 Ebd., S. 274.

9 Wolf Biermann, *Die Drahtharfe,* Berlin (West) 1965, S. 49.

10 Dazu Wolfgang Schaller in: *Vom Witz aktiver Leute. Drei Kabarettisten im Gespräch – Peter Ensikat, Jürgen Hart und Wolfgang Schaller,* in: Sonntag, 18. 8. 1985, S. 7. Vgl. Mathias Wedel, *Kabarett-Reise,* in: Sonntag, 27. 1. 1985, S. 6.

11 *Das Komische des Widerspruchs des Komischen. Interview mit Jürgen Hart,* in: Sonntag, 1. 5. 1983, S. 8.

12 Vgl. Hoerning, a. a. O., S. 205.

13 Gisela Oechelhäuser, *Verantwortung und Angriffslust,* in: Sonntag, 27. 1. 1985, S. 7.

14 Gegen die Behandlung vorhandener, aber aus sogenannten objektiven Gründen noch nicht lösbarer Probleme wandte sich vor allem Werner Neubert, *Die Wandlung des Juvenal. Satire zwischen gestern und morgen,* Berlin (Ost) 1966.

15 *Vom Witz aktiver Leute,* a. a. O.

16 Jacques Poumet, *›Kommt ein Problem, drück ich mich rum…‹. Berufskabarett in der DDR;* in: Deutschland Archiv 19 (1986), S. 172f.

17 Mathias Wedel, *Tugendhafter Zeitgeist,* in: Sonntag, 24. 2. 1985, S. 2.

18 *Vom Witz aktiver Leute,* a. a. O.

19 Vgl. Gisela Oechelhaeuser in einem Werkstattgespräch *Kabarett heute,* in: Sonntag, 23. 2. 1986, S. 8.

II. Phasen- und autorenübergreifende Essays

Wolfgang Emmerich
Antike Mythen auf dem Theater der DDR
Geschichte und Poesie, Vernunft und Terror

I

Mit Mythologie und Marxismus sind zunächst einmal Gegensätze markiert, die einander auszuschließen scheinen. Gehört das eine in die Vor-Geschichte und damit zugleich in ein vorwissenschaftliches Zeitalter, so ist das andere, nach seinem eignen Verständnis, emphatischer Inbegriff des wissenschaftlichen Zeitalters und, auf der Ebene gesellschaftlicher Praxis, bewußter, selbstgemachter Geschichte. Folgerichtig, so scheint es, haben sich marxistische Kunstrichter nach 1945 und in der jungen DDR überwiegend geweigert, dem Mythos in den Künsten (von Epistemologie und Geschichtsforschung ganz zu schweigen) ein Daseinsrecht einzuräumen. Exemplarisch zeigt das eine Aussage Claus Trägers über das Schicksal der Prometheus-Mythe von 1961:

Indem der Mensch sich mit Prometheus in der Tat identifiziert, enthebt sich dessen Bild. Sobald er die Welt *wirklich* nach seinem eignen Bild schafft, verdämmert sein unwirkliches Vor-Bild.[1]

Eine ähnliche Auffassung vertrat wiederholt der seinerzeit maßgebliche Literaturtheoretiker Erwin Pracht, der den Mythos als eine vorwissenschaftliche Erkenntnisform synkretistischer, nichtmimetischer Art verwarf und damit für eine *realistische* Kunst verloren gab.[2] Vorbild für diese und vergleichbare Positionen war, nicht weiter verwunderlich, das Verdikt sowjetischer Kulturwissenschaftler über Antike und Mythos schlechthin als ›nichtrealistische‹ Phänomene.[3] Fürs Theater war es Klaus Wolf, der 1969 in ›Theater der Zeit‹ die generelle Illegitimität antiker Sujets vertrat:

Wo ich nicht angefüllt bin und souverän mit philosophisch-ökonomischem Wissen und sinnlicher Realitätsanschauung, [...] wo ich nicht kraft gründlichen Wissens einen vollen Griff in die Realität tun kann, beginnt der Rückgriff auf die Mythologie.[4]

Freilich blieb solche Polemik gegen die vermeintliche Lagerung »auf dem Bärenfell des vorgefundenen Bildungsgutes«[5] nicht unumstritten. Für den nicht gerade als Freigeist bekannten Alfred Kurella gehörten

die Welt der Ideen und Bilder, der Begriffe und Gestalten, der Mythen und Theorien, die die europäische Antike hervorgebracht hat, nicht nur zur selten in Anspruch genommenen eisernen Ration, sondern zur täglichen Nahrung der sozialistischen Persönlichkeit.[6]

Und Franz Fühmann – dies freilich ein zeitlicher Vorgriff – sprach den alten Mythen 1975 sogar eine »Kompaßfunktion«[7] zu. Inzwischen hatten – in Jena 1969 und in Leipzig 1972 – wissenschaftliche Konferenzen zum Verhältnis von Antike/Mythologie und Sozialismus/Realismus stattgefunden, deren mittelbare Folge eine Legitimierung auch der künstlerischen Rückgriffe auf griechisch-antike Mythen durch Autoren der DDR war. Solche lagen ja mittlerweile in erstaunlichem Umfang vor. Man denke an Seghers, Fühmann, Hermlin, Cibulka, R. Schneider, Heiduczek u. a. in der Prosa, an Arendt, Huchel, Maurer, Kunert, H. Müller, Cibulka, Mickel, Czechowski u. a. in der Lyrik, schließlich an Müller, Hacks, Mickel, Stolper u. a. fürs Theater.

Nun ist nicht zu übersehen, daß diese jüngeren (in der Regel ziemlich hausbackenen) Kontroversen ums Verhältnis von Mythos und Marxismus ihren Ursprung in widersprüchlichen Aussagen von Marx und Engels zur griechischen Mythologie und zur Antike insgesamt haben. Zwar hat auch das nach 1945 – nach Hitler und Rosenberg – verhängte »politisch motivierte Mythos-Verbot«, wie Karl Heinz Bohrer es genannt hat[8], eine Rolle gespielt – dem Begriff Mythos haftete von nun an ein Hautgoût an, der tabufördernd wirkte. Aber die entscheidende Verunsicherung rührte vom Marxismus selbst her. Die wohl grundsätzlichste, immer wieder zitierte Aussage zum Mythos stammt aus Marx' *Einleitung zur Kritik der Politischen Ökonomie:*

Ist die Anschauung der Natur und der gesellschaftlichen Verhältnisse, die der griechischen Phantasie und daher der griechischen Mythologie zugrundeliegt, möglich mit Selfaktors und Eisenbahnen und Lokomotiven und elektrischen Telegraphen? Wo bleibt Vulkan gegen Roberts et Co., Jupiter gegen den Blitzableiter und Hermes gegen den Crédit mobilier? Alle Mythologie überwindet und beherrscht und gestaltet die Naturkräfte in der Einbildung und durch die Einbildung: verschwindet also mit der wirklichen Herrschaft über dieselben.[9]

Marx reduziert damit, ganz Kind des 19. Jahrhunderts, Mythologie weitgehend auf *Natur*mythologie. Der griechische Mythos ist ihm »unbewußt künstlerische Verarbeitung der Natur« durch die »Volksphantasie«.[10] Eine Verarbeitung *sozialer* Vorgänge im Mythos (und deren mögliche Aktualität) hat er kaum erwogen. Was ihn im weiteren irritiert, ist allein die Tatsache, daß jene frühen, eben mythischen Kristallisationen menschlicher Einbildung, die er kraft rationaler Wirklichkeitsaneignung als endgültig überwunden ansieht, »für uns noch Kunstgenuß gewähren und in gewisser Hinsicht als Norm und unerreichbare Muster gelten«.[11] Marx löst das Problem auf überraschend schlichte Art:

Warum sollte die geschichtliche Kindheit der Menschheit, wo sie am schönsten entfaltet, als eine nie wiederkehrende Stufe nicht ewigen Reiz ausüben? Es gibt ungezogene Kinder und altkluge Kinder. Viele der alten Völker gehören in diese Kategorie. Normale Kinder waren die Griechen.[12]

Und eben diese ›Normalität‹ einer schönstens entfalteten Kindheit der Gattung ist es, auf die Marx die andauernde Attraktivität der griechischen Kunst und der in ihnen gestalteten Mythen zurückführt.

Es ist schon bemerkenswert, mit welch souveräner Ignoranz der materialistische Historiker Marx an einem Antikebild der bürgerlichen Aufklärung und Klassik weitermalt, das in Winckelmanns Wort von der »edlen Einfalt und stillen Größe« seinen formelhaften Ausdruck gefunden hatte. Von der »wütenden Oberfläche« des Meeres, von den »Leidenschaften« der Griechen, die Winckelmann immerhin noch sah[13], ist bei Marx gar nicht mehr die Rede. Existent sind gleichsam nur noch die *Formen* griechischer Plastik und Tragödie, ihre *Stoffe* fallen unter den Tisch. Christa Wolf hat jüngst die griechischen Tragödien treffend beschrieben

als Zusammenfassungen, vorläufige Endprodukte ungeheuerster jahrhundertelanger Kämpfe, in denen die Moral der Sieger formuliert ist, doch hinter der Fabel, die sie diktieren, die Bedrohung durch Älteres, Wildes, Ungezügeltes durchschimmert.[14]

Was da noch durchschimmert (verschließt man die Augen nicht völlig), hat Peter Hacks einmal am Beispiel des Tantalidenmythos von Tantalos über Pelops, Atreus, Thyestes und Agamemnon bis zu Orestes hin exemplarisch illustriert:

In den unmittelbaren Begebenheiten dieser fünf Herren ereigneten sich die Schlachtung und Verspeisung von 6 Knaben, der Diebstahl 1 golde-

nen Hundes und 1 goldenen Lammes, 2 der klassischen beispielgeben-
den Fälle von Homosexualität, 2 Schändungen von Töchtern durch ihre
Väter, 1 Vatermord, 1 Muttermord, 1 Gattenmord, 1 Tochtermord, nicht
zu rechnen Selbstmorde, Ehebrüche und minder intime Bluttaten unter
Verwandten zweiten oder noch entfernteren Grades.[15]

Natürlich ist das eine ironisch akzentuierte, grob stoffliche Verkürzung der mythologischen Überlieferung, und doch hat sie für sich,
daß sie ein notwendiges Mißtrauen befördert gegenüber der – sei-
tenverkehrten – marxschen Verkürzung des antiken Mythos auf
Mimesis gattungsgeschichtlicher Kindheit im Zustand schönster
Normalität (es sei denn, man verständigte sich über einen nüchter-
neren Begriff von ›Normalität‹). Eine exakte Parallele zu Marx'
verklärend-distanzierender Sicht der griechischen Antike liegt
übrigens in der zeitgleich entstandenen akademischen Mythologie-
forschung. Deutsche und englische Religionshistoriker wie Adal-
bert Kuhn, Friedrich Max Müller, Edward Burnett Tylor und Andrew Lang – alle der gleichen Generation wie Marx zugehörig oder
etwas jünger – registrieren zwar, überwiegend irritiert, die »wilden
und absurden Geschichten« und die »schändlichen und lächerlichen Abenteuer«[16], aus denen sich die griechische Mythologie
weithin zusammensetze, erfinden sodann jedoch eminent kluge
linguistische und anthropologische Erklärungen, um sie von der
Gegenwart zu distanzieren und gleichsam zu kasernieren. Das
Schlüsselwort, mit dessen Hilfe die Ausgrenzung der skandalösen
Mythologie gelingt, ist wie bei Marx das von der *Kindheit der
Menschheit,* die, gottlob, schon so weit zurückliegt.[17] Immerhin
wird, anders als bei Marx, das Anstößige solcher ›Kindheit‹ nicht
unterschlagen.
  Die besten Gegenargumente zu Marx' enthistorisierender Betrachtung des Mythos finden sich pikanterweise bei Friedrich Engels. Dieser hatte sich bekanntlich gründlich mit Johann Jakob
Bachofens Studien zum Mutterrecht beschäftigt und daraus seine
eigene Untersuchung *Der Ursprung der Familie, des Privateigentums und des Staats* entwickelt. Folgerichtig gibt Engels eine
Vielzahl erhellender Hinweise auf den konkret historischen und gesellschaftlichen Gehalt der griechischen Mythen als wie immer mo-
difizierter mimetischer Darstellungen des Übergangs von der noch
tendenziell klassenlosen, matrilinear strukturierten Gentilgesellschaft zur patriarchalischen Klassengesellschaft. Engels zögerte,
im Gegensatz zu Marx, nicht, als ein wesentliches Merkmal dieser

im Mythos manifestierten ›Übergangsgesellschaft‹ die »ganze Brutalität [!] ihrer Jugendlichkeit«[18] zu konstatieren. – Läßt sich, unter anderen, von Friedrich Engels die historische Lesart des Mythos lernen – daß nämlich »das homerische Epos und die gesamte Mythologie [...] die Haupterbschaften« waren, »die die Griechen aus der Barbarei übernahmen in die Zivilisation«[19] –, so bleibt doch damit immer noch offen, inwieweit sich diese historische Erbschaft der ›Barbarei‹ späterhin, zumal im realen Sozialismus, erledigt oder verflüchtigt habe – oder noch immer aktuell sei. Es wird sich zeigen, daß diese Frage zum freilich lange verdeckten, heimlichen roten Faden der Mythenrezeption auf dem Theater der DDR geworden ist. Immerhin sind in der (impliziten) Kontroverse früher marxistischer Theoriebildung über den Mythos konzeptionelle Alternativen angelegt, die sich im Rekurs des DDR-Theaters auf griechische Mythen wiederfinden: grundsätzliche Verwerfung, ästhetische Distanzierung, Historisierung und (dem nicht unbedingt widersprechend) Aktualisierung von figuralen oder anderen Konstellationen, die bestimmte Mythen anboten.

II

Es fällt schwer, die Rolle der griechischen Mythen auf dem Theater der SBZ/DDR für die Jahre 1945 bis ungefähr 1960 auch nur einigermaßen schlüssig zu bestimmen.[20] Ein »Theater in der Zeitenwende«[21], das sich die »antifaschistisch-demokratische Erneuerung« auch dieses kulturellen Feldes vorgenommen hatte, wußte mit antiken Stoffen insgesamt nur wenig anzufangen, seien es die Tragödien und Komödien der Poliszeit selbst, seien es spätere Bearbeitungen. In den Westzonen und den Westsektoren Berlins sah das bekanntlich anders aus. Die Spielpläne waren geradezu dominiert von den Antikestücken O'Neills, Wilders, Giraudoux', Anouilhs und Sartres. In der SBZ wurden von all diesen Theatertexten nur Jean Giraudoux' *Der trojanische Krieg findet nicht statt* (1946/47 in Cottbus) und Eugene O'Neills *Trauer muß Elektra tragen* (1947/48 in Leipzig und Erfurt) aufgeführt, und auch diese spärlichen Aufführungen wurden von der Kritik überwiegend verworfen. Die Gründe waren naheliegend. An O'Neill mißfiel die Fundierung der Konflikte »im Psychologischen, in der Triebsphäre«, die die ohnehin gegebene »Hoffnungslosigkeit und Lethargie eines großen

Teils des bürgerlichen Publikums in Deutschland« nur »vermehren« konnte.[22] An Anouilhs *Medea* entdeckte man die »gesellschaftliche Einflußlosigkeit eines isolierten Individuums als einen Grundzug im Fabelaufbau«.[23] Sartres Orest-Drama *Die Fliegen*, das 1947 in Düsseldorf von Gründgens und 1948 in West-Berlin von Fehling mit herausragendem Erfolg inszeniert wurde, galt als Propagandastück des »individualistischen Egozentrismus«, einer »subjektivistischen Freiheitsvorstellung«, die samt ihren existentialistischen Implikationen suspekt sein mußte.[24] Eine »besondere Repertoirelinie der spätbürgerlichen Moderne« konnte sich so in der Tat nicht ausprägen, wie man später mit Genugtuung feststellte.[25]

Eine Ausnahme machte man allein im Fall von Gerhart Hauptmanns während des Krieges entstandener *Atriden*-Tetralogie, deren Mittelteile *Agamemnons Tod* und *Elektra* 1947 an den Kammerspielen des Deutschen Theaters herauskamen. Dies war ausschließlich zu verstehen als posthume Ehrung (Hauptmann war im Sommer 1946 verstorben) eines wenig bescholtenen Autors der Inneren Emigration, dessen wie immer problematisches Spätwerk damit in die große Erbmasse antifaschistisch-demokratischer Literatur integriert werden sollte. Gewiß war Hauptmanns Tetralogie ein verschlüsseltes Abbild der faschistischen Ära und ihres Terrors. Sie entwarf mit Hilfe der bekannten Mythen ein düsteres, barbarisches Gemälde der archaischen Zeit, in dem Haß und Mord, Gewalt und Chaos regierten. Und so ist es nicht weiter verwunderlich, daß diese Respektsbezeugung gegenüber Hauptmann Episode blieb und keineswegs eine Tradition der Antikerezeption für die spätere DDR zu begründen vermochte.

Überprüft man die Spielpläne der späten 40er und 50er Jahre, so entdeckt man nur wenige weitere Fälle von Rekursen auf die Antike: einige Inszenierungen von Georg Kaisers in der Schweizer Emigration entstandenem *Amphitryon*, Robert Merles *Sisyphus und der Tod*, das 1959 in Dessau seine deutsche Erstaufführung erlebte (und ob der kämpferischen, todesverachtenden Haltung seines Heros gelobt wurde) und schließlich eine stattliche Anzahl von Odysseus-Paraphrasen, die das Heimkehrerproblem, Massenerlebnis der deutschen Soldaten und einem westdeutschen Publikum durch Borcherts *Draußen vor der Tür* sattsam bekannt, thematisierten (u. a. Hans-Joachim Haecker, *Der Tod des Odysseus*, 1948; Christian Collin, *Odysseus 51*, 1952; Albert Burkat/Victor Bruns, *Neue*

Odyssee, 1957, ein in der DDR und anderen Ländern vielgespieltes Ballett).[27] Das Plausible und gleichzeitig einigermaßen Beliebige solcher Rekurse auf den griechischen Mythos liegt auf der Hand: Sehr allgemeine Analogien zu Troja/Ithaka und zur Figurenkonstellation Odysseus/Penelope waren in der deutschen Nachkriegsgegenwart allemal aufzufinden, aber *zwingende* konzeptionelle bzw. geschichtsphilosophische Gründe für einen mythologischen Rekurs waren damit keineswegs gegeben.

Freilich gab es ein Theaterstück nach antik-mythischen Motiven auf den Bühnen der SBZ und der frühen DDR, das an offiziöser Förderung und Publikumsgunst nur durch Lessings *Nathan* und Schillers *Kabale und Liebe* übertroffen wurde: Goethes *Iphigenie auf Tauris.* Schon bis 1948, also noch vor dem Goethejahr, gab es 21 Inszenierungen. Die Berliner Inszenierung wurde in diesem Zeitraum 52mal, die Leipziger 38mal gezeigt. Die Gründe dafür, daß die *Iphigenie* zum regelrechten »Erfolgsstück«[28] wurde, sind unschwer zu ermitteln. Goethes Stück ging ja bezeichnenderweise nicht auf Euripides' *Iphigenie in Aulis* zurück, deren Thema die Opferung der Hauptfigur – am Ende von ihr selbst bejaht – durch ihren Vater Agamemnon gleichsam als ›Eröffnung‹ des Trojanischen Krieges ist, sondern auf die *taurische Iphigenie* desselben Autors, mit der dieser die mythische Überlieferung (und ihre fraglose Härte) explizit verlassen hatte. Schon Euripides' *Iphigenie auf Tauris,* in deren Zentrum die *Anagnoresis* um Iphigenie und ihren Bruder Orestes steht, mündete in eine friedliche Trennung zwischen dem Skythenkönig Thoas und den griechischen Geschwistern ein, hatte also keinen Tragödienschluß. Goethe hat bekanntlich zumal in der zweiten Fassung von 1786 diese Tendenz verstärkt und gleichzeitig sublimiert. Thoas gewährt den Griechen freien Abzug und gibt den archaischen Brauch des Menschenopfers auf. Ein *deus ex machina* ist nicht mehr nötig, weil die Menschen sich selbst überwinden und Güte und Toleranz üben. Die *Menschen selbst* sind es bei Goethe, die es nicht mehr zur Tragödie kommen lassen. Ob sich, wie rückblickend von der Theaterwissenschaft der DDR behauptet wurde, in diesem Stück »ein der Lessingschen Humanität verwandter optimistischer Glaube an den Menschen [...] für viele Zuschauer als Lebensgefühl des neuen Anfangs« darstellte[29], sei dahingestellt. Daß Goethes »verteufelt humane« Botschaft der Versöhnung gut in die ideologische Landschaft paßte, steht außer Frage. Noch bis zu Wolfgang Langhoffs großer *Iphigenie*-Inszenierung am Deutschen Theater 1964 – und über sie hinaus – blieb diese Lesart kanonisch. Letztlich ist sie exemplarisch für eine DDR – eigentümliche prinzipielle Abwehr alles Barbarischen, Gewalttätigen in der antik-mythologischen Überlieferung bis in die 60er Jahre hinein, die sich auch in der nie ernsthaft diskutierten Inszenierungskontinuität von Gluck-Opern, ›mythologischen‹ Offenbach-Operetten, Shaws *Pygmalion* und den verschiedensten *Amphitryon*-Versionen zeigt. Man hielt es mit Johann Gottfried Herder, »daß die harte Mythologie der Griechen aus den ältesten Zeiten von uns nicht anders als milde und menschlich angewandt werden dürfe«.[30]

Der einzige, der sich nicht an diese Maxime hielt, war Bertolt Brecht. Schon im Exil vor 1945 hatte sich Brecht von anderen (auch linken) Schriftstellerkollegen dadurch unterschieden, daß er sich mythologischer Gestalten und Episoden nie als quasi überzeitlicher Projektionsfiguren bediente, wie es z. B. mit Odysseus reichlich geschehen war.[31] Jetzt, Ende 1947, schrieb er seinem Sohn Stefan Brecht aus Chur in der Schweiz, daß er am dortigen Stadttheater eine »Antigonebearbeitung« zu machen vorhabe, die als »eine Art Preview für Berlin«[32] gedacht sei (wohin er dann ein Jahr später ging). Brecht wollte also angesichts des »totalen materiellen und geistigen Zusammenbruch[s]«[33] in Deutschland testen, was man zur Zeit auf dem Theater machen könne, genauer gesagt: was man schließlich in Ostdeutschland im Kontext des anstehenden Wiederaufbaus auf dem Theater tun *müsse*. Brecht sah nicht nur die »Beschädigung an den Theatergebäuden«, sondern mehr noch »die an der Spielweise« durch die sogenannte »›glänzende‹ Technik der Göringtheater«. Was es zu überwinden galt, war ebendiese Technik, »die der Verhüllung der gesellschaftlichen Kausalität diente«.[34] Warum aber griff Brecht in diesem Augenblick zur *Antigone*? Mit Aristoteles war er

der Meinung, daß das Herzstück der Tragödie die Fabel ist [...], sie soll alles enthalten, und alles soll für sie getan werden, so daß, wenn sie erzählt ist, alles geschehen ist.[35]

Was aber war für die *Antigone*-Fabel ›zu tun‹, damit sie die ihr zugedachte Funktion erfüllen konnte? Brecht hielt sich einerseits weitgehend an die Hölderlin-Übersetzung der sophokleischen Tragödie (die ihn stark beeindruckte), sah andrerseits eine Akzentverschiebung als unumgänglich an:

Beim *Sophokles* bildet die *Antigone-Kreon*-Begebenheit das Nachspiel eines siegreichen Kriegs: Der Tyrann (das ist einfach der Herrscher) rechnet ab mit persönlichen Feinden, die ihm den Sieg erschwert haben, stößt dabei auf einen menschlichen Brauch und erfährt den Zerfall seiner Familie. In der neuen Fassung beginnt die Handlung in dem trächtigen Augenblick, wo dem Krieg ›nur ein kleines‹ zum Sieg fehlt und die verzweifeltste Gewalt eingesetzt werden muß, das heißt das Unmäßige sich als unbedingt nötig aufzwingt.[36]

Indem Brecht so die »Rolle der Gewaltanwendung beim Zerfall der Staatsspitze«[37] ins Zentrum rückte, stellte er diejenige Aktualisierung her, auf die es ihm entscheidend ankam: die Analogie zu dem terroristischen Wahnsinn Hitlers und seiner Helfershelfer gegen Ende des Zweiten Weltkriegs. Kreon wurde zum enthemmten Führer eines »Raubkriegs gegen das ferne Argos«[38], der in dem Augenblick seine eigne Stadt Theben den Geiern zum Fraß vorwirft, da er selbst verloren ist:

[...] Und elend und furchtsam
unbelehrbar, stolperte er, der viele geführt,
jetzt der stürzenden Stadt zu. Aber die Alten
folgten dem Führer auch jetzt, und jetzt in Verfall und Vernichtung.[39]

Eine kalkulierte Folge dieser (negativen) Aufwertung der Kreonfigur war, daß Antigone, die »Freundliche, mit dem leichten Schritt / Der ganz Bestimmten, schrecklich / Den Schrecklichen«[40], ein Stück aus dem Zentrum der Fabel herausrückte – nicht zuletzt deshalb, weil Brecht sie explizit *nicht* als Repräsentantin des deutschen Widerstands (und damit als Identifikationsfigur) fungieren lassen wollte.[41] Das macht auch das im Berlin des April 1945 angesiedelte *Vorspiel* deutlich (ein gänzlich neuer Text), mit dem Brecht einen »Aktualitätspunkt«[42] setzte. Die zweite Schwester (Antigone) *versäumt* es, den von SS-Leuten gestellten und schließlich aufgehängten Bruder, der seine Naziuniform abgelegt hat, zu retten. Im Gegensatz zur ersten Schwester (Ismene) erwägt sie es immerhin, wobei die entscheidende Verschiebung zu Sophokles darin liegt, daß es in Brechts *Vorspiel* nicht um die Bestattung des *toten,* sondern um die mögliche Rettung des vielleicht *noch lebenden* Bruders geht. »Er mochte nicht gestorben sein«, ist der letzte vieldeutige Vers aus dem Mund der ersten Schwester, mit dem das *Vorspiel* schließt.[43]

Daß Brechts *Antigone*-Stück samt *Vorspiel* eine *aktualisierende Bearbeitung* der mythologischen Vorlage bedeutet, ist nicht zweifelhaft. Was aber heißt das genau? Mit Peter Szondi läßt sich sagen, daß Brechts Bearbeitung zu einem Typus gehört, dessen Absicht nicht die (beliebige) »Variation« ist »als vielmehr die Herstellung der Eindeutigkeit für jene Bedeutung, die der Bearbeiter bei dem vieldeutigen Stoff der Überlieferung für sich als relevant erkannt hat«.[44] In Hölderlins *Anmerkungen zur Antigone* steht der Satz: »Wir müssen die Mythe nämlich überall *beweisbarer* darstellen.«[45] Brechts dem analoge Formulierung heißt »Durchrationalisierung«.[46] Sie meint das Freilegen des »stofflich Politischen«[47], des gesellschaftlich Materiellen, das in der mythischen Version der Fabel verdeckt enthalten, aber eben nicht expliziert ist.[48] – Ist solche ›Rationalisierung‹, so ist zu fragen, willkürlich? Oder ist sie legitim, gar zwingend? Von der Beantwortung dieser Frage hängt es letztlich ab, so scheint mir, ob einer modernen Bearbeitung einer mythischen Vorlage Authentizität, ›Notwendigkeit‹ zuzusprechen ist oder nicht. Brecht selbst sah in der sophokleischen *Antigone* den gattungshistorischen Moment herausgegriffen (verstanden als qualitativen Sprung),

> [...] wo einst unter den Tierschädeln
> barbarischen Opferkults
> Urgrauer Zeiten die Menschlichkeit
> Groß aufstand.[49]

Dieser Moment an der Schwelle von Barbarei und selbstgemachter Geschichte, an dem die Menschen erkennen (und handelnd vorführen), »daß das Schicksal des Menschen der Mensch selber ist«,[50] war für Brecht das rationale Analogon zur historischen Schwellensituation der Deutschen nach 1945, nach dem Ende des Faschismus. Mit diesem Modell der Mythenadaption ging Brecht weit über seine bisherigen, die Mythen entwertenden Ansätze hinaus.[51] Gleichzeitig hatte er jungen DDR-Dramatikern und -Regisseuren ein Lehr-Stück bereitgestellt, das erst in den 60er Jahren seine volle Wirkung entfaltete. In der DDR kam es nach der Erstaufführung des Brechtschen *Antigone*-Modells in Greiz 1951 zunächst nur zu wenigen weiteren Inszenierungen in der Provinz (Greifswald 1957, Gera 1958, Postdam, Halle und Greifswald 1961), dagegen zu keiner einzigen Aufführung in Ost-Berlin.

III

Noch 1961 beklagte sich die Kritikerin Mara Zöllner in ›Theater der Zeit‹, daß es die DDR-Bühnen versäumt hätten, »sich die klassische antike Dramatik zu erobern«.[52] Allmählich kamen die Antikenbearbeitungen des jungen westdeutschen Autors Mattias Braun (*Die Perser,* zuerst 1955; *Die Troerinnen,* zuerst 1960), der 1951/52 Hospitant am Berliner Brecht-Ensemble gewesen war, auf die Bühne, und das Meininger Theater brachte 1960 Euripides' *Ion* heraus. Dabei blieb es vorerst. Wenige Jahre später waren mit herausragenden Stücken von Heiner Müller und Peter Hacks sowie mit Benno Bessons *Ödipus*-Inszenierung von 1967 Zeichen gesetzt, die eine eindeutige Wende in der Rezeption antiker Mythen durch das DDR-Theater bedeuteten. Wie kam es zu dieser Wende?

Bezeichnenderweise muß man die Voraussetzungen dieses Umschwungs, der einer des historischen und gesellschaftlichen Bewußtseins war, weitgehend ex post interpolieren. Eine breite Rezeption und Diskussion geschichtsphilosophischer Texte, die sich der Grundlagen unserer modernen Zivilisation und Rationalität in der Antike einschließlich der Mythologie versicherten (wie in der Bundesrepublik vor allem Horkheimer/Adornos *Dialektik der Aufklärung* von 1944), gab es in der DDR nicht, weil es sie nicht geben durfte. Und doch bildete sich unter den besten kritischen Köpfen eine Art Konsens über den historischen und epistemologischen Charakter der mythischen Überlieferung heraus, der dem entsprach, was im Westen in den Büchern von Horkheimer/Adorno, Lévi-Strauss oder – später – Hans Blumenberg zu lesen war. Man entdeckte, entgegen dem vulgärmarxistischen Vorurteil über die Irrationalität der Mythen, daß dem »Mythos selbst [...] ein Stück hochkarätiger Arbeit des Logos« innewohnt, dessen semantische Potentiale noch der so vernünftig scheinenden realsozialistischen Gegenwart ein Licht aufstecken konnten.[53] Man erkannte, daß dem Mythos, mit Lévi-Strauss zu sprechen, eine »doppelte, zugleich historische und ahistorische Struktur«[54] eigen sei, die sowohl seinen Realismus, als auch seine ungebrochene künstlerische Adaptierbarkeit gewährleisten konnte. So demonstriert Franz Fühmann schließlich pointiert, daß das »mythische Element in der Literatur« das realistische ist.[55]

Nun war es allerdings nicht *irgendeine* mythische Überlieferung – etwa die jüdisch-christliche oder irgendeine außereuropäische, exotische –, die zu solchen Entdeckungen führte, sondern nur die antik-griechische. Das hatte Gründe, die nicht nur in der allgemein konstatierten ›Schönheit‹ oder ›Vielfalt‹ speziell dieser Mythen lagen. Vielmehr kristallisierten sich in bestimmten zentralen griechischen Mythen und ihren Leitfiguren – Prometheus, Herakles, Ödipus, Odysseus, Ikarus, Jason, Medea, Kassandra – Probleme auch und gerade der *modernen,* ja explizit der *bürgerlichen* Welt und Gesellschaft heraus – und der realsozialistischen Gesellschaft, sofern sie die Merkmale der alten Ordnung noch durchaus teilte. Die althistorische Forschung seit Beginn dieses Jahrhunderts (und speziell seit den 40er Jahren) hat solche Zusammenhänge mittlerweile aufgehellt. Der Übergang von der archaischen, matrilinear geprägten Gentilgesellschaft über die Tyrannis hin zur Polisdemokratie ist, so hat sie gezeigt, nicht nur als ein beliebiger Übergang von einer gesellschaftlichen Formation zur nächsten zu verstehen, sondern gleichzeitig als die historische Ursprungsphase einer bestimmten Form von *Rationalität* und (personaler) *Identität,* die noch heute – und heute mehr denn je – ungelöste Widersprüche unserer Zivilisation bezeichnen. Die Entstehung des rationalen, abstrakten Denkens ist, wie zuerst Francis Macdonald Cornford, Pierre Maxim Schuhl und Bruno Snell, später dann Horkheimer/ Adorno, George Thomson, Jean-Pierre Vernant und Rudolf Wolfgang Müller gezeigt haben[56], »kein Mirakel. Es gibt keine unbefleckte Empfängnis der Vernunft«.[57] Die moderne Rationalität ist, so Vernant, eine »Tochter der Polis«.[58]

Damit ist nun freilich immer noch keine wirkliche Erklärung gegeben, sondern nur eine Analogie zwischen wissenschaftlicher Rationalität einerseits und den isonomischen Tendenzen des Polisrechts andrerseits hergestellt. Mir erschiene es angemessen, gemeinsam mit dem englischen Althistoriker George Thomson und Horkheimer/Adorno noch einen Schritt weiterzugehen und explizit in der im 6. Jahrhundert sich durchsetzenden Ware-Geld-Beziehung die eigentliche Ursache moderner Rationalität anzusetzen. Erst durch das Entstehen einer merkantilen Ökonomie und einer »Kaufmannsklasse, für welche die Gegenstände ihre qualitative Verschiedenartigkeit (Gebrauchswert) verlieren und nur mehr die abstrakte Bedeutung einer Ware haben (Tauschwert)«, konnte auch die »reine Abstraktion, das mit sich Identische, das eigentliche Prinzip des rationalen Denkens, die Objektivität in Gestalt des Logos«[59] entstehen. Nicht erst Marx, der von der »Logik« als dem

»Geld des Geistes« sprach[60], sondern schon Hegel hatte erkannt, daß im »Geld« das »formale Prinzip der Vernunft vorhanden« sei.[61] Vor allem Horkheimer/Adorno haben dann in diesem historischen Vorgang die Geburtsstunde einer »Dialektik der Aufklärung« festgemacht, aus der heraus sich sowohl das moderne Identitätsprinzip als auch eine »instrumentelle Vernunft« entwickeln konnten – eine Vernunft als

Instanz des kalkulierenden Denkens, das die Welt für die Zwecke der Selbsterhaltung zurichtet und keine anderen Funktionen kennt als die Präparierung des Gegenstandes aus dem bloßen Sinnmaterial zum Material der Unterjochung.[62]

In diesem geschichtsphilosophischen Kontext lasen sie dann bekanntlich den mythologischen Text der *Odyssee* als »eines der frühesten repräsentativen Zeugnisse bürgerlich[!]-abendländischer Zivilisation«, Odysseus selbst als »Urbild [...] des bürgerlichen Individuums«.[63]

Es mag scheinen, als habe dieser Exkurs befremdlich weit von der Mythenrezeption der DDR-Dramatik weggeführt. Ich denke, das Gegenteil ist der Fall. Nirgends anders als hier findet sich der heimliche Horizont, vor dem zumal Heiner Müllers Antikerezeption sinnfällig wird. Dafür gibt es, von den Texten selber abgesehen, auch andere Anhaltspunkte. So ist George Thomsons Werk *Aischylos und Athen* (weil der Autor Marxist war) 1957 in der DDR erschienen und zu einem immer wieder zitierten und empfohlenen Grundbuch der Antikedeutung geworden (übrigens bis hin zu Christa Wolfs *Kassandra*).[64] Heiner Müller selbst hat in zwei jüngeren Interviews (1981 und 1985) darauf hingewiesen, daß ihn die attische Tragödie vor allem interessiert habe als »historischer Drehpunkt« des »Übergangs von der clanorientierten Gesellschaft zur Klassengesellschaft, [...] von der Familie zum Staat, zur Polis«, die ein »neues Recht« gesetzt habe. Was ihn faszinierte, war »die Wiederkehr des Gleichen [...] unter ganz anderen Umständen [...] und dadurch auch die Wiederkehr des Gleichen als eines Anderen«.[65] Wie das konkret zu deuten ist, zeigt am besten Müllers erstes und wichtigstes Antikenstück *Philoktet*.

Müllers Stück, an dem er 1958 bis 1964 schrieb, nimmt zunächst die sophokleische Fabel sozusagen korrekt auf. Odysseus und der ihn begleitende jugendliche Neoptolemos, Sohn des Achill, landen auf der Insel Lemnos, um den wegen einer stinkenden Wunde am

Fuß dort ausgestetzten Bogenschützen Philoktet nach Troja zu-
rückzuholen, denn, so das Orakel, ohne den göttlichen Bogen des
Philoktet werde Troja nicht fallen. Mehrfach scheint es so, als führten die Lügen und Listen des Odysseus zum Erfolg. Doch muß am
Ende in der Version des Sophokles ein *deus ex machina* eingreifen.
Es ist Herakles, der Philoktet einst den treffsicheren Bogen
schenkte und der ihn jetzt, Heilung versprechend, dazu überreden
kann, sich mit seinem Todfeind Odysseus zu versöhnen, um den
Griechen vor Troja zum Sieg zu verhelfen. – Anders der Stück-
schluß Heiner Müllers, der ohne *deus ex machina* auskommt.
Neoptolemos, der »schnelle Schüler« des Odysseus, rennt dem Philoktet sein Schwert in den Rücken, als dieser sich am gerade waffen-
losen Odysseus rächen will. Odysseus erweist sich als souveräner
Beherrscher der Situation: Er lädt sich statt des lebenden den toten
Heros auf den Rücken. Dessen Mannschaften vor Troja wird er erzählen, daß heimtückische Trojer ihn meuchlings umgebracht hätten – und damit die Krieger des Philoktet wirkungsvoller zum
Kämpfen animieren, als es der lebendige Held je vermocht hätte.

Nun gibt es wahrscheinlich zu keinem Text der DDR-Literatur so
viele – und so viele einander widersprechende – Deutungen der Literaturwissenschaft *und* des Autors selbst wie zum *Philoktet*. Ulrich Profitlich hat mit Recht festgestellt:

Des Autors eigner Umgang mit seinem Text ist von Zeugnis zu Zeugnis
ein andrer [...] Immer ist der Text weniger Erkenntnisgegenstand als
Anlaß und Gebrauchsobjekt. Offenbar behandelt der Kommentator
Müller sein eignes Werk nicht anders als eineinhalb Jahrzehnte zuvor der
Autor Müller den Mythos. »Es geht nicht um Aneignung (Besitz), son-
dern um Gebrauch (Arbeit)« (Müller im Nachwort zu *Prometheus*).[66]

1966 behauptete Müller zunächst, *Philoktet* behandle »Vorgänge«,
die »nur in Klassengesellschaften mit antagonistischen Widersprüchen möglich sind, zu deren Bedürfnissen Raubkriege gehören
[...]. Für uns ist das Vorgeschichte«.[67] Freilich empfahl Müller
schon im gleichen Gespräch, das Stück als »Parabelstück« zu lesen
und nicht als »historisches«, eben weil seine Fabel »mehr in den
Mythos als in die Geschichte« gehöre.[68] Die westliche Kritik hat
das Stück dementsprechend, und ganz zu Recht, als Parabel über
den dialektischen Widerspruch zwischen der Staatsraison (in Gestalt des macchiavellistischen Realpolitikers Odysseus) und dem
Individuum, das sich dieser Raison verweigert (in Gestalt des Phil-

oktet) gedeutet, wobei natürlich die Lesart nahelag, in dem Vorgang eine Chiffre für den Untergang des Individuums, des Humanismus und der Subjektmoral in Taktik und Terror der kommunistischen Realgeschichte, kulminierend im Stalinismus, zu sehen.[69] Und Heiner Müller selbst hat, nachdem sein Stück inzwischen auch in der DDR mehrfach aufgeführt worden war, diese Lesart eindeutig bestätigt und damit seinen früheren Kommentaren – so scheint es – den Stempel irreführender Camouflage aufgedrückt:

In meiner Fassung des Stücks ist der Kampf um Troja nur ein Zeichen oder Bild für die sozialistische Revolution in der Stagnation, im Patt [...]. In den frühen sechziger Jahren konnte man kein Stück über den Stalinismus schreiben. Man brauchte diese Art von Modell, wenn man wirkliche Fragen stellen wollte.[70]

So klar und abschließend die Aussage von 1981 zu sein scheint: Müllers eigner ›durchrationalisierender‹ Umgang mit der sophokleischen Vorlage und ihre Verwandlung zum »Modell«[71] läßt eine über die genannten Deutungen weit hinausgehende Interpretation zu, die der stalinismuskritischen Lesart am Ende nur als eingeengter Spezifikation Geltung gibt. Und zwar läßt sich Müllers *Philoktet* lesen als Fortschreibung von Horkheimer/Adornos Interpretation der *Odyssee*-Partitur in ihrer kontradiktorischen Struktur von Naturverhaftung und Naturbeherrschung mit dem Ergebnis eines triumphalen Siegs der instrumentellen Vernunft.

Odysseus wird von Müller mit einer Fülle instrumenteller Wendungen charakterisiert, mit Wörtern und Sätzen, denen durchweg eine Zweck-Mittel-Relation zugrunde liegt. Fluchtpunkt aller seiner Überlegungen und Taten ist deren Zweckdienlichkeit, »Brauchbarkeit«, »Nützlichkeit« für »die Sache«: den Krieg um Troja siegreich für die Griechen zu beenden. Odysseus liebt den Terror des Krieges, »das Schlachten«, durchaus nicht. Doch hat er ihn als Notwendigkeit verinnerlicht, hat einst erfahrene Fremdzwänge erfolgreich in Selbstzwang verwandelt, hat sich/seine Natur beherrschen gelernt, so wie er jetzt Natur außerhalb seiner unterwirft. Denn Odysseus' Gegenspieler ist nicht nur der Krieger, dessen Bogen vor Troja gebraucht wird. Er wird gleichzeitig von Müller als »auf seine tierische Existenz reduziert«[72] vorgeführt, als Wesen außerhalb der Gesellschaft, kurz: als Allegorie der Natur, die es dienstbar zu machen gilt, und wenn es nicht im Guten geht, dann mit Gewalt. Am Ende geht es, abweichend von der Vorlage des Sophokles, nur mit

Gewalt. Philoktet ist nun tatsächlich nicht mehr als ein Stück toter Natur, ein Kadaver, anscheinend zu nichts mehr nütze. An dieser Stelle setzt Müller die entscheidende Pointe, die ahnen läßt, welcher Erfindungen der »Verstand ohne Leitung eines andern« (Kant) fähig ist: Selbst der Leichnam des Philoktet ist gegen seine Instrumentalisierung nicht gefeit. Odysseus wird ihn vor Troja propagandistisch verwerten, auf ihn, den vorgeblich meuchlings Gemordeten, zeigend, die Krieger zu ungeahnten Heldentaten stimulieren. Noch geht es um eine symbolische Ver-wertung des toten Menschen, doch der Endpunkt solcher Kalkulation, die Verwertung der in den Konzentrationslagern Ermordeten als Lieferanten von natürlichen Rohstoffen, kann mitgedacht werden.

1983 hat Müller einen *Brief an den Regisseur der bulgarischen Erstaufführung von Philoktet* geschrieben, der genau diese Lesart seines Stückes aufnimmt und sie in faszinierender Weise weitertreibt. Es ist jetzt eindeutig die Figur des Odysseus als des »Europäers, der in einer Person der Macher und der Liquidator der Tragödie ist«, die ihn an seinem »Material [...] Menschheit des Übergangs in der Verwerfung der Epochen« am meisten interessiert.[73] Weiter heißt es:

Wie Jason, der erste Kolonisator, auf der Schwelle vom Mythos zur Geschichte von seinem Fahrzeug erschlagen wird, ist Odysseus eine Figur der Grenzüberschreitung. Mit ihm geht die Geschichte der Völker in der Politik der Macher auf, verliert das Schicksal sein Gesicht und wird die Maske der Manipulation.[74]

Bezeichnenderweise stellt Müller jetzt auch seine eigne Schlußpointe besonders heraus:

den Gedankensprung des Odysseus von der Unersetzlichkeit des lebenden zur Verwertung des toten Philoktet, mit dem eine neue Spezies die Bühne betritt, das politische Tier [...], die schauerliche Einsicht des Odysseus [...], daß der Gebrauchswert des toten Funktionärs dem des lebenden nicht nachsteht, ihn möglicherweise übersteigt [...][75]

Odysseus, so Müller weiter, gebe »den Blick in eine Zukunft frei, die mit der Auswechselbarkeit des einzelnen technisch ernst macht«. Als »vorläufiges Finalprodukt des Humanismus, als der Emanzipation des Menschen vom Naturzusammenhang« benennt er die Neutronenbombe.[76]

Das Frappierende ist, daß am Ende *alle* Lesarten des Müllerschen *Philoktet* – und die letzte zumal – überzeugen. Der Grund für diesen paradoxen Sachverhalt liegt nicht in der zu schwach determinierten, vagen, unverbindlichen Explikation der mythischen Vorlage, sondern umgekehrt in der konsequenten, ›durchrationalisierenden‹ Arbeit am Mythos, die die *longue durée* von jahrtausendealten vor-geschichtlichen Strukturen in die Gegenwart hinein, die »Wiederkehr des Gleichen unter ganz anderen Umständen«, sichtbar macht.

Diese allgemeine Charakteristik gilt auch für Müllers zweites Stück nach einer mythischen Vorlage *Herakles 5*, geschrieben 1964/65 nach der Beendigung des *Philoktet* – nur daß hier die Härte des menschlichen Zivilisationsprozesses ins Komische, Heitere hinein aufgelöst ist. Denn ein Satyrspiel zum *Philoktet* sollte *Herakles 5* erklärtermaßen sein. Der Stücktitel spielt auf die fünfte Arbeit des Heros, die Ausmistung des Augiasstalls im Auftrag der Thebaner, an. Müllers Thema ist der Selbsterschaffungs- und (der Intention nach) Befreiungsprozeß des Menschen in der Arbeit und durch die Arbeit. Das realistische Moment seiner allegorischen Studie liegt darin, daß dieser mühsame Weg durch ›Dreck‹ und ›Gestank‹ und ›Mist‹ hindurchführt, wobei der ›Mist‹ lange Zeit Sieger bleibt. Doch nicht nur das: die gewalttätige Unterwerfung der Natur droht ihren Eroberer Herakles, als Inbegriff des Arbeitshelden, zum puren Arbeitstier, zu einem neuerlichen Stück Natur fern von Selbstbestimmung zu machen:

die fortschreitende Naturbeherrschung kommt, dialektisch, an den Punkt, wo die Gefahr besteht, daß nicht, wie Benjamin unterschied, das Verhältnis zur Natur beherrscht wird, sondern die Natur selbst, auch die des Menschen. Jede Verminderung der Leiden an Natur zerstörte auch ein Stück dieser Natur selbst.[77]

Die Folge ist Herakles' Wunsch, aus dem Kulturprozeß auszutreten: Arbeitsverweigerung, Regression. Dazu läßt es Müller, realistischerweise, nicht kommen. Herakles geht, von Vater Zeus dazu gemahnt und durch die Verheißung des göttlichen Weibes Hebe animiert, den Weg zur Naturbeherrschung nicht mehr nur mit den Mitteln roher Körperkraft, sondern mit denen seines Verstandes, sprich: der Technik. Er zähmt den Stier und spannt ihn vor den Mistkübel, er lenkt den Fluß um und schwemmt mit seinem Wasserschwall den Mist weg. Die letzten Szenenanweisungen lauten:

[Herakles] Zerreißt Augias und wirft die Hälften in die Flüsse, holt den Himmel herunter, greift nach Hebe [. . .]. Herakles rollt den Himmel ein und steckt ihn in die Tasche.

Die DDR-Rezeption hat mit Genugtuung festgestellt, daß Müllers *Herakles*-Version ein zweifelsfrei positives, sozialistisches Bild des nimmermüden Arbeitshelden zeichne und seine Adaption der Heraklesfigur sich damit z. B. diametral von der Friedrich Dürrenmatts in *Herkules und der Stall des Augias* unterscheide.[79] Dem ist kaum zu widersprechen. Müller hat, indem er sich der Vorgabe ›Satyrspiel‹ anvertraute, eine eigne Arbeitsmaxime außer Kraft gesetzt, der er späterhin geradezu den Charakter eines Prinzips beimaß: daß nämlich das »utopische Moment« eines Kunstwerks »in der Form, auch in der Eleganz der Form, der Schönheit der Form und nicht im Inhalt« zu liegen habe.[80] Es war nur folgerichtig, daß die Heraklesfigur der Komödienversion eine Kontrafaktur, eine Par-odie herausforderte, wie sie Müller 1972 mit dem Intermedium *Herakles 2 oder die Hydra* in *Zement* vorgelegt hat.

Zwischen 1966 und 1968 hat Heiner Müller zwei Neufassungen von griechischen Tragödien hergestellt, zuerst den *Ödipus Tyrann* auf der Grundlage der Hölderlinschen Übertragung des Sophokles, danach den *Prometheus* nach Aischylos auf der Grundlage einer von einem Gräzisten erstellten Interlinearversion. Während die zweite Übertragung tatsächlich mehr eine »Gelegenheitsarbeit«[81] war, wie Müller selbst befand (wenngleich die Stück- bzw. Figurenwahl durchaus sprechend ist), gab die Arbeit am *Ödipus* dem Autor Gelegenheit, das im *Philoktet* aufgenommene geschichtsphilosophische Problem moderner Rationalität und ihrer politisch-praktischen Folgen weiterzutreiben. Im *Ödipuskommentar,* einem Text von zwei Seiten in Versen, den Müller eigens zur Inszenierung seiner Übertragung durch Benno Besson am Deutschen Theater 1967 geschrieben hat, wird Ödipus zunächst nicht beim Namen genannt, sondern als »das Neue« bezeichnet: anders als die anderen durch das Stigma der durchbohrten Zehen, der vernähten, geschwollenen Füße (Ödipus = Schwellfuß) – *»Keiner hat meinen Gang,* sein Makel sein Name« –, löst gerade er das Rätsel der Sphinx: »Und der Mensch war die Lösung.« Doch am Ende »begräbt er«, der »Unbekannt mit sich selber« blieb, »die Welt«, indem er sich selbst blendet, bei sich und für sich bleibt: »die Welt eine Warze«.[82] In einem Beitrag zum Programmheft der Besson-Inszenierung hat Müller diese vielleicht noch dunklen poetischen Wendungen über das »Beispiel« Ödipus, »der aus blutigen Startlöchern aufbricht / In der Freiheit des Menschen zwischen den Zähnen des Menschen«[83], näher erläutert:

Gegen die gewohnte Interpretation lese ich *Ödipus Tyrann* nicht als Kriminalstück. *Das* wäre mit der Aussage des Teiresias am Ende. Für Sophokles ist Wahrheit nur als Wirklichkeit, Wissen nicht ohne Weisheit im Gebrauch; der Dualismus Praxis Theorie entsteht erst. Seine (blutige) Geburt beschreibt das Stück, seine radikalste Formulierung ist der Atompilz über Hiroshima […]. Die Haltung des Ödipus bei der Selbstblendung (»… denn süß ist wohnen / Wo der Gedanke wohnt, entfernt von allem«) ist ein tragischer Entwurf zu der zynischen Replik des Physikers Oppenheimer auf die Frage, ob er an einer Bombe mitarbeiten würde, wirksamer als die H-Bombe, wenn dazu die Möglichkeit gegeben sei: Es wäre technisch süß (technical sweet), sie zu machen. Die Verwerfung dieser Haltung bleibt folgenlos, wenn ihr nicht der Boden entzogen wird.[84]

Damit war der Akzent erkennbar auf den *Akt der Selbstblendung* gelegt als ein bewußtes Ab-sehen (Astraktion) von allem Wirklichen, was außerhalb der bei sich befindlichen Ratio angesiedelt ist. Ödipus ›hilft‹ sich, indem er das Traumatische verdrängt und in die Welt des niemand und nichts mehr verantwortlichen absoluten Gedankens flieht: eine andere Variante als die des Odysseus, die aber auf den gleichen Endpunkt einer rücksichtslosen ›reinen Vernunft‹ zuläuft. ›Dialektik der Aufklärung‹ also auch hier, und gewiß auch – eingeengt – deutbar als Selbstanalyse, Selbsterkennung des Funktionierens von Macht während des Stalinismus.[85]

Einen entscheidenden Schritt über Müllers Text hinaus – aber ein Schritt in die gleiche Richtung! – war die Inszenierung von Benno Besson. Er ließ sie mit Bühnenbild, Kostümen und vor allem Masken ausstatten, die die Fabel eindeutig in einer noch archaischen Übergangssituation von der Gentilgesellschaft zur Polis ansiedelten. Damit war schon visuell auf Bessons Regiekonzept, das dem Müllers analog war, hingewiesen. Besson verstand Ödipus als einen König, der durch ›alte‹ Machtmittel – Vatermord und Inzest – zur Herrschaft gelangt war; aber doch nicht nur durch sie, sondern auch durch seine Klugheit und Fähigkeit zum abstrakten Denken (das Rätsel der Sphinx!) sowie durch die Kraft seines Selbstbewußtseins. Noch im Stückverlauf schwankt er zwischen diesen gegensätzlichen Methoden. Er schickt Kreon weg, um das Orakel zu befragen und befragt selbst den Seher Teiresias – und begibt sich schließlich endgültig ins Reich der ›reinen Vernunft‹, indem er sich blendet:

Ödipus kommt auf den Thron einerseits durch die alten Gesetze unbewußt und ungewußt, und von allen in der Stadt wird das sorgfältig im Unbewußten gelassen, solange es gut geht. Andrerseits geht er auf den Thron auf neue Weise [...]. Das Schicksal des Ödipus ist [...], daß er rückfällig wird, alten Gesetzen verfällt, die nicht mehr gültig waren, während er behauptet, nach neuen angetreten zu sein [...]. Mit Ödipus erfolgt erst die Herauslösung und Herausbildung des individuellen Bewußtseins, und sie erfolgt aus dem Stammesbewußtsein heraus.[86]

Aus diesem Verständnis heraus interessiert der *Ödipus* Besson ebensowenig wie Müller als »Kriminalstück« oder ›Schicksalstragödie‹, vielmehr geht er davon aus, daß Ödipus wie auch Iokaste und alle übrigen Thebaner die ganze Zeit über ein latentes Wissen von den wirklichen Verhältnissen haben. Sind doch der Name, den der Tyrann trägt, und seine Füße, die alle Welt sehen kann, sprechend genug.[87] – Daß eine solche geschichtsphilosophisch-intellektuelle Interpretation eines (hierzulande psychoanalytisch ›besetzten‹) antiken Mythos wie die von Müller und Besson, die sich übrigens explizit auf George Thomson berief[88], in der DDR nicht nur auf Gegenliebe stieß, versteht sich von selbst. Für die Theatergeschichte der DDR hatte sie eine wegweisende Funktion, indem sie spätere Regieprojekte antiker Stücke vor allem dann in den 80er Jahren legitimierte und inspirierte.

IV

1968 hat Volker Braun »die beiden staunenswürdigen Meister der heutigen deutschen Literatur«, Heiner Müller und Peter Hacks, mit einer Präzision charakterisiert, die seitdem kaum übertroffen worden ist. Beim »großartigen Müller« sieht er den »harten Gang« unternommen, »zurückzugreifen in die Fesseln der Vorgeschichte und ziemlich in ihr die Realität zu sehen«. Den »glänzenden Hacks« hingegen sieht er auf seinem »anmutigen Weg [...] so weit vor[...]greifen, daß einem die Realität nicht mehr dazwischen kommt«.[89]

Nun wäre es leichtfertig, Hacks' Antikerezeption von vornherein als anmutig-glänzende Entrealisierung zu dequalifizieren. Sie hat entschieden dialektische Züge. Der Aufsatz *Iphigenie, oder: Über die Wiederverwendung von Mythen* (1963), und nicht nur er, zeigt Hacks als überlegenen und zugleich kritisch-nüchternen Kenner der mythologischen Überlieferung in ihrem historischen Kontext. Die Tendenz der Vorgänge um Agamemnon, Klytämnestra und Orest, nämlich von »Ideologen der Männerherrschaft [...] in die Welt gesetzt« zu sein zum Zweck der (sogenannten) »Emanzipation des Mannes«[90], könnte man nicht schärfer herausarbeiten als er es getan hat. Auch sieht er bestechend klar die ästhetische Struktur der wichtigsten Mythen, die auf uns gekommen sind:

Sie sind stabil, bis zur Formel gemeißelt und inhaltlich kompromißlos. Man kann sie nicht individualisieren und schon gar nicht psychologisieren. Sie wollen immer auf Großes hinaus.[91]

Doch dann gerät Hacks' Konzept der Mythenrezeption in Widerspruch zu sich selbst:

Nämlich, und das ist der Punkt, auf den die Überlegung hinaussoll, begreifen wir die Bilder der magischen Epoche nicht historisch, sondern poetisch. Das Abgebildete ist vergangen, die Abbildungen blieben; und wir erkennen uns, obgleich sie nicht von uns gemacht sind, in ihnen wieder. Ein so heftiges wie privates Interesse beispielsweise nahm Goethe an der Figur des Tantalos. In seinem Schicksal sah er das Schicksal des Genies am Hof der Mächtigen: es wird rascher als alle erhoben und gründlicher als alle vernichtet.[92]

Zweierlei geschieht hier. Erstens ist die dialektische Beziehung zwischen dem Vergangenen und seiner »Wiederkehr unter ganz anderen Umständen« (Müller) tendenziell aufgehoben bzw. ins Private verschoben (Goethe, der sich in Tantalos wiedererkennt). Zweitens wird eine *Enthistorisierung* und *Poetisierung* der mythischen Bilder empfohlen, eben weil das Abgebildete ohnehin vergangen sei. Hacks leugnet damit die zumindest unterirdische Verbindung unserer gegenwärtigen Widersprüche (und der seines Landes) zu den in den Mythen abgebildeten Traumen einer frühen Geschichte der Gattung, im Übergang zu zählebigen, immer noch ›modernen‹ Strukturen von Herrschaft und Rationalität, wie sie bei Müller, Besson und schon Brecht sichtbar geworden war. Ästhetisch folgt er Schiller, von dem der Satz stammt: »es ist die *poetische*, nicht die historische Wahrheit, auf welche alle ästhetische Wirkung sich gründet«.[93]

Nun dürfen in der Tat die poetischen Qualitäten des Mythos keineswegs geleugnet oder verworfen werden. Wäre ein Mythos *nichts* als rationale Struktur oder *ausschließlich* historisch gebundene Überlieferung: er wäre erst gar nicht tradiert worden. Von Anfang an war Mythenerfindung als »abwehrende, beschwörende, erweichende oder depotenzierende Handlung«[94] sowohl der Sphäre des *Terrors* als auch der des davon emanzipierenden *Spiels* zugehörig. Im Mythos wurde sprachlich-imaginativ, eben poetisch, umspielt, was vordem nur bannendes Trauma war. In diesem Sinn sind die Mythen »geglückte Versuche, aus Zwangslagen sich herauszureden: aus dem Schrecken in Geschichten über den Schrecken auszuweichen«.[95] – Noch Heiner Müllers Antikenstücke (bis hin zu den *Zement*-Texten und seiner *Medea*-Adaption) haben diesen Doppelcharakter von Terror und Poesie wie die attischen Tragödien selbst. Peter Hacks hingegen verwirft ihn zugunsten einer pur poetischen, inhaltlich utopischen Lesart der antiken Mythen. »Der dauernde Wert einer Mythe hängt nicht ab von ihrer ursprünglichen Bedeutung«[96], heißt es bei ihm, und damit hat er sich explizit auf den Weg der ästhetischen Sezession[97] begeben, was sich auch darin niederschlägt, daß Hacks durchweg Antiken*komödien* geschrieben hat. Während der Müller der 60er Jahre einen Mythos »*beweisbarer* machen« (Hölderlin), ihn »zu Ende bringen« (Blumenberg[98]) wollte, führt ihn Hacks der freien Verfügbarkeit zu. Auch das hat seine Reize, wie Hacks' Stücke demonstrieren.

Sieht man einmal von Hacks' Bearbeitung der aristophanischen Komödie *Der Frieden* ab, weil sie keine im Mythos begründete Vorlage hat (sie stammt von 1962 und wurde von Besson inszeniert), dann ist seine »Operette für Schauspieler« *Die schöne Helena* (1964) das erste einschlägige Stück. Hacks' Ausgangspunkt war das Libretto von Meilhac und Halévy für die bekannte Offenbach-Operette von 1864. Weder wollte Hacks die Kritik der Vorlage am Second Empire Napoleons III. aufnehmen – wen hätte das interessiert? –, noch wollte er eine reine Mythenparodie schreiben. Sein spezifisches Vorhaben war, wie Peter Schütze treffend festgestellt hat, ein »reizender, bunter, frecher und heiterer Märchenspaß«[99], dem freilich Symbolik und tiefere Bedeutung nicht abgehen sollten. Sind die griechischen Heerführer Agamemnon, Menelaos usw. (und ihr Schutzgott Jupiter) Gestalten einer überlebten, abschaffenswerten Welt, so ist in Helena (und ihrer Göttin Venus) die Alternative einer besseren Zukunft, die Utopie der Schönheit und der Liebe inkarniert. Schütze kommt ganz unbefangen zu dem Fazit: »Der Standpunkt ist der des posthistoire [!], von ihm her ist sichtbar, daß sich die Herrschaft der Könige auf verlorenem Posten befindet.«[100] Wie hatte schon Volker Braun bemerkt: Hacks greife so weit vor, daß ihm »die Realität nicht mehr dazwischen kommt«.

Einen weiteren Schritt in diese Richtung markiert Hacks' *Amphitryon* von 1967. Des Autors Ehrgeiz war, alle Vorzüge bisheriger *Amphitryon*-Stücke in dem seinen zu vereinen: Plautus' Kraft, Molières Geschick, Drydens Frechheit und Sinnlichkeit und Kleists Tiefsinn.[101] Sein entscheidender (und gewiß tiefsinniger) Kunstgriff lag darin, Jupiter nicht als geprellten Gott (und damit lächerliche Figur) darzustellen, der sich Alkmenes Liebe durch Lüge und List erschleichen muß, sondern als besseres Selbst des Amphitryon, das dieser »einst versprach zu werden und hätte werden können«.[102] Hacks begreift Jupiter als

die Zusammenfassung und Verkörperung aller menschlichen Vermögen; dann erscheint er als der vollkommene Mensch unter den wirklichen Leuten wie Tarzan unter den Affen. Dann stört und fördert er die Welt, so wie menschliche Vollkommenheit allzeit die Welt stört und fördert.[103]

Ihm gegenüber erscheint Amphitryon, der thebanische Heerführer, als in seine militärische Profession eingezwängt – und entsprechend weniger liebens-würdig. Alkmene hat, umgekehrt, an dem in Jupiter verkörperten utopischen Potential teil, indem sie über die Souveränität und Sinnlichkeit verfügt, die notwendig sind, um Jupiters Liebe genießen zu können. – Mir scheint, daß Hacks' *Amphitryon* seine Überzeugungskraft vor allem aus der ironischen Neupointierung der ›sterblichen Figuren‹ und der Verlagerung des utopischen Versprechens in die ›Kunstfigur‹ des Gottes wie der liebend erkennenden Frau bezieht. Wie plump mutet demgegenüber die Wendung der Mythe an, die Armin Stolper ihr schon 1965/66 in seiner Komödie *Amphitryon* gegeben hat: Jupiter wird zum impotenten Möchtegern-Casanova, zum Versager, dem Amphitryon, der sterbliche Mensch, am Ende beispringen muß, um die Zeugung des Herakles zu bewerkstelligen. Obendrein hilft er noch großzügig mit, die ideologische Lesart von der göttlichen Zeugung des Heros in die Welt zu setzen. Die biedere Moral von der Geschichte lautet

> Wer sich auf Zeus verläßt, hat selber schuld.
> Nun faltet nicht, sondern bewegt die Hände,
> Und macht jetzt Schluß mit jedem Götterkult.[104]

Man kann verstehen, daß Hacks (der auf Stolper mit keiner Silbe eingeht) derartige Aktualisierungen mit dem Zeigefinger verschmähte und statt dessen den Weg in die himmlische Utopie vorzog.

Hacks' dritte Adaption eines Stoffes aus der griechischen Mythologie ist seine *Omphale* von 1969, ein Herakles-Stück, das bemerkenswerte Strukturähnlichkeiten mit Heiner Müllers *Herakles 5* aufweist, obwohl es von einer ganz anderen Episode ausgeht. Hacks greift den im wesentlichen nur von Apollodoros und Diodorus Siculus (später dann Ovid) überlieferten Aufenthalt des Heros bei der Lydierkönigin Omphale auf, die ihn, so die Mythe, als Sklaven für die Liebe und nicht als Kämpfer gekauft habe. Die in der Antike zumeist mit Empörung oder Spott kommentierte hilflose Verstrickung des Herakles in Omphales Liebe, bis hin zum Ablegen des Löwenfells, zum Kleidertausch mit der geliebten Frau und dem Spinnen des Wollfadens nach Frauenart, hat Hacks, ganz in seiner bisherigen Tradition, umzuwerten und als tiefsinnige Utopie zu lesen versucht: als Symbol einer Aufhebung der überkommenen Geschlechterrollen mit ihren ärmlichen Fixierungen zugunsten einer Befreiung zum wahren Schöpfertum in der sinnlichen Liebe. So gibt denn Herakles bei Hacks ganz freiwillig und ohne Scham seine Rolle als Ungeheuer erschlagender kriegerischer Held auf. Die nie gekannte Lust versprechende Schönheit der Omphale schlägt die mühselige Tätigkeit des permanenten ›Kultivators‹ aus dem Feld:

> [...] Ich bin dein. Beschämt
> Steht Arbeit vor so äußerstem Gelingen.[105]

Die Frau wird für Hacks zum Inbegriff des Lebendigen, deren Existenz gleichzeitig die Leblosigkeit des bei sich bleibenden männlichen Wesens manifestiert. In einem Essay von Hacks über den Bildhauer Fritz Cremer heißt es:

> Lamettrie [...] übersah [...], daß seine Lehre, daß der Mensch ein Apparat sei, nur für den männlichen Menschen, den sogenannten Mann, gilt. Cremer weiß es besser. Bei ihm ist die Frau das Lebewesen und der Mann der Apparat, wobei natürlich ein Apparat in seinem Wesen dadurch gekennzeichnet ist, daß er kaputt ist.[106]

Doch mit dem Geschlechterrollentausch von Herakles und Omphale ist ja erst der Ausgangspunkt und nicht die Lösung von Hacks' Stück gegeben. Noch gibt es Ungeheuer, die Menschen vertilgen, in diesem Fall den Riesen Lityerses. Hacks führt vor, wie es den Betroffenen, die dem Terror des Lityerses ausgesetzt sind, erst nach lange vergeblichen Versuchen gelingt, Herakles von der Notwendigkeit zu überzeugen, wieder in seine alte, männliche Rolle des entlebendigenden Überwinders und Beherrschers natürlicher und sozialer Gefahren zu schlüpfen und den Lityerses zu töten. Er tut es und dreht damit die Utopie, »das allzu heitre Spiel«, zurück in die rauhe Wirklichkeit. Hacks' Herakles erkennt danach:

> [. . .] Eh ichs weiß
> Bin ich besiegt von dem besiegten Feind.
> Geschicklichkeit des Tötens macht mich nun
> Zum Leben ungeschickt. Allmächtig wirkt
> Im Gang des Seins das längst Erledigte.

Doch wie bei Müller dominiert dann noch ein positiver Ausblick, wenn Herakles, Lityerses' Kopf am Bart hereintragend, zu Omphale sagt:

> Hier deines Feindes Rest. Die Ungeheuer
> Sind nicht mehr, was sie waren. Die Winter
> Sind auch nicht mehr so kalt wie früher.[107]

Herakles und Omphale kehren zwar in ihre alten Kleider und damit Rollen zurück, aber aus der mörderischen Keule wächst ein Ölbaum: Der kulturschöpferische Prozeß ist brutal und entlebendigend, doch am Ende steht bei Hacks die Verheißung einer *gelingenden* Kultur, einer Versöhnung von Naturbeherrschung und dem Zu-sich-selbst-Kommen der (menschlichen) Natur.[108]

V

In den späten 60er und in den 70er Jahren löste es keine Irritationen mehr aus, wenn die Tragödien des Aischylos, Sophokles und Euripides in der Originalfassung gespielt wurden. Auch Hacks' und, mit Abstrichen, Müllers Antikenstücke konnten sich durchsetzen. Ja, sogar ein so ›harter‹ Text wie Kleists *Penthesilea* kam 1978 (verspätet zum Jubiläumsjahr) auf die Bühne, wenn auch nur des Meininger Theaters. Immerhin hatte dieser Text für das DDR-Theater 30 Jahre lang nicht existiert. So läßt sich, in Grenzen, von einer Etablierung der Stücke nach antiken Mythen auf den Bühnen der DDR sprechen, wobei freilich der Anteil *neuer* Versionen von DDR-Autoren selbst relativ gering blieb.

Eine bemerkenswerte Parallele bietet die Theaterszene der Bundesrepublik in den 70er Jahren. Nach mehreren Inszenierungen griechischer Tragödien (und von Stücken Hartmut Langes) durch Hansgünther Heyme seit 1966 kam es seit etwa 1973/74, verstärkt seit 1978/79 zu einer Fülle umfangreicher, ambitionierter *Antiken-projekte,* die von renommierten Regisseuren inszeniert wurden: Ernst Wendt, Christof Nel, Niels-Peter Rudolph, Hans Neuenfels, Wilfried Minks, Claus Peymann, Götz Friedrich, Jürgen Gosch und Einar Schleef (die letzten drei stammen aus der DDR). Am wichtigsten waren wohl die kontinuierlichen Antike-Inszenierungen von George Tabori und Robert Ciulli sowie die beiden Groß-projekte der Berliner Schaubühne von Klaus-Michael Grüber und Peter Stein (*Die Bakchen* des Euripides und ein Übungsabend für Schauspieler, 1974; *Die Orestie* des Aischylos, 1980), Erwähnens-wert sind diese Inszenierungen vor allem deshalb, weil sie samt und sonders – gewiß mit gravierenden individuellen Unterschieden – die Mythen in ihrer ganzen Härte, nicht nur als ›Spiel‹, sondern auch und vor allem als ›Terror‹, vorführten und eine historische bzw. strukturelle Kontinuität der Widersprüche vom Zeitalter der Mythenkristallisation bis auf unsere Tage unterstellten. Die zivili-sationskritische Lesart des Mythos ist überall dominant. Bezeich-nenderweise ist z. B. das Programmheft der Berliner Schaubühne zum Antikenprojekt 1974 auf Texte von Bataille, Horkheimer/ Adorno, Thomson und (am stärksten) Jean-Pierre Vernant fun-diert. Parallelen zu Heiner Müllers und Benno Bessons Antikere-kursen aus den 60er Jahren sind also deutlich gegeben; ob von einem direkten Einfluß (zwischen Berlin-Ost und Berlin-West naheliegend!) gesprochen werden kann, muß vorläufig offenblei-ben. – Faszination löste die griechische Tragödie vor allem auch deshalb aus, weil sie durch ihre Spielweise – so weit wir uns diese heute vorstellen können – die Affekte ελεος und φοβος (mit Wolf-gang Schadewaldt: nicht »Furcht und Mitleid«, sondern »Jammer und Schauder«) freisetzte, also »leiblich-seelische Elementarvor-gänge«, deren Durchleben eine »Seelenhygiene« bewirken sollte.[109] Eine solche nicht mehr philanthropisch-christliche, didaktische, sondern elementar anthropologische, in der Präsentation selbst extrem körperlich-sinnliche Spielauffassung mußte in den 70er Jah-ren als besonders aktuell erfahren werden. Die wichtigste Mittler-figur für eine solche radikale Theaterauffassung war natürlich Antonin Artaud.

Heiner Müller hat sein Projekt einer zivilisationskritischen Lektüre der menschlichen Vor-Geschichte und deren theatralische Präsentation in den 70er Jahren (und in die 80er hinein) mit unbeirrter Konsequenz fortgesetzt. Allerdings traten die Mythen der griechischen Antike dabei deutlich in den Hintergrund, während Shakespeares Stoffe und die ›germanisch-deutsche Mythologie‹ ins Zentrum rückten.[110] Wichtiger noch ist ein um 1970 anzusiedelnder Umschwung allgemeiner Art: Müllers Preisgabe der »konventionellen narrativen Dramatik« samt ihrem entscheidenden Strukturelement, dem Dialog, in dem »unterscheidbare Personen und Positionen« auszumachen sind.[111] Müller entwirft keine ›durchrationalisierten‹, quasi systematischen Modelle mehr (wie noch im *Philoktet*), die Botschaften in Form eindeutiger Pointen enthalten. Hölderlins Satz, daß es gelte, die »Mythe überall *beweisbarer*« darzustellen, ist auf seine neuen Texte nicht mehr anwendbar. Vielmehr suchen seine monologischen, letztens nur noch in Prosaform beschreibenden Texturen gerade

die Lücke im Ablauf, das Andre in der Wiederkehr des Gleichen, das Stottern im sprachlosen Text, das Loch in der Ewigkeit, den vielleicht erlösenden Fehler.[111a]

Motive antiker Mythen kommen noch vor, erkennbar in der abschließenden Szenenanweisung zu Müllers jüngstem Text *Bildbeschreibung* von 1985:

BILDBESCHREIBUNG kann als eine Übermalung der ALKESTIS gelesen werden, die das No-spiel KUMASAKA, den 11. Gang der ODYSSEE, Hitchcocks VÖGEL und Shakespeares STURM zitiert. Der Text beschreibt eine Landschaft jenseits des Todes. Die Handlung ist beliebig, da die Folgen Vergangenheit sind, Explosion einer Erinnerung in einer abgestorbenen dramatischen Struktur.[112]

Die frühere Absicht des Autors, das jeweilige mythische Motiv zeitlich-historisch und kausal zu determinieren, ist damit explizit zurückgenommen.

Das Werk Müllers, an dem der Umschlag der Dramenform *in nuce* erkennbar ist (und gleichzeitig auch ein veränderter Umgang mit der mythischen Überlieferung), ist *Zement* nach Fjodor Gladkows Roman. Elemente der mythischen Überlieferung – Odysseus' Heimkehr, Prometheus' Befreiung durch Herakles, Herakles' Kampf mit der Hydra, Medea und Jason, Sieben gegen Theben – spielen eine zentrale Rolle, aber sie geben kein durchgehendes Handlungsgerüst mehr ab, sondern sind die historische Fabel spiegelnde und kommentierende Intermedien. Außerdem markiert das Stück von 1972 einen figuralen Paradigmawechsel. Die bislang dominanten Männergestalten von Herakles bis Odysseus (die alle in nahezu ›frauenfreien‹ Stücken agierten) treten zurück zugunsten von semantisch enorm aufgeladenen Frauenfiguren, deren wichtigste *Medea* ist. Der unendlich schwierige Wiederaufbau des zerstörten Zementwerks inmitten der blutigen Auseinandersetzungen zwischen Roten und Weißen im jungen Sowjetrußland Anfang der 20er Jahre, um den es in dem Stück geht, wird von Müller kontrapunktiert durch die private Beziehung zwischen dem Revolutionär Gleb Tschumalow und seiner Frau Dascha, die sich während seiner Abwesenheit durch bitterste Erfahrungen hindurch von ihm, und nicht nur von ihm, emanzipiert hat. Das *eine* gemeinsame Kind hat sie in ein Heim gegeben, um sich besser der Fürsorge für die *vielen* verwahrlosten Kinder widmen zu können. In den Szenen ›Heimkehr des Odysseus‹ und ›Das Bett‹ (des Odysseus) verkehrt Müller die in der *Odyssee* geschilderte idyllische Wiedervereinigung zwischen Odysseus und Penelope in ihr Gegenteil. Doch das ist nur der Anfang. In der zentralen Szene ›Medeakommentar‹ zeigt er Dascha, die ihr Kind preisgegeben hat (es ist in dem Heim gestorben), als verhärtete, sich dem Mann verweigernde, zu Haß und Rache fähige und zudem extrem intellektuelle Frau, eine moderne Medea sozusagen, deren Beweggründen und Handlungen ihr Mann Gleb/ Jason nur schwer zu folgen vermag. Anders als in den frühen Produktionsstücken Müllers repräsentiert die Frau nicht mehr schlicht Liebe und Hoffnung, sondern sie wird als vom männlichen Realitätsprinzip eingeholte und gleichfalls nahezu zerstörte Figur aufgefaßt, in der Sexualität und Tod vereinigt sind.[113]

Noch einmal forciert ist dieses Frauenbild dann in Müllers kurzem *Medeaspiel* von 1974, der reinen Spiel-Beschreibung einer Geschlechterbeziehung von der Brautwerbung über »Geschlechtsakt« und »Geburtsakt« bis hin zum »Tötungsakt« des Kindes. Die Ehe wird als Fesselung beschrieben (mit den Fetzen des Brautkleids), die Geburt des Kindes als noch effektivere Unterwerfung der Frau (die äußeren Fesseln können jetzt gelöst werden); die anschließende Tötung des Kindes erscheint als reiner Befreiungsakt.[114] Formal ist Müller mit diesem pur allegorischen Text übers Schicksal der Frau im Patriarchat noch einmal einen Schritt zurück gegangen: zurück zur überklaren ›Durchrationalisierung‹ der Mythe im Sinne Brechts.

Demgegenüber bewegt sich das Stück *Verkommenes Ufer Medea-material Landschaft mit Argonauten* (1982) in eine komplexe, Gegenwart und mythisch-historische Vergangenheit miteinander verschränkende, nur im Mittelteil direkt dramatische (dialogische) Textur hinein, die sich der Fixierung von ›Bedeutungen‹ weitgehend entzieht. Deutlich ist allemal, daß es Müller um die extrem entfremdete Mann-Frau-Beziehung in der Früh- und gleichzeitig in der Spätestphase des Patriarchats geht. Jason, der Kolonisator, erscheint vor allem im dritten Teil des Stücks als Inkarnation einer pietätlosen, instrumentellen Vernunft, deren Werk es ist, daß die Erde noch vor der Zeit in den Zustand endgültiger Ent-ordnung, die Entropie, übergeht: aus dem kolonisierten Ufer von Kolchis ist ein »verkommenes Ufer« voller Wohlstands- und Industriemüll geworden. – Für Medea dagegen ist der »Zahltag« gekommen, an dem sie für den einst Jason zuliebe zerstückten Bruder Apsyrtos die von ihm empfangenen und ihm lieben Kinder tötet. Jasons ›Kolonisierung‹ ihrer Person hat sie zu der Raison hin deformiert, aus der heraus sie jetzt zur Mörderin ihrer eignen Kinder wird:

> Wär ich das Tier geblieben das Ich war
> Eh mich ein Mann zu seiner Frau gemacht hat
> Medea Die Barbarin Jetzt verschmäht
> Mit diesen meinen Händen der Barbarin
> Händen zerlaugt zerstickt zerschunden vielmal
> Will ich die Menschheit in zwei Stücke brechen
> Und wohnen in der leeren Mitte [...][115]

So gravierend sich Müllers theatralisch-formaler Umgang mit den antiken Mythen im Lauf von 20 Jahren geändert hat: geblieben ist ihre ›strukturale‹ Lesart, nämlich als Sinn-Bilder aus der Frühgeschichte unserer Zivilisation, deren katastrophische, deformierende Wirkung noch andauert. Verstärkt hat sich in den letzten Jahren, was man Müllers Rückgriff auf die *Spielweise,* die spezifische Theatralik der griechischen Antike nennen könnte. Ganz im Sinne von Schadewaldts bereits erwähnter Aristoteles-Auslegung faßt er die Erzeugung der Affekte ›Jammer‹ und ›Schauder‹ und die nachfolgende Katharsis als elementar-körperliche Akte auf, sieht den Zusammenhang von ›Terror‹ und ›Spiel‹ als unauflöslich an. Damit will er, wie seine westlichen Kollegen auf den Spuren Artauds, dem Theater wieder eine »vitale Funktion« geben, über seine »Illustrationsfunktion« und seine »Didaktik des platten Verstehens« hinaus.[116]

Müllers Blick auf den Mythos/die Geschichte als Terrorzusammenhang hat bekanntlich eine enorme Sogwirkung auf einige jüngere Autoren ausgeübt, namentlich auf die Dramatiker Stefan Schütz und Jochen Berg. An ihren zahlreichen Antikestücken zeigt sich, von wenigen Ausnahmen abgesehen, daß der allzu starre Blick aufs Vorbild nicht zu dessen Wiedererweckung oder gar Verbesserung führt, sondern eben zur Erstarrung, stilistisch zur Manier. Das gilt vor allem für Jochen Bergs Stücke. Nach der Übersetzung von Euripides' *Phönizierinnen* (1980) hat er in kurzem Abstand die drei Stücke *Iphigenie* [DDR-Titel: *Im Taurerland*] (1982), *Klytämnestra* und *Niobe* (beide 1983) vorgelegt, die alle vier von Hansgünther Heyme in Stuttgart uraufgeführt wurden. Der Kontext der Neudeutung der alten Mythen ist bei Berg der gleiche wie bei Müller, nur entschieden diffuser: Das archaische Griechenland erscheint aktuell als aus den Fugen geratene, von Männerterror beherrschte Gegend, deren Deformationen von den Frauen erlitten oder auch übernommen werden. Niobe steht als Beispiel für das erste, Klytämnestra (die bei Berg auch noch ihren Liebhaber Ägist tötet) fürs zweite. Iphigenie, die Berg ganz zu Anfang des Stücks freiwillig auf offener Bühne mit Thoas kopulieren läßt, ihm aber dann doch die Ehe verweigert, ist ein besonders aparter Fall. Das Stück und seine Exposition sind beispielhaft für eine Mythenadaption, die auf Teufel komm raus ›alternativ‹, schockierend sein will – und es am Ende doch nur bis zum schicken Manierismus bringt.[117]

Leider trifft das auch auf Stefan Schütz' erstes Antikenstück *Odysseus' Heimkehr* von 1972 zu, das der Autor Heiner Müller, den er 1969 kennengelernt hatte, gewidmet hat. – Schon Mitte der 60er Jahre hatte Karl Mickel in seinem Drama *Nausikaa* die Heimkehr des Odysseus problematisiert. Bei Mickel erkennt Odysseus, der auf Scheria bei Nausikaa bereits den Übergang von der Bronzezeit zur Eisenzeit (und deren Folgen in Richtung Tyrannis) kennengelernt hatte, die Ambivalenz des geschichtlichen Fortschritts. Vor Ithaka angekommen, wird ihm klar, daß er die 300 Freier umbringen müßte, um die Heimat wieder in ›sein‹ Paradies umwandeln zu können. Da ihm »Troja reicht« (als Erfahrung des Mordens), bricht er neuerlich von Ithaka auf und segelt, wie in Dantes Version, bis zu den Säulen des Herakles.[118] – Ohne Zweifel liegt in Mickels Version des Odysseus als eines reflektierten, skrupulösen Zauderers und gleichzeitig doch Grenzüberschreiters eine intelligente (freilich kaum theatralisch zu realisierende) Deutung und ›Durchrationalisierung‹ der einschlägigen Mythen vor. Von Schütz' Version läßt sich das kaum sagen. Bei ihm kommt Odysseus in ein von einem merkwürdigen Schorf überzogenes Land zurück, in dem ihm sowohl Penelope, die mit ihren Freiern ins Bett geht, als auch sein Sohn Telemach, der unbedingt an die Macht will, und sei es über eine Heirat der Mutter, als Feinde gegenüberstehen. Odysseus wird von einer Magd umgebracht, sein cleverer Einfall, überall im Lande Kratzmaschinen aufzustellen, die den juckenden Schorf erträglich machen sollen (ohne ihn doch abzuschaffen), wird dagegen gern aufgegriffen. Was bleibt, ist der zur Gewohnheit gewordene Schorf, eine »Zukunft im Grind«, die alle gleich macht.[119] – Der Vorgang läßt sich, so scheint mir, analog zu Thomas Braschs Erzählung *Vor den Vätern sterben die Söhne* lesen: die alten Ideale, die authentische Moral sind nur noch bei der ›schorffreien‹ Vätergeneration anzutreffen, die Jungen, die Söhne haben sich längst arrangiert und leben nicht schlecht mit dem Schorf. Gewiß wäre das eine originelle moralische Kritik an gegenwärtigen Zuständen im realen Sozialismus, aber das antike Personal, die homerische Heimkehrer-Episode ist ihr im Grunde nur aufgepfropft. Der griechische Mythos ist nicht folgerichtig weitergedacht, sondern willkürlich auf den Kopf gestellt.

Weitaus überzeugender, weil weniger gewollt apart, ist Schütz' zweites Antikenstück *Antiope und Theseus (Die Amazonen)* von 1974. In der zunächst feindseligen, dann erotischen Beziehung zwischen der Amazonenkönigin Antiope und dem Städtegründer Theseus gestaltet Schütz den Konflikt zwischen der alten matriarchalischen (ihre Existenz einmal unterstellt) und der neuen patriarchalischen Ordnung. Ähnlich wie in Hacks' *Omphale* scheint zunächst Versöhnung der in die Geschlechterrollen gebannten Extreme durch die praktizierte Liebe möglich. Theseus entpanzert sich, gibt sich Antiope ganz hin und weigert sich, weiter den Herrscher und Kriegshelden zu spielen. Doch am Ende beugt er sich der »Staatsraison«[120] und heiratet Phädra, die Tochter des Kreterkönigs Deukalion. Antiope läuft in Theseus' Schwert, er feiert Hochzeit und wird danach, so ist es abzusehen, das Amazonenvolk endgültig vernichten. – Schütz' Leistung ist bemerkenswert. Er hat einen schlecht überlieferten, nicht als Tragödie vorgeformten Stoff durchaus ›historisch‹, ohne bedeutungsschwangere Aktualisierungen (wie im *Odysseus*-Stück) theatralisch überzeugend erzählt und gleichzeitig jene Haltungen und Konflikte der sich durchsetzenden

patriarchalischen Ordnung klar durchscheinen lassen, die unver-
minderte Aktualität haben.

Wichtiger vielleicht als die meisten neuen Texte nach griechischen
Mythen sind für das Theater der DDR einige hochzielende Regieprojekte der jüngsten Zeit. Auf die (soweit mir bekannt) drei wichtigsten sei wenigstens kurz hingewiesen.

1981 gab es im kleinen Stendal ein »Theaterfest Antike«, auch
(nicht undelikat) die ersten »Winckelmann-Tage« genannt (Winckelmann wurde hier 1717 geboren). Drei Inszenierungen wurden
vorgestellt, die u. a. von einer Ausstellung »Antikerezeption in der
Plastik der DDR« umrahmt wurden. Die Stücke waren Müllers
Philoktet, Aristophanes'/Hacks' *Der Frieden* und Euripides' *Ky-
klop*, aufgeführt von Berliner Schauspielschülern. Die Resonanz
war offenbar positiv.[121]

Entschieden größer dimensioniert war Christoph Schroths Schweriner Antikenprojekt unter dem Titel »Entdeckungen 5«, fertigge-
stellt 1983, das u. a. auch in Nancy und Wien gastierte. Schroth,
Schüler u. a. von Benno Besson, und sein »Schweriner Ensemble«
bzw. die »Schaubühne der DDR«, wie seine Truppe unter Kennern
genannt wird, hatten sich fünf Jahre lang auf das Vorhaben vorbereitet. Christa Wolf fungierte zeitweise als dramaturgische Berate-
rin. Am Ende entschied man sich, nach dem altgriechischen Modell
der Dionysien, für die Aufführung von vier Tragödien und einer
Komödie an einem Abend, allesamt zum Thema (trojanischer)
Krieg. Sehr kalkuliert wurde an den Anfang Euripides' *Iphigenie in
Aulis* gestellt und damit die ideologische Kriegsvorbereitung vorgeführt. In Schroths Worten:

Als Agamemnon seine Tochter Iphigenie opfert, löst er den Krieg aus und
beseitigt die Hemmschwelle zum Töten, die vor so einem Ereignis immer
vorhanden ist.[122]

Nach der *Iphigenie* wurden Euripides' *Troerinnen* in der Fassung
von Sartre und Aischylos' *Agamemnon* parallel aufgeführt (die Zuschauer hatten die Wahl): beides Stücke über den Krieg selbst als
ein endloses, monströses Schlachten. Die abschließende Komödie,
Aristophanes' *Die Acharner* in einer Neufassung von Kurt Bartsch
(Untertitel *Der private Frieden*), führte in Revueform die Situation
nach dem geschlossenen Frieden vor: Die Zivilbevölkerung wird
mit Holzgewehren und Übungsprogrammen auf den nächsten
Ernstfall vorbereitet.[123]

Alexander Lang ging 1984 mit seinem Doppelprojekt am Deutschen Theater in Ost-Berlin von ähnlichen Voraussetzungen wie Christoph Schroth aus:

Grabbes GOTHLAND und Goethes IPHIGENIE sind Stücke von Bedrohungs- und Bewährungssituationen aus dem gleichen historischen Prozeß, der ›blutigen Vorgeschichte der Menschheit‹, der bis heute nicht abgeschlossen ist, und der mit seinen Zuspitzungen und Widersprüchen heutige Problematik zutiefst berührt.[124]

Nur machte Lang es sich dadurch schwerer, daß er Goethes taurische Iphigenie und nicht die aulische des Euripides als Vorlage wählte. So blieb es dem Grabbestück Herzog Theodor von Gothland (das an einem zweiten Abend im fast gleichen Bühnenbild gespielt wurde) vorbehalten, die Gewalt im Stadium der Anwendung, den Krieg selbst, vorzuführen. Iphigenie dagegen »beschreibt die Geschichte einer Nachkriegsgeneration. Iphigenie, Orest und Pylades sind Folgeopfer des Trojanischen Krieges«, und Iphigenie versucht, den Weg der Gewaltverhinderung über Überredung, Überzeugung, Verhandlungen zu gehen – im Stück erfolgreich, wie wir wissen. Und doch ist die Goethesche Lösung aberwitzig, eine »eindrucksvolle Weimarer Reduktion«, insofern sie »Humanität ohne Gesellschaft, Humanität ohne Geschichte, oder noch schlimmer: Humanität gegen die Geschichte«, demonstriert.[125] Genau diesen verzweifelten Widerspruch macht Langs Inszenierung bis ins Schlußtableau der ›Versöhnung‹ zwischen Thoas und Iphigenie (als nur verbal vollzogene) eindrucksvoll sichtbar. Und natürlich ist sein Projekt eine polemische Kontrafaktur zu allen früheren DDR-Inszenierungen der Iphigenie einschließlich der von Wolfgang Langhoff 1964.

Alexander Langs jüngstes Projekt, eine »Trilogie der Leidenschaft«, bestehend aus Euripides' Medea, Goethes Stella und Strindbergs Totentanz, geht den eingeschlagenen Weg weiter, wenn es »die Auswirkung von historischen Entwicklungen und Grenzsituationen auf die zwischenmenschlichen Beziehungen«, angesiedelt zwischen »Tragödie und Utopie«, auf der Bühne vorstellen will.[126] Die Regie folgt Bachofens Annahme, daß in Mythen »die Erinnerung an wirkliche Ereignisse, die über das Menschengeschlecht ergangen sind«, niedergelegt ist. »Wir haben nicht Fiktionen, sondern erlebte Schicksale vor uns.«[127] Die Tragik Medeas wird darin gesehen, »daß sich in ihr diese Verstandeskraft mit den voll entfalteten Gefühlen einer Frau und Mutter verbindet«.[128] Das ist nun in der Tat die gleiche Auffassung der Figur als einer einerseits höchst souveränen, andrerseits ›männlich‹ deformierten (nur weniger radikal ausformuliert), die man von Heiner Müller kennt.

Regieprojekte wie die Schroths oder Langs zeigen das Gewicht, das die Auseinandersetzung mit antiken Mythenstoffen gegenwärtig für das DDR-Theater hat. Die Tendenz der Auseinandersetzung ist eindeutig. Man zielt auf den »vernünftigen Mythos« (Walter Benjamin[129]), auf den *Logos* in der mythischen Abbildung frühzeitig angelegter Konfliktstrukturen unserer Zivilisationsgeschichte. Damit wird die neuere Mythosrezeption der DDR-Literatur und des Theaters zu einem wichtigen Medium, ihren allgemeinen geschichtsphilosophischen Paradigmawechsel auszudrücken: weg von kurzfristigen Heilserwartungen, hin zur düsteren Gewißheit einer *longue durée* unserer zivilisatorischen Widersprüche. Insofern wird der Mythos durchaus historisch gesehen, aber nicht im historischen Horizont belassen. Unumgänglich ist eine ›Arbeit am Mythos‹, die erst diese gleichen Strukturen »unter ganz anderen Umständen« freilegt. Dabei gehen die Theaterleute verschiedene Wege. Schroth oder Lang sind durchaus noch der ›modernen‹ Brechtschen Methode der ›Durchrationalisierung‹ verpflichtet. Ihre Deutung folgt noch weitgehend einer nachvollziehbaren Repräsentationslogik. Heiner Müller hingegen verweigert sich, jedenfalls in seinen poetischen Texten, diesem Verfahren als einem, das die Gewalt rationalistischen Systemdenkens fortschreibt. Er versucht es durch Texturen (die man ›postmodern‹ nennen kann) zu durchbrechen, die den Charakter ›wilden Denkens‹, der *bricolage*, haben und sich damit konsistenter Sinnstiftung verweigern.

Gemeinsam ist allen diesen Umgangsformen mit dem Mythos, daß sie die *lectio difficilior* der *lectio facilior* vorziehen und damit eine »bequeme Mythosaneignung« als romantische Regression oder realitätsferne Sprung in die Utopie ablehnen.[130] Einzig Peter Hacks scheint den Weg in die pure Poetisierung zu favorisieren, wie seine Neufassung der Goetheschen *Pandora* von 1981 nahelegt.[131] Sowohl die regressive als auch die nur utopische Version von *posthistoire* unterschlägt jedoch, »wie schamlos die Lüge vom POSTHISTOIRE vor der barbarischen Wirklichkeit unserer Vorgeschichte ist«.[132]

Anmerkungen

1 Claus Träger, *Studien zur Literaturtheorie und vergleichenden Litera-turgeschichte*, Leipzig: Reclam 1970, S. 184.

2 Erwin Pracht, *Mythos, Realismus und moderner Revisionismus*, in: ders., *Abbild und Methode. Exkurs über den sozialistischen Realismus*, Halle/Saale: Mitteldeutscher Vlg. 1974, S. 207, 222 u. ö. Prachts Aufsätze zum Thema stammen schon aus den 60er Jahren.

3 Vgl. dazu Christoph Trilse, *Antike und Theater heute*, Berlin/Ost: Akademie 1975, S. 318f., Anm. 3.

4 Klaus Wolf, *Überlegungen zu den Möglichkeiten sozialistischer Dramatik der Gegenwart*, in: Theater der Zeit (künftig: TdZ) 24/9 (1969), S. 43f.

5 Ebd.

6 Alfred, Kurella, *Grußadresse*, in: Gerhard Zinserling, *Einleitung der Arbeitskonferenz »Das klassische Altertum in der sozialistischen Kultur«*, in: Wissenschaftliche Zeitschrift der Friedrich-Schiller-Universität Jena. Gesellschafts- und sprachwissenschaftliche Reihe 18/4 (1969), S. 6.

7 Horst Simon, *Klarheit im Denken und Formulieren. Werkstattgespräch mit Franz Fühmann*, in: Neues Deutschland, 2. 1. 1975.

8 Karl Heinz Bohrer, *Vorwort* zu: ders. (Hg.), *Mythos und Moderne. Begriff und Bild einer Rekonstruktion*. Frankfurt/Main: Suhrkamp 1983, S. 10.

9 Karl Marx, *Einleitung zur Kritik der Politischen Ökonomie*, in: *Marx Engels Werke* (künftig: MEW), Bd. 13, Berlin/Ost: Dietz 1971, S. 641f.

10 Ebd., S. 641.

11 Ebd., S. 642.

12 Ebd.

13 Johann Joachim Winckelmann, *Gedanken über die Nachahmung der griechischen Werke in der Malerei und Bildhauer-Kunst*, in: ders., *Ausgewählte Schriften und Briefe*, hg. v. Walter Rehm, Wiesbaden: Dieterich 1948, S. 20.

14 Christa Wolf, *Kleists »Penthesilea«*, in: dies./Gerhard Wolf, *Ins Ungebundene gehet eine Sehnsucht. Gesprächsraum Romantik. Prosa und Essays*, Berlin/Ost: Aufbau 1985, S. 199.

15 Peter Hacks, *Iphigenie, oder: Über die Wiederverwendung von Mythen*, in: ders., *Die Maßgaben der Kunst. Gesammelte Aufsätze*, Düsseldorf: Claassen 1977, S. 106. – Vgl. auch Heiner Müllers *Elektratext*, in: ders., *Theater-Arbeit*, Berlin: Rotbuch 1975, S. 119f., der den Tantalidenmythos ebenfalls als ein einziges Schlachten paraphrasiert.

16 Andrew Lang, Lexikonartikel *Mythology* für die *Encyclopedia Britannica*, zit. nach Marcel Detienne, *Die skandalöse Mythologie*, in: Re-

nate Schlesier (Hg.), *Faszination des Mythos,* Basel und Frankfurt/Main: Stroemfeld/Roter Stern 1985, S. 15.

17 Der Aufsatz von Marcel Detienne, a. a. O. (Anm. 16), erhellt die Problematik vorzüglich.

18 Friedrich Engels, *Der Ursprung der Familie, des Privateigentums und des Staates,* in: MEW, Bd. 21, S. 111.

19 Ebd., S. 101.

20 Meine Angaben zur Antikerezeption auf dem Theater der DDR beruhen auf einer Auswertung der Zeitschrift ›Theater der Zeit‹ (1946ff.), ihrer Spielplanübersichten, Rezensionen, Aufsätze usw. Für hilfreiche Vorarbeiten dafür danke ich Bettina Ramlow, Bremen, sehr herzlich. – Die Forschungsliteratur zum Thema ist bereits sehr umfangreich. Zu nennen sind vor allem C. Trilse, *Antike und Theater heute* (vgl. Anm. 3); Rüdiger Bernhardt, *Antikerezeption im Werk Heiner Müllers,* Diss. B Halle/Saale 1979; ders., *Odysseus' Tod – Prometheus' Leben. Antike Mythen in der Literatur der DDR,* Halle/Saale: Mitteldeutscher Vlg. 1983; zuletzt: Volker Riedel, *Antikerezeption in der Literatur der DDR,* Berlin/Ost 1984 (= Veröffentlichungen der Akademie der Künste der DDR) – die bislang erschöpfendste Untersuchung, die zahlreiche weitere Sekundärliteratur verzeichnet. – Aus der Literaturwissenschaft von außerhalb der DDR sind zu nennen: Michael von Engelhardt und Michael Rohrwasser, *Kassandra – Odysseus – Prometheus. Modelle der Mythosrezeption in der DDR-Literatur,* in: L 80, 34 (1985), S. 46–76; W. Emmerich, *Zu-Ende-denken. Griechische Mythologie und neuere DDR-Literatur,* in: *Kontroversen, alte und neue, Akten des VII. Intern. Germanistenkongresses Göttingen 1986,* Bd. 10, Tübingen: Niemeyer 1986, S. 216–224; Bernhard Greiner (Hg.), *Literatur in der DDR,* Ann Arbor 1985 (= Michigan Germanic Studies 8/1–2 [1982] – veröffentl. 1985), Teil 1 (»Arbeit am Mythos«), S. 13–168.
Zum Mythos auf dem Theater der DDR in jüngerer Zeit kurz: Ulrich Profitlich, *Das Drama der DDR in den siebziger Jahren,* in: Peter U. Hohendahl und Patricia Herminghouse (Hg.), *Literatur der DDR in den siebziger Jahren,* Frankfurt/Main: Suhrkamp 1983, S. 132–144.

21 Vgl. *Theater in der Zeitenwende. Zur Geschichte des Dramas und des Schauspieltheaters in der DDR 1945–1968,* hg. v. Werner Mittenzwei u. a., 2 Bde., Berlin/Ost: Henschel 1972; insbes. Bd. 1, S. 138–150.

22 *Theater in der Zeitenwende,* Bd. 1, S. 142.

23 Ebd., S. 143.

24 Ebd., S. 147, 146.

25 Ebd., S. 148. – Ein interessantes Zeugnis dazu – ein Verdikt gegen westliche Mythenadaption – findet sich beim jungen, noch in der Bundesrepublik lebenden Peter Hacks: *Wider den ästhetischen Ennui.*

   Oder: Beweis, daß ein Kunstwerk einen Inhalt haben müsse, in: Frankfurter Hefte 8 (1954), S. 588–593.

26 Vgl. *Theater in der Zeitenwende,* Bd. 1, S. 84f., und TdZ 2/9 (1947), S. 35f. – Paul Rilla war ein Fürsprecher der Inszenierung, Wolfgang Harich und Fritz Erpenbeck kritisierten sie scharf.

27 Vgl. dazu C. Trilse, *Antike und Theater heute,* S. 73f., und TdZ 13/1 (1958), S. 42–46 (zu Burkat/Bruns).

28 *Theater in der Zeitenwende,* Bd. 1, S. 45.

29 Ebd.

30 Johann Gottfried Herder, *Der entfesselte Prometheus,* in: ders., *Sämtliche Werke,* hg. v. Bernhard Suphan, Berlin 1877–1913, Bd. 28, S. 329.

31 Vgl. W. Emmerich und Susanne Heil (Hg.), *Lyrik des Exils,* Stuttgart: Reclam 1985, Einleitung, S. 54f. und S. 299–312, sowie V. Riedel, *Antikerezeption,* S. 76–80.

32 Bertolt Brecht, *Aus einem Brief an S[tefan] B[recht],* in: ders., *Die Antigone des Sophokles. Materialien zur »Antigone«,* Frankfurt/Main: Suhrkamp 1965, S. 109.

33 B. Brecht, *Vorwort* zum *Antigonemodell 1948* (vgl. Anm. 32), S. 67.

34 Ebd.

35 Ebd., S. 75.

36 *Notizen zur »Antigone«,* ebd., S. 112.

37 *Vorwort* zum *Antigonemodell 1948,* ebd., S. 69.

38 *Prolog zur Antigone,* ebd., S. 64.

39 *Antigone-Legende,* ebd., S. 105.

40 Antigone [Gedicht], ebd., S. 6.

41 Vgl. *Vorwort* zum *Antigonemodell 1948,* ebd., S. 68f.

42 Ebd., S. 69.

43 *Vorspiel,* ebd., S. 14. – In einer ersten Fassung hatte Brecht die zweite Schwester den SS-Mann mit dem Messer töten lassen; vgl. ebd., S. 160.

44 Peter Szondi, *Der Mythos im modernen Drama und das Epische Theater,* in: ders., *Lektüren und Lektionen,* Frankfurt/Main: Suhrkamp 1973, S. 191.

45 Friedrich Hölderlin, *Anmerkungen zur Antigone,* in: ders., *Sämtliche Werke und Briefe,* 2 Bde., hg. v. Gerhard Mieth, München: Hanser 1978, Bd. 2, S. 454 (Sperrung bei Hölderlin!).

46 Brecht, *Vorwort* (vgl. Anm. 32), S. 68.

47 Ebd.

48 Vgl. zu Brechts *Antigonemodell* C. Trilse, *Antike und Theater heute,* S. 81–84 und 89–92; V. Riedel, *Antikerezeption,* S. 126–131, und (zuerst) Hans-Joachim Bunge, *Antigonemodell 1948 von B. Brecht und C. Neher,* Diss. Greifswald 1957.

49 Brecht, *Prolog zur Antigone* (vgl. Anm. 32), S. 64. – Das Bühnenbild

C. Nehers realisierte diese Ansiedlung des Geschehens in archaischer Zeit; vgl. *Vorwort*, ebd., S. 72f., und die Bilder in der ersten Ausgabe des *Antigonemodells 1948*, Berlin: Gebr. Weiss 1949, zur Churer Aufführung (Skizzen von Caspar Neher, Fotos von Ruth Berlau).

50 Brecht, *Anmerkungen zur Bearbeitung* (vgl. Anm. 32), S. 114.

51 Vgl. die drei Geschichten *Odysseus und die Sirenen, Kandaules* und *Ödipus*, in: B. Brecht, *Gesammelte Werke*, Bd. 11: *Prosa 1*, Frankfurt/Main: Suhrkamp 1967, S. 207–209.

52 Mara Zöllner, *Berlin, Volksbühne: »Die Troerinnen« von Matthias Braun*, in: TdZ 16/6 (1961), S. 63.

53 Hans Blumenberg, *Arbeit am Mythos*, Frankfurt/Main: Suhrkamp 1979, S. 18.

54 Claude Lévi-Strauss, *Strukturale Anthropologie*, Frankfurt/Main: Suhrkamp 1978, S. 230.

55 Vgl. Franz Fühmann, *Das mythische Element in der Literatur*, in: ders., *Erfahrungen und Widersprüche. Versuche über Literatur*, Rostock: Hinstorff 1975, S. 147–219.

56 Vgl. Francis Macdonald Cornford, *From Religion to Philosophy*, London: E. Arnold 1912; Pierre Maxim Schuhl, *Essai sur la formation de la pensée grècque*, Paris: F. Alcan ²1949; Bruno Snell, *Die Entdeckung des Geistes. Studien zur Entstehung des europäischen Denkens bei den Griechen*, Hamburg: Claasen/Goverts 1948; Max Horkheimer und Theodor W. Adorno, *Dialektik der Aufklärung. Philosophische Fragmente* (1944), Frankfurt/Main: S. Fischer 1969; George Thomson, *Aischylos und Athen. Eine Untersuchung der gesellschaftlichen Ursprünge des Dramas*, Berlin/Ost: Henschel/Das europäische Buch 1957; Jean-Pierre Vernant, *Vom Mythos zur Vernunft. Die Entstehung des positiven Denkens im archaischen Griechenland* (1957), in: Claudia Honegger (Hg.), *Schrift und Materie der Geschichte*, Frankfurt/Main: Suhrkamp 1977, S. 335–367; ders., *Les origines de la pensée grecque*, Paris: P.U.F. 1962; Rudolf Wolfgang Müller, *Geld und Geist. Zur Entstehungsgeschichte von Identitätsbewußtsein und Rationalität seit der Antike*, Frankfurt/Main und New York: Campus 1981.

57 J.-P. Vernant, *Vom Mythos zur Vernunft*, S. 361.

58 Ebd., S. 362.

59 Ebd., S. 345 und 344. – Die entscheidende gedankliche Grundlegung zu diesen Erkenntnissen ist wohl – nach Hegel und Marx – Alfred Sohn-Rethel und seiner Studie *Geistige und körperliche Arbeit* zuzumessen, obwohl sie erst 1970 als Buch (Frankfurt/Main: Suhrkamp) erschienen ist. Vor allem Thomson ist von dem seinerzeit auch in Birmingham lebenden Sohn-Rethel inspiriert worden und hat dies auch ausdrücklich vermerkt. Vgl. dazu R. W. Müller, *Geld und Geist*, S. 372, Anm. 64.

60 K. Marx, *Ökonomisch-philosophische Manuskripte – Kritik der Hegel-*

schen Dialektik und Philosophie überhaupt,in: MEW, Ergänzungsbd. 1, S. 571f.

61 Vgl. G. F. W. Hegel, *Jenaer Realphilosophie* (1805/06), hg. v. J. Hoffmeister, Hamburg: F. Meiner 1967, S. 256f.

62 M. Horkheimer und Th. W. Adorno, *Dialektik der Aufklärung,* S. 90.

63 Ebd., S. 50; vgl. das ganze Kapitel »Odysseus oder Mythos und Aufklärung«, S. 50–87, sowie meinen Aufsatz *Zu-Ende-denken. Griechische Mythologie und neuere DDR-Literatur* (Anm. 20).

64 Vgl. vor allem Götz Friedrich, *Aktuelle Antike? »Die Perser« des Aischylos,* in: TdZ 15/1 (1960), S. 50–59; Mara Zöllner, *Wir und die Antike,* in: TdZ 17/1 (1962), S. 39–43.

65 H. Müller im Gespräch mit Ulrich Dietzel, in: SuF 37/6 (1985), S. 1210.

66 U. Profitlich, *Über den Umgang mit Heiner Müllers »Philoktet«,* in: Basis 10 (1980), S. 149.

67 H. Müller in: *Gespräch mit Heiner Müller,* in: ders., *Geschichten aus der Produktion 1,* Berlin: Rotbuch 1974, S. 144.

68 Ebd., S. 145.

69 Vgl. vor allem Wolfgang Schivelbusch, *Sozialistisches Drama nach Brecht,* Darmstadt und Neuwied: Luchterhand 1974, S. 125–149; Genia Schulz, *Heiner Müller,* Stuttgart: Metzler 1980, S. 71–83.

70 H. Müller in: *Walls/Mauern. Interview mit Sylvère Lothringer,* in: ders., *Rotwelsch,* Berlin: Merve 1982, S. 75 und 77.

71 H. Müller, *Drei Punkte* [zu Philoktet], in: ders., *Mauser,* Berlin: Rotbuch 1978, S. 72f.

72 H. Müller, *Brief an den Regisseur der bulgarischen Erstaufführung von Philoktet,* in: ders., *Herzstück,* Berlin: Rotbuch 1983, S. 108. – Zitate aus dem *Philoktet* nach H. Müller, *Mauser,* S. 7–42.

73 H. Müller, *Brief,* S. 103.

74 Ebd., S. 104.

75 Ebd., S. 106 und 108.

76 Ebd., S. 108.

77 G. Schulz, *Heiner Müller,* S. 85.

78 H. Müller, *Herakles 5,* in: ders., *Geschichten aus der Produktion 1,* S. 156.

79 Vgl. C. Trilse, *Antike und Theater heute,* S. 130–135; V. Riedel, *Antikerezeption,* S. 41f.

80 H. Müller in: *Warum verdient man so gut am Weltuntergang, Herr Müller?* Interview mit Uwe Wittstock, in: FAZ-Magazin, 17. 1. 1986, S. 51.

81 H. Müller, Anmerkung zu einer *Prometheus*-Übersetzung, in: ders., *Geschichten aus der Produktion 2,* Berlin: Rotbuch 1974, S. 55.

82 H. Müller, *Ödipuskommentar,* in: ders., *Mauser,* S. 43f.

83 Ebd.
84 Zit. nach G. Schulz, *Heiner Müller,* S. 87 und 89.
85 Vgl. Hans-Thies Lehmanns forcierte *Ödipus*-Deutung in: G. Schulz, *Heiner Müller,* S. 87–92.
86 Benno Besson in: *Gespräch über »Ödipus, Tyrann«,* in: H. Müller, *Sophokles, »Ödipus, Tyrann«. Nach Hölderlin,* Berlin und Weimar: Aufbau 1969, S. 129, 120 und 125.
87 Vgl. dazu das o. g. Gespräch (Anm. 86) und H. Müllers Abwandlung der Textvorlage Sophokles/Hölderlin, wenn er Teiresias zu Ödipus sagen läßt: »Weißt dus nicht längst [. . .]?«, in: ders., *Sophokles, »Ödipus, Tyrann«,* S. 34.
88 Vgl. B. Besson im o. g. Gespräch (Anm. 86), S. 140.
89 Volker Braun, *Provokateure oder: Die Schwäche meiner Arbeit,* in: ders., *Es genügt nicht die einfache Wahrheit. Notate,* Frankfurt/Main: Suhrkamp 1976, S. 42.
90 P. Hacks, *Iphigenie,* S. 104 und 105.
91 Ebd., S. 105.
92 Ebd., S. 106.
93 Friedrich Schiller, *Über das Pathetische,* in: ders., *Werke* (Nationalausgabe), Weimar: H. Böhlau 1943ff., Bd. 20, S. 218.
94 H. Blumenberg, *Arbeit am Mythos,* S. 12.
95 Odo Marquard, Zusammenfassung zu H. Blumenberg, *Wirklichkeitsbegriff und Wirkungspotential des Mythos,* in: *Terror und Spiel. Probleme der Mythenrezeption,* hg. v. Manfred Fuhrmann, München: W. Fink 1971, S. 528.
96 P. Hacks, *Iphigenie,* S. 105.
97 H. Blumenberg, *Arbeit am Mythos,* S. 192ff., 412ff. u. ö.
98 Ebd., S. 291 u. ö.
99 Peter Schütze, *Peter Hacks. Antike und Mythenaneignung. Ein Beitrag zur Ästhetik des Dramas,* Kronberg/Ts.: Scriptor 1976, S. 125.
100 Ebd., S. 128.
101 P. Hacks, *Zu meinem »Amphitryon«,* in: ders., *Die Maßgaben der Kunst,* S. 352.
102 P. Schütze, *Peter Hacks,* S. 143.
103 P. Hacks, *Zu meinem »Amphitryon«,* S. 352.
104 Armin Stolper, *Amphitryon,* in: ders., *Stücke,* Berlin/Ost: Henschel 1974, S. 59.
105 P. Hacks, *Omphale,* in: ders., *Vier Komödien,* Frankfurt/Main: Suhrkamp 1971, S. 294.
106 P. Hacks, *Cremer, oder: Die Überwindung der Tugend in Deutschland,* in: ders.: *Die Maßgaben der Kunst,* S. 195.
107 P. Hacks, *Omphale,* S. 324.
108 Vgl. zu diesem Thema die Prosa-Anthologie *Blitz aus heitrem Himmel,* hg. v. Edith Anderson, Rostock: Hinstorff 1975, und meinen

Aufsatz *Identität und Geschlechtertausch. Notizen zur Selbstdarstellung der Frau in der neueren DDR-Literatur,* in: Basis 8 (1978), S. 127–154. – Auch der 1964 aus der DDR weggegangene, von Brecht und Müller starkt beeinflußte Hartmut Lange hat Mitte der 60er Jahre an einem *Herakles*-Stück gearbeitet. Während es bis 1967 ganz bei der antik-heroischen Figur blieb und diese, Müller ähnlich, in der Dialektik von notwendiger Kultur-Arbeit und Gewaltanwendung zeigte, hat Lange Figur und Stück 1968 auf Stalin und die Probleme des stalinistischen Terrors bezogen. Er nannte es für die Uraufführung durch Hansgünther Heyme an der Westberliner Schaubühne am Hallischen Ufer *Stalin als Herakles* und ließ es an einem Abend mit seinem schon 1964 entstandenen *Hundsprozeß* spielen. Während der *Hundsprozeß,* fern von antik-mythischer Camouflage, die stalinistische Praxis in Gestalt eines katholischen Inquisitionsgerichts parodiert, soll das *Herakles*-Stück nach Langes eigener Erklärung »Wohltat und Terror als dialektische Momente der Macht« offenlegen (Westberliner Rede, abgedruckt in: Berliner Extra Dienst, 6. 12. 1967). »Die Metapher Herakles wird dabei nicht lädiert«, behauptet der Autor weiter (ebd.). Langes *Stalin als Herakles* und noch mehr *Die Ermordung des Aias oder Ein Diskurs über das Holzhacken* (1971) beweisen jedoch das Gegenteil, nämlich daß der Gebrauch antiker Figuren und Modelle ausschließlich zum Zweck camouflierter Zeitkritik dieselben nicht nur beschädigt, sondern regelrecht umbringt. Die Übersetzung des mythischen Modells in den aktuellen Konflikt wird zum bloßen intellektuellen Puzzlespiel. So muß man z. B. im Aias-Stück Langes nur wissen, daß der trojanische Krieg für die Oktoberrevolution steht, der tote Achill für den toten Lenin, Odysseus für Stalin und Aias für Trotzki. Und natürlich meint das »Holzhacken« das rigide neue Arbeitsethos unter Stalin. Um wieviel gründlicher hatte doch Heiner Müller seinen *Philoktet* ›durchrationalisiert‹! Vgl. zu Lange W. Schivelbusch, *Sozialistisches Drama nach Brecht,* S. 180–201, und Heinz Klunker, *Zeitstücke und Zeitgenossen. Gegenwartstheater in der DDR,* München: dtv [2]1975, S. 284–299 – beide allzu positiv, wie mir scheint.

109 Vgl. Wolfgang Schadewaldt, *Furcht und Mitleid?,* in: ders., *Hellas und Hesperien,* Zürich/Stuttgart: Artemis 1960, S. 381.

110 Vgl. H. Müllers Aussage von 1981: »Ich möchte heute kein antikes Stück, keine Bearbeitung eines antiken Stoffs mehr schreiben«, in: *Walls/Mauern* (Anm. 70), S. 77. – Eine vergleichende Analyse der Rekurse auf die griechische Mythologie einerseits und die germanische andererseits (Wagner- und Hebbelrezeption; Theatertexte von H. Müller und V. Braun, vor allem dessen neues Stück *Siegfried Frauenprotokolle Deutscher Furor*) wäre erhellend. Ich hoffe, sie zu einem

späteren Zeitpunkt vorlegen zu können. Auch die Rekurse auf Shakespeare, insbesondere von Müller, wären – als ein weiteres Modell für den Übergang von ›dark ages‹ zu ›modern times‹ – mit einzubeziehen. – Vgl. auch Oskar Negt und Alexander Kluge, *Geschichte und Eigensinn,* Frankfurt/Main: Verlag 2001 1981, Kommentar 6: »Der antike Seeheld als Metapher der Aufklärung; die deutschen Grübelgegenbilder; ›Eigensinn‹«, S. 741–769.

111 Vg. G. Schulz, *Abschied von Morgen. Zu den Frauengestalten im Werk Heiner Müllers,* in: T+K 73: *Heiner Müller* (1982), S. 59f.

112 H. Müller, *Bildbeschreibung,* in: ders., *Shakespeare-Factory 1,* Berlin: Rotbuch 1985, S. 13 und 14.

113 Vgl. G. Schulz, *Abschied von Morgen,* S. 60. – *Zement* ist in *Geschichten aus der Produktion 2* abgedruckt.

114 Vgl. H. Müller, *Medeaspiel,* in: ders., *Die Umsiedlerin oder Das Leben auf dem Lande,* Berlin: Rotbuch 1975, S. 17.

115 H. Müller, *Verkommenes Ufer Medeamaterial Landschaften mit Argonauten,* in: ders., *Herzstück,* S. 97. – Vgl. auch die Transformation der sanften Ophelia zur hassenden Elektra in Müllers *Hamletmaschine,* in: ders., *Mauser,* S. 97.

116 H. Müller in: *Der Dramatiker und die Geschichte seiner Zeit. Ein Gespräch zwischen Horst Laube und Heiner Müller,* in: Theater heute. Jahressonderheft 1975, S. 119f.

117 Bisher sind zwei Stücke Bergs im Druck erschienen: *Im Taurerland,* in: TdZ 33/5 (1978), S. 58–64, und *Niobe,* in: SuF 33/4 (1981), S. 780–808.

118 Vgl. Karl Mickel, *Nausikaa,* in: ders., *Einstein/Nausikaa. Die Schrekken des Humanismus in zwei Stücken,* Berlin: Rotbuch 1974, und Dante Alighieri, *Die Göttliche Komödie,* 26. Gesang des *Inferno.* – Dazu auch: V. Riedel, *Antikerezeption,* S. 86–88.

119 Stefan Schütz, *Odysseus' Heimkehr,* in: ders., *Heloise und Abaelard,* Berlin: Rotbuch 1979, S. 57–111; Zitat S. 69.

120 S. Schütz, *Antiope und Theseus,,* in: ders., *Heloise und Abaelard,* siehe S. 54.

121 Vgl. Heinz-Uwe Haus, *Stendaler Theaterfest Antike,* in: TdZ 36/10 (1981), S. 19–21.

122 Christoph Schroth in: Wiener Presse, 30. 5. 1985, S. 5.

123 Vgl. das Programmheft des Schweriner Antikenprojekts sowie Martin Linzer, *Antike für heute entdeckt. Schwerins ENTDECKUNGEN 5,* in: TdZ 38/3 (1983), S. 24–29.

124 Alexander Lang in einer Beilage zum Programmheft der *Iphigenie*-Inszenierung am Deutschen Theater Berlin, ohne Seitenangabe.

125 Martin Waler, *Erfahrungen und Leseerfahrungen;* zit. nach dem *Iphigenie*-Programmheft (Anm. 124), ohne Seitenangabe.

126 A. Lang in einer Beilage zum Programmheft des Projekts *Trilogie der Leidenschaft,* ohne Seitenangabe.

127 Johann Jakob Bachofen, zit. nach dem o. g. Programmheft (Anm. 126), ohne Seitenangabe.

128 Albrecht Dihle, *Euripides' Medea;* zit. nach dem o. g. Programmheft (Anm. 126), ohne Seitenangabe.

129 Walter Benjamin, *Ödipus oder der vernünftige Mythos,* in: ders., *Angelus Novus. Ausgewählte Schriften 2,* Frankfurt/Main: Suhrkamp 1966, S. 462f.

130 Vgl. Alexander von Bormann, *Mythos und Subjekt-Utopie. Bemerkungen zur gegenwärtigen Mythos-Diskussion,* in: L 80, 34 (1985), S. 29–45; Zitat S. 34.

131 Vgl. P. Hacks, *Pandora. Drama nach J. W. von Goethe. Mit einem Essay,* Berlin und Weimar: Aufbau 1981.

132 H. Müller, *Die Wunde Woyzeck,* in: Theater heute 26/11 (1985), S. 1.

Jost Hermand
Fridericus Rex

Das schwarze Preußen im Drama der DDR

Von seinen Verehrern als der »alte Fritz«, der »Große«, der »Einzige«, der »Initiator der deutschen Volkswerdung« hochgejubelt, von seinen Kritikern, ja Hassern als der »böse Fritz«, als »menschenverachtender Zyniker«, als »Schinder der Völker« angeprangert: so widerspruchsvoll schwankt das Bild Friedrichs II. von Preußen zwischen den ideologischen Fronten der herkömmlichen Geschichtsbetrachtung. Während andere Zentralfiguren der deutschen Geschichte, aufgrund der immer größer werdenden Entfernung (und Entfernung gilt viel in unseren schnellebigen und rasch verdrängenden Zeiten), inzwischen den Eindruck des Abgelebten, Objektivierten, wenn nicht gar Antiquierten erwecken, gehört dieser König nach wie vor zu den wenigen Figuren, an denen sich geschichtsbewußte Gemüter stets aufs Neue erhitzen. Allerdings liegt das nicht allein an ihm, das heißt seiner vielbeschworenen »Janusköpfigkeit«, die sich einerseits in seinen kritizistischen Neigungen, seinem Umgang mit Voltaire, seinem Atheismus, seiner Vorliebe für alles im »fortschrittlichen« Sinne Französische, kurz: seinem »aufgeklärten Absolutismus«, andererseits in seiner Ruhmsüchtigkeit, seiner Eroberungsgier und seinem rücksichtslosen Truppenverschleiß äußert (solche Widersprüche teilt er mit vielen Potentaten seiner Zeit, über die längst das Gras des Vergessens gewachsen ist), sondern daran, daß durch ihn jenes staatliche Gebilde, das die Bezeichnung »Preußen« trug, zu einem Mythos wurde, der in der deutschen Geschichte der nächsten 200 Jahre eine entscheidende, wenn nicht *die* entscheidende Rolle spielen sollte. Friedrich II. ist also nicht irgendein König von Preußen, sondern *der* König von Preußen, der geradezu Modellcharakter hat. In Friedrich, der als populäre Lesebuchfigur selbst den untersten Bevölkerungsschichten lange Zeit vertraut war, sahen darum viele ein höchst geeignetes Streitobjekt. Wenn man ihn angriff, meinte man meist auch die eigenen Herrscher, wenn man ihn lobte, versuchte man irgendwelche verlorenen Rechte einzuklagen, wenn man ihn beweihräucherte, wollte man sich bei »denen da oben« beliebt machen usw. Jedenfalls ging es bei all diesen Streitereien weniger um

Friedrich als um die eigenen Interessen. Meist hatte man bei solchen Proklamationen gar nicht ihn, sondern lediglich sich selbst im Auge.

Das zeigte sich schon 1786, im Jahr seines Todes, als ihn die höfisch Gesinnten als von Gott begnadeten Regenten betrauerten, die gemäßigten Aufklärer – im Vorgefühl der kommenden Reaktion – vornehmlich seine Vernünftigkeit, Toleranz und Volksnähe herausstrichen, während ihn die radikalen Illuminaten, die bereits eine deutsche Republik anvisierten, einfach zum alten Eisen warfen.[1] Derselbe Streit zwischen den Anhängern der Hofpartei, den bürgerlichen Liberalen und den Umstürzlern wiederholte sich im Hinblick auf Friedrich den Zweiten noch einmal im Vormärz.[2] Dagegen wurde im Nachmärz und dann verstärkt nach der von Preußen herbeigeführten Reichsgründung von 1871 zusehends jenes heroisierte Friedrich-Bild dominierend, das allein den Militarismus und Expansionismus des neuen Reiches legitimieren sollte. Als der Erste Weltkrieg ausbrach, war daher Friedrich bereits zum leuchtenden Symbol alles Kriegerischen, Heldischen geworden, hinter dem alle humanistisch-aufgeklärten Züge dieses Königs mehr und mehr verschwanden. Jetzt galt er eindeutig als Vertreter einer unerbittlichen Staatsräson, als Exponent einer ständig zitierten Durchhaltemoral, ja als heldenhafter Vorkämpfer gegen die ganz Deutschland bedrohende Einkreisungspolitik der Entente, was neben rein politischen Traktaten auch einige vom »Preußengeist« durchglühte Dramen dieser Ära belegen. Dieses Friedrich-Bild wurde von deutsch-national gesinnten Kreisen auch in der Weimarer Republik aufrechterhalten (vor allem durch die vielen *Fridericus-Rex*-Filme mit Otto Gebühr) und erlebte dann seine wohl aggressivste Ausformung unterm Faschismus. Nach 1933 strich man vornehmlich die Rolle Friedrichs bei der »Volkswerdung der Deutschen« heraus, also bei einer Politik, die ihre logische Fortsetzung in Bismarck, Hindenburg und schließlich in Hitler gefunden habe.[3] Seinen Höhepunkt erlebte dieser faschisierte Friedrich-Rummel im Jahr 1940 anläßlich der 200. Wiederkehr von Friedrichs Machtergreifung, als fast die gesamte Nazi-Elite ein Loblied auf Friedrichs Schlachtenruhm anstimmte.[4] Die gleiche Tendenz wies der Veit-Harlan-Film *Der große König* auf, der am 3. März 1942 in Berlin uraufgeführt wurde.[5] Otto Gebühr, den Hitler schon seit 1931 sehr schätzte, erhielt aufgrund dieses Films den Titel »Deutscher Staatsschauspieler«. Hitler selbst hatte damals als Hauptschmuck seines Arbeits-

Hans von Norden, Postkarte (kurz nach 1933).

zimmers – außer einer Büste Mussolinis und einem Schlachtenge-
mälde aus dem Ersten Weltkrieg – lediglich ein Porträt Friedrichs
II. hängen, den er neben Luther und Wagner für den größten Deutschen schlechthin hielt. Goebbels las deshalb noch im April 1945
dem reichlich deprimierten Hitler im Bunker der Reichskanzlei all-
abendlich aus Carlyles Friedrich-Buch vor, um ihn geistig wieder
aufzurichten.[6] Doch am 8. Mai des gleichen Jahres war all dieser
Spuk vorüber – und mit ihm lösten sich nicht nur der von Millionen
umjubelte »Führer«, sondern auch der heroisch gesehene Preußen-
könig sowie das einst so mächtige Deutsche Reich ins Nichts auf.
  Als in den folgenden Monaten endlich die Frage nach der Schuld
an diesem »Verhängnis« gestellt wurde, konnte es nicht ausbleiben,
daß hierbei auch die unheilvolle Rolle Preußens in der Vorgeschichte des Faschismus aufs Tapet kam. Ob nun die englischen
Vansittartisten, die US-amerikanischen Morgenthau-Anhänger
oder die Sowjets, in diesem Punkte waren sich die alliierten Sieger-
mächte im Sommer 1945 noch durchaus einig: der preußischen
Führungsschicht der Junker mußte durch die Abtretung der deutschen Ostprovinzen an Polen die materielle Machtbasis entzogen

1786 + 1936

Seid
Sozialisten
der Tat

Plakat des NS-Winterhilfswerks (Januar 1936).

werden, ja Preußen selbst mußte ein für allemal von der Landkarte verschwinden, um damit jeder Möglichkeit einer Remilitarisierung Deutschlands von vornherein einen Riegel vorzuschieben. Doch auch unter den Deutschen herrschte damals in dieser Hinsicht noch ein weitgehendes Einvernehmen. Gleichviel, ob nun Katholiken wie Reinhold Schneider und Eduard Hemmerle, Liberale wie Wilhelm Röpke oder Linke wie Fritz Helling und Ernst Niekisch: alle diese Autoren sahen in der schleichenden »Verpreußung« Deutschlands seit Friedrich II. und dann verstärkt seit Bismarck einen der wichtigsten Faktoren jenes politischen »Irrwegs«, der schließlich zum Faschismus geführt habe. Als daher der Alliierte Kontrollrat am 25. Februar 1947 im Gesetz Nr. 46 die Auflösung Preußens anordnete, weil dieser »Staat seit jeher der Träger des Militarismus und der Reaktion in Deutschland« gewesen sei[7], weinte ihm fast niemand nach. Jenes Gebilde, das sich einmal stolz als die »Vormacht Deutschlands« ausgegeben hatte, galt von nun an als das »schwarze«, wenn nicht gar das »teuflische« Preußen.

Während sich in den westlichen Besatzungszonen und dann der Bundesrepublik dieser Affekt im Laufe der Zeit allmählich abschwächte, blieb in der SBZ und der DDR, die sich auf dem Kernterritorium dieses Staats herausbildete, der Preußenhaß bis weit in die siebziger Jahre äußerst virulent. Unter ständiger Berufung auf Lessing, Winckelmann und Herder, die in Preußen ein »Reich des Pyrrhus« oder gar das »sklavischste Land Europas« gesehen hatten, auf die bekannte Äußerung von Marx, daß Preußen ein degoutanter Staat der »Mittelmäßigkeit, pünktlichen Buchführung, Genauigkeit im Exerzier-Reglement, hausbackenen Gemeinheit und Kirchenverordnung« sei[8], sowie auf ein antiwilhelminisches Buch wie Franz Mehrings *Lessing-Legende* (1893), wurde in diesen Breiten das Bild Preußens von Anfang an konsequent »eingeschwärzt« und Hitler als der logische Fortsetzer Friedrichs II., Bismarcks und Hindenburgs hingestellt. Von dem Buch *Der Irrweg einer Nation* (1946) von Alexander Abusch bis zu Heinz Kathes *Die Hohenzollernlegende* (1973) kam hier eine ununterbrochene Folge von Publikationen heraus, in denen Preußen lediglich als das Land der »Reaktion«, das heißt des Junkertums, des Militarismus und der Ostexpansion, erscheint. Und auch die realen Folgen dieser Sicht, wie die Sprengung der Berliner Schloßruine und der Potsdamer Garnisonkirche, in denen man die berüchtigtsten Symbole dieses »Ungeistes« sah, ließen nicht lange auf sich warten. Ebenso »eingeschwärzt« wurde selbstverständlich in diesen Jahren, als es erst einmal um die Bewältigung des Faschismus ging, jene romantisch-irrationalistische Traditionslinie, wie sie Georg Lukács in seinem Buch *Die Zerstörung der Vernunft* (1955) nachzuzeichnen versuchte. Um jedoch im Hinblick auf die politische und kulturelle Vergangenheit Deutschlands nicht in einem bloßen Negativismus steckenzubleiben, wurde hierbei – wie schon nach der Novemberrevolution von 1918, als es um die Bewältigung des Wilhelminismus ging – dem Ungeist von Potsdam und dem Ungeist von Jena noch einmal der Geist von Weimar, der Geist des goethezeitlichen Humanismus entgegengehalten. Vor allem der bereits 1945 gegründete »Kulturbund zur demokratischen Erneuerung Deutschlands«, der sich bei der Überwindung des Faschismus – im Sinne der älteren Volksfrontstrategien – sowohl der Unterstützung der Sozialisten als auch der bürgerlichen Humanisten versichern wollte, stellte den gar nicht genug zu rühmenden »Geist von Weimar« als eins der wichtigsten Vorbilder der unmittelbaren Zukunft hin. Dafür sprechen unter anderem jene mit großem Aplomb aufgezogenen Feiern, die 1949 zur 200. Wiederkehr von Goethes Geburtsjahr in der SBZ stattfanden und häufig in der von Johannes R. Becher ausgegebenen Losung »Vorwärts zu Goethe!« kulminierten.

Doch nicht alle Künstler in der SBZ und der späteren DDR schlossen sich diesem Kurs an. Es gab auch solche, die alle sogenannten »versöhnlerischen« Strategien verächtlich von sich wiesen und bei ihrer Verdammung des deutschen Faschismus und seiner Vorgeschichte selbst den bürgerlichen Humanismus und Idealismus nicht ausnahmen. Anstatt die Schuld an der faschistischen Selbstzerfleischung lediglich in den preußischen und romantisch-irrationalistischen Traditionen zu suchen, machten sie bei ihrer Kritik auch vor der Figur des bürgerlichen Humanisten nicht halt, der sich in Deutschland, wie sie behaupteten, fast nie auf die Seite des Volkes gestellt, sondern fast immer zu einer tuihaften Anpassung an die feudalistisch-kapitalistischen Mächte geneigt habe. Daß sie damit in einen Gegensatz zur offiziellen Linie der SED und des Kulturbunds geraten würden, war vorauszusehen. Was diese beiden Organisationen zu diesem Zeitpunkt an Vergangenheitsbewältigungen tolerierten, waren lediglich Satiren auf Preußisch-Wilhelminisches. Ja, diese konnten, wie etwa Wolfgang Staudtes Verfilmung von Heinrich Manns *Der Untertan* von 1951, gar nicht bissig genug sein. Was man dagegen nicht duldete, war ein Opernlibretto

Peter Hacks, *Die Schlacht bei Lobositz*. Horst Drinda als Premierleutnant Markoni mit seinem Korporal und seinem Regiment. Deutsches Theater Berlin (1956). Regie: Wolfgang Langhoff.

wie den *Johann Faustus* von Hanns Eisler, das 1952 beim Aufbau-Verlag erschien und in dem sogar die hehre Figur des Faust, die vielen SED-Theoretikern als Inbegriff des humanistisch-progressiven Geistes erschien, als Renegat, wenn nicht gar Verräter des Volkes angegriffen wird. Wie sehr sich Eisler mit diesem Werk, an dem er den von Marx und Engels geschaffenen Begriff der »deutschen Misere« exemplifizieren wollte[9], in die parteipolitischen Nesseln setzte, ist oft genug beschrieben worden.[10]

Doch nicht nur Eisler, auch Brecht geriet damals mit seinem Konzept der »deutschen Misere«, das nicht nur die preußische Vergangenheit, sondern auch den Idealismus der Goethe-Zeit in sich einschloß, in ernsthafte Schwierigkeiten. Das zeigte sich zum einen bei seiner Verteidigung von Eislers *Faustus* gegenüber Wilhelm Gir-

Werner Lemke, Beilage zum Programmheft des Stücks *Der Müller von Sanssouci* von Peter Hacks. Deutsches Theater Berlin (1958). Regie: Wolfgang Langhoff.

nus und anderen Parteifunktionären, zum anderen bei seiner recht realistisch-saloppen Inszenierung des Goetheschen *Urfaust*, die er wegen heftiger Kritik im ›Neuen Deutschland‹ wieder vom Spielplan absetzte. In Sachen »Faust« blieb die Partei damals unerbittlich. An dieser Figur durfte in diesen Jahren, als noch die sogenannte ›Vollstreckertheorie‹ (DDR = Faust Dritter Teil) im Vordergrund stand, nicht im mindesten gerüttelt werden. Selbst Brechts eher beiläufig wirkende Bearbeitung des Lenzschen *Hofmeisters*, die er bereits 1950 auf die Bretter stellte, wurde von der SED nicht besonders gnädig aufgenommen. Dabei handelte es sich diesmal um eine bewußte »Einschwärzung« Preußens, die den Statthaltern des Humanismus, die sich als die Erben der goethezeitlichen Ideale empfanden, an sich sehr entgegenkommen mußte. Was sie jedoch an diesem Stück störte, war wiederum Brechts offen zur Schau getragene Respektlosigkeit gegenüber den von ihnen so hochgeschätzten Idealen der deutschen Aufklärung. Während nämlich bei Lenz die Reformvorstellungen der damaligen Intelligenz, die sie mit Hilfe des niederen Adels durchzusetzen versucht, als etwas höchst Positives dargestellt werden, weist Brecht lediglich auf die Beschränktheit und zugleich Korrumpierung solcher Vorstellungen hin. Sein Läuffer sagt bereits im Prolog[11]:

> Der Adel hat mich gut trainiert
> Zurechtgestutzt und exerziert
> Daß ich nur lehre, was genehm
> Da wird sich ändern nichts in dem.
> Wills euch verraten, was ich lehre:
> Das Abc der Teutschen Misere!

Die Kastration, die Brechts Hofmeister am Schluß an sich selbst vollzieht, wirkt deshalb bei ihm nicht wie ein präventiver Eingriff, der sich nur auf Erotisches bezieht, sondern geradezu wie ein symbolischer Akt der tuistischen Erniedrigung und Anpassung der deutschen Intelligenz an die Feudalklasse und damit wie eine der entscheidenden Voraussetzungen für die spätere Ergebenheit dieser Schicht dem Faschismus gegenüber. Im Gegensatz zu Becher, Lukács oder auch Hermann August Korff, die damals vornehmlich die positiven, ja vorbildlichen Züge der Goethe-Zeit herausstrichen, wird also in Brechts *Hofmeister*-Bearbeitung, wenn auch in äußerst zugespitzter Form, lediglich jene über- und zugleich unterschwengliche Misere der deutschen Intelligenz ans Licht gerückt, was Brecht nach der Erfahrung des Faschismus als die einzig richtige Sehweise erschienen sein mag. An Vorbildlichem blieb dabei bei ihm nichts erhalten. Fast alles wirkt in dieser Bearbeitung schwarz in schwarz gemalt: ob nun das preußische Insterburg, die preußischen Landjunker, die preußische Philosophie oder die preußische Universität in Halle, auf der ein Student wie Pätus zwar eine kurze Phase des revoltierenden Geistes durchmacht, sich dann jedoch geistig kastriert, indem er die dumme Karoline heiratet und ein guter Untertan wird, der sich am liebsten hinterm warmen Ofen verkriecht. Wie bei Eisler geht es in diesem *Hofmeister*-Stück nicht um Vorbilder, sondern um Warnbilder, mit denen Brecht sein Publikum provokativ aufzuschrecken versuchte. Ob ihm dies gelungen ist, sei dahingestellt. Viele Parteivertreter sahen in dem Ganzen lediglich den negativistischen Zug und »nicht den bitteren Zorn auf einen menschenunwürdigen Zustand unberechtigter Privilegien und schiefer Denkweisen«.[12] Aber diese Kritik muß auch Brecht zu denken gegeben haben. Jedenfalls schrieb er schon kurze Zeit später: »Eine Konzeption, der die deutsche Geschichte nichts als Misere ist und in der das Volk als schöpferische Potenz fehlt, ist nicht wahr!«[13]

Doch nicht allein das vielbeschworene »Volk«, auch andere Ideologiekonzepte wurden damals aufgeboten, um einen neuen Zugang zur Vergangenheit zu finden. Auf dem Felde des Dramas gehörte dazu vor allem der neue Komödienbegriff, der sich in den fünfziger Jahren in der DDR durchzusetzen begann.[14] Es ging hierbei um eine Komödie, die sich unter Berufung auf die berühmte Stelle in der Einleitung zur *Kritik der Hegelschen Rechtsphilosophie* (1844) von Marx als ein »heiteres« Abschiednehmen von einer als anachronistisch verstandenen Vergangenheit versteht.[15] Schon Brecht hatte anläßlich der Rechtfertigung seines Stücks vom *Herrn Puntila und seinem Knecht Matti,* das von humanismusgläubigen Kritikern als rein »negativistisch« aufgefaßt worden war, eine gewisse Vorarbeit dazu geleistet.[16] Bei der Aufführung dieses Stücks wurde dem Publikum bereits im Prolog versichert, daß man dieses »komische Spiel« nur darum gebe, weil sich die Gegenwart allmählich zu »lichten« beginne und dadurch das »Vorzeitliche« nicht mehr so bedrohlich, sondern fast schon »lachhaft« wirke.[17] Ja, Brecht war bei seiner Rechtfertigung bereits »anachronistisch« gewordener Stoffe sogar noch einen Schritt weiter gegangen und hatte geschrieben,

Adolf Nowaczynski, *Der große Friedrich*. Klaus Gowalla als Friedrich II.
Theater Magdeburg (1982). Regie: Karl Schneider.

daß »man nicht nur aus dem [aktuellen] Kampf lerne, sondern auch
aus der Geschichte der Kämpfe«.[18]

Einer der jungen Stückeschreiber dieser Jahre, der sich diese Theorien besonders zu Herzen nahm, war Peter Hacks, der im Gefolge
Brechts schon 1957 erklärte, daß es der »edelste Beruf des historischen Dramas« sei, »im Publikum Abscheu vor der Vergangenheit
zu erwecken«.[19] Diese Auffassung belegt bereits sein erstes Preußendrama, die Komödie *Die Schlacht bei Lobositz*, die 1956 im
Deutschen Theater uraufgeführt wurde und welche die vom »Preu-
ßenkönig Friedrich über Hitler bis Adenauer reichende Tradition
der militaristischen Manipulierung der Gefühle« bloßstellen sollte.[20] Inhaltlich handelt es sich bei diesem Stück um eine Episode
aus dem Buch *Lebensgeschichte und Abenteuer des armen Mannes
im Tockenburg* (1789) von Ulrich Bräker, in der dieser seine Deser-
tation aus der friderizianischen Armee im Jahre 1756 beschrieben
hat. Preußen erscheint hier als rein militaristische Zwangsanstalt,
der Krieg als »eine Verschwörung der Offiziere gegen die Soldaten«[21], die diesen keine andere Wahl lassen, als nach vorn zu stür-

Claus Hammel, *Die Preußen kommen*. Klaus Martin Boestel als Friedrich ii. und Uwe-Detlev Jessen als Martin Luther. Volkstheater Rostock (1981). Regie: Hanns Anselm Perten.

men, da sie ihnen sonst eine Kugel in den Rücken oder Hintern verpassen würden. Friedrich ii., der selbst nicht auftritt, wird ausschließlich als »großer Potentat« hingestellt, der seine Flöte nur bläst, um sich durch eine »humane Nebenbeschäftigung« ein besseres Image zu geben.[22] Überhaupt geht in diesem Stück alles Höhere in leere Phrasen über. Nicht Vaterlandsliebe oder Verteidigungsbereitschaft treibt die Hacks'schen Soldaten an, sondern einzig und allein die Angst vor ihren Herren. Und niemand lehnt sich gegen dieses »System« auf. Selbst Kosegarten, der einzige Intelligenzler in diesem Stück, der Brechts Pätus im *Hofmeister* entspricht, findet sich mit dem gehaßten schwarzen Preußen ab und benutzt seine »Vernunft« lediglich dazu, sich wenigstens innerlich von dem Ganzen zu »distanzieren«.[23] So wie er fügen sich auch die anderen in ihr

Geschick. Nur der tumbe Tor Bräker, der Schweizer, der sich einen Rest an gesunden Menschenverstand bewahrt hat, hängt am Schluß seine Flinte einfach an den nächstbesten Weidenstumpf und macht sich aus dem Staube. Doch bleibt ein solcher Protest rein subjektiv und punktuell – jedenfalls nimmt der preußische Machtapparat daran keinen Schaden.

Noch schärfer ging Hacks 1958 in seinem Stück *Der Müller von Sanssouci* mit dem Staat Friedrichs ii. ins Gericht. Hier benutzte er die allbekannte Anekdote vom aufrechten Müller, der selbst seinen König, den das Klappern seiner Mühle stört, zur Anerkennung seiner Rechte zwingt. Hacks stellt diese – seiner Meinung nach – in den populären Lesebüchern auf dem Kopf stehende Anekdote in seinem Stück endlich auf die Füße, indem er zu zeigen sucht, daß auch dieser Müller, wie alle anderen Untertanen Friedrichs, ein Mann mit einem geknickten Rückgrat war. Seiner Version nach muß Friedrich den Müller geradezu zwingen, daß er sich vor Zeugen endlich zu den erwünschten Worten »Es gibt noch Richter in Berlin« durchringt.[24] Überhaupt geht es Friedrich in diesem *Müller von Sanssouci* fast ausschließlich um die Verbesserung seines öffentlichen Images. Er will nicht »als Despot, sondern als Volkskönig in die Geschichte eingehen«.[25] »Besser noch«, seufzt er einmal pathetisch auf, »der ärmste Sklave als durch Schrecken König sein«.[26] Den geschichtlichen Hintergrund bildet diesmal der Bayerische Erbfolgekrieg von 1778, um auch diesem Stück einen Drall ins Militaristische zu geben. Da die Subskription neuer Soldaten gegen Ende auch vor Nickel, dem Knecht des Müllers, nicht Halt macht, gewinnt schließlich doch der König. Der Müller behält zwar seine Mühle, hat aber niemanden, der sie für ihn antreibt. Und so bleibt wiederum alles »negativ«. Auch in diesem Stück gibt es weder ein positiv gesehenes »Volk« noch irgendwelche positiv gesehenen bürgerlichen »Aufklärer«. Alles wird so konsequent »eingeschwärzt«[27] daß der Zuschauer als Gesamteindruck lediglich den der »Miserabilität der ganzen Welt des Zopf-Deutschland« mit nach Hause nehmen kann.[28]

Daß gegen ein solches Stück noch einmal all jene Einwände laut werden mußten, die man bereits gegen Brechts Bearbeitung des Lenzschen *Hofmeister* als einer ausweglosen Manifestation der »deutschen Misere« erhoben hatte, war vorauszusehen.[29] Die Kritiker des *Müllers von Sanssouci* bemängelten nicht allein die Verharmlosung, ja geradezu Verniedlichung der vom preußischen Militaris-

Heinrich Mann / Alexander Lang, *Die traurige Geschichte von Friedrich dem Großen*. Friedrich Wilhelm I. und Königin Dorothea mit Prinzessin Wilhelmine und Kronprinz Friedrich beim Abendessen. Deutsches Theater Berlin (1982). Regie: Alexander Lang.

mus ausgehenden Gefahren, sondern auch den Verzicht darauf, dem rein negativ gesehenen friderizianischen Staat irgendwelche positiv gesehenen Vertreter des Widerstands oder der Aufklärung entgegengestellt zu haben – und statt dessen in den Bereich der bereits ranzig gewordenen Klischees der »deutschen Misere« ausgewichen zu sein. Was diese Kritiker – unter ihnen so namhafte Köpfe wie Herbert Jhering, Henryk Keisch, Martin Linzer und Fritz Erpenbeck – auch in diesem Stück gern gesehen hätten, waren jene bürgerlichen oder bäuerlichen Revolutionäre, wie sie zur gleichen Zeit Hedda Zinner in ihrem Preußendrama *Die Lützower* (1956) auf die Bühne brachte, die zwar nur als eine kleine Minderheit auftraten, aber dennoch nicht zögerten, für ihre als progressiv aufgefaßten Ideale sogar ihr Leben in die Schanze zu schlagen. Bei Hacks bliebe dagegen, wie er im Prolog zu seinem *Müller von*

Sanssouci selber erkläre, »des Menschen edles Bild vollkommen schwarz«.[30]

Obwohl Hacks mit diesen beiden Stücken des schwarzen Preußen keine großen Erfolge hatte, schuf er damit dennoch ein Genre, das auch andere Dramatiker bis weit in die sechziger und siebziger Jahre hinein immer wieder mit wechselndem Geschick aufgriffen. Ein geradezu klassisches Beispiel einer solchen Komödie des schwarzen Preußen ist *Die Gräfin von Rathenow*, die Hartmut Lange, der bis 1965 in der DDR ansässig war, im Jahr 1969 bei Suhrkamp herausbrachte. Bei diesem Stück handelt es sich um eine freie Adaption der Kleistschen *Marquise von O.* Allerdings verlegt Lange den Schauplatz des Ganzen aus Italien nach Preußen. Der edle Verführer ist bei ihm ein Offizier der napoleonischen Besatzungsarmee, der »irgendwo« im Brandenburgischen seinen Okkupationspflichten nachgeht und dabei der eiskalten, aber verführerischen Gräfin von Rathenow begegnet. Während die Franzosen in diesem Werk fast alle als gebildet, charmant und leichtentzündlich charakterisiert werden, sind ihre Gegenspieler, die Preußen, fast durchgehend geistig beschränkt und moralisch versauert, dafür aber um so hochmütiger. Deshalb reagiert der Graf von Rathenow, als sich der »Verführer« seiner Tochter endlich stellt, einfach brutal, indem er den zur Reue entschlossenen Franzosen kurzerhand niederknallt. Neben solchen Formen der Brutalität scheinen die Hauptkennzeichen dieses Landes vor allem »verrammelte Türen, Bierhähne und Speichellecker« zu sein, wie es an einer Stelle heißt.[31] Alles gleiche hier einem »toten Acker«, der sich weigere, mit »französischen Blumen« bepflanzt zu werden.[32] Und so ist auch dieses Stück, wie der *Müller von Sanssouci* von Hacks, letztlich ein Drama der preußisch-deutschen Misere, in dem sich keinerlei Symptome einer möglichen Änderung der bestehenden Verhältnisse andeuten.

Ähnliches gilt für die Preußenkomödie *Der Herr Schmidt* von Günther Rücker, die 1969 am Deutschen Theater uraufgeführt wurde. In ihr geht es um das in der Reaktion erstickende Preußen nach der gescheiterten Achtundvierziger Revolution, das von jenem Friedrich Wilhelm IV. regiert wird, der bereits erste Spuren des Wahnsinns aufweist. Der eigentliche Protagonist ist hier ein Herr Schmidt alias Stieber, der als mieser Opportunist nach 1848 die Zeichen der Zeit frühzeitig genug erkennt, die Karriere eines preußischen Geheimpolizisten einschlägt und sich im Dienste des Herr-

scherhauses und des Großkapitals in der »Kommunistenhetze«
auszuzeichnen versucht. Doch trotz dieser klar herausgearbeiteten
politischen, ökonomischen und sozialen Grundkonstellation
kommt es im Stück zu keinem wirklichen Konflikt. Da sich der eigentliche Gegner dieser Zustände, nämlich Marx, im Londoner
Exil befindet und sich alle Preußen – wie der Herr Schmidt – widerspruchslos in die neuen Verhältnisse fügen, herrscht gegen Ende
des Stücks schließlich die Ruhe eines Friedhofs. Der Herr Schmidt
wird mit den landesüblichen Orden und einem kleinen Gütchen in
der Mark Brandenburg für seine Dienste belohnt – und die Reaktion regiert ungestört weiter. Ja, Rücker läßt in Weiterführung des
älteren Topos der »deutschen Misere« sogar durchblicken, daß sich
die preußischen Deutschen zu allen Zeiten als Knechtsnaturen ausgezeichnet hätten. Daher seien die tonangebenden Schichten in diesem ihrem Lande stets die »Korporäle und Hanswurste« gewesen[33], wie es an einer Stelle bewußt provokant heißt – womit wir
wiederum bei den bereits von Hacks gezogenen Folgerungen wären.

   Die Möglichkeit einer Überwindung dieses Negativismus, der in
seinem kritischen Potential durchaus begrüßenswert, jedoch in seiner Vorbildlosigkeit zugleich niederdrückend wirkte, bot schließlich jene Erbe-Debatte, die in den frühen siebziger Jahren begann
und auch auf diesem Gebiet ganz neue Maßstäbe setzte.[34] Während
bis zu diesem Zeitpunkt als positives Erbe nur das gegolten hatte,
was einen zutiefst humanistischen, antifaschistischen oder sozialistischen Charakter aufwies, standen die verantwortlichen Kultur-
theoretiker der SED nach 1971/72, als sich die DDR in der Weltöf-
fentlichkeit als ein allgemein anerkannter Staat durchsetzte und
damit der ständige Legitimations- und Profilierungszwang einer
zunehmenden Selbstsicherheit Platz machte, auch bisher kritisierten oder tabuisierten Bereichen der politischen und kulturellen Erbes zusehends toleranter, ja aufnahmebereiter gegenüber. Dies bedeutete in der Praxis, daß der bisherige Klassikzentrismus, der sich
über zwanzig Jahre lang an die zwar noble, aber utopistische »Voll-
strecker«-These geklammert hatte, gegen Mitte der siebziger Jahre
einem Erbe-Pluralismus zu weichen begann, der neben den humanistischen Vorstellungen des bürgerlichen Idealismus auch das
bisher abgelehnte Erbe anderer Perioden der feudalistisch-bürger-
lichen Vergangenheit, wie etwa der Romantik und des Modernis-
mus, als diskussionswürdig, wenn nicht gar erbewürdig gelten

ließ.[35] Auf dem Boden des »real existierenden Sozialismus« schien in dieser Hinsicht mit einem Mal vieles, wenn nicht alles möglich zu sein. Das beweisen nicht nur die in diesem Zeitraum in den ›Weimarer Beiträgen‹ und in ›Sinn und Form‹ geführten Erbe-Debatten, in denen eine bisher ungeahnte Offenheit herrschte, sondern auch die vielen Interventionen führender Schriftsteller (Kunert, Wolf) auf diesem Gebiet, die plötzlich selbst mit höchst persönlichen Anschauungen nicht hinterm Berg hielten und sich in aller Offenheit mit bislang nur hinter hohler Hand genannten Autoren auseinandersetzten.

Soweit es bei diesen Erbe-Diskussionen um »Bürgerliches« im weitesten Sinn ging, stieß man bei all solchen Ehrenrettungen nur in besonders extremen Fällen, wie etwa dem »Fall Nietzsche«, auf Widerstände. Problematischer erwiesen sich diese Aufwertungen erst, als auch das feudalistische Erbe, darunter das bisher rein »schwarz« gesehene Preußen, in diese Aufwertungskampagnen hineingezogen wurde. Schließlich stand in diesem Fall nicht nur dieser oder jener Autor, sondern das Gesamtverständnis der DDR als jenes Staates, der auf dem Kernterritorium des schwarzen Preußen entstanden war, auf dem Spiel. Daß die Entscheidung, Preußen ein neues Image zu geben, in den obersten Rängen der DDR getroffen wurde, steht wohl außer Zweifel. Schließlich war es Honecker selbst, der gegen Ende der siebziger Jahre zum erstenmal auf dem Boden der DDR nicht von Friedrich dem Zweiten, sondern von »Friedrich dem Großen« sprach[36], das berühmte Denkmal dieses Königs von Potsdam nach Berlin bringen und erneut an seinem alten Platz Unter den Linden aufstellen ließ. Parallel dazu kam in der DDR eine Reihe höchst signifikanter Publikationen heraus, die diesen Richtungswechsel auch ideologisch zu untermauern suchten. Den entscheidenden Auftakt dazu bildete der Aufsatz *Die zwei Gesichter Preußens,* den Ingrid Mittenzwei 1978 im 19. Heft der Zeitschrift ›Forum‹ veröffentlichte und in dem sie schrieb:

Preußen ist Teil unserer Geschichte, nicht nur Weimar. Ein Volk kann sich seine Traditionen nicht aussuchen; es muß sich ihnen stellen. Unser Blick auf Preußen war lange Zeit durch die Polemik, die die revolutionäre Arbeiterklasse im 19. und 20. Jahrhundert mit dem reaktionären Preußentum führen mußte, verstellt. [Es gilt] zu zeigen, daß es auch in Preußen nicht nur Reaktion und Militarismus gab. [. . .] Und selbst die herrschende Klasse war [in diesem Staat] nicht zu allen Zeiten nur reaktionär.

Zur Stützung dieser These brachte sie 1979 eine *Friedrich*-Biographie heraus, in der sie – trotz vieler Vorbehalte diesem »Eroberer«, diesem »Zyniker«, diesem nur auf die »Stabilisierung seiner Herrschaft« und der »adligen Standesinteressen« bedachten König gegenüber – erstmals, jedenfalls für die DDR, auch seine religiöse Toleranz, seine landwirtschaftlichen Reformen, seine musischen Neigungen, seine Vorliebe für gewisse Ideen der französischen Aufklärung und ähnliches als positiv herausstrich. Dieser Sicht schloß sich in den folgenden Jahren eine stattliche Reihe von DDR-Autoren und -Wissenschaftlern an[37], welche dieses aus dem Schwarzen ins Graue aufgehellte Preußenbild auch an anderen Gestalten der preußischen Geschichte, wie jüngst sogar an Bismarck[38], zu exemplifizieren suchten.[39] Allerdings lassen sich hierbei drei verschiedene Einstellungen zum Erbe unterscheiden, die man – um der ideologischen Genauigkeit willen – nicht in einen Topf werfen sollte: eine ausgesprochen restaurative, ja fast affirmative, eine kritisch-dialektische und eine, die angesichts solcher Aufwertungen das Negative an Preußen sogar noch schärfer zu akzentuieren suchte denn je zuvor. (Freilich sollte man in diesem Zusammenhang nicht vergessen, daß es bei diesen »Preußen«-Diskussionen, ob nun bei den Äußerungen der Verehrung, der kritischen Aneignung oder des Unmuts, oft gar nicht um Preußen selber, sondern zum Teil um ganz andere Dinge ging.)

Wohl die verbreitetste Haltung im Hinblick auf Preußen ist seit der zweiten Hälfte der siebziger Jahre in der DDR die einer relativ kritiklosen »Affirmation«, wie man um 1968 in der Bundesrepublik gesagt hätte. Im Zuge einer das »Heimatliche« betonenden Regionalisierung, die von dem bisherigen nationalen Stellvertretungsanspruch immer stärker abrückt, dominiert in diesem Bereich eine geradezu ans Liebevolle grenzende Pietät, die sich vor allem auf dem Sektor der Erhaltung preußischer Kulturgüter einer nachdrücklichen Unterstützung der staatlichen Stellen erfreut. Das gilt besonders im Bereich der lokalen Musikpflege, die sich neuerdings mit Vorliebe preußischer Meister des 18. und 19. Jahrhunderts annimmt (Quantz, Graun, Reichardt)[40], sowie für die Restaurierung wichtiger Baudenkmäler aus der gleichen Tradition (wie etwa des Schinkelschen Schauspielhauses). Eine ähnliche Tendenz hatte 1980 die große Menzel-Ausstellung in der Ostberliner Nationalgalerie, bei der sogar Menzels *Krönungsbild* von 1865, das Wilhelm I. mit erhobenem Zepter in der Königsberger Schloßkirche zeigt, so-

wie einige seiner berühmten Frideriziana an prominenter Stelle
hingen. In all diesen Aktivitäten äußerte sich ein durchaus ver-
ständlicher Stolz auf ästhetische Leistungen der Vergangenheit, die
man – unter gewandelten Voraussetzungen und in größeren Zusammenhängen gesehen – plötzlich auch als Werke der eigenen Vergangenheit zu entdecken begann. Im Rahmen dieser Sicht lenkte man
den Blick, wenn von Friedrich II. die Rede war, lieber auf den Philosophen und Künstler als auf den Schlachtenlenker – wie das etwa
in dem kulturgeschichtlichen Roman *Der Meister von Sanssouci*
(1979) von Claus Bade und Martin Stade geschah, der in seiner De-
tailliertheit einen unleugbaren Zug ins Liebevolle hat.

Die Bewußteren unter diesen Entdeckern des »anderen« Preußen
und seines »größten« Königs hüteten sich dagegen auch in diesen
Jahren, ihren Stolz auf die bedeutsameren Leistungen dieser Erbe-
tradition einfach in blinde Verehrung umschlagen zu lassen. Das
gilt vor allem für Ingrid Mittenzweis *Friedrich*-Buch, in dem bei aller ideologischen Differenzierung Friedrich II. weiterhin auch als
Vertreter einer »aggressiven Annexionspolitik«, das heißt als »Politiker der Stärke« hingestellt wird, um so einer möglichen Ehrenrettung dieses Königs »von links« entgegenzuarbeiten.[41] An dieser
Sehweise hielten viele DDR-Wissenschaftler nicht nur im Hinblick
auf Friedrich, sondern auch auf andere Repräsentanten der preußischen Geschichte, wie Yorck, Clausewitz und Scharnhorst, fest.[42]
Vor allem in den Auseinandersetzungen mit Kleist, der in letzter
Zeit – nach langer Tabuisierung – ein wichtiger Forschungsgegen-
stand der DDR-Germanistik geworden ist[43], betont man immer
wieder das Querstehende dieses Autors, dessen Bedeutsamkeit gerade in seiner ideologischen Inkommensurabilität liege, die jeden
Interpreten ständig zu neuen Deutungen herausfordere. Und auch
auf dem Gebiet der Menzel-, Schinkel- und Knobelsdorff-For-
schung gibt es nicht nur rückhaltlos verehrende, sondern auch
recht dialektisierende Sehweisen, die bei aller Aneignungstendenz
ihre kritische Vernunft keineswegs an der Garderobe abgeben, wie
sich Brecht ausgedrückt hätte.

Doch zurück zum Theater. Wirklich »affirmative« Friedrich-
Stücke sind bisher von den Bühnen der DDR nicht gebracht worden. Das einzige Werk, das diesem Stücktyp noch am nächsten
kam, war das weithin unbekannte Drama *Der große Friedrich* von
Adolf Nowazynski, das bereits um die Jahrhundertwende entstanden ist und – bei aller Ironie – ein historisch-sachliches Bild des »al-

ten Fritz« zu vermitteln sucht. Friedrich wird in diesem Stück, das im Jahr 1781 spielt, als der »alte Fuchs«, der »unbestechliche Realist«, der »geizige Ökonom« und »gewandte Charmeur« charakterisiert – und wurde 1981, bei der Magdeburger Erstaufführung, auch so dargestellt, nämlich als »historisch begrenzte« Persönlichkeit. Mit der Ausgrabung dieses Stücks wollte man zu einem »differenzierteren Bild einer wichtigen Etappe preußisch-deutscher Geschichte« beitragen, indem man diese sowohl »frei von falscher Gloriole« als auch »frei von falscher Besserwisserei« in Szene setzte. Daß hierbei der Aufführungsstil in einem »freundlich-dekorativen Historismus« steckenblieb, wie Martin Linzer schrieb[44], gehört auf ein anderes Blatt. Jedenfalls war die Grundabsicht eine kritisch-dialektische.

Nicht ganz so glimpflich sprang Claus Hammel in seinem dramatischen Sketch *Die Preußen kommen*, der 1982 beim Eulenspiegel-Verlag herauskam, mit Friedrich II. um. Bei ihm herrscht stellenweise ein recht kabarettistischer Ton, der einem so bedeutsamen Thema nicht ganz angemessen ist. Schließlich will auch Hammel diesen »seinen« Friedrich, bei aller Verulkung gewisser Einzelzüge, nicht einfach lächerlich machen, sondern zugleich dessen historische Signifikanz herausstreichen. Das führt notwendigerweise zu einigen dramaturgischen Diskrepanzen. So bemüht sich Hammel einerseits ganz ernsthaft um ein »marxistisches, von nationaler Demagogie freies Preußen-Bild«, wie er selber schreibt[45], mit dem er dem falschen »Preußen«-Rummel in Westdeutschland entgegentreten will. Dies kommt auch in seinen Bemühungen um den Schill-Stoff und in seinem Drama *Humboldt und Bolívar oder Der neue Kontinent* (1979) zum Ausdruck, in denen er sich eindeutig positiven Gestalten der preußischen Geschichte zuwendet und diese mit revolutionären Bewegungen in Zusammenhang setzt. Daran gemessen polemisiert er mit seinem Stück *Die Preußen kommen* zwar gegen einen »leicht- und eilfertigen Umgang mit dem historischen Erbe«, wie ihm Manfred Nössig bescheinigt[46], bleibt aber in der dramatischen Ausführung seiner Absichten streckenweise selbst im Witzigen, Spielerischen, wenn nicht gar »Leichtfertigen« stecken.

Hammels Stück spielt weitgehend im Festsaal eines Schlosses, sicher eines preußischen, in dem sich die Hauptdienststelle des PRI, das heißt der »Prüfungsanstalt für Reintegration historischer Persönlichkeiten« befindet und das mit einem thronartigen Sessel, einem gewaltigen Schreibtisch und den »Bildnissen von Marx und Engels« ausgestattet ist. In diesem Büro residiert als höchste Instanz eine Professorin für Geschichte, welcher die Reintegration des preußischen Geistes in die gegenwärtigen Verhältnisse obliegt. In diesen Festsaal kommt eines Tages – wie vor ihm Martin Luther – plötzlich Friedrich II. hereingeschneit, den alle Anwesenden selbstverständlich sofort erkennen und mit äußerster Delikatesse behandeln. Obwohl ihm die Vertreter der neuen Zeit recht »spanisch« vorkommen, merkt Friedrich schon nach wenigen Minuten, daß er hierzulande recht wohlgelitten ist. Was ihn besonders erheitert, ist die Tatsache, daß man ein ihm unverständliches Industriekombinat nach ihm benennen will. Während die Geschichtsprofessorin hierbei an der Bezeichnung »Friedrich der Zweite« festhalten will, schlägt der sogenannte »Mechanisator« dieses Werks vor, dem Ganzen lieber den Namen »Friedrich der Große« zu geben, weil 'der »mehr fetze«.[47] Zur ideologischen Rechtfertigung dieser Benennung erklärt er, ohne dabei die geringsten Skrupel zu haben:[48]

Eigentlich heißen wir Frohe Zukunft. Unsere Parteiorganisation hat angeregt, daß die Gewerkschaftsorganisation vorschlagen soll, daß wir uns den Namen Friedrichs des Großen geben. Weil der jetzt modern ist und eine Beziehung zu uns hat.

Friedrich, der in all diesen Szenen wie der legendäre Mensch vom Mars wirkt, der auf Erden (sprich: der DDR) alles seltsam findet, vor allem daß man ihm zu Ehren sogar ein paar »Lange Kerls« aufmarschieren läßt, kommt darum aus dem Wundern gar nicht wieder heraus. Weder die Vorstellung, daß er – älteren Anschauungen zufolge – als »Wegbereiter der Eroberungsstrategie des deutschen Imperialismus« gewesen sei, noch das Konzept der »deutschen Misere«, das an einer Stelle erwähnt wird, kann er in sein Weltbild integrieren.[49] Das Ganze, das keinen durchgehenden Handlungsablauf besitzt, schließt endlich damit, daß ein weiterer Repräsentant der preußischen Geschichte, diesmal der mit dem riesigen Schlapphut und der großen schwarzen Dogge, an die Tür dieses Reintegrationsbüros klopft und sich als »Otto von Bismarck« vorstellt (und von den Anwesenden sicher mit derselben Höflichkeit begrüßt wird wie vorher Friedrich der Zweite).

Wesentlich beißender wirkte dagegen das Preußenstück *Die traurige Geschichte von Friedrich dem Großen*, dem das erstmals 1960 veröffentlichte Fragment eines gleichnamigen Dialogromans von

Heinrich Mann zugrunde liegt, das Alexander Lang 1981/82 in ein abendfüllendes Drama umschrieb und am Deutschen Theater inszenierte. Dieses Stück hält weiterhin am Topos der »deutschen Misere« fest und zeichnet inhaltlich die Jugendjahre Friedrichs unter der strengen Fuchtel seines Vaters, des ebenso beschränkten wie moralinsauren »Soldatenkönigs«, nach. Während die Brutalität dieses Königs, der seiner Gemahlin unentwegt Kinder »macht« (eins sogar auf offener Bühne) und dann mit diesen Kindern wie mit jungen Rekruten umspringt, lediglich vom russischen Zaren und seinem Gefolge überboten wird, die wie die »Barbaren« ins Schloß Monbijou einbrechen, garstige Zoten reißen und das kostbare Geschirr an die Wände schmeißen, tritt der Kronprinz Friedrich, den Lang von einer jungen Frau (Katrin Klein) spielen ließ, als ein völlig der französischen Kultur und seiner Flöte hingegebener Musensohn auf, der jedoch in seinem Affekt gegen den Soldatenkönig, ja in seiner kaum zu zügelnden Hoffnung auf dessen Tod, bereits eine gefährliche Neigung zu Ruhm- und Herrschsucht verrät. Dementsprechend schließt das Ganze mit einer Szene, in der Friedrich, kaum daß sein Vater die Augen geschlossen hat, das Schwert ergreift und sein Land zum Krieg gegen Österreich und zur Eroberung Schlesiens aufruft. Was die Zuschauer eben noch als Charme bestrickte, fällt hier plötzlich wie eine Maske ab – und das »Prinzip Preußen« kommt wieder einmal zu sich selbst: nämlich zum Militarismus. Da es jedoch in diesem Stück an ernstzunehmenden Gegenspielern, ob nun aus dem Volk oder aus der Intelligenz, fehlt, überwiegt auch hier – bei aller Witzigkeit und theatralischen Gekonntheit – abermals ein Negativismus, der im Rahmen seines eigenen Horizonts befangen bleibt. Jedenfalls dringt auch dieses Werk kaum über die bereits von Hacks abgesteckten Grenzen hinaus.[50]

Ganz anders angelegt sind hingegen jene Preußendramen, die Heiner Müller in den letzten zehn Jahren geschrieben hat. Bei ihnen handelt es sich nicht wie im *Hofmeister*, im *Müller von Sanssouci* oder in der *Traurigen Geschichte von Friedrich dem Großen* um Stücke, in denen das Preußische lediglich in anachronistischer Komik auf die Bühne kommt, sondern um »Greuelmärchen« oder »Nachtstücke«, die in ihrer forcierten Negativität den Topos der »deutschen Misere« bis zur letzten Konsequenz treiben und daher meist bei Konzepten wie »Totschlagen«, »Aufhängen« oder »Begraben« landen. Die Perspektive, aus der Müller diese Stücke verfaßte, ist nicht der »souveräne Standpunkt des Komödienautors, nicht eine Überlegenheit, die das deutsche Unwesen als überholt ansieht und damit im Prinzip schon besiegt«, wie Ulrich Profitlich schreibt, sondern eine Sehweise, die von der »epocheüberspannenden Fortdauer des Übels« ausgeht und deshalb das »Schreckliche nicht mehr als etwas leicht Überwindbares« empfindet, sondern als etwas, das in jenen »Institutionen und Mechanismen« verankert ist, die »auch in der heutigen sozialistischen Gesellschaft fortbestehen«.[51] Das gilt – in unserem Zusammenhang – vor allem für Werke wie *Die Schlacht, Die Bauern, Germania Tod in Berlin* und *Leben Gundlings Friedrich von Preußen Lessings Schlaf Traum Schrei*, die auf einer Ästhetik beruhen, der ganz andere Absichten zugrunde liegen als das heitere Abschiednehmen, der persiflierende Rückblick oder der witzelnde Unmut über die Reintegration des preußischen Erbes in die gegenwärtige DDR-Kulturpolitik. In ihnen ist kein Raum für Abstand, Ironie, Reflexion, befreites Aufatmen oder irgend etwas Kathartisches. Hier fühlt man sich nach all dem dargestellten Horror wie geprügelt, wie vor den Kopf geschlagen, wie von Erinnyen gejagt, und zwar so, als habe man eben der Schlußszene des *Ödipus* oder der *Familie Schroffenstein* beigewohnt. Welche Szene man auch anblättert, in allen herrscht eine Neigung zu kleistscher Maßlosigkeit, kafkaesker Verfremdung, artaudscher Grausamkeit, schockartiger Sexualität, stillstehender Dialektik, ja totaler Negation[52], durch die alles im konkreten Sinne »Geschichtliche« in einem Strudel allgemeinster Doomsday-Vorstellungen unterzugehen droht.

Und doch lassen sich bei genauerem Zusehen in diesen Stücken einige höchst präzis dargestellte Momente der deutschen Geschichte festmachen, die ohne die in den letzten zehn Jahren geführte Preußen-Debatte kaum denkbar wären. Ihr Autor ist kein Dramatiker, dessen geschichtsphilosophischer Verzweiflung lediglich jener »modische Pessimismus und kokette Nihilismus« zugrunde liegt, der »spätestens seit Mitte der siebziger Jahre das Klima der bundesrepublikanischen Kulturszene prägt«, um einen Einwand Michael Schneiders aufzugreifen[53], sondern einer, der in seinem Schreiben noch immer von einem marxistischen Hang zu Legendenentlarvung, ja einem durch seine materialistische Weltsicht geschärften Sinn für weltgeschichtliche Zusammenhänge und die Schwere der weiterbestehenden Kämpfe angetrieben wird, die auch Niederlagen und Tragödien in sich einschließen. So wirkt Müllers Insistieren auf dem Topos der »deutschen Misere« zwar nicht positiv-utopisch im Sinne Blochs, aber doch negativ-utopisch. Im Rahmen dieses Geschichtsbilds, das auch die DDR rücksichtslos in den »Kontext der deutschen Misere« einbezieht, wie er auf dem Siebten Wisconsin Workshop sagte[54], muß auch seine unablässige Beschäftigung mit Preußen und Friedrich dem Zweiten gesehen werden. Müller ist nun einmal davon überzeugt, daß sich die besondere Form des DDR-Sozialismus nur dann verstehen läßt, wenn man hierbei nicht die faschistische, protestantische und preußische Vergangenheit in den Mentalitätsstrukturen der dort lebenden Menschen vergißt. So wie man sich diesen Ideologien vor 1945 unterworfen habe, behauptet er, habe man sich nach 1945 dem Sozialismus gebeugt – und dementsprechend sehe der in diesem Lande exerzierte Sozialismus dann auch aus. Ja, er könne gar nicht anders aussehen, erklärt Müller immer wieder – und dünkt sich bei solchen Anschauungen wesentlich »materialistischer« als jene parteiamtlichen Kritiker, die positive Identifikationsfiguren von ihm verlangen. Doch was unterscheidet einen solchen Defätismus, der sich zwar als provokant versteht, aber letztlich keinen Ansatzpunkt zu seiner Überwindung bietet, eigentlich von der – von Müller als verächtlich abgelehnten – Geschichtssicht eines Dramas wie das des *Müllers von Sanssouci*, das ebenfalls keine positiven Gegenspieler zur dargestellten Misere enthält?

Schon Müllers Stück *Die Schlacht* malt alles schwarz in schwarz. Obwohl hier das spezifisch Preußische bei der Darstellung der »deutschen Misere« noch fehlt, ließen sich solche Verbindungslinien leicht herstellen. Auch in den *Bauern* taucht es nur an einer, wenn auch höchst signifikanten Stelle auf. Hier schließt die erste Szene damit, daß jener Bauer, dem der Parteisekretär Flint die Werke Goethes und Schillers in die Hand drückt, diese einfach auf den Boden wirft und abgeht. Als sie Flint daraufhin wieder aufhebt und sich mit seinem Fahrrad, einer roten Fahne, einem mit Losungen geschmückten Transparent und den zwei Klassikern erneut auf den mühsamen Weg zum Sozialismus begibt, springt ihm plötzlich ein grotesker Hitler mit »Eva-Braun-Brüsten, Teppich und Benzinkanister« auf den Rücken. Als ob das nicht genug wäre, springt diesem Hitler daraufhin noch Friedrich II. mit seinem Krückstock auf den Rücken, so daß Flint unter der doppelten Bürde fast zusammenbricht. Bei jedem Versuch, diese beiden Monster abzuschütteln, heißt es in der Szenenanweisung, »fällt etwas anderes oder alles mit: das Fahrrad, die Fahne, das Schild, die Bücher«.[55] Deutlicher geht's eigentlich nimmer. Hier hat man bereits alles in einer Nuß, was Müllers Sicht des DDR-Sozialismus bestimmt: der übermächtige Druck des Erbes und die Spesen, die man dafür zahlen muß.

Die beiden Preußen-Szenen in dem Stück *Germania Tod in Berlin* sind, genau besehen, nur eine Variation auf diesen Vorfall. Allerdings wird diesmal alles in wesentlich größere Zusammenhänge gerückt und neben Friedrich und Hitler – in einem anachronistischen Zeitrafferverfahren – auch Armin der Cherusker, einige Nibelungen-Recken, der Contergan-Wolf und ähnliche Ungeheuer auf die Bühne gebracht, um Deutschland als ein Land der permanenten Misere erscheinen zu lassen.[56] In den beiden Preußen-Szenen geht es um folgendes. In der ersten, »Brandenburgisches Konzert 1« überschrieben, treten zwei Clowns auf, die Friedrich II. und den Müller von Sanssouci spielen sollen. Der König erscheint dabei als ein »perverser, unproduktiver und zeugungsunfähiger Schwächling«[57], dem aber sein politischer Status dennoch soviel Ansehen und Macht verleiht, daß der arme Müller, wie schon der Hacks'sche Müller, nach einer kurzen Auflehnung in sich zusammenknickt und sich am Krückstock des Königs als Speichellecker auszuzeichnen versucht. Ja, er tut sogar noch ein übriges. Er beginnt diesen Stock aufzuessen und sich somit wieder »aufzurichten«, bis er ganz »stocksteif dasteht«.[58] Als ihm dies gelungen ist, wirft er sich schließlich in Positur und marschiert zu den Klängen eines preußischen Parademarschs in den Krieg. Etwas hoffnungsvoller wirkt dagegen jene Szene, die sich »Brandenburgisches Konzert 2« nennt. Hier ist die Hauptfigur ein Maurer, der für seinen unermüdlichen Arbeitseinsatz beim Bau der Stalin-Allee als Held der Arbeit ausgezeichnet wird. Dies geschieht in einem preußischen Schloß, höchstwahrscheinlich in Sanssouci, wo man ihn zu Kaviar nötigt (obwohl er lieber ein Kotelett und ein Bier hätte) und ihm ein Brandenburgisches Konzert vorspielt. Als sich dieser Arbeiter anschließend für einen Augenblick in einem Empire-Sessel auszuruhen versucht, geht ihn plötzlich Friedrich II. als Vampir von hinten an, den er jedoch nach kurzem Kampf wieder abschütteln kann. Es gelingt ihm sogar, jene Krücke zu zerbrechen, in der Friedrich eins seiner wichtigsten Herrschaftsattribute sah.

Was sich in dieser Szene als hoffnungsvoller Silberstreif am Horizont abzeichnet, geht jedoch in Müllers abermals schwarz in schwarz gemaltem Drama *Leben Gundlings Friedrich von Preußen Lessings Schlaf Traum Schrei* wieder verloren. Hier ist alles noch düsterer, komplexer, verwirrter, ineinandergeschachtelter als in seinem bereits recht collagiert angelegten *Germania*-Drama – und läßt sich zum Teil nur mit Hilfe der bereits erschienenen Interpretationen auseinanderdröseln.[59] Rein vordergründig gesehen, geht es in diesem Stück in erster Linie um Friedrich II. Auf der Ebene des Politischen ist dieser erst dem unbarmherzigen Sadismus seines Vaters ausgesetzt, der ihn sogar zwingt, an der Exekution seines Freundes Katte teilzunehmen, tut dann jedoch in blutiger Wiederholung solcher Vorgänge genau dasselbe, indem er einen sächsischen Offizier vor den Augen von dessen Frau erschießen läßt, ja im Siebenjährigen Krieg Zehntausende seiner eigenen Soldaten in den sicheren Tod schickt. Ähnliches vollzieht sich auf der Ebene des Intellektuellen und Ästhetischen. So wie Friedrichs Vater den armen Gundling als Narren behandelt, läßt auch Friedrich seine Launen gern an Künstlern und Philosophen aus. Doch leiden, genau besehen, in diesem Stück geradezu alle an der »deutschen Misere«, die Herrscher ebenso wie die Beherrschten. Die Oberen wirken hier letztlich nicht minder verkrüppelt als die Unteren. Alle unterliegen bestimmten Zwangsneurosen und Gewaltmechanismen, die sich stets aufs Neue von selbst reproduzieren und aus deren Kreislauf es keinen Ausweg zu geben scheint. Dieses Preußen steht daher als Symbol für den verfehlten Gesamtverlauf der deutschen Geschichte schlechthin, in dem es keine Sieger, sondern – nach Müllers Ansicht – nur Opfer gegeben hat. Was in diesem Stück letztlich »bleibt«, ist einzig und allein jener Schrei, den Lessing gegen Ende ausstößt, als er in seiner eigenen Klassiker-Büste erstickt. Und so mündet dieses Stück, das als kritische Auseinandersetzung mit der Friedrich-Legende begann, schließlich in einen rein subjektiven Protest, der obendrein lediglich die Form eines unartikulierten Schreis annimmt, welcher zwar immer noch dem Wunsch nach radikaler Negation der Negation, ja vielleicht sogar Veränderung der allgemeinen Miserabilität entspringt, der jedoch unverständlich bleibt. Man spürt noch den Haß, weiß aber nichts genaues mit ihm anzufangen, da dieser Haß nicht gegen irgendein konkretes Ziel gerichtet ist, sondern sich einfach als solcher, als Urhaß manifestiert. Eins ist dabei allerdings sicher: hier wird nicht allein gegen Friedrich, gegen Preußen, gegen die fehlgeschlagene Aufklärung, gegen das verkrüppelte Deutschland angeschrieben oder angeschrien, sondern gegen eine fehlgegangene Menschheitsentwicklung, die nie aus dem Zustand der Vorgeschichte in den Zustand der wahren Humanität fortgeschritten sei. In diesem Stück stellen sich daher am Schluß notwendig die Bilder des Friedhofs sowie lebloser Puppen ein, aus denen, wenn man sie aufschlitzt, lediglich »Sägemehl rieselt«.[60]

Kommen wir zu Folgerungen. Da das preußische Erbe in der DDR nach wie vor als etwas Kontroverses empfunden wird, erscheint es auch in den Dramen dieses Staates in höchst verschiedenen Facetten. Daß innerhalb dieser Vielfalt nicht das Affirmative, sondern das Kritische überwiegt, ist keineswegs bedauerlich. Die Frage ist nur, in welcher Form sich diese Kritik äußert. Als eine aus der linken Tradition stammende Form bot sich hierbei immer wieder der Topos der »deutschen Misere« an, der eine besondere Radikalität zu verbürgen schien. Schließlich hatten bereits Heine in seinem *Wintermärchen*, Heinrich Mann in seinem *Untertan* sowie Tucholsky und Heartfield in ihrem Buch *Deutschland, Deutschland über alles* zu diesem Topos gegriffen, um ihrem Unmut über den restaurativen bis konterrevolutionären Grundzug der neueren deutschen Geschichte Ausdruck zu verleihen. Deshalb wurde dieser Topos nach 1945, als es um die Bewältigung des faschistischen Erbes ging, wiederum als ideologische Hilfskonstruktion herangezogen. Allerdings stellte sich dabei leicht die Gefahr ein, im Bereich dieses Topos einfach von *den* Deutschen schlechthin zu sprechen, statt einen klaren Trennungsstrich zwischen reaktionären und progressiven Ideologien wie auch Klassen zu ziehen. Die Problematik solcher Totalnegationen besteht darin, daß man hierbei leicht verführt wird, eine von der »breiten Masse« elitär abgehobene Position zu beziehen, wie das schon Nietzsche bei seiner Version der »deutschen Misere« getan hatte.

Diese Problematik sollte man auch bei der Einstellung zu Preußen im Auge behalten. Preußen an sich hat es nie gegeben. Was es gegeben hat, sind selbst in diesem Bereich lediglich progressive oder regressive Strömungen und Haltungen, die aufs engste mit der widersprüchlichen Entwicklung der preußisch-deutschen Geschichte der letzten zwei Jahrhunderte zusammenhängen. Nur bei einer solchen – auch Gegensätze nicht ausschließenden – Sehweise wird man auch einer Figur wie der Friedrichs II. gerecht werden, der einerseits ein Despot, Eroberungspolitiker und Menschenverächter, andererseits ein Aufklärer, Reformer und Musenzögling war, den nicht irgendein Speichellecker, sondern ein Mann wie Voltaire erstmals als »Frédéric le Grand« apostrophierte.[61] In dieser Janusköpfigkeit sollte man diesen König auch in Zukunft sehen. Schließlich wird der eine Friedrich nicht durch den anderen Friedrich einfach »aufgehoben«. Und auch Preußen war, solange es dieses gegeben hat, nicht nur ein »schwarzer« Staat, weder im Bereich des Politischen noch im Bereich des Kulturellen. Sich mit dieser Widersprüchlichkeit auseinanderzusetzen, wäre daher in Zukunft auch die Aufgabe jener Dramatiker, denen es bei der Darstellung der preußisch-deutschen Geschichte und seiner Nachgeschichte in unserer Zeit tatsächlich um das historisch-konkrete Preußen und nicht um ein Darstellungsvehikel völlig andersgearteter Ideologiekomplexe geht.

Anmerkungen

1 Vgl. Jost Hermand, *Carl Ignaz Geiger: Friedrich II. als Schriftsteller im Elysium*, in: J. H., *Unbequeme Literatur*, Heidelberg 1971, S. 21–39.

2 Vgl. Françoise Forster-Hahn, *Adolph Menzel's »Daguerreotypical« Image of Frederic the Great: A Liberal Bourgeois Interpretation of German History*, in: Art Bulletin 1977, S. 242–261, und Jost Hermand, *Adolph Menzel: Das Flötenkonzert in Sanssouci. Ein realistisch geträumtes Preußenbild*, Frankfurt/Main 1985, S. 13 ff.

3 Vgl. Ladislaus von Kubiny, *Das politische Vermächtnis Friedrichs des Großen im Bilde des Nationalsozialismus*, Budapest und Leipzig 1935.

4 Vgl. das Vorwort Hermann Görings zu Arnold Hildebrand (Hg.), *Das Bildnis Friedrichs des Großen*, Berlin ²1942, S. 1.

5 Vgl. *Preußen. Versuch einer Bilanz*, Reinbek 1981, Bd. 3, S. 170f.

6 Konrad Barthel, *Friedrich der Große in Hitlers Geschichtsbild*, Wiesbaden 1977, S. 9.

7 Zit. in Heinz Kathe, *Die Hohenzollernlegende*, Berlin (Ost) 1973, S. 128.

8 So Marx in einem Brief an Engels vom 2. Dezember 1856.

9 Vgl. Jost Hermand, *Heines »Wintermärchen«. Zum Topos der deutschen Misere*, in: J. H., *Sieben Arten an Deutschland zu leiden*, Frankfurt/Main 1979 (Athenäum Taschenbücher 2141), S. 43–61.

10 Vgl. das Nachwort von Werner Mittenzwei zu *Hanns Eisler: Johann Faustus*, Berlin (Ost) 1983, S. 131 ff.

11 Bertolt Brecht, *Gesammelte Werke in acht Bänden*, Frankfurt/Main 1967, Bd. 3, S. 2333.

12 Vgl. Werner Mittenzwei, *Brechts Verhältnis zur Tradition*, Berlin (Ost) ²1972, S. 229ff.
13 Zit. ebd., S. 238.
14 Vgl. hierzu Ulrich Profitlich, *Über Begriff und Terminus »Komödie« in der Literaturkritik der DDR*, in: Li/Li 30/31 (1978), S. 190–204.
15 Zit. ebd., S. 191.
16 Vgl. Jost Hermand, *Herr Puntila und sein Knecht Matti. Brechts Volksstück*, in: Brecht heute – Brecht today 1 (1971), S. 117–136.
17 Brecht, *Gesammelte Werke*, Bd. 2, S. 1611.
18 *Theaterarbeit. 6 Aufführungen des Berliner Ensembles*, Dresden 1952, S. 46.
19 Peter Hacks, *Wagners »Kindermörderin«*, in: Junge Kunst 1/2 (1957), S. 23.
20 Hans-Georg Werner, *Zu den Stücken von Peter Hacks*, in: Weimarer Beiträge 20/4 (1974), S. 37.
21 Peter Hacks, *Die Maßgaben der Kunst. Gesammelte Aufsätze*, Düsseldorf 1977, S. 322.
22 Hacks, *Fünf Stücke*, Frankfurt/Main 1965, S. 201 und 184.
23 Ebd., S. 191.
24 Ebd., S. 295.
25 Vgl. *Literatur der Deutschen Demokratischen Republik*, Berlin (Ost) 1976, S. 403.
26 Hacks, *Fünf Stücke*, S. 260.
27 Vgl. Ulrich Profitlich, *»Des Menschen edles Bild vollkommen schwarz«. Zur Darstellung Preußens in Peter Hacks' »Müller von Sanssouci«*, in: Jahrbuch zur Literatur in der DDR 2 (1982), S. 89–113.
28 Hacks, *Die Maßgaben der Kunst*, S. 325.
29 Vgl. Profitlich, *»Des Menschen edles Bild«*, S. 108ff.
30 Hacks, *Fünf Stücke*, S. 239.
31 Hartmut Lange, *Die Gräfin von Rathenow*, Frankfurt/Main 1969 (es 360), S. 25.
32 Ebd., S. 73.
33 *Neue Stücke. Autoren der Deutschen Demokratischen Republik*, Berlin (Ost) 1971, S. 28.
34 Vgl. hierzu u. a. Peter Uwe Hohendahl, *Theorie und Praxis des Erbens: Untersuchungen zum Problem der literarischen Tradition in der DDR*, in: P.U.H. und Patricia Herminghouse (Hg.), *Literatur der DDR in den siebziger Jahren*, Frankfurt/Main 1983 (es NF 174), S. 25ff.
35 Vgl. hierzu auch meine Aufsätze *Das Gute-Neue und das Schlechte-Neue. Wandlungen der Modernismus-Debatte in der DDR seit 1956*, in: Peter Uwe Hohendahl und Patricia Herminghouse (Hg.), *Literatur und Literaturtheorie in der DDR*, Frankfurt/Main 1976 (es 779), S. 73–99, und *Erbepflege und/oder Massenwirksamkeit. Zur Genre-*

Diskussion in der DDR, in Walter Hinck (Hg.), *Textsortenlehre – Gattungsgeschichte,* Heidelberg 1977, S. 104–117.

36 Vgl. Johannes Rogalla von Bieberstein, *Preußentum und Sozialismus,* in: Jahrbuch zur Literatur in der DDR 2 (1982), S. 230. – Auch Jürgen Kuczynski gab 1979 Friedrich II. wieder den Beinamen »der Große« zurück. Vgl. seine *Geschichte des Alltags des deutschen Volkes,* Köln 1983, Bd. 2, S. 371.

37 Vgl. u. a. den Aufsatz von Horst Barthel, Ingrid Mittenzwei und Walter Schmidt, *Preußen und die deutsche Geschichte,* in: Einheit 34 (1979), S. 637–642; Werner Neubert, *Friedrich II. und die Literatur der Deutschen,* in: Neue Deutsche Literatur 27 (1979), H. 11, S. 84–94; Helmut Meier, *Denkmale und Nachdenken. Preußen in unserer Geschichte,* in: Sonntag 35 (1981), Nr. 36, S. 8, und den Sammelband: *Preußen. Legende und Wirklichkeit,* Berlin (Ost) 1983.

38 Ernst Engelbert, *Bismarck. Urpreuße und Reichsgründer,* Berlin (Ost) und Berlin (West) 1985.

39 Vgl. hierzu auch das kritische Resüme von Astrid E. Wokalek, *Zur Preußen-Diskussion in der DDR,* in: DDR Report 13/8 (1980), S. 501–504.

40 Vgl. u. a. den Bericht über die DDR-Erstaufführung von Grauns Oper *Montezuma,* zu der Friedrich II. das Libretto schrieb, im Schloßtheater Potsdam in: Theater der Zeit, 1982, H. 8, S. 38–39.

41 Ingrid Mittenzwei, *Friedrich II. von Preußen. Eine Biographie,* Berlin (Ost) 1979, S. 206ff.

42 Vgl. Peter Hoff, *Preußen. Yorkscher Marsch und Aufbaulied. Geschichte im Programm des Fernsehens der DDR,* in: Film und Fernsehen 8/2 (1979), S. 12–13.

43 Vgl. Bernard Leistner, *Dissonante Utopie. Zu Heinrich von Kleists »Prinz Friedrich von Homburg«,* in: Impulse 2 (1979), S. 259–317, und Heinrich Küntzel, *Der andere Kleist. Wirkungsgeschichte und Wiederkehr Kleists in der DDR,* in: Jahrbuch zur Literatur in der DDR 1 (1980), S. 115–129.

44 Martin Linzer, *Friedrich à la polonaise,* in: Theater der Zeit, 1982, H. 2, S. 31.

45 Claus Hammel, *Prüfstand Geschichte,* in: Theater der Zeit, 1982, H. 8, S. 61.

46 Manfred Nössig, *Geschichte operativ,* in: Theater der Zeit, 1982, H. 8, S. 58.

47 Claus Hammel, *Die Preußen kommen,* Berlin (Ost) 1982, S. 18.

48 Ebd., S. 19.

49 Ebd., S. 28.

50 Vgl. Martin Linzer, *Preußische Pädagogik,* in: Theater der Zeit, 1982, H. 5, S. 22, 24.

51 Ulrich Profitlich, *Das Drama der DDR in den siebziger Jahren,* in: Pe-

ter Uwe Hohendahl und Patricia Herminghouse (Hg.), *Literatur der DDR in den siebziger Jahren*, Frankfurt/Main 1983 (es NF 174), S. 134f.

52 Vgl. hierzu Jost Hermand, *Deutsche fressen Deutsche. Heiner Müllers »Die Schlacht« an der Ostberliner Volksbühne*, in: Brecht-Jahrbuch, 1978, S. 129–143.

53 Michael Schneider, *Den Kopf verkehrt aufgesetzt oder Die melancholische Linke*, Darmstadt 1981 (Sammlung Luchterhand 324), S. 194ff.

54 *Geschichte und Drama. Ein Gespräch mit Heiner Müller*, in: Basis. Jahrbuch für deutsche Gegenwartsliteratur 6 (1976), S. 49.

55 Heiner Müller, *Die Umsiedlerin oder Das Leben auf dem Lande*, Berlin (West) 1975 (Rotbuch 134), S. 25.

56 Vgl. Jost Hermand, *Braut, Mutter oder Hure? Heiner Müllers »Germania« und ihre Vorgeschichte*, in: J. H., *Sieben Arten an Deutschland zu leiden*, Frankfurt/Main 1979 (Athenäum Taschenbücher 2141), S. 136ff.

57 Paul Gerhard Klussmann, *Deutschland-Denkmale: umgestürzt. Zu Heiner Müllers »Germania Tod in Berlin«*, in: Jahrbuch zur Literatur in der DDR 2 (1982), S. 167.

58 Heiner Müller, *Germania Tod in Berlin*, Berlin (West) 1977 (Rotbuch 176), S. 46.

59 Vgl. u. a. Genia Schulz, *Heiner Müller*, Stuttgart 1980 (Sammlung Metzler 197), S. 139–148; Georg Wieghaus, *Heiner Müller*, München 1981 (Autorenbücher 25), S. 100–108; Wolfgang Emmerich, *Der Alp der Geschichte. »Preußen« in Heiner Müllers »Leben Gundlings Friedrich von Preußen Lessings Schlaf Traum Schrei«*, in: Jahrbuch zur Literatur in der DDR 2 (1982), S. 115–157.

60 Heiner Müller, *Herzstück*, Berlin (West) 1983 (Rotbuch 270), S. 34.

61 Zit. in Theodor Schieder, *Friedrich der Große. Ein Königtum der Widersprüche*, Frankfurt/Main 1983, S. 477.

Provenienz der Aufführungsfotos:
S. 272: Foto Willy Saeger, Berlin
S. 276: Aus ›Theater der Zeit‹, 1982, H. 3
S. 277: Aus ›Theater der Zeit‹, 1981, H. 9
S. 279: Aus ›Theater der Zeit‹, 1982, H. 4; Foto Martin Dettlof, Berlin

Ulrich Profitlich
»Beim Menschen geht der Umbau langsamer«
Der »neue Mensch« im Drama der DDR

Der zersetzenden Kulturauffassung der Vergangenheit [...] entsprach
der Mensch, der selbstsüchtig und individualistisch seinen egoistischen
Zielen nachging und damit in Widerspruch geriet zu den Interessen der
Gemeinschaft. Die Kultur der Zukunft verlangt einen anderen Menschentyp, der sich freiwillig und bewußt als Einzelpersönlichkeit in den
Dienst der Gesamtheit stellt. Die große und bedeutungsvolle Kulturmis-
sion gerade der sozialistischen Künstler und Schriftsteller ist es, um den
neuen Menschentyp zu kämpfen.[1]

Der »neue Menschentyp«, dessen massenhafte Entstehung vor allem im ersten Nachkriegsjahrzehnt nicht nur gewünscht und gefördert, sondern auch schon für die Gegenwart konstatiert wird, erhält in der gesellschafts- und kunsttheoretischen Programmatik
zwar recht unterschiedliche Beschreibungen, doch gibt es einige
immer wieder genannte Qualitäten, die offenbar als Zentrum des
»Neuen« empfunden werden: Der »neue Mensch« wendet seine
ganze Kraft auf Unternehmungen, die einem Kollektiv (der »Gesellschaft«, einer Genossenschaft, einem Betrieb, einer Brigade)
zugute kommen, ihm selber nur mittelbar, teilweise überhaupt
nicht; in dieser Arbeit, der er sich freiwillig unterzieht, erlebt er die
Sinnerfüllung seines Lebens; die objektiv der Gesellschaft dienli-
che Tat ist als solche auch subjektiv intendiert, entspringt nicht andren, zufällig in dieselbe Richtung führenden Partikularmotiven.
Das zuerst genannte Moment bildet den Kern. Dem zuletzt genannten messen die Autoren unterschiedliche Verbindlichkeit zu;
darüber wird zu berichten sein.
  Die Charakteristik, die in der Programmatik von diesem Menschentyp gegeben wird, ist freilich vage, und es überrascht nicht,
daß auch die inneren und äußeren Hindernisse, die einer Wandlung
der gegenwärtigen, mit den »Muttermalen der alten Gesellschaft«
behafteten Menschen in »neue« entgegenstehn, von den Prosa- und
Dramenautoren präziser und differenzierter vergegenwärtigt werden, als es die Gesellschaftstheoretiker, Philosophen und Program-
matiker tun. Das zeigt sich schon in den frühen Zeitstücken der
Jahre 1949 und 1950, z. B. in Kubschs *Ende und Anfang* und *Die er-*

sten Schritte, zwei Stücken, die beide das Verhältnis unbedingten gesellschaftlichen Engagements zu anderen Interessen und Pflichten behandeln. Das zeigt sich erst recht in den Beiträgen zum Gegenwartsdrama, die Brecht leistet.

Brechts wichtigste Bemühungen um das sozialistische Zeitstück, das Projekt *Büsching (Garbe)* und die Mitarbeit an Strittmatters *Katzgraben,* entspringen – unter anderem – einem gemeinsamen Interesse: der Faszination durch neue »Haltungen«, wie sie in Menschen entstehn, die »vom objekt der geschichte zu ihrem subjekt« werden.[2] Als solche Haltungen entdeckt Brecht bei Hans Garbe, dem arbeitsbesessenen Urbild Büschings,

die Übernahme persönlicher Verantwortung; mit allen Zweifeln, Unsicherheit usw. – Entdeckung einer neuen aktiven Menschlichkeit – Vernachlässigung der persönlichen Schwierigkeiten – Selbstlose Verbesserungen.[3]

Von »neuen Haltungen« handelt Brecht auch in den sogenannten *Katzgraben-Notaten.* Strittmatters Stück demonstriere ein »neues ansteckendes Lebensgefühl«, eine »neue Lebensweise«, »das neue große Produzieren«; und eben diese »neuen Tugenden« (»Tugenden neuer Art«) sind es, um deretwillen Brecht ausdrücklich von »neuen Menschen« (»neuen Helden«, »Menschen neuen Schlages«) spricht.[4] Das Gemeinsame dieser »kühnen neuen Haltungen« ist ihre produktive Potenz. Was Brecht bei Strittmatters Akteuren entdeckt, beschreibt er als »Geduld ohne Nachgiebigkeit«, »erfinderischen Mut«, »praktische Freundlichkeit«, »kritischen Humor«, »die Leidenschaft, dem Ackerboden mehr Früchte zu entreißen« und »Menschen zu tätigen Kollektiven zusammenzuschweißen«.[5] Es ist eine Aufzählung, die erkennen läßt, daß die von den neuen Bedingungen provozierten, mit »historischem Sinn« (16, 809) wahrnehmbaren Haltungen alles andre sind als Tugenden im Sinne einer überschwenglichen idealistischen Ethik (die ihr Zentrum in »erhabenen Gefühlen«, in Selbstlosigkeit und edelmütiger Entsagung hat). Deutlich wird weiterhin, daß das »neue Bewußtsein« (16, 931) nicht auf einen Schlag entsteht, vielmehr durchsetzt bleibt mit Leidenschaften »alter Art«, die in den Akteuren, selbst in den fortschrittlichen, weiterexistieren, meist so, daß »Altes« das »Neue« bekämpft und behindert. Wenn die Bäuerin Kleinschmidt wenig Lust hat, ihren Ochsen auszuleihen, mag das nicht so sehr einer Kulaken-Mentalität wie der Sorge um dessen Gesundheit entspringen; eindeutig »alter« Natur aber sind die Eifersüchteleien der jungen Leute untereinander und vor allem das gegenseitige Mißtrauen der Kleinbauern, die mißgünstigen Streitereien und Beschimpfungen, als das Wasser des Dorfes knapp wird, nicht zuletzt das Feilschen um den Anteil, den die Grube am Straßenbau nehmen soll, insgesamt Zeichen jener »Ichsucht«, die Steinert den Katzgrabenern auszutreiben sucht.

Altes wirkt aber dem Neuen nicht nur entgegen, es kann auch bei der Beförderung des Fortschritts die neue Haltung unterstützen, ja diese sogar partienweise ersetzen. Ein solcher Motor »alter« Natur, der in Richtung des Neuen arbeitet, ist z. B. die Furcht Kleinschmidts, durch seinen »Umfall« vor Familie und Nachbarn das Gesicht zu verlieren (16, 838). Ein noch drastischeres Beispiel: Das Engagement der Kleinschmidtin für die Straße gründet weniger in Überlegungen zu dem von der Straße zu erwartenden Nutzen – der erscheint ihr zumindest anfangs überwogen durch die mit dem Straßenbau verbundene Plackerei – als in elementaren Emotionen wie Trotz, Haß, Rachsucht: »Für die Straße bin ich, weil das dem Großmann an die Galle geht.« Es sind gegen den Klassengegner gerichtete aggressive Affekte, als Triebkraft für die revolutionäre Umwälzung nützlich, vielleicht sogar unentbehrlich, aber noch weit entfernt von der sonst schon wahrgenommenen produktiven Freundlichkeit. Nur die Rachsucht trotzt der Kleinschmidtin die Zustimmung zu Ellis Studium ab: »Studier ihn [Großmann] tot, den Hund!« Das erste Bild endet in einem ungezügelten Haßausbruch. Schon in Friedrich Wolfs *Bürgermeister Anna* (1950) hatte es eine solche Parallelität der Motive gegeben, wenn der Zimmermann Ohm Willem die Sache des Fortschritts, den Schulneubau, unterstützt um der »runden Arme« Annas willen.

Noch in andrer Hinsicht führt *Katzgraben* die Komödie Wolfs weiter. Ebensowenig wie die Frauen in *Bürgermeister Anna*, die eine eigne Schule für ihre Kinder wünschen, blicken die auf die neue Straße bedachten Kleinbauern von Katzgraben über den Horizont ihrer Dorfinteressen hinaus. Nicht um der sozialistischen Gesellschaft, nicht um neuer menschlicher Beziehungen willen engagieren sie sich, sondern um ökonomische Ziele partikularer Natur durchzusetzen. So eingeschränkt deren kollektive Qualität ist, sie ist dennoch unleugbar und entscheidend. Indem die Autoren das Straßenbauprojekt in den Mittelpunkt stellen, akzentuieren sie etwas, das die menschliche Fähigkeit zu gemeinsamem Handeln deutlich werden läßt. Die Basis des Stückes besteht offenbar darin, daß in dem zentralen Punkt – dem Straßenbau – das Interesse des einzelnen Kleinbauern mit dem aller anderen (und auch dem gesamtgesellschaftlichen[6]) übereinstimmt – nahezu bruchlos, so daß weder von Selbstlosigkeit und Selbstaufopferung die Rede sein kann, wo Angehörige der kleinbäuerlichen Klasse sich für das Straßenprojekt Anstrengungen auferlegen, noch von Egoismus, wo sie ihm entgegenhandeln. Tun sie letzteres, so nicht, weil Eignes ihnen wichtiger wäre als das Gemeinsame, sondern genötigt durch ihre ökonomische Misere, vor allem durch die dörflichen Machtverhältnisse, deren Ursachen allerdings zumindest teilweise auch ›subjektiver‹ Natur sind: »Denkfaulheit«, »Kurzsichtigkeit«, Mangel an Kooperation (Geringschätzung der Gegenseitigen Bauernhilfe), Anwandlungen von Kleinmut, Mißtrauen gegen Steinert und die Partei usw.

Es versteht sich, daß den Autoren nichts ferner liegt, als das Schwanken, insbesondere den in der Zwangslage gründenden Umfall Kleinschmidts, moralisierend als feige und verächtlich zu präsentieren (im Gegensatz zur Darstellung des Mittelbauern). Noch weniger wird den Kleinbauern daraus ein Vorwurf gemacht, daß sie ihr Verhalten vom Gedanken an ihren »Vorteil« diktieren lassen. Es ist offenbar zu trennen zwischen einem Handeln, das auf den eignen »Vorteil« aus ist und der sogenannten »Ichsucht«. Über ersteres kann niemand mit Grund sich beschweren als der reaktionäre Großbauer, der als einziger durch vorteilsbewußtes kleinbäuerliches Handeln zu Schaden kommt. Von Steinert dagegen und den übrigen Genossen werden die Kleinbauern zum Bedenken ihres »Vorteils« ausdrücklich ermuntert; es sind die Angehörigen einer Klasse, die, den eignen »Vorteil« wahrnehmend, die Sache des Fortschritts schlechthin fördern. Redet Steinert andrerseits gegen die »Ichsucht«, so gegen ein Denken, das darauf zielt, Vorteile *auf Kosten übergeordneter Interessen* zu haben, eine »alte« Haltung, die selbst dann überwunden werden soll, wenn sie kollektive Dimensionen besitzt wie im Streit der Katzgrabener mit der Grube.

Steinerts abstrakter Appell, »die Ichsucht niederzukämpfen« – verglichen mit seinen sonstigen Agitationstechniken, etwas verloren dastehend –, ist freilich alles andre als ein Plädoyer für selbstloses Verzichten. Ein Dialog mit Elli, einen Nebenhandlungsstrang privater Natur betreffend, gibt dem erfahrenen Parteiarbeiter Gelegenheit zu einer indirekten, gegen Entsagung und Selbstaufopferung gerichteten Kritik. Es ist die Szene, in der die enthusiastische junge Genossin versucht, selbst in Liebesdingen sich einen Pflicht- und Entsagungsstandpunkt einzureden. Ihre spontane Neigung zu dem gutaussehenden, aber ideologisch zurückgebliebenen Hermann möchte sie unterdrücken, ja Neigung schlechthin erklärt sie als unerheblich – alles, um sich an den Gedanken einer Ehe mit dem ungeliebten, aber klassenbewußten Günter zu gewöhnen, den sie nach Meinung aller heiraten »soll«. Steinert dagegen ermuntert sie, zu tun, was sie »will«, und wenn er auf ihren Einwand, mit dem von Männlichkeitswahn befangenen Hermann könne sie trotz aller Zuneigung nicht leben, erklärt, sie müsse ihn freilich »umbauen« – eine dritte Alternative also, welche die Vorzüge der beiden zunächst erwogenen Lösungen vereint –, so ist auch das ein Plädoyer dafür, den eignen Wünschen zu folgen (»umbauen« soll Elli Hermann schon, um ihn für sich *selbst* erträglich zu machen). Offenbar ist dies ein Fall, in dem durch Selbstlosigkeit der Gesellschaft ebenfalls nicht geholfen wäre – im Gegenteil: hilfreich für die Gesellschaft ist allein die produktive Lösung, in der »die Liebe als eine produzierende Kraft« (16, 814) sich bewährt, die Synthese, welche die Annahme eines Entweder-Oder als Irrtum widerlegt. Und gerade darin kann man den optimistischen Grundzug des Stücks erkennen, in der Prämisse von der Entbehrlichkeit der Selbstaufopferung unter den Bedingungen einer menschlichen Gesellschaft (bekanntlich ein Lieblingsgedanke Brechts). Es ist eine Annahme, die durch das Handlungsgeschehn nirgends in Frage gestellt wird. Auch Steinert, der von seiner Tätigkeit in Katzgraben am allerwenigsten einen unmittelbar-eignen Vorteil zu erwarten hat, wird bei aller Überarbeitung und Müdigkeit nicht als selbstloser Märtyrer vorgeführt. Zwar verzichtet er, um die Entwicklung auf dem Dorf vorantreiben zu können, auf seine Freizeit, aber er tut es ohne die herbe Miene dessen, der mühsam sich zur Aufopferung eigner Interessen durchringen muß. Solche eignen Interessen, die einen inneren Konflikt und Entsagung begründen könnten, werden gar nicht erst herausgekehrt.[7]

Die Uraufführung von *Katzgraben* findet 1953 statt, die für das Zeitstück fruchtbarste Phase beginnt erst einige Jahre später (1956ff.). Es ist eine Zeit, in der die Frage nach der Beschaffenheit des neuen Menschen auch von Parteifunktionären und Philosophen mit Nachdruck behandelt wird. 1956 findet die Konferenz

»Neues Leben - Neue Menschen« statt. In dem für unser Problem wichtigen Aufsatz *Vom neuen Menschen zur sozialistischen Persönlichkeit*[8] formuliert Irma Hanke ein Ergebnis dieser Konferenz:

> Es gab also demnach in der Partei verschiedene Richtungen in bezug auf die moralische Bewertung von Handlungen: eine eher rigorose, welche Handlungen zunächst einmal am Grad ihrer Bewußtheit (im theologischen Sinne: »sola fide«) bewertet sehen mochte, und eine solche, die vornehmlich die erbrachten Leistungen (die »guten Taten für den Sozialismus«) im Sinne einer »Werkgerechtigkeit« zählte.

Wie sehr in jenen Jahren moralische Fragen im Vordergrund der Diskussion stehn, zeigt auch der 1958 stattfindende v. Parteitag, auf dem Ulbricht seine »10 Gebote der sozialistischen Moral« formuliert, das Herzstück der »kulturell-ideologischen Revolution«. Prämisse aller Überlegungen ist die Hoffnung, die weiterhin unerläßliche Steigerung der Arbeitsproduktivität durch von der Partei gelenkte moralische Anleitung der Massen, durch »sogenannte Hebung des Bewußtseins« erreichen zu können, eine Annahme, die auch während des kommenden Jahrfünfts an Bedeutung kaum verliert. Weiterhin bleibt die Frage nach dem »neuen Menschen«, nach dem »Weg vom Ich zum Wir« aktuell.[9]

In diese Phase fällt die Uraufführung der ersten Zeitstücke Heiner Müllers. Hält man sie an *Katzgraben*, erkennt man eine entschieden neue Position. Strittmatters Parteiarbeiter Steinert hatte außergewöhnliche Anstrengungen unternommen, sich nicht geschont bis zur Aufgabe seiner Freizeit. Drastischer ist die Entsagung, die den Figuren Müllers zugemutet wird. Sie alle (Balke, Schorn, Bremer, der Traktorist wie auch Flint, Donat, Barka und ansatzweise der Bezirkssekretär im *Bau*) sind mit starken in ihrer Triebperson verwurzelten Wünschen ausgestattet, die sie mit äußerster Anstrengung unterdrücken, ohne sie zum Verschwinden bringen zu können. Kein Stück, in dem Müller solche elementaren, tief in den Figuren sitzenden oppositionellen Regungen nicht akzentuiert. Unterschiede *innerhalb* seines Frühwerks zeigen sich erst, schaut man auf diejenigen, denen die Triebunterdrückung zugute kommen soll. Wenn Balke nicht nur Sonderschichten leistet und seine häuslichen Interessen vernachlässigt (vgl. die NDL-Fassung), sondern auch die ihm zutiefst widerstrebende Denunziation und schließlich die Zusammenarbeit mit dem gehaßten Karras auf sich nimmt, so lautet sein wichtigstes Ziel: billigere Konsumgüter für alle (daneben Sicherung der Arbeitermacht u. a., möglicherweise auch ichbezogene Motive). Nutznießer wird, hofft er, die gesamte Klasse und damit auch er selber sein. Die Menge seiner mit »wir« formulierten Agitationsversuche deutet darauf hin. Im Gegensatz dazu die Stücke der frühen 60er Jahre: Flint (*Die Bauern*), der Bezirkssekretär in *Der Bau*, Donat, auch Barka verbrauchen sich, ohne davon einen Gewinn für sich zu erwarten. Diejenigen, für die sie sich aufopfern, sind die Nachgeborenen, mit denen sie »im Vertrag stehn«. Flint z. B. sieht sich als Moses, der sein Volk ins gelobte Land führt, während für ihn selbst »nichts heraussprang« als das Schwarze unterm Nagel[10] – bezeichnend für eine Phase, in der die Erwartung eines kurzfristigen Übergangs zum Kommunismus geschwunden ist. Schon der Protagonist von *Traktor* gehört zu diesen im strengen Sinne ›selbstlosen‹ Gestalten. Als Nutznießer des Risikos, das er eingeht, nennt er immer nur andere, die hungrige Mitwelt, für die er wie Jesus sein Fleisch hergibt.

Damit hängt zusammen, daß es für Balke (nicht allein, aber) in größerem Maße eine Frage der Einsicht, des »Kopfes« (1, 18) ist, wenn er das gesellschaftlich Notwendige tut. Er hat »begriffen« (und mutet dieses »Begreifen« seinen zögernden Arbeitskollegen zu), daß das Ziel »Besseres Leben« ohne ruinöse Mehrarbeit unerreichbar ist. Anders der Traktorist und Flint, weitgehend auch Donat und Barka, denen es zumindest partienweise gelingt, die individuelle Perspektive durch ein sog. »Gattungsbewußtsein«[11] zu ersetzen. Mit einer vom »Kopf« zu erledigenden Operation wären sie den ihnen zugemuteten Belastungsproben, dem Aufbegehren der Triebansprüche gegen die radikale Uneigennützigkeit der Moses- und Jesus-Rolle, nicht gewachsen. Als Motor ihrer Selbstruinierung, für die es angemessene Kompensationen mit Sicherheit nicht geben wird, brauchen sie mehr als einen rationalen Impetus, mehr als eine Mittel-Zweck-Kalkulation. Deutlich ist das vor allem in *Traktor*. Während der Traktorist sich immun zeigt sowohl gegen die Zumutung des Bauern, des feigen Klugscheißers, der ihm auf die »alte Tour« die Heldenrolle ansinnt, wie gegen die (der Sache nach makellose) politisch-moralische Belehrung des integren zweiten Besuchers am Krankenbett, kann er seinen toten Vorgänger, den ihm im Genick sitzenden Leichnam, nicht abschütteln. Von diesem übernimmt er die Stafette im Anschluß an ein stummes Ringen, das nichts weniger ist als ein Agitations- und Überzeugungsdialog. Und alles andre als Ergebnis einer rationalen Operation ist es auch, wenn er angesichts der jämmerlichen Ohne-mich-Haltung des Arztes seine Reue über die vollbrachte Tat abermals durch die überindividuelle Perspektive ersetzt. Wieder zu Verstand gekommen, erfindet er das Kolonnenpflügen, eine Methode, die Heldentum, wie es hier stattgefunden hat, künftig ersparen soll. Was mit dieser Erfindung als (unter sozialistischen Bedingungen) entbehrlich angedeutet wird, sind freilich nur Opfer *blutiger* Art, nicht Opfer (»Arbeit«) schlechthin. Das gilt für Müllers erste Zeitstücke insgesamt: Keine der von den Protagonisten (Balke, Bremer, Flint) geübten Verzichtleistungen wird in ihrer Notwendigkeit verneint. Gegenwärtige und zukünftige, individuelle und kollektive Erfordernisse stehn im Verhältnis eines strengen Entweder-Oder, das eine ist ohne Aufopferung des andren nicht zu haben.[12]

Würde man erwarten, daß Müller zumindest seinen dezidiert selbstlosen Protagonisten den Titel eines »neuen Menschen« zuteilte, sähe man sich getäuscht. Man braucht nicht erst an spätere Äußerungen des Autors zu erinnern – an seine Weigerung, was »der Mensch« ist, anders als auf dem Wege der Negation zu bestimmen (»Nämlich der Mensch ist unbekannt«[13]) –, schon 1953, anläßlich einer Rezension ungarischer Erzählungen, schreibt er:

Mit der Veränderung der Verhältnisse geht die des Verhaltens nicht parallel. Die das Neue schaffen, sind noch nicht neue Menschen. Erst das von ihnen Geschaffene formt sie selbst.[14]

Der letzte Satz läßt offenbar mehrere Deutungen zu. Daß es sich bei der nicht als Bedingung, sondern als *Folge* des »Geschaffenen« – oder des Schaffens (?) – festgestellten »Formung« der Akteure nun endlich um neues Menschentum handle –, diese durch den Kontext vielleicht nahegelegte Erwartung wird zumindest durch den ausdrücklichen Wortlaut nicht bestätigt. Müllers Zurückhaltung in der Konstatierung des »Neuen« zeigt sich schon im Umgang mit der *Vokabel* »neuer Mensch«. In den frühen Stücken nutzt er sie entweder gar nicht oder legt sie Figuren in den Mund, die, mißtrauisch gegen Leitartikellosungen, mit dem Propagandawort ein respektlos-ironisches Spiel treiben (in *Traktor, Die Bauern, Der Bau*).

Kritik der in der Presse täglich wiederholten Behauptung einer die Menschen radikal erneuernden Wandlung enthalten Müllers frühe Zeitstücke auch dort, wo die Vokabel »neuer Mensch« nicht gebraucht wird. Man denke an den im *Lohndrücker* gezeigten Re-

porter, der das »sozialistische Tempo« der Ofenmaurer heraus-
streicht und als Produkt von Begeisterung und Optimismus aus-
gibt, was in Wahrheit einem Partikularbedürfnis entspringt: dem
der Arbeiter, sich »die Pfoten nicht zu verbrennen«. Immer geht
Müller auf Herausarbeitung dessen aus, was er später »die unreine
Wahrheit« (*Der Horatier*) nennt.[15] Die »neue Zeit«, wie er sie schildert, ist mitgeprägt durch kalte Zyniker, deren Herzlosigkeit und
Neigung zur Schadenfreude sich im auffällig oft notierten »Lachen«
und »Feixen« äußert, durch Parasiten vom Schlage Schmulkas und
Fondraks, die, freilich mit Argumenten, denen mit leichter Hand
kaum beizukommen ist, die Ansprüche des Individuums auf unmittelbar gegenwärtige Glückserfüllung verteidigen, durch eingefleischte
Egoisten wie die Minensucher in *Traktor,* denen es zwar gelingt,
über das in der Klassengesellschaft übliche *blinde* Heldentum einen
Schritt hinauszutun – sie fragen nun, »für wen« sie ihr Leben riskieren –, die dennoch in einem bornierten Egoismus steckenbleiben,
der sie veranlaßt, ein vermintes Feld sorglos abzusuchen, wenn es
nicht gerade ihr eignes ist. Kälte und Rohheit charakterisiert selbst
die in der zehnten Szene des *Lohndrückers* auftretenden Kinder. Sie
spielen Krieg, prügeln und töten einander – ein Zeichen, wie tief
eingewurzelt die alten Haltungen sind, wie selbst auf denen, die als
Träger des Neuen am ehesten gelten können, die Last der Vergangenheit, der faschistischen Erziehung ruht.

Daneben dann Figuren, die an der Erfüllung des geschichtlichen
Auftrags als tatkräftige und auch unentbehrliche Helfer teilnehmen, aber ohne ein im engeren Sinne »sozialistisches Bewußtsein«.
Zugrunde liegen ihrer Mitarbeit Angst und Karrieredenken (beim
gehetzten Bürgermeister Beutler, der »oben bleiben« will), Eitelkeit und das Bedürfnis nach beruflicher Anerkennung (beim bürgerlichen Ingenieur in *Lohndrücker*), Hunger (bei den Bauern, die
Versammlungen besuchen, obwohl sie »die Schnauze voll« von Politik haben), Geschlechtsgier (bei den Traktoristen in den *Bauern*),
Kulaken-Mentalität (in Müllers Stücken stärker akzentuiert als in
Katzgraben), Geldgier (bei den Traktoristen und zahlreichen Arbei-
tergestalten, die zu größeren Anstrengungen nur durch den Köder
höherer Prämien zu bewegen sind), schließlich – zum Teil bei denselben Figuren – Apathie, das Unvermögen der Akteure, dem von
»oben« Angeordneten Besseres entgegenzusetzen, verbunden mit
der ihnen anerzogenen Gewohnheit zu gehorchen. Die Faszination
durch das Phänomen der Hände, die »klüger als der Kopf« sind (1,

12), hinterläßt im Werk Müllers deutliche Spuren, vor allem in dem frühen Gedicht *Bericht vom Anfang* (1, 11–13), aber auch – mit kräftiger Stilisierung ins Komische – in *Die Bauern*.[16] Wichtig dabei, daß Müller, wo immer er Figuren mit zurückgebliebenem Bewußtsein zeigt, ihre Unentbehrlichkeit hervorhebt (besonders in den beiden ersten Stücken). Zum Aufbau des Sozialismus werden auch die Nicht-Sozialisten – ihre Arbeitskraft, ihr technisches Wissen – benötigt. Es ist wie mit dem Stein, der gegen den Lohndrücker Balke von den verärgerten Arbeitskollegen geschleudert wird: Balke, statt auf Rache zu sinnen, findet eine produktive Lösung, indem er den trocknen, also brauchbaren Stein vermauert (1, 33).

Der »Kampf zwischen Altem und Neuem« (1, 15) erfaßt aber auch die Gruppe der Protagonisten selbst, nicht selten zugespitzt zum schmerzlich erlebten *inneren* Konflikt. Obwohl diese bewußten Träger des Fortschritts, wo sie das gesellschaftlich Notwendige vollziehen, sich ausschließlich oder überwiegend vom Engagement für überindividuelle Zwecke bestimmen lassen, haben auch sie (deutlicher als ihre Vorgänger in *Katzgraben*) teil an »alten« Haltungen – angefangen bei der »Kälte« Schorns und Donats (bei letzterem nicht ein Produkt der Klassengesellschaft, sondern schon des sozialistischen Aufbaus) bis zur Brutalität Flints gegenüber seiner Frau und zahlreichen weiteren Beispielen für die *Horatier*-Erfahrung »Viele Männer sind in einem Mann«, für »das ›Stück Reaktion‹ im Innern jedes Mitglieds der Partei«.[17] Die Impulse, die der Arbeiter Kolbe gegen den Dieb von Balkes Jacke verspürt, sind nicht weniger aggressiv als die Verkehrsformen ausgemacht reaktionär gesinnter Figuren. Es ist der Drang zum Dreinschlagen, den der im »Kopf« belehrte Bremer noch mit seinen letzten Worten demonstriert, die Aggressivität, die nicht nachläßt, ja immer von neuem hervorbricht (*Mauser*) und nur gewaltsam unterdrückt werden kann. Das »Neue« besteht hier offenbar nicht in der Freiheit von solchen rebellischen Affekten, sondern im Vermögen zu deren Repression, zur bereits beschriebenen, mit wachsenden Anstrengungen gelingenden Selbstunterdrückung. Darin ist das von Müller entworfene Menschenbild zweifellos dem der *Katzgraben*-Autoren entgegengesetzt. Auch diese hatten die innere Widersprüchlichkeit sogar der fortgeschrittensten Figuren herausgearbeitet, nicht aber den bedenklichen Triebkräften eine solche Lebendigkeit und tiefe Verwurzelung in der Person der Betroffenen gegeben.

Freilich denkt auch Müller das Neue nicht ausschließlich im Mo-

dell des inneren Konflikts, der Selbstunterdrückung und Zerreiß-
probe. Unter seinen Figuren gibt es einige, die neue Haltungen
demonstrieren, ohne sie widerstrebenden Impulsen abringen zu
müssen: an erster Stelle den im Krieg umgebrachten russischen
Bauern, von dem in *Traktor* und *Die Bauern* berichtet wird. Nicht
nur daß dieser zwischen den Erfordernissen des Kolchos und der
eignen Wirtschaft *tatsächlich* nicht hin- und hergerissen ist, schon
die *Möglichkeit* eines solchen Konfliktes ist radikal beseitigt, indem
der Bauer dessen subjektive Voraussetzung hinter sich gelassen hat:
die Erinnerung an die Grenze, die den eignen Acker von den übrigen Äckern vor der Kollektivierung trennte. Der Russe – nicht zufällig gehört er einem Volk an, das in der vom »Gattungsbewußtsein« diktierten Umwälzung dem deutschen um eine Generation
voraus ist – »hatte wo sein Feld war glatt vergessen« (3, 83). Weitere
Beispiele für das Wachsen einer (zumindest punktuell) konflikt-
und entsagungs*freien* »neuen« Menschlichkeit geben Niet und
Flinte (4, 99), auch der Bauer mit der Mütze. Doch das sind seltene,
zaghafte Hinweise; in der überwiegenden Zahl der Fälle, in denen
Figuren zu neuem Verhalten gelangen, tun sie es um den Preis der
Selbstunterdrückung, der Selbstverstümmelung (vgl. Müllers dra-
stische Formulierung »sich aus sich herausreißen«).

Vom Vergessen des »schlimmen Ich«[18] und der Entstehung eines
»Wir«-Bewußtseins spricht auch der Prolog von Baierls in die unmittelbare Nachkriegszeit zurückführender Komödie *Frau Flinz*
(1961). Einander gegenübergestellt werden Figuren, die in unter-
schiedlichem Maße das »Ich«- bzw. »Wir«-Bewußtsein vertreten.
Was z. B. die Söhne der Frau Flinz suchen, wenn sie gesellschaftliche Aufgaben übernehmen, hat mit dem Sozialismus so wenig zu
tun wie die Rückkehr des Bauernpaares in Baierls voraufgehendem
Stück *Die Feststellung*. Sie wollen »eine flotte Arbeit... Schwerar-
beiterkarte... gute[n] Lohn auf die Hand, Bezugscheine, Wodka«,
einen Platz, an dem »etwas los ist« (32), wo sie ›etwas schaffen können aus sich selbst‹ (34). Gottlieb »beansprucht seinen Feierabend«
(97), und selbst die nach der Lenin-Lektüre zur »Vernunft« gekom-
mene Flinz formuliert ihr Ziel so: weniger Arbeit, möglichst schnell
reich werden (84). Anders der Parteiarbeiter Weiler, der nur »dem
Staat dient« (78). Diese Entsagungsfigur steht offenbar für einen im
Prolog herausgestrichenen Menschentypus der unmittelbaren Nach-
kriegsjahre, einer Zeit, die charakterisiert ist durch »Mühen, unver-

gleichbar Mühen heute« (77), während die Flinz-Söhne mit ihrer unbefangenen Artikulierung von Freizeit- und Konsuminteressen eher die Ansprüche der unmittelbaren Gegenwart, der Aufführungszeit des Stückes (1961 ff.) und erst recht der Folgezeit[19] repräsentieren.

Freilich sind die Opfer, die Weiler zugemutet werden, keine Einbußen existentieller Natur, wie die Protagonisten Müllers sie auf sich nehmen, sondern eher alltägliche Mühen, Unannehmlichkeiten, die nur in der Summe, nicht durch intensive Außerordentlichkeit den Namen ›Heldentum‹ beanspruchen können (vgl. 78). Auch daß Weiler (wie fast alle Baierlschen Helden) seine Ungeduld, seinen Hang, »mit der Faust zu argumentieren« (10), unterdrücken muß, bedeutet für ihn nicht mehr als einen Akt der Disziplinierung, keine tiefgreifende Selbstabschneidung wie für Müllers Bremer, dessen in der Erscheinungsform ähnlicher Impuls zum Dreinschlagen seine Wurzel in einer schmerzenden Beleidigung (KZ-Erfahrung) hat und nicht unterdrückbar ist ohne Preisgabe eines wesentlichen Teils seiner Person. (Ein KZ-Schicksal hat Baierl auch seinem Weiler zugeteilt, ohne es aber in eine ähnlich dichte Beziehung zu dessen gegenwärtiger Affektivität zu setzen.) Gibt es eine selbstlose Handlung Weilers, die über seinen Verzicht auf Freizeit und Bequemlichkeit hinausgeht, so ist es der fortdauernde Verzicht auf Ausübung des Schlosserberufs. Doch auch dieser ist kaum als eine substantielle Einbuße glaubhaft gemacht, zumal Baierl es als zufriedenstellende Lösung suggeriert, daß Weiler schließlich im Ministerium die Angelegenheiten sämtlicher Schlosser der Republik betreiben kann.

Die Alltäglichkeit der Opfer schließt nicht aus, daß Weiler unter ihnen leidet. Wie Müllers Flint, der seine Rolle als Moses beklagt, sieht auch Weiler sich um die Früchte seiner Mühen gebracht. In einem »Beichte vor Frau Flinz« genannten Scheindialog formuliert er seine Pflichten und Wünsche:

Und immer sollst du dir sagen: Mach weiter, noch ein Jahr, der Sozialismus kommt, und wann, das liegt an dir. Ich möchte endlich einmal sagen können: Jetzt ist es soweit. Jetzt wird gelebt. Ich möchte ein sorgloses Leben. Habe ich es weniger verdient als andere? (79)

Doch Weilers Murren ist nicht von langer Dauer. Während Flint sein Hadern durchhält, auf der Unerfülltheit seiner Ansprüche besteht und damit diese überhaupt erst ernstnimmt, läßt Baierl seinen

Helden die nicht befriedigten Wünsche verraten. Suggeriert wird, weniger ein Mangel objektiver Natur sei die Ursache von Weilers Unzufriedenheit als ein (schließlich eingesehener) Irrtum, die Verkennung des für den Parteiarbeiter wichtigsten Bedürfnisses: ungestört für die Klasse zu sorgen. Allzu rasch kann Weiler seine Wünsche beschwichtigen, sich beruhigen bei dem versöhnlichen Gedanken, das erfüllte Leben, das er als fehlend beklagte, habe er unwissentlich bereits geführt.

Von Opfer und Verzicht, die im Laufe der sogenannten »Beichte« so gegensätzliche Reaktionen auslösen, ist allerdings keine Rede, wo Weiler Frau Flinz zu agitieren versucht. Diese, die »keine Zeit für den Sozialismus« hat (39), verteidigt ihr politisches Desinteresse mit dem Argument: »Wir müssen an uns selber denken« (27), und Weiler bezieht dem Wortlaut nach keine Gegenposition. Auch er empfiehlt das »An-Sich-Selber-Denken«, freilich nicht das verblendete, während der faschistischen Vergangenheit eingeübte der Flinz, sondern ein der neuen Gesellschaft angemessenes, und interpretiert damit den zwischen ihnen bestehenden Gegensatz nicht als moralischen, sondern als intellektuellen. Der Vorwurf, den er der Flinz macht, lautet ›Verbocktheit‹ (74), Mangel an Einsicht darin, daß ihr eigner Vorteil mit dem einer Gesellschaft zusammenfällt, die nichts andres ist als die Verallgemeinerung der Arbeiterinteressen. Es ist ein Appell im Namen von »Vernunft« (74, 79) und Eigennutz (»Unbescheidenheit«), zu denen Weiler auffordert, statt sie im Namen eines moralischen Prinzips zu verwerfen – offenbar ein Moment, in dem Baierl den *Katzgraben*-Autoren folgt. Zur Voraussetzung hat die ungebrochene Ermunterung zum Eigennutz, daß die Möglichkeit eines Interessen*widerstreits*, mithin die Notwendigkeit, individuelle Zwecke zugunsten von allgemeinen zurückzustellen, ausgeblendet wird.

Pointe des Stücks ist das Mißverhältnis zwischen dem gesellschaftlichen Nutzen oder Schaden einer Tat und der Gesinnung dessen, der sie begeht. Was Baierl herausarbeitet, sind einerseits Handlungen, die dem gesellschaftlich Notwendigen zuwiderlaufen, obwohl sie in bester Absicht unternommen wurden (z. B. Weilers Verhalten bei der Versammlung in der Fabrik), andrerseits für die Gesamtheit nutzbringende Taten, deren Motiv aber alles andre ist als »Wir«-Bewußtsein und Verantwortung. Vor allem der zweite Fall wird akzentuiert: die Anstrengungen der Flinz, sich und die Söhne aus der Politik herauszuhalten, Mühen, die ihren Zweck auf

»Komödien«-Manier verfehlen, indem sie nicht allein die öffentliche Sache fördern, sondern schließlich auch die Identifikation der Heldin mit der neuen Gesellschaft.

Eine ähnliche Dialektik – freilich ohne das Forcierte und Ärgerliche, das sie bei Baierl besitzt – hatte schon Hacks in *Die Sorgen und die Macht* dargestellt (1958 ff., endgültige Fassung 1962). Auch hier geschieht das gesellschaftlich Notwendige aus Ursachen, die alles andre als kalkuliert sind. Subjekt des Fortschritts sind weniger Angehörige der Partei, die in ihrem Selbstverständnis die Rolle des Planers für sich beansprucht, als vielmehr ein Held (Fidorra), der das Richtige vollbringt wie ein Schlafwandler, ohne zu wissen, was er tut, dem die Übereinstimmung seines Handelns mit der Linie der Partei noch weniger in den Kopf will als der schließlich doch noch belehrten Flinz – abermals einer von denen, die wie Hans Garbe, das Vorbild Büschings, sich durch Gewitztheit, Energie und Erfindungsreichtum, nicht aber durch politisches Bewußtsein, durch Einsicht in die Interessen des Ganzen auszeichnen. Wichtiger noch ist, daß auch die Fidorra bewegenden *Handlungsmotive* von »neuem« Menschentum und der »hohen Moral« wenig erkennen lassen, deren Existenz die schwärmerische junge Genossin Holdefleiß voreilig vorwegnimmt. Den jungen Fidorra lenken überwiegend Partikularinteressen, sogenannte »Triebe«, vor allem Liebe und Geldgier, daneben Eitelkeit und Rechthaberei. Dennoch ist das im Stück entworfene Menschenbild aus mehr als einem Grunde vertrauen- und hoffnungerweckend. Schon deshalb, weil Hacks »Triebe« keineswegs als einziges Handlungsmotiv zeigt: es gibt Solidaritätsbewußtsein, und es gibt bei einigen Figuren funktionelle, auf Produktivität zielende Dispositionen, die den Aufbau ebenfalls fördern: technisches Interesse, Freude an der Ausübung des gelernten Berufs, Widerwille gegen Pfuscherei u. ä. Vor allem aber gründet die Zuversicht des Stückes in der Dialektik, die Hacks *innerhalb* der Sphäre der »Triebe« (der menschlichen »Natur«) entwickelt. Während Müller mit den »Trieben« ganz überwiegend etwas präsentiert, das mit äußerster Kraft zurückgedrängt werden muß, weil es die Erfüllung des geschichtlichen Auftrags zu verhindern droht, zeigt Hacks dieselbe Triebsphäre – nicht ausschließlich (aber unter andrem) – als Basis für unzweifelhaft Hoffnungsvolles. Fidorras Liebe wird nämlich zum Anlaß eines höchst produktiven Engagements (vergleichbar dem Sexualtrieb des Trygaios in *Der*

Frieden), zu einer Bedingung, die darum unentbehrlich ist, weil Fidorra das wünschenswerte Solidaritätsbewußtsein, das ihn zu demselben Engagement drängen müßte, zunächst nicht besitzt. Seine Liebe kann, was ihre Auswirkungen angeht, die Haltung der Solidarität für einige Zeit ersetzen, bis diese nachgewachsen und stark genug geworden ist, das begonnene Unternehmen selbst dann weiterzutreiben, als Fidorra das private Interesse (Fortführung der Beziehung zu Hede) und das der Gesellschaft als unvereinbar ansieht. Mit andren Worten: Aus der Sphäre der Triebe selber stammt, was schließlich dazu führt, daß die der Solidarität feindlichen Regungen überwunden werden.

Denn darum handelt es sich auch bei Hacks: um Überwindung (»Wegwerfen« von Liebe), um »Opfer« und »Verzicht«, um Entscheidungen, bei denen Teile der menschlichen »Natur« unterdrückt werden. Freilich ohne daß darum das Stück den Dramen Müllers doch wieder näher rückte! Die Triebunterdrückung Balkes, Schorns, Bremers, des Traktoristen und Flints ist etwas Schmerzliches, durch das ein Individuum bis zum Stückende und darüber hinaus verletzt wird. Als eine solche existentielle Einbuße präsentiert Hacks weder die Minderung des Lohns (der »Tscherwonzen«), zu der das Brikettarbeiterkollektiv sich bereit findet, noch den heldenhaften Verzichtakt Fidorras. Dessen Opfer stellt sich ja als vermeintliches heraus, wird – ein gängiges »Komödien«-Modell – nicht angenommen, insoweit jedenfalls nicht, als Hede, auf die er »verzichtet« hat, die Beziehung fortsetzt *trotz* oder gerade *wegen* dieses Verzichts (sie »bewundert« ihn). Schließlich gelingt es ihr, dem verdutzten Helden die seinem Opfer zugrunde liegende Prämisse auszureden, die Überzeugung von der Notwendigkeit einer finanziellen Überlegenheit des männlichen Partners, einen Wahn, an den sich der Irrtum knüpfen mußte, Liebesglück und Solidaritätsforderungen schlössen im gegebenen Fall einander aus. So wenig gegenwärtig Lohnminderungen vermeidbar sind: in der Liebesbeziehung dagegen, auf der in der letzten Szene eindeutig der Akzent liegt, bleibt dem Helden ein Verlust, die mit dem Verzichtakt naheliegenden Konsequenz, erspart. Zumindest in dieser Hinsicht kann die sozialistische Sache mit den Partikularinteressen ungefährdet zusammenbestehn, wird partienweise von ihnen sogar gefördert. Nicht zuletzt das macht das Stück zur Komödie: Am Ende triumphiert die »Subjektivität« (Hegel), ohne daß der »substantiellen« Unternehmung, für die sie in naiver Weise sich engagiert, dadurch etwas abginge – dank der Vernunft und Überzeugungskraft, die dieser Sache immanent ist. Es ist ein Stück zum Lobe des Sozialismus, partienweise auf Kosten der Partei, die ihn auf ihre Fahnen geschrieben hat.

Daß der Mehrzahl der zeitgenössischen Kritiker ein guter Ausgang, bei dem das Verdienst der planenden Genossen so wenig herausgestrichen ist, nicht genügte, versteht sich. Ein weiterer, ebenso fundamentaler Ablehnungsgrund entspringt der für jene Zeit gültigen Funktionsbestimmung der Dramatik – »Erziehung« der Menschen zum »sozialistischen Bewußtsein« als Mittel zur »Entwicklung der Produktivkräfte« (III. Parteikonferenz) - sowie der Überzeugung, daß eine solche Erziehung nur über die Vorführung nachahmenswerter Handlungen zustande komme. An diesen Prämissen gemessen, mußte ein Stück verurteilt werden, das statt »ideeller Hingabe« (John, Nössig) als wichtigen Faktor Eigennutz (Kähler), »materielle Interessiertheit« und »egoistische Züge« (Wagner und Bork) herausstellt[22], und dies obendrein ohne entschiedene Kritik, mit der dem Genre Komödie eigenen Gelassenheit und Heiterkeit.

Mit größerer Zustimmung konnten zwei andre, etwa gleichzeitig aufgeführte Stücke rechnen: Sakowskis *Steine im Weg* (Theaterfassung 1962) und Kerndls *Seine Kinder* (1963). Auch Sakowski lenkt die Aufmerksamkeit darauf, daß die Schöpfer der neuen Gesellschaft alles andre sind als »Sozialisten« und »neue Menschen«. Demonstrationsobjekt sind Bauern, die sich zu einer neuen Art des Wirtschaftens (LPG) zusammengeschlossen haben, ohne dadurch schon von Grund auf verwandelt zu sein. Behalten haben sie etwas, das nach Aussage des Stückes zum »Menschen« schlechthin gehört[23]: ihre Leidenschaften, und zwar nicht ausschließlich die sozial produktiven: Wut, Antipathie, Eifersucht, Neid, zur Verzeihung unfähige Rachgier, Rechthaberei und Trotz, insgesamt Regungen, die sie dazu bringen, Verkehrsformen aus der »alten« Gesellschaft zu praktizieren, einander zu schaden, zu demütigen, anzuschreien und zu beleidigen. – Rigoroser noch ist Kerndls Kritik an den Bewohnern des Dorfes Hohengereuth, die den Sozialismus als ein »einträgliches Geschäft« verstehn. Der Bürgermeister, unbestritten ein engagierter Funktionär, der sich »tot für die Gemeinde« macht (325), beträgt sich in der Wahrung der Gemeindeinteressen »wie ein Fabrikherr«, sagt »meine Gemeinde« auf dieselbe Weise, wie jener »ich« sagte. Der Unterschied im Horizont des Denkens

ist unleugbar, aber doch »ein beschissener Unterschied« (330).
Auch die Genossenschaftsmitglieder demonstrieren ihn und müssen sich vorwerfen lassen:

Früher dachtet ihr in den Grenzen eures Hofes. Heute denkt ihr in
den Grenzen eurer Genossenschaft. Aber oft nicht weiter. Wenn ihr
früher eine Kuh mehr in den Stall stellen konntet, war das uralte ›ich
habe‹ das Motiv. Wenn ihr heute einen großen Rinderstall für die Genossenschaft fordert, sagt ihr ›wir brauchen‹. Das ist ein Schritt nach vorn,
ohne Zweifel. Aber ist das schon der ganze Schritt vom Ich zum Wir?
(349)

Während Kerndl den Menschen, die sich »nur ums eigene sorgen«
(305), einige Funktionäre entgegenstellt, die den Krämerstand-
punkt eindeutig überwunden haben, ist Sakowski in der Zeichnung
einer Vorbildfigur, eines »neuen Menschen« zurückhaltender. Gibt
es jemanden, der die von Lisas Mutter ausgesprochene Erwartung
bewahrheitet, die zusammen wirtschaftenden Menschen seien »gü-
tiger« geworden (252), ist es am ehesten der Genossenschaftsvorsit-
zende Paul. Doch selbst der muß »lernen« (265), ist in seinem
Handeln nicht ausschließlich vom »Wir«-Bewußtsein geleitet. Auf
den Vorschlag, den Konflikt zwischen der Genossenschaft und der
ihm besonders nahestehenden Lisa dadurch zu lösen, daß Lisa und
Alfred sich in die Betreuung des Rinderstalls teilen, antwortet er –
wie die Regiebemerkung angibt – »schnell« (268): er sei nicht für
halbe Sachen, Beschluß sei Beschluß. Es ist offenbar Eifersucht,
der Wunsch, Alfred von Lisa fernzuhalten, was diese spontane, notdürftig rationalisierte Reaktion hervorbringt. Eifersucht ist freilich
nur ein vorübergehendes Handlungsmotiv[24]; immer wieder und
am Ende dauerhaft gelingt es Paul, sein Privatinteresse zurückzustellen. Es ist ein Handeln wider die Neigung, im Namen einer
ebenfalls emotional getönten Instanz, des Gefühls der »Verantwortung« (239), des »Fühlens für die Sache« (ebd.). Ohne Selbstüber-
windung kommt offenbar auch derjenige unter den Akteuren nicht
aus, der auf der Bahn zum neuen Menschen am weitesten fortgeschritten ist. Auch er »fühlt«[25], und diese Gefühle sind so lebendig,
daß ihr Unterdrückung »nicht leicht« (299) ist, sinnfällig gemacht
in Pauls pathetischem, wortkargem Habitus. Ständig geht er mit
ernstem Gesicht umher wie jemand, der schwer unter einer Last
trägt, ein Zug, den er mit den asketischen Funktionärsfiguren in
Seine Kinder gemein hat (sowohl mit Rolf, der sich für seine Arbeit

»aufopfert«, wie mit dem alten Sorge, einem Menschen, dessen »Leben unausgesprochenes Pathos«[26] ist).

Ursache von Pauls herber Miene ist aber nicht allein die Lebendigkeit seines Fühlens, sondern auch – und dies unterscheidet ihn von Strittmatters Steinert wie auch Baierls Weiler und nähert ihn den Figuren Müllers – der hohe Preis, die substantielle Einbuße, die von ihm verlangt wird (die Zustimmung zur Zurücksetzung Lisas, die Gefährdung der Liebesbeziehung zwischen ihr und ihm). Schon das Gewicht dieser Opfer, weit hinausgehend über die Mühen des täglichen Kämpfens gegen »Schwierigkeiten«, das ihm eingestandenermaßen »Spaß« macht (254 f.), muß Paul an der Meinung Weilers hindern, daß gerade die Entbehrungen Erfüllung bedeuten. Freilich läßt Sakowski – was Müller und auch Kerndl nie in den Sinn käme – es bei der bloßen *Androhung* von Verlusten und Einbußen bewenden. Indem er Lisa zur Einsicht in Pauls Uneigennützigkeit führt, muß dieser den Preis nicht zahlen, den er zu zahlen bereit war. Schon in *Die Sorgen und die Macht* waren dem Helden die schmerzlichen Folgen seiner Tat erspart geblieben. Auch dort konnte der Held die geliebte Frau an sich binden, nachdem er auf sie verzichtet hatte (bei Hacks eher: *weil* er auf sie verzichtete, bei Sakowski eher: *obwohl…*). Es ist im übrigen die wohl einzige Gemeinsamkeit, welche die in Wirkungsstrategie und ästhetischen Mitteln grundverschiedenen Stücke der beiden Autoren aneinander bindet. Hacks hatte aus seinem Thema eine Komödie machen können, weil er auf das Ergebnis sah: *Trotz* Eigennutzes und sogar *durch* ihn werden die Interessen des Ganzen gefördert. Für Sakowski ist derselbe Sachverhalt eher ein »noch« (262) zu beklagender Übelstand: statt des *dennoch* aufgebauten Sozialismus akzentuiert er mehr die verbliebenen subjektiven Rückstände, die Schwierigkeiten ihrer Überwindung. Während Hacks die *Quellen* herausstellt, aus denen Solidaritätsgefühl und gesellschaftlich richtiges Handeln entstehen – besonders von der »Zeitung«, den »Leitartikeln« übergangene, weniger seriöse, weniger respektable Quellen wie Partikularinteressen und unangeleiter Menschenverstand –, präsentiert Sakowski einen einzigen Faktor, das Verantwortungsgefühl, als eine von vornherein bestehende Größe[27], die nun einem Konflikt mit Gegenkräften ausgesetzt wird, in dem sie sich »bewähren« muß. Das für *Die Sorgen und die Macht* charakteristische Hinüberwachsen partikularer in kollektive Interessen schließt Sakowski wie auch Kerndl – zumindest im zentralen Handlungsstrang[28] – aus.

Das in *Seine Kinder* durchgehaltene, im Finale von *Steine im Weg* abgeschwächte Entweder-Oder individueller und gesellschaftlicher Zwecke, die Notwendigkeit für die Akteure, bedeutende Opfer zu bringen, denen keine unverzügliche Belohnung entspricht, weist diese beiden Stücke noch als Produkt der frühen 60er Jahre aus. In der Folgezeit, von etwa 1963/64 bis zum Beginn der 70er Jahre, dominiert sowohl in der Programmatik als auch in der dramatischen Praxis ein neues Menschenbild. Ein wesentlicher Zug, der nach den bisherigen Vorstellungen den »neuen Menschen« ausgemacht hatte – die (selbstlose) Opferbereitschaft für kollektive Zwecke –, verliert an Bedeutung.[29] In größerem Maße als zuvor darf der einzelne nun an sich denken, zumindest *auch* an sich denken. Nicht allein in dem Sinne, den die Wendung vom »An-sich-Denken« bei Autoren wie Baierl hat, die den Fabelgrundriß darauf einschränken, daß die gegen gesellschaftliche Erfordernisse auftretenden individuellen Zwecke einem Irrtum entspringen (mit der Folge, daß man dem einzelnen zum An-sich-Denken nur ermuntern kann, vorausgesetzt, er sieht, wo seine *wohlverstandenen* Bedürfnisse liegen). Gestärkt wird die Sache des Individuums auch dort, wo der aufgebaute Konflikt über solche bloß subjektiven Widersprüche entschieden hinausgeht (in den 60er Jahren nur selten herausgearbeitet[30]). Interessen des einzelnen, die denen des Ganzen nicht nur vermeintlich, sondern unzweifelhaft widerstreiten, erhalten zwar nicht Priorität schlechthin, zurückgewiesen werden aber im Namen der Gesellschaft erhobene Zumutungen, die den einzelnen überfordern, sei es durch den *Grad,* sei es durch die *Dauer* der Beanspruchung. Bestritten wird die Notwendigkeit von Opfern, die existentielle Einbußen bedeuten[31], von Entsagungen, die tiefgreifender sind als die (ja nicht schlechthin bagatellisierten) Mühen, die das temperierte »Heldentum« des Alltags der WTR prägen. Das dem einzelnen Auferlegte ist anstrengend, aber – wie es der Teilnehmer einer Diskussion zum Hallenser Theaterprojekt *Anregung* formuliert – »man stirbt nicht dabei«. Was den Bewohnern von Hohengereuth (*Seine Kinder*) angesonnen wird – auf dringend gewünschte Bauvorhaben um eines internationalen Projekts willen zu verzichten, eine Einschränkung, die, wenn überhaupt, nur auf sehr vermittelte Weise zu vergelten ist –, verlangt man den Akteuren der mittleren und späteren sechziger Jahre nicht mehr ab.[32] Als unzeitgemäß gilt der asketische Märtyrer, der pathetisch, mitunter masochistisch getönte Funktionärstypus der 50er Jahre.[33] Zumutungen, die auf Aufopferung hinauslaufen, werden als unpassend, ja »idiotisch« zurückgewiesen, als hätte der, der sie ausspricht, den Verstand verloren, z. B. der Vorschlag des ungeduldigen Ulrich Barhaupt (*Von Riesen und Menschen*), um »die Industrie hochzubringen«, möge jeder auf einen Monatslohn verzichten. Nicht mehr soll gegenwärtiges Glück, wie es das eschatologische Bewußtsein der enthusiastischen Anfangsjahre nahelegte, als Mittel zukünftigen Glücks aufgezehrt werden; es gilt nun als unantastbar. Programmatisch formuliert wird dieses antiasketische Prinzip, das der veränderten Gegenwarts- und Sozialismusbestimmung der späten Ulbricht-Zeit entspricht, durch den Parteisekretär Moritz in Hammels *Um neun an der Achterbahn* (1964): Nicht nur dafür gelte es zu arbeiten,

daß irgendwelche Enkel es besser haben sollen als wir – sie werden es besser haben –, aber wir sind auch schon die Enkel von welchen, die dafür gearbeitet haben, daß wir es besser haben, und die wollen wir nicht enttäuschen.[34]

Daß die Totalität des Anspruchs, die in dem Programm »Vom Ich zum Wir« ursprünglich gelegen hatte, gemindert wird, zeigt sich besonders in der Zurückweisung von Opfern, die eine allzu große Belastung *extensiver* Natur bedeuten: in der Ablehnung übermäßig ausgedehnter gesellschaftlicher Tätigkeit während der »Freizeit«. Nicht als ob Figuren, die in unbezahlten Überstunden ihren »Feierabend« und »das Wochenende« hergeben, völlig fehlten[35], doch diese Einschränkung ihres Privatlebens läßt den Figuren nicht nur die Lebensfreude, sie bleibt auch im Umfang begrenzt (z. B. auf eine bestimmte Krisenzeit, etwa die entscheidende Phase eines technischen Experiments). Trotz aller Entbehrungen gibt es »ein paar glückliche Stunden, für die wir uns nicht schämen müssen«[36], etwas, an dem »man sich mit gutem Gewissen [...] freuen kann«.[37] Wo es anders ist, wo Opfer zur Aufopferung werden, verfallen sie der Kritik als etwas nicht mehr Nötiges, geeignet, die Überzeugung von der Überlegenheit des Sozialismus zu diskreditieren.[38] Das unbegrenzte, die Freizeit völlig aufzehrende gesellschaftliche Engagement, im voraufgehenden Jahrzehnt oft gefordert, jedenfalls ohne größere Vorbehalte verherrlicht[39], gilt nun als *Übertreibung*, als Ergebnis falscher »Zeiteinteilung«, fehlerhafter »Organisation«[40], jedenfalls eines Mißverständnisses, also eines *subjektiven* Defekts (»Was zu viel ist, ist zu viel«[41]). Immer wieder begegnen Figuren, die den Anspruch auf einen durch gesellschaftliche Arbeit nicht vollkommen determinierten Freiraum vortragen, ohne sich dadurch einem Tadel auszusetzen[42] (es sei denn, sie tun es auf die in der Dramatik Hammels kritisierte Bourgeois-Manier, die »Arbeit Arbeit sein läßt und Leben Leben«[43]).

Sucht man nach den Gründen, die es erlauben, die Aufforderung zur Selbstlosigkeit einzuschränken, wird man die gegenüber den krisenhaften Anfangsjahren stabilisierte Lage der DDR nennen müssen, besonders aber die seit den Wirtschaftsreformen der frühen 60er Jahre verstärkte Gewohnheit, Anstrengungen des einzelnen durch zuvor ausgesetzte Prämien zu kompensieren, wodurch sie den Charakter selbstloser Aufopferung verlieren. Die Basisthese der 1963 auf dem VI. Parteitag verkündeten Reformen lautet: »Alles, was der Gesellschaft nützt, muß auch für den Betrieb und für den einzelnen Werktätigen vorteilhaft sein.« Der Satz ist normativ gefaßt, ein Ton liegt auf dem Modalwort: die Verteilungsverhältnisse (Entlohnungsverhältnisse) *müssen* so geregelt werden, daß der einzelne zur Beförderung allgemeiner Zwecke sich schon um seiner Partikularinteressen willen stimuliert fühlt. Impliziert ist darin die Anerkennung der zuvor oft geleugneten Tatsache, daß individuelle und allgemeine Interessen, wo sie harmonieren, dies nicht immer von Natur – »von vornherein«[44] – tun, sondern weil sie von der Gesellschaft in eine sinnreiche Beziehung gesetzt wurden, zusammengezwungen mittels der sog. »ökonomischen Hebel«, der »materiellen Anreize«, welche »die guten Taten für den Sozialismus« auch dort hervorlocken sollen, wo die »sozialistische Bewußtheit« fehlt. Die Bedeutung dieser »Hebel« wächst darum erheblich. Zwar waren sie auch in den 50er Jahren ausgiebig genutzt worden – in der DDR wie in allen vom sowjetischen Modell geprägten Staaten –, gerechtfertigt aber eher als *unterstützendes* Mittel, als ein für eine Übergangszeit noch unentbehrliches Instrument, geeignet für Adressaten mit einem unzulänglich entwickelten, »noch« der alten Welt verhafteten Bewußtsein, für Leute, deren Wandlung zu »neuen Menschen« noch unvollendet war. Nun wird das Verhältnis der beiden Stimuli umgekehrt. Die unmittelbar auf Erhöhung der »Bewußtheit« zielende moralische Agitation, in die man anfangs die größten Erwartungen gesetzt hatte, verliert ihre dominierende Rolle, gilt als »abstrakt«, tritt in der gesellschaftlichen Praxis zurück und kann dies auch tun, nachdem die Beziehungen zwischen individuellen und allgemeinen Interessen stärker ökonomisiert sind. Zugleich wird die Prämisse, daß individuelles Handeln durch »materielle« Interessen mitgesteuert ist, nun aussprechbar, ohne daß man damit etwas Beschämendes, sofortiger Überwindung Bedürftiges formuliert.[45]

Trotz ihrer Aufwertung bildet die materielle Interessiertheit in der *Dramatik* der mittleren und späten sechziger Jahre kein wesentliches Thema. Nur ausnahmsweise wird, wie es in den Stücken Müllers, in *Die Sorgen und die Macht* und Hartmut Langes *Senftenberger Erzählungen* geschehen war, das Streben nach »materiellen« Vorteilen als wichtiges Handlungsmotiv akzentuiert. Partikularmotive, die das »Wir«-Bewußtsein unterstützen oder, wo es durch enttäuschende Erfahrungen verlorenging[46], zum allgemeinen Besten an dessen Stelle treten, sind nun eher Gründe wie fachliches Interesse, das Bedürfnis, dem kurzen Leben einen Sinn zu geben, der Wunsch, »sich einzubringen«, der eigenen gesellschaftlichen Bedeutung bewußt zu werden, daneben Streben nach Anerkennung, Eitelkeit, Geltungs- und Machtdrang u. ä.; »materielle Interessiertheit« dagegen bildet ein vergleichsweise beiläufiges Nebenmotiv, obendrein vorzugsweise Randfiguren zugeteilt. Sein Überraschendes verliert dieser Tatbestand, erinnert man sich an die Funktionen, die in jenen Jahren das dramatische Genre von den Programmatikern und den ihnen folgenden Autoren zugeteilt erhält. Wichtigste Aufgabe des vorzugsweise in der »Leitungsebene« spielenden Dramas ist der Beitrag zur Bekämpfung von Haltungen, die dem neuen Wirtschaftssystem und den Erfordernissen der WTR widerstreiten (Routinedenken, geringe Risikobereitschaft, Versäumnisse gegenüber der Notwendigkeit, sich ständig zu qualifizieren, usw.). Wenig Anlaß dagegen besteht für eine erneute Beschäftigung mit den (darum nicht geleugneten) »materiellen Interessen«. So wenig Selbstlosigkeit und Märtyrertum noch eine Mittelpunktsrolle spielen müssen, seitdem von ihnen nicht mehr krisenhaft der Fortbestand der sozialistischen Sache abhängt, so wenig tun dies auch die gegenteiligen »materiellen« Handlungsmotive, nachdem diese in der gesellschaftlichen Realität rehabilitiert und durch Entwicklung ökonomischer Verfahren – wie man sagt – »beherrscht« (in die gewünschte Richtung kanalisiert) sind. Je zweckmäßiger die ökonomischen Instrumente funktionieren, um so uninteressanter muß die Frage nach den materiellen Handlungsmotiven werden; im Idealfall wäre sie in einem grundsätzlichen Sinne erledigt. Das gilt jedenfalls für eine Betrachtungsweise, die an diesen Motiven an erster Stelle ihre gesellschaftlich erwünschten Auswirkungen wahrnimmt, den Grad ihrer Einregelung ins perfekt gesteuerte System. Es gilt aber auch für die zunehmend in den letzten Jahren der Ulbricht-Ära erprobte konträre Fragerichtung, repräsentiert durch eine Gruppe von Stücken, die nach überraschenden unliebsamen Folgen der Datenverarbeitung für »die Menschen« fragen. Was die Mathematiker und Rationalisierungsfachleute in Winterlichs *Horizonte*, in Schreiters *Ich spiele dir die Welt durch* und Klaus Wolfs *Lagerfeuer* veranlaßt, einzelne Mitfiguren, verdiente Kollegen, »wegzuoptimieren«, sind Ungeduld, Blindheit, Phantasie- und Herzlosigkeit, großenteils als Symptome von Unreife gewertet, nicht aber in wesentlichem Maße »materielle« Motive.[47]

Von anderen Fragerichtungen sind die seit 1972/73 gespielten Zeitstücke beherrscht, in deren Aufführung sich die mit dem VIII. Parteitag verbundenen Veränderungen der Kulturpolitik bemerkbar machen (an erster Stelle Plenzdorfs *Neue Leiden*, Brauns *Kipper, Hinze und Kunze* und *Tinka*, daneben Kirschs *Heinrich Schlaghands Höllenfahrt*, Heins *Schlötel*, Stolpers *Himmelfahrt* und *Klara* u. a.). Auch dies sind Stücke, die weniger nach den *Quellen* gesellschaftlichen Engagements fragen[48] als danach, was dieses selbst ausrichtet, wie weit und um welchen Preis es den Akteuren gelingt, ihre Interessen durchzusetzen, Interessen, zu denen beispielsweise der Wunsch nach kräftigerer Demokratie gehört (Braun), aber auch der Anspruch, »sich selber einzubringen«, ja durchaus private Motive wie das der Viktoria Remer in Hammels *Rom oder die zweite Erschaffung der Welt*, nicht aber unbefriedigte Bedürfnisse »materieller« Natur. Zum Thema werden sie erst wieder um die Mitte der 70er Jahre, und zwar nun als ein Faktor, der das gesellschaftlich Erwünschte nicht nur fördert, sondern auch behindert.[49] Doch liegt diese Phase jenseits der Grenze unseres Essays. Es ist eine Phase, die zur Frage des »neuen Menschen« kaum Überraschendes enthält. Das zeigt schon der Umgang mit der *Vokabel* »neuer Mensch«. Kommt sie in theoretischen und programmatischen Schriften noch vor, ist sie deutlich als *historische*, einer früheren Phase angehörige gekennzeichnet (darum mitunter in Anführungszeichen gesetzt).[50] Zum Namen eines verbindlichen Menschenideals steigt sie nicht wieder auf; dafür dienen andere Ausdrücke, die durch geschichtsphilosophische Prämissen weniger belastet sind. Zurückhaltung gegenüber Postulaten, Wunschvorstellungen und vorschnellen Verallgemeinerungen läßt auch die Verwendung des Ausdrucks »neuer Mensch« in *Dramentexten* erkennen. Wird er ausnahmsweise noch gebraucht, so entweder in ironischem oder zumindest halbironischem Sinne[51] oder im Munde fragwürdiger, ja karikierter Figuren.[52] Wie die Vokabel verschwindet auch die durch sie bezeichnete Idee. Auch hierin setzt sich die in den mittleren 60er Jahren begonnene Tendenz fort. So sehr die Dramatik der 70er und 80er Jahre über die des voraufgehenden Jahrzehnts durch gewachsene Differenziertheit und Sensibilität in ethischen Fragen hinausgeht: darin jedoch folgt sie ihr, daß der Blickwinkel, unter dem moralische Beschaffenheiten der Dramenfiguren betrachtet werden, die Hoffnungen der 50er Jahre ausschließt. Eine Perspektive, die zum Maßstab menschlichen Denkens und Handelns die Erwartung einer durch die neue Ordnung hervorgebrachten radikalen Wandlung nimmt, gehört der Vergangenheit an.

Anmerkungen

1 Anton Ackermann im Jahr 1948, zitiert nach: Elimar Schubbe, *Dokumente zur Kunst-, Literatur- und Kulturpolitik der SED,* Stuttgart 1972, S. 92.

2 Brecht, *Arbeitsjournal,* Frankfurt/Main 1974 (werkausgabe edition suhrkamp Supplementband), Bd. 2, S. 578.

3 Aufzeichnung Käthe Rülickes aus dem Jahre 1952, mitgeteilt in ihrem Buch *Die Dramaturgie Brechts,* Berlin 1968, S. 265. Daß die Absicht, diese Momente herauszuarbeiten, ergänzt und z. T. überlagert wurde durch Brechts Interesse an den für Garbes Denken charakteristischen Widersprüchen, an der Diskrepanz von Wissen und Tun, haben Hildegard Brenner (in: Alternative 91 [1973], S. 213–221) und Stephan Bock (in: Brecht-Jahrbuch 1977, S. 81–99) dargestellt. Vgl. dazu Bocks Aufsatz in diesem Band.

4 Belege: Brecht, *Schriften zum Theater,* Bd. 7, Berlin 1964, S. 137; Brecht, *Gesammelte Werke* (werkausgabe edition suhrkamp), Bd. 16, S. 779f. und 908, sowie Bd. 19, S. 553. Weitere unbezeichnete Band- und Seitenzahlen beziehen sich auf diese Ausgabe.

5 Vgl. ebd., Bd. 16, S. 779 und 831.

6 Das gilt für *Katzgraben,* nur mit Einschränkung dagegen für *Bürgermeister Anna,* wo dörfliche Interessen und Plandisziplin in Opposition stehn.

7 Wenn er nach einer erneuten Abstimmungsniederlage vorüberge-
   hend einen Impuls verspürt, Katzgraben den Rücken zu kehren, so
   nicht, weil gewaltsam unterdrückte eigne Bedürfnisse sich meldeten,
   sondern aus Zweifel an einer Erfolgschance.

8 In: Deutschland Archiv 9 (1976), S. 492–515, vgl. bes. S. 498.

9 Unverkennbar ist allerdings eine schon mit den frühen sechziger Jahren allmählich zunehmende Verschiebung des Akzents auf die »allseitig gebildete Persönlichkeit«, den Menschen »mit höherer kultureller
   Bildung« (Belege bei Schubbe unter dem Stichwort »neuer, sozialistischer Mensch«). Vgl. dazu unten Anm. 29.

10 3, 66. Nicht näher bezeichnete Band- und Seitenzahlen beziehen sich
   auf: H. M., *Texte*, Berlin: Rotbuch 1974ff.

11 Vgl. dazu Müllers Interviewäußerungen, zitiert in der wichtigen Dis-
   sertation von Gerda Baumbach, *Dramatische Poesie für Theater*, Diss.
   Leipzig 1978, bes. S. 34.

12 Erst in *Der Bau* – wie auch im etwa gleichzeitig vollendeten *Philoktet*
   – wird diese Prämisse erschüttert. Der Kritik ausgesetzt wird die Ver-
   leugnung menschlicher Beziehungen, zu der Donat um des »Bauens«
   willen sich gedrängt sieht. Es ist eine Kritik, die nicht unwidersprochen bleibt (im Schlußdialog zwischen Donat und Schlee, der dem
   stichomythischen Wortwechsel zwischen Odysseus und dem zur
   Lüge bereiten Neoptolemos entspricht). Die Frage bleibt offen in
   dem Sinne, daß der Zuschauer aufgefordert ist, mit beidem zu rechnen: mit der fortbestehenden Notwendigkeit des Opfers und zugleich mit dem der Härte des Kämpfens (Bauens) entspringenden Unvermögen der geschichtlichen Akteure, notwendige Opfer von schon
   entbehrlichen (nicht mehr notwendigen) zu unterscheiden. Vgl. dazu
   den Aufsatz des Verfassers, *Nötiges und unnötiges Töten*, in: Gerd Michels (Hg.), *Festschrift für Friedrich Kienecker*, Heidelberg 1980,
   S. 219–246, sowie auf diese Frage bezogene Überlegungen Müllers,
   zitiert in dem Aufsatz des Verfassers, *Über den Umgang mit H. Müllers »Philoktet«*, in: Basis 10 (1980), S. 142–157, bes. S. 155.

13 6, 63.

14 NDL 1/10 (1953), S. 162.

15 Es ist eine Korrektur, die Müller schon deshalb vornehmen muß, um
   auf der anderen Seite das Außerordentliche, so wenig Selbstverständliche des »Gattungsbewußtseins« herausstellen zu können.

16 3, 46 u. 51. – Der zuletzt genannte Defekt, das mangelnde politische
   Bewußtsein, ist ein Phänomen, das schon Brecht in der von Käthe
   Rülicke protokollierten Unterhaltung mit Hans Garbe hatte bemer-
   ken müssen: Garbes gesellschaftliches Bewußtsein blieb hinter der
   objektiven Bedeutung seiner Arbeit erheblich zurück, war eher »ein
   spontanes [...], ungenügend versehen mit politischen und theoretischen Kenntnissen über die Gesamtzusammenhänge der Gesell-

schaft« (Bock). Während aber ungewiß ist, wie sehr Brecht diesen Aspekt im fertiggestellten *Büsching*-Text herausgearbeitet hätte, läßt Müller sich entschieden auf ihn ein. – Zu Brecht vgl. die Berichte von Hildegard Brenner (*Schule des Helden,* in: Alternative 91 [1973], S. 215) und Stephan Bock (in: Brecht-Jahrbuch 1977, S. 86) über ihre mit Käthe Rülicke geführten Interviews.

17 Müller in der schon erwähnten Rezension ungarischer Erzählungen (vgl. Anm. 14).

18 Helmut Baierl, *Frau Flinz,* Berlin 1971, S. 7. Auf diese Ausgabe beziehen sich im folgenden unbezeichnete Seitenzahlen.

19 Vgl. dazu unten S. 314.

20 Vgl. Peter Hacks, *Fünf Stücke,* Frankfurt/Main 1964, S. 301.

21 Vgl. S. 302, 318, 380, 382.

22 »Der Zuschauer sucht bei Hacks vergeblich Personen, die Eigenschaften von neuen Menschen tragen, deren Handlungen schön und nachahmenswert sind« (Kurt Hager, zitiert nach: Schubbe, *Dokumente,* S. 867).

23 Karl-Heinz Schmidt (Hg.), *Sozialistische Dramatik,* Berlin 1968, S. 263. Auf diese Ausgabe beziehen sich im folgenden unbezeichnete Seitenzahlen.

24 Vgl. noch S. 273, dagegen aber S. 294.

25 Daß der neue Mensch »stumpf« sei, wird ausdrücklich verneint (252).

26 Vgl. Rainer Kerndl, *Zwischen Schreibtisch und Probebühne,* in: Forum 17/5 (1963), S. 12.

27 Schon als Junge übt sich Paul in Selbstlosigkeit, sorgt für Mutter und Geschwister, um deretwillen er eigene Wünsche fortwährend zurückstellt (254).

28 Zwei Gelegenheiten, bei denen dies geschieht, werden nur als Momente der Vorgeschichte berichtet: Lisas außergewöhnlicher Eifer bei der Stallarbeit, die ihr inzwischen »Spaß« macht, gründet ursprünglich nicht im Engagement für die Genossenschaft, sondern im Wunsch, ihre Feinde zu demütigen, diejenigen zu widerlegen, die an ihren Fähigkeiten zweifeln. Ein ähnliches Partikularmotiv bestimmte Pauls Entschluß, als Organisator aufs Land zu gehen. Er tut es nicht allein, um der Forderung der Partei zu genügen, sondern aus Freude am Leben auf dem Dorf und aus Spaß am Kämpfen gegen »Schwierigkeiten«.

29 Andre Züge drängen sich vor, Qualitäten, die den Menschen als Subjekt der WTR auszeichnen, der, universell gebildet und fähig zu neuen sozialen Beziehungen, in der »Menschengemeinschaft« sich »wohnlich einrichtet« (Schubbe, S. 1168), engagiert und verantwortungsbereit, aber ohne dabei zum Märtyrer und Asketen zu werden. Es sind Züge, die sich auch in der Nomenklatur ausdrücken: neben

den keineswegs aufgegebenen, doch im Laufe des Jahrzehnts immer weniger benutzten Terminus »neuer Mensch« tritt zunehmend »(allseitig gebildete) sozialistische Persönlichkeit«, auch »Revolutionär von heute« u. a.

30 Mehr als andere Phasen sind die mittleren und späten 60er Jahre durch die Neigung ausgezeichnet, Entweder-Oder-Konstellationen durch Sowohl-als-auch-Konstellationen zu ersetzen. Charakteristisch ist die Zustimmung, welche die Konfliktgestaltung in Apitz' *Nackt unter Wölfen* und Herbert Nachbars *Haus unterm Regen* erhält. Private Interessen (bei Nachbar: Liebe eines Offiziers der Volksarmee und einer jungen Frau, deren Vater im Westen lebt) und gesellschaftliche Notwendigkeit (Geheimhaltung) werden als vereinbar präsentiert (vgl. Hans Koch in: NDL 14/10 [1966], S. 25 f.; zu Apitz vgl. Dieter Schlenstedt in: SuF 18 [1966], S. 827). – Vgl. auch in Hammels *Achterbahn*-Stück den Kommentar des erfahrenen Funktionärs Schmidt dazu, daß Moritz seine Situation zwischen der Partei und Sabine als ein Entweder-Oder versteht: »Das wär zu einfach. So löst man keine Probleme« (*Sozialistische Dramatik*, S. 517).

31 Ausnahmen: Müllers schon erwähnter *Bau*, Brauns *Kipper Paul Bauch* (1966) und eine bezeichnenderweise nicht eigentlich ›dramatische‹ Partie von Baierls *Johanna von Döbeln* (1969): der Gang in die Tiefe, der an die ruinösen Auswirkungen fortexistierender Schwerarbeit erinnert.

32 Dabei zeigt sich Kerndls Stück von 1963 an anderer Stelle schon als diesseits der Grenze stehend, dort nämlich, wo die in Alfred verliebte Judith die Überzeugung ausspricht: »für andere zu leben [...], das allein genügt nicht« (334). Zwar würde sie in der Entscheidung zwischen privaten und allgemeinen Interessen die ersteren zurückstellen, doch mit dem deutlichen Bewußtsein, mehr beanspruchen zu dürfen.

33 Vgl. z. B. die Kritik Kählers an Müllers *Bau* in: Junge Welt, 18./19. 9. 1965, oder die Kritik Röhners an der Figur des Meternagel in Chr. Wolfs *Geteiltem Himmel* (Eberhard Röhner, *Abschied, Ankunft und Bewährung*, Berlin 1969, S. 47). Dazu auch die programmatischen Interviewäußerungen Sakowskis in: Einheit, 1969, S. 1219f. Ähnliche Einwände bringt 1967 Sakowski gegen die Zeichnung Trostbergs und des Parteiarbeiters Demmin in *Dr. Schlüter* vor: sie seien ihm »alle ein bißchen zu asketisch, zu einsam. Sie haben keine Frauen wiedergefunden [...], sie haben es bloß noch mit der Arbeit« (NDL 15/1 [1967], S. 66). Selbst Seegers höchst erfolgreiches Fernsehspiel *Fünfzig Nelken*, entgeht in einer ›Forum‹-Diskussion (21/2 [1967], S. 8 f.) nicht dem Vorwurf, in der Figur Pranges die Lösung gesellschaftlicher und privater Aufgaben als ein unaufhebbares Entweder-Oder auszugeben. Das Entweder-Oder sei ein »altes« Modell, das in

der weniger verzichtbereiten Gegenwart, zumal bei der jüngeren Generation, auf Ablehnung stoße: »Ein solches Asketentum war niemals das Ideal des Kommunisten. Die Darstellung des Kommunisten als Helden, der zugunsten des Klasseninteresses persönlich auf vieles verzichtet, ist in bestimmten Situationen des Kampfes notwendig. In unserer Zeit stößt eine solche einseitige Haltung vor allem bei der Jugend auf wenig Verständnis [...]. Woraus leitet Prange das Recht ab, sich nur um andere zu kümmern, aber nicht um seine Familie? Zu den Aufgaben eines Kommunisten gehört es doch, die gesellschaftlichen Probleme zu lösen und dabei *auch* seine persönlichen. Das kann doch kein Gegensatz sein. Deshalb ist diese Überspitzung, in der Prange dargestellt ist, keinesfalls als neue moralische Qualität anzusehen, sondern als [...] falsch verstandenes ›Idealbild‹ eines Kommunisten.«

34 In: *Sozialistische Dramatik*, S. 556.

35 Z. B. Frau Sellin in Hammels *Morgen kommt der Schornsteinfeger.*

36 So Moritz, der Held von Hammels *Achterbahn*-Stück (1964), der herablassend, voll männlicher Überheblichkeit seiner Sabine die Zukunft ausmalt: »Freilich – ich werde spät nach Hause kommen, und ich werde müde sein. Es wird keine Sonntage geben mit lange schlafen – oder doch nur wenige [...] Unsere Ferien werden nicht groß sein [...]. Aber [...] ich biete dir [...]« (*Sozialistische Dramatik*, S. 555 f.).

37 Jette in Hammels *Schornsteinfeger*-Stück, in: *Neue Stücke*, Berlin 1971, S. 309.

38 Der hier herausgearbeitete Gegensatz der 50er und 60er Jahre markiert selbstverständlich nur eine Tendenz. Es gibt Gegenbeispiele in beiden Phasen. Für die 50er Jahre vgl. z. B. Baierls *Feststellung*, ein Stück, in dem das Gut »Feierabend« als Argument für die LPG eine wichtige Rolle spielt, für die 60er Jahre dagegen Müllers *Bau* und Brauns *Kipper Paul Bauch*.

39 Vgl. z. B. den Dialog zwischen Arbeiter und Soldat in Müllers *Klettwitzer Bericht* (in: Junge Kunst 2/8 [1958], S. 5): »ARBEITER Kommt ihr freiwillig oder auf Befehl? SOLDAT Freiwillig. ARBEITER Müßt ihr sowieso Dienst machen, oder ist es eure Freizeit, die ihr hier verschwitzt? SOLDAT Es ist Freizeit. ARBEITER Kriegt ihr Prämie? SOLDAT Nein.« – Vgl. auch *Frau Flinz*, S. 78.

40 Diesen Vorwurf richtet in *Von Riesen und Menschen* der Technische Direktor Pritzkoleit, der Zeit für seine Orchideenzucht findet (»Irgendwo muß sich der Mensch regenerieren«), gegen die übrigen Angehörigen der Werkleitung, die sich Tag und Nacht für ihren Betrieb aufzehren. Auch der junge Ulrich gehört dazu, der, um ein neues Verfahren zu finden, »seinen Urlaub hergeben« will. Der Räsonneur Reinhard zu diesem »heroischen« Vorsatz: »Das ist un-

zulässig, macht aber Eindruck« (*Sozialistische Dramatik*, S. 581 u. 567).

41 Vgl. Helfried Schreiter, *Ich spiele dir die Welt durch*, in: TdZ 26/7 (1971), S. 60.

42 Vgl. ebd. die Abkanzelung des übereifrigen, als verständnislos und unreif bis zur Unglaubwürdigkeit karikierten Computertechnikers Wolfgang Göppert durch die Frau seines Kollegen. Die Freizeit aufzuheben gilt als ebenso unnötig wie die unter engagierten Leitern übliche Ruinierung der Gesundheit, als deren wahre Ursache eine falsche Einstellung (verkehrte Lebensnormen), also ebenfalls ein *subjektiver* Defekt namhaft gemacht wird (vgl. S. 60 und S. 70). – Vgl. auch *Frau Flinz*, S. 97 (Gottlieb »beansprucht seinen Feierabend«).

43 Vgl. *Neue Stücke*, S. 287.

44 Vgl. hierzu vor allem das für diese Phase wichtige Buch von Jens-Uwe Heuer, *Demokratie und Recht im Neuen Ökonomischen System der Planung und Leitung der Volkswirtschaft*, Berlin 1965, bes. S. 114.

45 Zum Verhältnis moralischer und ökonomischer Stimulierung vgl. z. B. die prononcierten Darlegungen in dem Aufsatz von Wolfgang Eichhorn I u. a., *Widersprüche und Triebkräfte der sozialistischen Arbeit*, in: DZfPh 11 (1963), S. 1086–1103, bes. S. 1099: »Die Bildung des sozialistischen Bewußtseins und der sozialistischen Moral vollzieht sich im Massenumfang [...] nicht abstrakt, durch bloße Schulung und Aufklärung. Die Übereinstimmung der persönlichen und gesellschaftlichen Interessen muß vielmehr [...] dem einzelnen Individuum in seiner alltäglichen Praxis spürbar entgegentreten. [...] Die sozialistische moralische Erziehung [...] kann also nicht als Ersatzmittel für Lücken im ökonomischen System der Planung und Leitung wirksam werden, sondern nur auf der Grundlage der ständigen Ausnutzung der Übereinstimmung, in untrennbarer Einheit mit der Ausnutzung der ökonomischen Gesetze und dem richtigen Einsatz der ökonomischen Hebel.« Vgl. dazu den aus demselben Jahre stammenden Aufsatz von Horst Redeker, *Versuch einer ästhetischen Analyse*, in: Sonntag 1964, Nr. 2, S. 9–11, in dem die Konsequenzen gezogen werden, die sich aus dem bei Eichhorn formulierten Prinzip für die Struktur literarischer Fabeln ergeben.

46 Z. B. die Ingenieurin Schlenzow in Kerndls *Plädoyer für die Suchenden*, ihr Kollege Krämer in Kleineidams *Von Riesen und Menschen*.

47 Ein Stück, das materielle Interessen dagegen ins Zentrum rückt, ist Hammels *Morgen kommt der Schornsteinfeger*. Nicht die Existenz dieser Interessen kritisiert Hammel, sondern ihre Ausschließlichkeit, die für den Spießer charakteristische Neigung, seinen Wunsch nach Geld und Wohlstand zum wichtigsten oder gar einzigen Motiv des Arbeitens werden zu lassen. Erst im Laufe des Stücks gelangen von den Vertretern dieser Haltung einige zur Besinnung.

48 Anders Müller, der weiterhin hartnäckig die Frage nach Ursachen wie Hinderungsgründen des Gattungsbewußtseins umkreist – eine zwangsläufige Folge der Unerbittlichkeit, mit der er gesellschaftliches Engagement als Auslöschung des Individuums begreift.

49 Vor allem in Gratziks *Handbetrieb* (1976) und Bartschs *Die Goldgräber* (1977), auch in dem aus dem Russischen übersetzten Stück von Alexander Gelman *Protokoll einer Sitzung* (1976).

50 Vgl. z. B. Christel Berger, *Fragen der Moral und die neueste Prosaliteratur der DDR*, in: DZfPh 25 (1977), S. 984–993, und von derselben Verfasserin *Moral und DDR-Literatur*, in: DU 31 (1978), S. 530–538.

51 Z. B. die halb ernsthaften, halb listigen Versuche Schlaghands, ein »neuer Mensch« zu werden (Rainer Kirsch: *Heinrich Schlaghands Höllenfahrt* [1973]).

52 So sieht in Schütz' *Majakowski* (1971) Shdanow einen »neuen Menschen« in dem von Zweifeln befreiten, stalintreuen Majakowski II; auch dieser selbst versteht sich so. Vgl. auch die Tiraden des ersten Filosofen in Thomas Braschs *Rotter* (1977), die mit ihrer Pervertierung des neuen Menschenideals weit böser klingen als seinerzeit die betrübliche und zugleich lächerliche Beschränktheit im Schlußwort des selbstgenügsamen Blasche zu Hacks' *Moritz Tassow* (1965).

Theo Girshausen
Baal, Fatzer – und Fondrak
Die Figur des Asozialen bei Brecht und Müller

»Er hat Vorschläge gemacht« – Probleme der Traditionsbildung in der DDR-Dramatik

Die Symptome sind in der Bundesrepublik wie in der DDR die gleichen: Max Frischs Wort von der »durchschlagenden Wirkungslosigkeit« des zum Klassiker avancierten Bertolt Brecht scheint mittlerweile hier wie dort von den meisten akzeptiert. Brechts Werk gilt – und das ist ein zweites Indiz für eine seltene Gemeinsamkeit – bei Dramatikern, Theaterleuten und Kritikern in Ost und West nicht länger als Orientierungsmöglichkeit für die eigene, die aktuelle Produktion.

Bei näherem Hinsehen fällt freilich auf, daß sich Motive und Argumente der Brecht-Kritik in beiden Deutschlands ganz prinzipiell unterscheiden. Weil das so ist, steht zu vermuten, daß eine nähere Untersuchung der in der DDR geführten Auseinandersetzung mit Brechts Werk Auskunft geben kann über Eigenarten der dort entstandenen Dramatik.

Diese Vermutung wird freilich sofort auf einen ernstzunehmenden Einwand stoßen. Es spricht schließlich manches dafür, daß die in der DDR geführte Diskussion um Brecht über weite Strecken nichts anderes war als ein kulturpolitisch erzwungener Stellvertreterkrieg für wirklich nötige Debatten, daß die nachgeborenen Dramatiker in Wahrheit versuchen mußten, ihre je eigene Produktivität, ihre besondere Thematik und Handschrift gegen ein spätestens seit 1956 offiziell eingesetztes Leitbild zu rechtfertigen.

Gerade Heiner Müllers Beispiel spricht dafür. Seine Kritik an Brecht trägt deutlich Züge der Revolte eines ganz und gar eigenständigen Autors gegen die Übermacht einer nur kulturpolitisch konservierten und normativ verabsolutierten Tradition. Ebendies läßt sich auch – und stärker noch – bei anderen, zumal den jüngsten Theaterautoren in der DDR vermuten: Nicht in der Fortsetzung einer Tradition, sondern in der Befreiung von einer autoritären und erdrückenden »Vaterfigur« versuchen sie, die ihren Schreibweisen entsprechenden heutigen ästhetischen Erfordernisse zur Geltung zu bringen.[1]

Das aber könnte bedeuten: Wenn die Brecht-Diskussion in der DDR nur die öffentlich erzwungene Einkleidung einer im Grunde doch immer nur individuellen und subjektiven Revolte einzelner Dramatiker ist, lassen sich die wirklichen Entwicklungslinien nicht in der Perspektive einer von Brecht inaugurierten Tradition, sondern im Gegenteil nur dann beschreiben, wenn man den offiziell produzierten Schein von Kontinuität und Zusammenhang kritisch zerstört.

Gegen solche Einwände soll hier eine andere These entwickelt werden: Gerade an Müllers Verhältnis zu Brecht läßt sich zeigen, daß in der subjektiven Abwehr eines einengenden Dogmas zugleich historisch-theoretische Kritik am Werk ist. An einem Beispiel soll darüber noch hinausgehend veranschaulicht werden, daß Subjektivität in mehr als einer Hinsicht zugleich der geschichtliche Einwand ist, der bereits in den frühen Stücken Müllers gegen den Hang zur Modellhaftigkeit und Abstraktion in Brechts Werk wirksam ist.

Erst in den letzten Jahren hat sich Müller theoretisch über sein Verhältnis zu Brecht geäußert.[2] Mag die Bezugnahme auf dessen Werk in seinen jüngsten Stücken auch weniger ausgeprägt sein als früher, so beschreiben diese Stellungnahmen die Motive und Eigenarten seiner anfänglichen Arbeit mit Brechtschem Material noch immer gültig. Sie zeigen, daß dieser Arbeit, so eigenständig sie war, die Auseinandersetzung mit den historisch-gesellschaftlichen Konstellationen zugrunde lag, die Brechts Entwicklung konditionierten. Da die Revolte solcherart mit historischem Bewußtsein betrieben wurde, konnte Müller gerade an (historisch bedingten) Rissen und Brüchen, den Wendepunkten hin zur zunehmenden Modellhaftigkeit von Brechts späteren Stücken, produktive Ansatzpunkte für die eigene Arbeit finden. So ergibt sich das – scheinbare – Paradox, daß sich Müller in der Auflehnung gegen Brecht oftmals auf die Seite Brechts stellen konnte, zumal auf die des jungen gegen den späten.

Müllers eigene Stellungnahme wird in den folgenden Überlegungen zum Verhältnis der beiden Autoren ernstgenommen. Aus ihnen wird die methodische Konsequenz gezogen: Die Schwierigkeiten des DDR-Dramatikers mit Brechts Werk lassen sich nur dann adäquat – und d. h. in den Affinitäten und im Divergierenden – darstellen, wenn man sie im Blick auf Einzelprobleme ihrer künstlerischen Arbeit beschreibt; einer Arbeit, die auf je verschiedene historisch-gesellschaftliche Kontexte bezogen ist, welche letzten Endes die unterschiedlichen Problemlösungen bestimmen. Den Fokus des historischen Vergleichs bildet das Arbeitsproblem, das mit der bei Brecht und Müller begegnenden Figur des Asozialen verbunden ist. Hier vor allem läßt sich Müllers Anknüpfen an die in Brechts Werk vorkonzipierte, aber nicht voll ausgeschöpfte wirkungsästhetische Möglichkeit einer Figur, also das Spannungsverhältnis von Zusammenhang und Differenz in beider Ästhetik exemplarisch beobachten.

Kontinuität und Bruch – Der Asoziale bei Bertolt Brecht

Herkunft und Namen hat die Figur des Asozialen von Brecht. Er überliefert sie der Dramatik der DDR als theatralisch wirkungsvollen, gedanklich modellhaften und zugleich tief in individuelle Phantasien eingreifenden Figurentypus. In ihm ist die weitestgehende Konsequenz aus Brechts Hoffnungen des Exils auf eine Zukunftsgesellschaft der »großen Produktion« dramatisch Gestalt geworden.

Allerdings fühlt sich der nach Ostberlin zurückgekehrte Brecht zu Warnungen vor Mißverständnissen gegenüber seinem Vermächtnis veranlaßt. Skeptisch beschreibt er die Figur im Rückblick auf sein erstes größeres Stück, den *Baal*. Im Vorwort zur 1955 erschienenen Ausgabe der *Frühen Stücke* heißt es hierzu:

Das Stück Baal mag denen, die nicht gelernt haben, dialektisch zu denken, allerhand Schwierigkeiten bereiten. Sie werden darin kaum etwas anderes als die Verherrlichung nackter Ichsucht erblicken. Jedoch setzt sich hier ein »Ich« gegen die Zumutungen und Entmutigungen einer Welt, die nicht eine ausnutzbare, sondern nur eine ausbeutbare Produktivität anerkennt. Es ist nicht zu sagen, wie Baal sich zu einer Verwertung seiner Talente stellen würde: er wehrt sich gegen ihre Verwurstung.[3]

Diese Mißverständlichkeit erklärt Brecht anschließend im Rückblick von der DDR-Gesellschaft auf die Gesellschaft der Entstehungszeit des Stücks. Baal wird damit zur historischen, nunmehr anachronistisch gewordenen Figur:

Die Lebenskunst Baals teilt das Geschick aller anderen Künste im Kapitalismus: sie wird befehdet. Er ist asozial, aber in einer asozialen Gesellschaft.[4]

Dies heißt freilich nicht, daß er damit das Problem des Asozialen in der neuen Gesellschaft für gänzlich überholt hält. Im *Kleinen Organon* (§ 25) schon hat er die Bedeutung der Figur in der erhofften Gesellschaft der »großen Produktion« festgehalten:

Selbst aus dem Asozialen kann die Gesellschaft [...] Genuß ziehen, wofern es vital und mit Größe auftritt. Da zeigt es oft Verstandeskräfte und mancherlei Fähigkeiten von besonderem Wert, freilich zerstörerisch eingesetzt. Auch den katastrophal losgebrochenen Strom vermag ja die Gesellschaft frei in seiner Herrlichkeit zu genießen, wenn sie seiner Herr zu werden vermag: dann ist er ihrer.[5]

Brecht interessiert die im Vorwort von 1955 am Baal paradigmatisch beschriebene Asozialen-Figur 1948, zur Zeit der Abfassung des *Kleinen Organon,* also als Figur mit ebenso erkennbarem Reichtum wie Mangel, als Figur, die Widerspruch erregen kann und deshalb Lehren ermöglicht. Er sieht den Asozialen als exemplarisches Objekt einer Kritik, wie sie im *Kleinen Organon* beschrieben ist: als Heuristik der Produktion. Die erhoffte Gesellschaft der »großen Produktion« muß in der Lage sein, den Asozialen zu sozialisieren, und dies, indem sie die Bedingungen schafft, seine bislang unverantwortlich benutzten Talente, statt gegen andere, zum Nutzen anderer zu »verwerten«.

Wie das möglich sein soll, hat Brecht freilich weder im *Kleinen Organon* noch in der Notiz zum *Baal* näher beschrieben. Es ist nun kein Zufall, daß er seinen Gedanken nicht (mehr) selbst zur Wirkung bringen konnte. Wie dieser Gedanke erschließt sich der Grund für solches Unvermögen im Rückgriff auf die Auseinandersetzung, die er in den letzten Jahren der Weimarer Republik und im Exil mit der Asozialen-Figur geführt hat.

Um 1930, zur Zeit seiner Arbeit an einer dramatisch-theatralischen Pädagogik, hat sich Brecht auch mit einem (Fragment gebliebenen) Lehrstückprojekt über den Baal befaßt. In dessen Titel ist die Verbindung der Hauptfigur mit dem Asozialen zum ersten Mal explizit vollzogen. Die Szenen drehen sich um den *bösen baal den asozialen.* In dieser Version, in der sich poetische, gedankliche und soziale Motive der Figur deutlich unterscheiden lassen, wird Baal gleichsam zur Reflexionsfigur, an der Chancen und Risiken des rein ichbezogenen Glücksverlangens in den damals herrschenden Zeiten der Wirtschaftskrise dargestellt werden.

Ganz deutlich wird das in der dem Lehrstücktypus am ehesten entsprechenden kurzen Szene: *Der Böse Baal der Asoziale und Die zwei Mäntel*.[6] Baal tritt hier zunächst als poetische Figur mit den Motiven des Originals auf (»seit gestern abend laufe ich bei zunehmender kälte durch die wälder dorthin wo sie schwärzer werden«, S. 84). Mit dem Auftreten des »Armen« verwandelt sich die Naturmetapher in einen gesellschaftlichen Tatbestand (»es ist kalt. ich habe keinen mantel. mich friert«, S. 84). Auf die Bitte des Armen, einen von seinen zwei Mänteln abzugeben, reagiert Baal, indem er die Parabel von der Unbarmherzigkeit der Welt und dem notwendigen Los der in ihr Überzähligen erzählt. Die Parabel bestätigt sich unmittelbar: Während Baal noch erzählt, fällt der Arme »erfroren um«. Baal kommentiert seinen Tod mit der Unerbittlichkeit dessen, der Leben als Kampf ums Überleben deutet, in dem allein der Stärkere sein Recht erhält (»Josef du warst einer der zum erfrieren bestimmt war«, S. 86).

Wie in den zu Ende geführten Lehrstückprojekten sind dem szenischen Vorgang Aussagen von Chören kontrastiert, die kollektive Haltungen zum Gezeigten vertreten und es auf der Kommentarebene in eine dialektische Denkfigur transponieren. Der »linke Chor« spricht zunächst von der Kältezeit als Vorstadium einer kommenden neuen Zeit der Wärme: von einer Notzeit, in der das Überleben der einzelnen nur in der (von Brecht im *Badener Lehrstück* als Haltung des »Denkenden« beschriebenen) »kleinsten Größe« möglich ist. Der »rechte Chor« setzt dagegen das unbedingte Lebensrecht der einzelnen in einer als unabänderlicher Weltzustand gedeuteten Kältezeit (»denn die welt ist kalt/und der denkende liebt/die welt wie sie ist«, S. 85). Die Konsequenz dieses Rechts entspricht dem Vorgang zwischen Baal und dem Armen; in ihr ist die unerbittliche Haltung Baals gerechtfertigt, der hinnimmt, »was kommt für/andere und sich« (S. 85). Nach dem Tod des Armen formuliert der »linke Chor« schließlich eine erweiterte Schlußfolgerung als Synthese des dialektischen Zusammenhangs von theatralischem Vorgang und den ihn kommentierenden Kollektivhaltungen: »die welt ist kalt/darum verändert sie [...] der denkende liebt/die welt wie sie wird« (S. 86).

Diese »linke« Haltung teilt das Szenenfragment offensichtlich insgesamt: In der Begegnung Baals mit zwei Arbeitern wird der Materialismus des Künstlers, seine Forderung, mit seiner Kunst Gehör und Anerkennung zu finden, am Materialismus der notleidenden Arbeiter gemessen und deren der Kunst gegenüber indifferenter Haltung Recht gegeben (S. 87). In mehreren Varianten der Soirée-Szene, die bereits in den drei bis dahin vorliegenden »Schaustück«-Fassungen des *Baal* ausführliche Änderungen erfahren hatte, taucht schließlich der »Denkende« selbst auf: Keuner, der gegenüber Baals »offene[r] und wilde[r] art seines ichsüchtigen wesens« (S. 89) das Prinzip der »Freundlichkeit«, des Kompromisses und des Ausgleichs unter den geladenen Gästen vertritt.

Die Einsicht, die solcher Distanzierung vom Baal zugrunde liegt, hat Brecht bereits 1929 formuliert:

Wie soll die Vorstellungswelt etwa des Stückes Baal zur Wirkung gebracht werden können, in einer Welt, in deren Vorstellung das Individuum keineswegs ein Phänomen, sondern das Selbstverständliche ist?[7]

Daraus ziehen die Szenen des *bösen baal* schließlich die entschiedene Schlußfolgerung: Das »Phänomen« Baal kann keine Auffälligkeit und Aufmerksamkeit provozierende Kraft in einer Gesellschaft besitzen, in der Individualismus Denk- und Verhaltensnorm ist. In dieser Gesellschaft ist sein Verlangen nach individuellem Genuß ganz und gar ambivalent und von »rechten« Haltungen zu vereinnahmen, realisiert sich die Idee des Individuums hier doch in einer Praxis des rein ichbezogenen Konkurrenzkampfs aller gegen alle und zeigt sich so als Ideologie. Innerhalb einer solchen Konstellation vermag Baal keinen echten Widerspruch zu erregen; abgesehen von rein moralischen Anstößigkeiten fordert er sogar zu Identifikationen heraus. Von hier aus wird Brechts Warnung von 1955 erst voll verständlich: »Er ist asozial, aber in einer asozialen Gesellschaft.«

Entsprechend Brechts gesellschaftlicher Einsicht verliert die Asozialen-Figur deshalb jene Wirkungskraft, die Walter Benjamin 1930 als Geheimnis aller Figuren Brechts bezeichnet hat; daß diese nämlich »bei aller Kraft und Lebendigkeit politische Modelle, um mit dem Mediziner zu reden, Phantome darstellen«.[8] Baal muß Keuner unterliegen und damit dem von Benjamin an dieser Figur beschriebenen »politischen Modell« des »plumpen Denkens«. Der Brecht-Exeget sieht in der rationalen Überlegenheit Keuners eine Gefährdung der Modellfunktion des Asozialen, die er so beschreibt:

Man würde [...] sehr irren, wenn man annähme, diese Figuren interessierten den Verfasser nur als abschreckende Beispiele. Brechts wahrer Anteil am Baal und Fatzer reicht tiefer. Sie sind ihm zwar das Egoistische, Asoziale. Aber es ist ja Brechts beständiges Streben, diesen Asozialen, den Hooligan als virtuellen Revolutionär zu zeichnen. Dabei spielt nicht nur sein persönliches Einverständnis mit diesem Typus, sondern ein theoretisches Moment mit. Wenn Marx sich sozusagen das Problem gestellt hat, die Revolution aus ihrem schlechtweg anderen, dem Kapitalismus hervorgehen zu lassen, ganz ohne Ethos dafür in Anspruch zu nehmen, so versetzt Brecht dieses Problem in die menschliche Sphäre: er will den Revolutionär aus dem schlechten, selbstischen Typus ganz ohne Ethos von selber hervorgehen lassen.[9]

Die zitierte Passage aus dem *Kleinen Organon* hat schon gezeigt, daß Brecht den Gedanken an dieses »Modell« oder »Phantom« nach 1948 durchaus nicht aufgegeben hat. Früher angefertigte Notate weisen sogar darauf hin, daß er es auch 1930 und im Exil durchaus nur für vertagt, nicht für gänzlich überholt hielt. Schon während der Arbeit an der Berliner Bühnenfassung von 1926 deutet er den Baal als Figur der historischen Antizipation. Während er mit ihr aus den bekannten Gründen »umsonst die Gegnerschaft der Bourgeoisie« gesucht habe, habe ihm in Wahrheit ein ganz anderer Adressat vorgeschwebt:

Den wirklichen Gegner kann ich mir nur im Proletarier erhoffen. Ohne d i e s e von mir gefühlte Gegnerschaft hätte dieser Typ von mir nicht gestaltet werden können.[10]

Diese Hoffnung auf eine mögliche (spätere) Wirkung des Baal begleitet Brechts sporadische Reflexionen über das Erstlingsdrama in den Exiljahren. Stets geht es ihm hier – wie in der folgenden Notiz von 1941 – um die gesellschaftlichen Bedingungen und Zielvorstellungen, in denen und auf die hin sie »funktionieren« könnte:

Der große Irrtum, der mich hinderte, die Lehrstückchen vom Bösen Baal dem asozialen herzustellen, bestand in meiner Definiton des Sozialismus als einer großen Ordnung. Er ist hingegen viel praktischer als große Produktion zu definieren. Produktion muß natürlich im weitesten Sinn genommen werden, und der Kampf gilt der Befreiung der Produktivität aller Menschen von allen Fesseln.[11]

Im Blick auf diese Gesellschaft könnte Baal also als der Asoziale des *Kleinen Organon* fungieren. Um dies mit Benjamins Beschreibung des »politischen Modells« Baal (und Fatzer) zu ergänzen: Nutzen könnte die Gesellschaft aus dem Asozialen nur dann ziehen, wenn er weit mehr wäre als bloß ein »abschreckendes Beispiel«. »Ganz ohne Ethos« müßte er gleichsam an die »schlechten, selbstischen« Züge der Rezipienten appellieren, damit er sein revolutionäres Potential entfalten kann.

Nun ist aber bereits deutlich geworden, daß eine solche Konsequenz den Äußerungen des nach Berlin zurückgekehrten Brecht nicht mehr abzulesen ist. Das Bewußtsein von den Realitäten einer (nicht ganz so) »neuen Zeit«, die nach den »Mühen der Berge« nunmehr die »Mühen der Ebenen« bereiten wird, bedingt Brechts stärkere Orientierung an politisch-gesellschaftlichen Aufgaben denn an individuellen Bedürfnissen. Dies aber rückt den Asozialen in eine historische Distanz, in der er letztlich doch nur als »abschreckendes Beispiel« wirken kann. Die Gründe dafür, daß Brecht während seiner Ostberliner Theaterarbeit ein Baal-Modell weiter vertagt, kommen indirekt in Heinrich Vormwegs Beschreibung zum Ausdruck, wenn er als »einziges Beziehungsfeld« dieser Arbeit, als einzig gültige Zielsetzung politischer Theaterarbeit überhaupt, »die tatsächlichen Interessen, die tatsächliche Emanzipation [...] jedermanns, der Mehrheit, aller Menschen« »über das obligate Eigeninteresse hinaus«[12] bezeichnet. Wenn auch das letzte Ziel dieser Arbeit das »Selberdenken« (und »Selbertun«) der Menschen ist, so ist das von Brecht anvisierte »Selberdenken« doch paradox in sich gebrochen; indem es vom »obligaten Eigeninteresse« des einzelnen absehen muß, um sich realisieren zu können, ist es ein »Selberdenken«, das vom »eigentlichen Selbst« – im gewöhnlichen und d. h. in Brechts eigenem Verständnis von Materialismus – Abstand nimmt. Als solcherart verallgemeinertes »Selberdenken« aber greift es gegenüber dem Einzel-Ich und dessen »egoistischen« Glücksansprüchen zu kurz.

Eben dies drückt sich in der überaus vorsichtigen Haltung des Ostberliner Brecht gegenüber der Asozialenfigur letzten Endes aus. Die Situierung in gesellschaftlicher Vorzeit bringt diese Figur um die Wirkungskraft des »politischen Modells«, die sie nach Benjamins Darstellung und entsprechend Brechts ergänzender Einsicht, daß sie erst in einer Gesellschaft der Kollektivität aktualisierbar wäre, hätte haben können: als Figur nämlich, die einer solchen Gesellschaft deren Probleme vor Augen führte, indem sie als »revolutionärer Typus« vorausweist auf eine Gesellschaft, in der die Produktion aller als individuelle Produktivität jedes einzelnen möglich wäre.

Einsatz beim Bruch – Der Asoziale bei Heiner Müller

Im September 1980 erschien, als Vorabdruck im Jahressonderheft von ›Theater heute‹, zum erstenmal Heiner Müllers ausführliche theoretische Auseinandersetzung mit Brecht. Der Schlußsatz des Essays figuriert schon im Titel: *Brecht gebrauchen, ohne ihn zu kritisieren, ist Verrat.* Wenig später, noch im gleichen Jahr, wurde der Essay dann unter dem endgültigen Titel im Brecht-Jahrbuch abgedruckt: *Fatzer ± Keuner.*[13]

Beiden Überschriften ist bereits das Wesentliche über den Aufsatz zu entnehmen. Die erste zeigt: Müllers Reflexionen zielen auf den *Gebrauchswert* des von Brecht Überlieferten. Dieser, das wird ebenfalls deutlich, wird sich nur dann zu erkennen geben, wenn die bei Brecht zu findenden ästhetischen Lösungen – dialektisch gesprochen – bestimmter Negation, einer Änderung, der Kritik unterzogen werden können. Insofern ist der Text nicht einfach die Äußerung eines Dramatikers über Brecht; vielmehr handelt er von Arbeitserfahrungen mit Brechtschem Material. Er erschließt sich also nur dann, wenn man ihn als reflektierten Ausdruck einer in Müllers eigener Produktion vollzogenen Brecht-Kritik interpretiert. Doch garantiert nicht nur dies dafür, daß es sich bei Müllers Sicht auf Brecht keineswegs um die Wiederholung geläufiger Ansichten einer »Aneignung« der Tradition handelt, in deren dreischrittiger »Aufhebung« (als Konservieren, Annihilieren und Höherheben) zuletzt alle Spannung zwischen Objekt und Subjekt der »Aneignung« auch schon wieder aufgehoben ist. Es wird vielmehr zu zeigen sein, daß im Hervortreiben der Spannung selbst Ansatzpunkt und Ergebnis der von Müller vollzogenen produktiven Brecht-Kritik gegeben sind.

Als Ansatzpunkt markiert es der zunächst rätselhaft anmutende endgültige Titel des Essays: *Fatzer ± Keuner.* Er visiert den Zeitpunkt an, zu dem Brecht die Figur des Keuner und damit die von Benjamin mit dieser verbundene theoretische Position in seine Texte einführt. Zugleich ist hier bereits auf den Verdacht des Brecht-Kommentators von 1930 angespielt, daß die Keunerfigur frühere Brechtsche Figuren und deren »phantasmatische« Funktionen nicht etwa nur ergänzt oder erweitert, sondern auch gefährdet habe, indem sie diese zu verdrängen drohte.

Tatsächlich zieht Müller in seiner Argumentation denn auch eine pointierte Konsequenz aus der noch behutsamen Kritik Benjamins. Sie kann deshalb so deutlich ausfallen, weil sie von Müller ganz auf jene Änderungen bezogen ist, welche die um 1930 aufgegebene Arbeit am Material über den »egoistischen« Revolutionär Johann Fatzer mit dem Auftreten des Keuner erfahren hat.

Auch dieses Material über einen gleichsam unter politischen Vorzeichen gesehenen Baal beschreibt Müller aufgrund von Kenntnissen, die über eigene Arbeit am nachgelassenen Fragment vermittelt sind – 1978 hatte er eine Textmontage für Manfred Karges und Matthias Langhoffs Hamburger *Fatzer*-Inszenierung hergestellt. Im nachhinein benennt er nun auch das Motiv für diese Bearbeitung, indem er – in Übereinstimmung übrigens mit Brechts eigener Einschätzung, der in einer Notiz von 1939 im *Fatzer* den »höchsten Standard technisch« erreicht sah[14] – »das Fatzermaterial [als] Brechts größten Entwurf« bewertet.[15]

In der ursprünglichen Anlage sei das Material formaler Ausdruck eines von Brecht schreibend ausgetragenen Antagonismus: seine Textur die Spur einer »Materialschlacht Brecht gegen Brecht (= Nietzsche gegen Marx, Marx gegen Nietzsche)«.[15a] Solange im überlieferten Material dieser Konflikt ausagiert wird, ohne daß zugleich eine Lösung, eine Entscheidung für das eine oder andere in Sicht ist, fügen sich die Szenen zu einem »präideologischen« Text, dem Brechts unmittelbare Erfahrungen – vor die sich keine gedankliche, ideelle Verarbeitung schiebt – mit den bewegenden Kräften seiner Gegenwart eingeschrieben sind.

Diesen Teil des Materials beschreibt Müller als das »Inkommensurable« des *Fatzer*:

[...] die Sprache formuliert nicht Denkresultate, sondern skandiert den Denkprozeß. Mit den Topoi des Egoisten, des Massenmenschen, des Neuen Tiers kommen, unter dem dialektischen Muster der marxistischen Terminologie, Bewegungsgesetze in Sicht, die in der jüngsten Geschichte dieses Muster perforiert haben.[16]

Die zuletzt geschriebenen Szenen gelten Müller demgegenüber als Zurücknahme. Er knüpft diese Begründung an das Auftauchen der Keunerfigur:

Mit der Einführung der Keunerfigur [Verwandlung Kaumann/Koch in Keuner] beginnt der Entwurf zur Moralität auszutrocknen. Der Schatten der Leninschen Parteidisziplin, Keuner der Kleinbürger im Mao-Look, die Rechenmaschine der Revolution.[17]

Mit diesen Bemerkungen ist Benjamins kritische Anmerkung zur rationalen Überlegenheit des Keuner auf die Pointe gebracht: Die Stärke der Figur bedingt eine Abschwächung des ursprünglichen Entwurfs. Hat dieser zunächst die von Brecht in durchaus ambivalenter Haltung und mit Erschrecken konstatierten geschichtlich-sozialen Antagonismen – um es mit einem Ausdruck Adornos zu sagen: – gleichsam »innerviert«, so tendiert das Material mit Keuners Auftauchen zur Rationalisierung solcher Erfahrungen unter dem Eindruck marxistischer Geschichtsbegriffe. Ein *Modell* der Realität schiebt sich vor die bis dahin vorherrschenden Ambivalenzen, die der Text nunmehr mit Erklärungen überbieten will.

Insofern bedeutet Brechts gescheiterte Arbeit am *Fatzer* einen Riß in der Entwicklung des Autors, der ihn in seiner weiteren Produktion zu Formen des gedanklich Modellhaften tendieren ließ, wie er sie exemplarisch in den Parabeln des Exils entwickelt hatte. Der endgültige Titel des Brecht-Aufsatzes: *Fatzer ± Keuner* entschlüsselt sich als ironisch-dialektische Zeichenschrift: Das Mehr an Ratio, das die Keuner-Figur in Brechts Werk einbringt, steht zugleich für einen im Werk eingetretenen Verlust. Der Mangel des Fatzer, dem zunächst mit Unentschiedenheit, deshalb aber mit größter Schärfe in der Konfliktzeichnung begegnet wurde, bezeichnet dagegen die eigentliche Stärke des Materials. Ihretwegen konnte Brecht in diesem Fragment den »höchsten Standard technisch« erreicht sehen.

Müllers Einwand gegen Brechts nach 1930 vollzogene Entwicklung gibt sich damit auf den ersten Blick als Rationalismus-Kritik zu erkennen. Sie bliebe freilich abstrakt und mißverständlich, wenn sie auf einen oft (bloß) behaupteten Gegensatz von »Poesie« und »Ratio« hinausliefe. Konkret wird Müllers Einwand vielmehr erst dann, wenn die poetischen Formen des Brechtschen Rationalismus mit Gegenentwürfen konfrontiert werden können, die dem »Rationalismus« eben nicht mit der Beliebigkeit eines »poetisch« drapierten »Irrationalismus« antworten, sondern mit Formen, die das durch Brechts Verfahren gleichsam ausgegrenzte Realitätsmaterial einzubeziehen verstehen. Genau dies läßt sich an Müllers eigener Arbeit als exponiertem Beispiel für eine Änderung der Brechtschen Ästhetik in Richtung auf einen solchen Gegenentwurf zeigen.

Müller befaßt sich in seinem Essay ausführlich mit Brechts »Schwierigkeit, ein DDR-Material in den Griff zu bekommen«[18], die am Scheitern des Versuchs abzulesen ist, ein Stück über den

DDR-Aktivisten Hans Garbe zu schreiben. Indirekt konfrontiert er damit das Brecht mißlungene Projekt seinem ersten eigenen Stück, dem *Lohndrücker*, das ebenfalls den Garbe-Stoff zur Grundlage hat.

Nach Müllers Darstellung sind Brechts Schwierigkeiten die gleichen gewesen, an denen viel früher auch der *Fatzer* gescheitert ist. Sein Hinweis auf die Affinitäten des Fatzer- und des Garbe-Plans hebt nicht nur Äußerliches hervor; er trifft die Intentionen Brechts, dem bei der Bearbeitung der autobiographischen Erzählungen des Aktivisten zunächst der »stücktypus der historien« vorschwebte (»dh, es würde von keiner grundidee ausgegangen. in frage käme der fatzer-vers…«).[19] Die Durchführung des Plans wurde dann aber – nach Müllers Erklärung – von eben jenem »Rationalismus« durchkreuzt, der sich in Brechts Produktion mit dem Auftreten des Keuner angekündigt hatte. Orientiert am Modell des Klassenkampfes, habe Brecht, als er vor dem Garbestoff aufgeben mußte, eigentlich vor der Schwierigkeit kapituliert, daß das in den 20er Jahren entstandene Klassenkampfmodell nicht länger mit ungleich komplizierteren Konstellationen der inzwischen eingetretenen Realsituation übereinstimmte.

Es ist bereits vielfach dargestellt worden, aufgrund welcher Figurenzeichnung und Dramaturgie es Müller gelingen konnte, den von Brecht selbst nicht bewältigten Gegenwartsstoff im *Lohndrücker* angemessen zu verarbeiten: Hart werden im Fabelkonstrukt die Bedürfnisse und Interessen der Einzelnen und des Allgemeinen gegeneinander gesetzt. Die auf ihr eigenes Leben bezogenen Bedürfnisse der Arbeiter stoßen frontal mit den Staatsinteressen zusammen, die sich nicht an Ansprüchen und Wünschen der Arbeiter orientieren (können), sondern sich an politischen Aufgaben, letztlich an den Sachzwängen *der* Arbeit ausrichten. In der Figur des Balke, ihrem den Notwendigkeiten entsprechenden Leistungsverhalten und ihren durchaus selbstbezogenen Motiven, ist die in der Fabel an zahlreichen Beispielen vorgeführte Widersprüchlichkeit exemplarisch zusammengefaßt. Im deutlich herausgestellten Widerspruch zwischen Motiv und Verhalten ist die Mehrdeutigkeit dieser Figur begründet. Man stößt auf ihre Ambivalenz, wenn man an Balke entdeckt,

daß auch für seine sozialistische Hochleistung die Gründe keineswegs eindeutig sind. Der Wunsch nach hohem Lohn und Lob, die Lust an korrekter Arbeit, die Pionierstellung sind dem Bewußtsein, daß nur so ein schneller Aufbau möglich ist, gleichgestellt.[20]

Die »ideologiezerstörende« Intention dieses Stücks besteht im Abbau jeder Illusion darüber, »mit wem der zukünftige Staat aufgebaut wird«[21] – mit Brecht gesagt: mit den »Egoisten«, die er im *Fatzer* als revolutionären Typus und mit den »Asozialen«, die er als hedonistisch-anarchischen Selbstverwirklicher im *Baal* gestalten wollte.

Der Versuch zu zeigen, Müllers Bezugnahme auf frühe Figuren Brechts bestehe gleichsam in der Kollektivierung der bei Brecht – zumindest im *Baal* – mythisch übersteigerten subjektivistischen Züge, die er in den vielen einzelnen, mit denen Geschichte gemacht wird, entdeckt, wäre freilich banal. Es läßt sich allerdings zeigen, daß Müller in einer durchaus spezifischen Weise das Moment des Baal eignenden Überlebensgroßen, Mythischen aufgreift. Und: daß in deutlicher Bezugnahme auf Benjamins Beschreibung der Wirkungsintention dieser Figur zugleich ein »theoretisches Moment« in seiner Ästhetik aktiviert ist, das dem durch Keuner repräsentierten »theoretischen Moment« als dezidierter und keineswegs »irrationaler« Gegenentwurf kontrastiert.

Die Eigenart dieser Figur – nämlich des Fondrak aus dem 1961 uraufgeführten Stück *Die Umsiedlerin oder Das Leben auf dem Lande* – scheint erst dann auf, wenn man sie gegen andere, in DDR-Dramen der 60er Jahre auftretende überlebensgroße Figuren absetzt: gegen Peter Hacks' Moritz Tassow, Hartmut Langes Marski und Volker Brauns Paul Bauch. Man kann diese Figuren geradezu als Antworten lesen auf das Beispiel der (früher konzipierten) Figur des Fondrak. In dieser wiederum findet sich die entschiedene Konsequenz aus Brechts gedanklich antizipierter, aber von ihm selbst nicht mit Entschiedenheit verwirklichter Einsicht, daß die Figur des Asozialen erst in einer sozialistischen Gesellschaft, in der die Norm des Allgemeinen gilt, ihr provokatives Potential entfalten kann.

In all diesen Figuren soll das individuelle Glücksstreben zugleich als Vorschein kollektiven Glücks, als Anspruch auf das Glück aller gestaltet sein. Dabei fällt zugleich das Verbindende in der Behandlung des Motivs bei Hacks, Lange und Braun auf: Bei ihnen spielen die Figuren eine relativ klar bestimmte Rolle in einem gleichsam thetischen, in der Fabel gestalteten Zusammenhang.

Am glücklichsten ist der Ausgang der Fabel bei Lange: Der Großbauer Marski, mit dem Brechts Puntila gleichsam in die Zeiten der in der DDR beginnenden landwirtschaftlichen Kollektivierung versetzt ist, lernt am Ende einsehen, daß sich sein Bedürfnis nach Entfaltung all seiner Kräfte in der Arbeit, im Genuß und der Freundschaft erst dann realisieren läßt, wenn er den Egoismus des Privatbesitzers aufgibt und sich der Produktionsgemeinschaft anschließt. Hacks' Resümee relativiert demgegenüber die Hoffnung auf das Gelingen der Versöhnung von individueller und kollektiver eudaimonia: Moritz Tassow, der Schweinehirt, der im Jahr 1945 auf dem Gut Gargentin die Revolte im Namen des Glücksverlangens der bislang Unterdrückten in Gang setzt, scheitert an den Organisationskräften der junkerlichen Gegenrevolution ebenso wie an den bürokratischen Funktionären der staatlich organisierten Revolution. Am Ende zieht er sich zurück ins Utopia der Kunst, die das gegenwärtig nicht einzulösende Ziel von jedermanns Glück in der Statthalterschaft des antizipierenden Scheins konserviert. Ganz ähnlich wird bei Volker Braun relativiert: Der Kipper Paul Bauch, der den Zwängen entfremdeter Arbeit und der Langeweile eines bloßen Restlebens in den minimalen Spielräumen der Freizeit entkommen will, indem er die Kräfte des Kollektivs voll und ganz in die Arbeit investiert, muß erfahren, daß auf diese Weise erhöhte Leistungsnormen entstehen, die die Arbeitszwänge nur noch steigern. Er kann, so wie Tassow, nur auf die antizipatorische Kraft hoffen, die sein Beispiel für die »Führenden« wie für die »Geführten« gleicherweise haben könnte.

Im Gegensatz zu diesen Dramen zeigt *Die Umsiedlerin* keinen auf irgendein gedanklich-thetisches Fazit berechneten Gesamtzusammenhang; kaum läßt sich hier vom Zusammenhang einer einheitlichen Geschichte sprechen. Der Stil des Stücks ist der eines ländlichen Bilderbogens, der in Zeitsprüngen Szenen aus den beiden Etappen der Agrarreform (1945 und 1960) und die daraufhin zu beobachtenden Reaktionen im »Panorama der verschiedenen Schichten der Bauernschaft«[22] vorführt. Wie im *Lohndrücker* tritt an die Stelle einer kontinuierlich entwickelten Fabel ein (die Szenenfolge strukturierendes) System von Korrespondenzen, Kontrasten und Querverweisen, das gegenüber den in Zeitsprüngen verfolgten Entwicklungen den Sinn der Leser/Zuschauer für Verändertes und unverändert Gebliebenes schärfen soll.[23] Durch ein solches, Aufmerksamkeit provozierendes Bezugsverfahren sind auch die Figuren des

Stücks ins Verhältnis gesetzt. Am deutlichsten ist dieses Prinzip in der auffälligen Isolation der Figur des Fondrak zu beobachten – er fällt buchstäblich aus dem Rahmen, in dem die anderen Figuren sich bewegen. Ihren Versuchen, sich taktierend gegen die neue soziale Ordnung oder in ihr zu behaupten, setzt er ein im Wortsinn asoziales Verhalten entgegen. Sein Glücksstreben ist mit Entschiedenheit auf ein ganz und gar egoistisches Motiv reduziert: der Säufer Fondrak ist ausschließlich am Biergenuß interessiert, den er jetzt und hier haben kann.

Gleicherweise rücksichtslos setzt er dies »Interesse« ebenso gegen die Umsiedlerin Niet durch, die ihn liebt und ein Kind von ihm erwartet, wie gegen die Offerten der rivalisierenden politischen Parteien, die ihn als Arbeitskraft für Kollektiv- oder Privatwirtschaft gewinnen wollen. Mit Phantasie und Witz gelingt es ihm, die Sachzwänge der Realpolitik zu benutzen und aus jeder Situation den eigenen Vorteil zu schlagen.

Fondrak ist die spielerischste, vitalste und interessanteste Figur des Stücks. Sein ehrlicher Egoismus, der Züge eines plebejischen Materialismus trägt, durchschlägt sämtliche ideologischen und moralischen Rationalisierungen, mit denen die anderen *ihre* egoistischen Motive zu verbergen und den (wechselnden) Gegebenheiten anzupassen versuchen. Mit derartigen, die Zuschauersympathien und -phantasien anziehenden Eigenschaften ausgestattet, ist Fondrak alles andere als ein »abschreckendes Beispiel«. »Lehren« ermöglicht die Figur denn auch überhaupt nicht: anders als Marski, Tassow oder Paul Bauch hat ihr Verhalten keinerlei Demonstrationswert in irgendeinem dramatischen Beweiszusammenhang. »Bei aller Kraft und Lebendigkeit« ist Fondrak nicht ohne ein »theoretisches Moment«. Kontrastfigur der anderen, faßt sie andererseits doch auch all das in sich zusammen, was die anderen wirklich bewegt und was sie durch Moral und Ideologie nur notdürftig verbergen können. Fondrak verkörpert somit auch die rücksichtslose Härte, mit der alle übrigen Figuren, zuletzt selbst die Frauen, agieren. Sein Handeln stimmt schließlich mit dem der fragwürdigsten Akteure – der korrupten Dorfbürgermeister und Großbauern – überein: Er entschließt sich zur »Republikflucht«.

Vermutlich war die scharf hervorgearbeitete Mehrdeutigkeit der Figur nicht auf eine eindeutige Rezeption durch das Publikum des Uraufführungsjahres 1961 hin berechnet, sollte vielmehr dazu dienen, gerade das Gegenteil im Zuschauer zu erzeugen: eine *ihn* betreffende Ambivalenz, in die schließlich sein »eigenes Selbst« mit seinen von Benjamin am Asozialen Brechts so stark betonten »schlechten selbstischen Trieben« verwickelt ist. Er hätte angesichts der Figur des Fondrak, der Identifikationen, die sie erlaubt wie verbietet, vor einer Entscheidung gestanden, die sich bloßer Ideologie oder Moral wohl entzogen hätte.

Genia Schulz betont zu Recht das mit Fondrak dem Wirklichkeitspotential des Stücks eingeschriebene Paradox des Appells zum Nachdenken: Fondraks Republikflucht steht für den möglichen Gedanken, daß mit seiner Vitalität, seiner Rücksichtslosigkeit und der ihn motivierenden »Triebkraft der Zerstörung« zugleich eine Hälfte des Menschenbildes aus der in der DDR propagierten »harmonischen Menschengemeinschaft» ausgegrenzt ist – und mit ihr die in individuelle Phantasien eingesenkte Hoffnung auf Lebensformen, in denen erst wirklich realisierbar wäre, was kapitalistischen Gesellschaftsformen als Konkurrenz von Privategoismen Energie verleiht:

Im Kommunismus endlich alles zu dürfen – das ist die Erfüllung von Brechts »Mahagonny«-Gesellschaft.[25]

Jene durchaus individuelle und »selbstische« Utopie als Energiequelle und Triebkraft zur Produktion zu nutzen, wie Brecht es für eine wirklich produktive Gesellschaft gedanklich konzipiert hatte, ohne daß er selbst dramaturgisch-theatralische Konsequenzen aus seinem Gedanken zu ziehen vermocht hätte – das wäre der Appell gewesen, den der »asoziale« Fondrak an ein Publikum hätte richten können.

Hätte: Wäre das Stück 1960 über die Uraufführung hinausgekommen und nicht nach einer Vorstellung infolge politischer Intervention abgesetzt worden.

Anmerkungen

1 Das zeigt sich bereits in der Auseinandersetzung um das sog. Didaktische Theater, die im Grunde eine Diskussion um die möglichen – unterschiedlichen – Wirkungen Brechts auf die frühe DDR-Dramatik ist. Vgl. T. Girshausen, *Realismus und Utopie. Die frühen Stücke Heiner Müllers,* Köln 1981, S. 32 ff.

2 Die jüngste Äußerung, in der Müller dem Brechtschen Lehrstück neue Wichtigkeit einräumt, findet sich im Gespräch mit Gregor Edelmann im Februar-Heft von ›Theater der Zeit‹, 1986, S. 62ff.

3 Bertolt Brecht, *Gesammelte Werke*, Bd. 17, Frankfurt/Main 1967, S. 947.

4 Ebd.

5 Bertolt Brecht, *Gesammelte Werke*, Bd. 16, S. 673.

6 Bertolt Brecht, *Baal. Der böse Baal der asoziale. Texte, Varianten, Materialien*, hg. v. Dieter Schmitt, Frankfurt/Main 1968 (edition suhrkamp 248). Die Seitenangaben im Text verweisen auf diese Ausgabe.

7 Ebd., S. 105.

8 Walter Benjamin, *Versuche über Brecht*, Frankfurt/Main [6]1981 (edition suhrkamp 172), S. 12.

9 Ebd., S. 13f.

10 Bertolt Brecht, *Baal* [vgl. Anm. 6], S. 104.

11 Ebd., S. 110.

12 Heinrich Vormweg, *Ein bestimmtes Lernen. Brecht in Ostberlin*, in: H. V., *Das Elend der Aufklärung. Über ein Dilemma in Deutschland*, Darmstadt und Neuwied 1984 (Sammlung Luchterhand 524), S. 114.

13 Unter diesem Titel findet sich der Essay auch in: Heiner Müller, *Rotwelsch*, Berlin 1982, S. 140ff.

14 Bertolt Brecht, *Arbeitsjournal*, Bd. 1, Frankfurt/Main 1973, S. 41.

15 Heiner Müller, *Rotwelsch*, S. 147.

15a Ebd., S. 148.

16 Ebd., S. 147.

17 Ebd., S. 148.

18 Ebd., S. 144.

19 Bertolt Brecht, *Arbeitsjournal*, Bd. 2, S. 958.

20 Genia Schulz, *Heiner Müller*, Stuttgart 1980 (Sammlung Metzler 197), S. 24.

21 Ebd., S. 27.

22 Ebd., S. 35.

23 Ein Beispiel für dieses Bauprinzip ist die Entsprechung der Szenen 2 und 15. In beiden stellt der Staat Ansprüche an Einzelbauern. Die erste endet mit dem Selbstmord des im »Sollrückstand« befindlichen Neubauern Ketzer; die zweite mit dem eher komisch mißlingenden Selbstmordversuch des von Agitatoren ultimativ zum Eintritt in die LPG aufgeforderten Großbauern Treiber, der so am Ende »über seine eigene Leiche« ins Kollektiv eintritt, um zunächst einmal die Vorteile der Krankenversicherung zu nutzen.

25 Genia Schulz, a. a. O., S. 43.

Bernhard Greiner
»Zweiter Clown im kommunistischen Frühling«
Peter Hacks und die Geschichte der komischen Figur im Drama der DDR

Programmatisch hat Gottsched einst in Leipzig den Harlekin von der Bühne vertrieben. Gilt dies noch für die sozialistischen Erben der Aufklärung in Sachsen und Preußen? Zensieren und kanalisieren diese das Lachen weiterhin und stellen sie es immer noch vornehmlich in den Dienst des Belehrens und unter die Pflicht, sich »gesittet« zu geben?

Im Drama der DDR herrscht die Komödie. Peter Hacks widmet sich ihr vielfältig, Heiner Müller will sogar alle seine Stücke als Komödien verstanden wissen[1], Horst Salomon stellt fest, daß »dieses unser Land dem Lustspiel, dem Lachen mit großer Gunst gegenübersteht«.[2] Wir finden in der DDR viele Komödienautoren (neben den genannten z. B. Helmut Baierl, Benito Wogatzki, Hedda Zinner, Gustav von Wangenheim, Helmut Sakowski, Rudi Strahl), der Komödie wird auch in der Theorie[3] Vorrang eingeräumt. Begründet wird dies geschichtsphilosophisch:

> Die Gründe für das Entstehen vieler heiterer Werke im Verlaufe der fünfziger und zu Beginn der sechziger Jahre sind in den veränderten gesellschaftlichen Bedingungen zu suchen. In dem Maße, wie mit der Stabilisierung der Arbeiter-und-Bauern-Macht Selbstbewußtsein und Selbstsicherheit der Werktätigen wuchsen, war es möglich, heiter von den Fehlern der eigenen Vergangenheit Abschied zu nehmen, die Machenschaften des Klassengegners satirisch zu entlarven und die Hemmnisse beim Aufbau der Gesellschaft mit dem Lächeln des Siegers zu überwinden.[4]

Die Komödie herrscht als Gattung der Herrschenden, so ist ihr Lachen ein Ver-Lachen. Vom – machtgeschützten – sozialistischen Standpunkt aus ist das Lachen *über* veraltete (bürgerliche, feudale) Gesellschaftsordnungen und deren Relikte in der Jetztzeit freigegeben. Als geschichtsphilosophisch gesehen überholt, werden sie aggressiv oder heiter verabschiedet. So wird die vertraute Tradition der Theorie des Lachens fortgeführt, die von Hobbes bis Bergson Theorie des Ver-Lachens, der Inkongruenz- und Kontrastkomik war. Marx hat diese Komik konsequent historisiert:

Die Geschichte ist gründlich und macht viele Phasen durch, wenn sie eine alte Gestalt zu Grabe trägt. Die letzte Phase einer weltgeschichtlichen Gestalt ist ihre *Komödie*. Die Götter Griechenlands, die schon einmal tragisch verwundet waren im gefesselten Prometheus des Äschylos, mußten noch einmal komisch sterben in den Gesprächen Lucians. Warum dieser Gang der Geschichte? Damit die Menschheit *heiter* von ihrer Vergangenheit scheide.[5]

Beansprucht wird ein (objektiv) »Gesellschaftlich-Komisches«[6]: die Klasse, die in Einklang mit dem sozialistischen Gesellschaftsprozeß herrscht, verlacht die Vergangenheit, die objektiv überlebt ist, wiewohl noch erlebbar, denn:

In der bürgerlichen Gesellschaft herrscht die Vergangenheit über die Gegenwart, in der kommunistischen die Gegenwart über die Vergangenheit.[7]

Gemäße Form, die Vergangenheit zu verlachen, ist die Satire. Letzter Sinn des Verlachens ist immer die Vernichtung. Daher transformiert sich zur eigenen Zeit, die keine antagonistischen Widersprüche mehr aufweisen, d.h. sich nicht mehr revolutionär fortentwickeln soll, das Verlachen in eine Haltung weltüberlegener Heiterkeit. Aus einer nicht mehr zu erschütternden Position wird das erfahrbare Beschränkte und Widersprüchliche als Durchgang zum utopischen Endziel der Geschichte hingenommen, im Mangel gerade auf dieses verweisend. Das ist die Haltung des Humors.

  Gegenüber den Relikten vergangener geschichtlicher Phasen sind in der sozialistischen Gesellschaft Ver-Lachen und die Form der Satire geboten, gegenüber der eigenen Zeit weltüberlegene Heiterkeit und Formen humoristischer Gestaltung. Diese Transformation des Verlachens in den Humor ist allerdings problematisch; denn sie wird bürgerlichen Theoretikern seit Hegel[8] und Vischer als Indiz für das Sich-Abfinden des Bürgertums mit seiner Misere vorgehalten.[9] Reinhold Grimm hat diese Transformation als das punctum saliens der »Kapriolen des Komischen« in den Komödientheorien nach Hegel aufgewiesen.[10] So wäre das Lachen für die sozialistische Gesellschaftsordnung in ein Schema gebracht und einem offenbar allgemeinen Gesetz Genüge getan: Wer sich auf das Lachen einläßt, gerät in einen Sog des Abgrenzens und Einteilens, wird zu einem »Scholastiker des Lachens«.[11] Das Bedürfnis, *selbst* Ordnung zu schaffen auf dem Feld des Lachens, ist offenbar so mächtig, daß, wie ein Forschungsbericht feststellt, frühere Untersuchungen selten ernsthaft geprüft, sondern meist ungeduldig beiseite geschoben werden. Jeder vertraut nur dem eigenen Einfall; Wiederholungen sind daher häufig, längst erledigte Theorien werden in leichter Abwandlung mit ehrlicher Entdeckerfreude von neuem vorgetragen.[12]

Jeder will – oder braucht jeder? – *seine* Ordnung für das Lachen. Soll da nicht etwas verhindert werden? Etwa der Aspekt des Lachens, den der Harlekin in der Commedia dell'arte verkörpert, das lachend Lebendige, die Vitalsphäre des Menschen, die er geistig in den Witzen aufblitzen läßt und – massiver noch – körperlich vergegenwärtigt, sei es in seinen akrobatischen Künsten, die naturgesetzliche Grenzen aufzuheben scheinen, sei es in seinen Lüsten (Essen, Trinken, Sexualität), die sich um gesellschaftliche und zivilisatorische Schranken und Werte nicht kümmern. In diesen Leistungen ist die komische Figur desintegrativ und formsprengend.[13] Unterbrechend und extemporierend schaltet sie sich in die dramatische Handlung ein, um ebenso sprunghaft wieder aus ihr herauszutreten. So verhindert sie das Zustandekommen einer geschlossenen Handlung. Die Identität der komischen Figur wiederum ist eigenartig gleitend. Einerseits ist sie besonders konstant; denn sie kommt in sehr verschiedenen Stücken vor und zeigt doch immer *ein* Wesen. Andererseits läßt sie sich am wenigsten festlegen; dem Rollensystem eines Stücks, das dessen Figuren festlegt, entzieht sie sich durch permanentes Aus-der-Rolle-Fallen. Durch ihre gleitende Identität verhindert die komische Figur eine geschlossene Fiktion der jeweiligen dramatischen Welt. Weiter sind ihre »Ausfälle« stets direkt an das Publikum gerichtet. Ihre Spielzone ist der äußerste Rand der Bühne, die Grenze zwischen der künstlichen Sphäre und jener des Publikums. Die komische Figur spricht derart an einem ortlosen »Ort«, ihre Manifestationen sind augenblickshaft, zeitlos insofern sie keine in der Zeit sich erstreckende Handlung begründen: damit verhindert die komische Figur auch eine einheitliche Kommunikation zwischen Bühne und Zuschauerraum. Dreifach zeigte sich die komische Figur für das Drama als ein chaotisches Prinzip. Sie sprengt die Einheit der Handlung, der Fiktion wie der Kommunikation zwischen Bühne und Zuschauerraum. Darum wurde sie verbannt. Im Favorisieren der Verlach-Komik aber wirkt die Verbannung fort.

Die Komik des Verlachens ist die herrschende Komik in der DDR. Es ist zweifach eine Komik der Herrschenden, ein Lachen des Siegers: geschichtsphilosophisch als Unterdrücken oder Verabschieden überholter Phasen der Geschichte, ästhetisch als Ausschließen des anderen, präsumptiv »chaotischen Lachens«[14] der komischen Figur. Peter Hacks beruft sich dezidiert auf die Lehre von den in der sozialistischen Gesellschaft aufgehobenen antagonistischen Widersprüchen[15]; aufgehoben wäre damit die Dialektik von Herr und Knecht, die in der Tragödie ihre Bewältigungsordnung hat. Stattdessen könne jetzt vom Standpunkt der gesellschaftlich Herrschenden geschrieben werden, sei entsprechend dem »Lächeln des Siegers«[16] Raum zu geben:

Im lächerlichen Genre wird der unlustige Fall als überwindbar dargestellt und das Lachen ist um so weniger bloß blöd, je inhaltlich begründeter das Überlegenheitsgefühl des Lachens ist.[17]

Heiner Müller hielt demgegenüber solcher Siegerhaltung schon immer die Frage nach dem Preis des Fortschritts entgegen, sich dabei etwa auf Foucault berufend:

[...] das Hauptthema oder die Hauptarbeit des europäischen Denkens seit dem 18. Jahrhundert war die Frage der Revolution. Jetzt [...] stellt sich eine neue Frage: Welche Revolution ist welchen Preis wert?[18]

Der geschichtlichen Bewegung als einer Kette der Sieger hält er entgegen, was um der Kohärenz dieser Kette willen unterdrückt und verdrängt werden mußte. So stehen seine Dramen unterm Prinzip der Kontingenz, des Unterbrechens und Aufsprengens von Ordnungen, auch solcher des sieghaften Lachens. Wenn er alle seine Stücke als Komödien verstanden wissen will, so ist nicht Komik der Herrschenden, Lachen von Siegern zu erwarten, sondern Lachen der Unterdrückten, des am (Sieger-)Lachen Unterdrückten, mithin das chaotische Lachen, das den Körper ausspielt, etwa in der Weise Medeas:

Auf ihren Leib jetzt schreibe ich mein Schauspiel.
Ich will euch lachen hören wenn sie schreit. [...]
Mein Schauspiel ist eine Komödie Lacht ihr[19]

Hacks und Müller stehen repräsentativ für die beiden Grundformen des Lachens: Komik des Ver-Lachens und Komik des chaotischen Lachens (des »grotesken« oder »Mit-Lachens«). Selbst wieder scholastisch wäre es, beide Grundformen – Lachen des Siegers und Lachen der komischen Figur – einander dichotomisch entgegenzustellen. Das bestätigte nur die bekannten Zwei-Welten-Theorien (Realität vs. Traum/Phantasie, Außenwelt vs. Innenwelt) bzw.

die Theorie der zwei Kulturen (Kultur der Herrschenden vs. kulturelle Gegenströmungen), die sich stets dem verbissenen Grenze-Setzen innerhalb der Dialektik von Herr und Knecht verdanken. In einem Spiel zweier Clowns macht Müller einen anderen Zusammenhang zwischen dem Lachen des Siegers und der komischen Figur sinnfällig:

In der Szene *Brandenburgisches Konzert 1* aus *Germania Tod in Berlin* spielen zwei Clowns die Anekdote vom Streit Friedrichs II. mit dem Müller nach, jenes Stückchen vom deutschen Bürgerstolz vor Königsthronen und von der Unterordnung des aufgeklärten Monarchen unter das Gesetz. Sie zitieren zugleich Hacks' Komödie *Der Müller von Sanssouci*, die dies Stückchen als abgekartetes Spiel – bloße »Komödie« – des Herrschers denunziert und Heines Bild für die internalisierte Autorität des Herrn im Untertanen:

> Sie stelzen noch immer so steif herum,
> So kerzengrade geschniegelt,
> Als hätten sie verschluckt den Stock,
> Womit man sie einst geprügelt.[20]

Clown 1 ist gewitzt, um Einfälle und Ausreden nicht verlegen, die ihm Vorteile verschaffen, Clown 2 ist plump und roh, animalisch: damit sind auch die beiden Dienergestalten der Commedia dell'arte zitiert; Brighella (Molières Sganarelle): aktiv, geschickt, dabei hinterlistig und bösartig. Arlecchino: passiv abwartend, einfältig, dabei leichtgläubig und ahnungslos.[21] Der erste Clown spielt den Herrscher, der die Anekdote inszeniert, über seine Untertanen wie, als Darsteller aus späterer Zeit, über das abgekartete Komödien-Spiel lachend. Dem ersten Clown eignet – als dem Herrscher – das Lachen des Siegers. Bei Müller ist dies aber immer auch umgekehrt lesbar (die anschließende Szene im Stück unterstreicht es): der Herrscher, dem das Lachen des Siegers zukommt, ist der erste Clown, auch wenn es sich um die herrschende Gruppe in der sozialistischen Gesellschaft handelt. Der zweite Clown ist der Beherrschte; ihm werden Rollen aufgezwungen. Er wehrt sich dagegen in Ausbrüchen des Lachens, die jäh abbrechen, vor allem aber im Rekurs auf den Körper, der durch obszöne Anspielungen ständig präsent bleibt. Die Negation seiner sexuellen Potenz (»Du hast keine Flöte«[22]) läßt ihn die Rollenverteilung aufkündigen; aber er hält seinen Aufstand nicht durch. Es entsteht keine umspringende Dialektik von Herr und Knecht derart, daß scheinbar der Unterdrückte über den Unterdrücker lacht, in Wahrheit aber dieser über jenen, womit doch alles im Raum des Verlachens bliebe. Statt dialektischer Vermittlung manifestiert das Unterdrückte seine Anwesenheit am Unterdrückenden zeichenhaft: »Den Stock essend, richtet er sich an ihm auf, bis er stocksteif dasteht.«[23] Das Ausgeschlossene, das Chaotische der komischen Figur, ist – verschoben – in der ausschließenden Ordnung des verlachenden Siegers gegenwärtig. So hat schon Joachim Ritter das Lachen definiert[24], Müller aber zeigt auf, *wie* die Anwesenheit des Ausgeschlossenen an der ausschließenden Ordnung vorzustellen sei. Nicht als Dialektik von Verlachen und chaotischem Lachen, die in allen Umschwüngen die Kette der Sieger (und die Dichotomie beider Positionen) nur weiter fortführt, sondern als Anwesenheit in einem zeichenhaften Geschehen. Die Anwesenheit der komischen Figur an der Verlach-Komik der Herrschenden verwirklicht sich in Substitutionsprozessen. Sie sind das notwendige und zugleich wesensmäßige *Als ob* jeglicher Komödie.

Die Komödie in der DDR wurde bisher im Bann der Dichotomie von Sieger-Lachen und unterdrücktem Lachen der komischen Figur betrachtet. Demgegenüber wird hier nach dem »zweiten Clown im kommunistischen Frühling« gefragt. Müller gebraucht diese Metapher mehrfach.[25] Der »kommunistische Frühling« bezeichnet den Status der Sieger, die sich mit dem Geschichtsprozeß eins wissen können; dies ist der Ort des Verlachens, des Sieger-Lachens des »ersten Clowns«. Ihm wird aber nicht der »zweite Clown« als das unterdrückte chaotische Lachen der komischen Figur entgegengestellt, vielmehr wird nach dem zweiten Clown *im* Raum des ersten gefragt. So wird nicht mehr Verlach-Komik – als Feld der Herrschenden, mithin des Realen – gegen die Komik der komischen Figur – als Feld des unterdrückten Anderen, des Ordnungsprengenden, mithin des Imaginären – gestellt, der Blick richtet sich vielmehr auf das Gleiten des Komischen in seinen Transformationen auf dem Feld der Zeichen: der »symbolischen Ordnung«.[26]

Blicken wir auf die Frühgeschichte der DDR-Literatur, so läßt sich schon die Komik bei Brecht nicht auf Verlach-Komik, also auf das »Gesellschaftlich-Komische« eingrenzen. Vor die literarische Öffentlichkeit der DDR trat Brecht 1949 mit dem ersten Heft von ›Sinn und Form‹ (das ihm allein gewidmet war). Die für dieses Heft ausgewählten Texte sind durchaus als programmatisch für die Kultur einer postrevolutionären sozialistischen Gesellschaft anzusehen. Für die Gattung Komödie steht dabei der *Kaukasische Kreidekreis*. Das Gesellschaftlich-Komische scheint hier glänzend verwirklicht. Zwei Kolchosen schlichten friedlich ihren Streit um ein Tal – dies die Rahmenhandlung – und schauen dann in einem Spiel auf den gleichen Streit in der feudalen Gesellschaftsordnung zurück, wo er nur gut ausging, weil der Zufall in der Gestalt des legendären Richters Azdak zu Hilfe kam. Damit dies als Zufall deutlich wird, kann nicht, wie es eine Figur wünscht, das Spiel im Spiel gekürzt werden. Zwei Handlungsreihen müssen vielmehr jede für sich entfaltet werden – die Mutter-Kind-Geschichte um Grusche und die Azdak-Geschichte –, damit das gute Ende sich in dem Zufall gegründet zeigt, daß beide Handlungsreihen sich kreuzen.

Immer wieder wird der historische Abstand zwischen Binnen- und Rahmenhandlung herausgestellt[27]: die durch Zufall mögliche Utopie der Vergangenheit (die »kurze goldene Zeit beinah der Gerechtigkeit«[28]) habe vorweggenommen, was die postrevolutionäre sozialistische Gesellschaftsordnung verwirkliche. Den Zuschauern des Spiels im Spiel eignet das »Lächeln des Siegers«; sie sind die Sieger über die deutschen Aggressoren, und sie sind – im Einklang mit dem sozialistischen Gesellschaftsprozeß – Vertreter der jetzt herrschenden Klasse. Mit dem Spiel im Spiel verabschieden sie eine von ihnen selbst überholte Konfliktlösung.

Ist diese aber wirklich überholt? Wie Grusche das Kind, erhalten die das Tal, die sich ihm produktiv zuwenden. Aber nicht sie haben im Besitzstreit »losgelassen«. Bereit, das Tal hinzugeben, waren diejenigen, die sich auf »Blutsbande« der Heimat, auf natürliche Bindung berufen haben: das ist in der Binnenhandlung das Argument der Gouverneursfrau, die nicht losläßt. Die Umgestalter der Natur (»Im Grund brauchen sie nur Zement und Dynamit!«[29]) sind bedenkliche In-Besitz-Nehmer. Ihnen fehlt, was Grusche vermag und im Prozeßspiel Zeichen produktiven, lebendigen Bezugs zum anderen war, das Nicht-Festhalten, das Loslassen-Können.

Brecht hat die naturwissenschaftlich-technische Fortschrittsgläubigkeit der sozialistischen Bewegungen und speziell der russischen Revolutionäre durchaus geteilt, allerdings stets mit einem skeptischen Unterton.[30] Hier führt die Verwerfung zwischen Binnen- und Rahmenhandlung auf die Frage, ob die neuen Besitzer, die Sieger und fortschrittsbesessenen Umgestalter der Natur, nicht zu neuen Herren werden, sei es über die Natur, sei es über die, die fähig sind, loszulassen. Dies aber wäre die Wiederkehr jener Konstellation, die Brecht als sozialen Grund für das Verhalten des Azdak ausfindig gemacht hat, die »Enttäuschung darüber, daß mit dem Sturz der alten Herrn nicht eine neue Zeit kommt, sondern eine Zeit neuer Herrn«.[31] Dann aber bedürfte die glückliche Lösung des Streits wieder eines Azdak, der in einer Zeit des Umbruchs der unterdrückten Natur wie den unterdrückten sozialen Schichten zu kurzer Anerkennung verhalf – was von jeher Leistung der komischen Figur ist.

Die Verwerfung zwischen Binnen- und Rahmenhandlung läßt die komische Figur in der Jetztzeit der Rahmenhandlung, die doch das Lachen des Siegers beansprucht, notwendig erscheinen. So beginnt das Komische zu gleiten, statt daß sich beide Grundformen des Komischen im Früher und Jetzt starr gegenüberstünden. Zugleich rechtfertigt sich das Stück darin selbst. Denn es erweist, daß dies zu tun nötig ist, was es selbst leistet: aus alten Geschichten des Volkes die komische Figur des Azdak herüberzuziehen in die eigene Zeit (die selbst Mimesis ist der Nachkriegswirklichkeit mit ihrer Frage nach der neuen Produktivität in der sozialistischen Gesellschaft).

Von Azdak kann man nicht mit dem Lachen des Siegers Abschied nehmen. Er ist vielmehr eine komische Figur, derer die Jetztzeit des »kommunistischen Frühlings« bedarf. Azdak charakterisiert sich im »Lied vom Chaos«[32]; er ist eine Figur des Chaos, sein Ort ist dort, wo die Geschichte (als Kette der Sieger) für Momente »aus den Fugen«[33] gerät. So hat er keine geschichtliche Zeit, verschwindet er wieder im Volk, aus dem er plötzlich hervorgetreten war. Damit vergegenwärtigt er einen ursprünglichen Verwirklichungsraum der Komödie, die Saturnalien mit ihrer spielerischen Umkehr von oben und unten in einem folgenlosen ekstatischen Augenblick. Dem Ordnungslosen der Saturnalien bleibt Azdak darin treu, daß er sich nicht als Herr eines neuen Systems – nun der Unteren – geriert. Seine Rechtssprüche bleiben zufällig, für das Volk nicht vorhersehbar.

Brecht entwirft die komische Figur als Figur des Chaos, saturnalischer Umkehr, freigelassener Sinnlichkeit, dabei augenblickshaft, ohne geschichtliche Zeit, wenn auch von Dauer in den Geschichten des Volkes, die von seinem Wirken als einer goldenen Zeit zurück-

blieben. Als Figur der Umkehr ist sie zugleich eine der Zweideutigkeit. Immer wieder zettelt Azdak Spiele des Verlachens an, die in
blutigen Ernst umzukippen drohen. Verhindert wird dies durch ge-
steigertes Spielen, das neue, unvermutete Ebenen der Bedeutung
schafft. Azdak spielt den Großfürsten, den er laufen ließ, um den
zukünftigen Richter zum Angeklagten zu machen und macht dabei
den spielenden Angeklagten, sich selbst, zum Richter. Ebenso läßt
er die Mutter ihren Kampf um das Kind in einem Spiel agieren, das
dann nicht auf der Ebene der erwiesenen Kraft, sondern der erwiesenen Moralität entschieden wird. Weiter führt Azdak stets zwei
Prozesse gleichzeitig. Ein Spruch, der in den Kontext des einen
Prozesses gehört (z. B. die Scheidung der Alten), kann dann unver-
hofft in den Kontext des anderen Prozesses (um Grusches Kind, zu
dem die Zwangsheirat gehört) gestellt werden: so werden die Sprü-
che dieses Richters zu Metaphern.

  Als Figur der Umkehr und Zweideutigkeit wird die komische Figur ins Lachen der Sieger eingebracht. Was dabei aus dem Verlachen
wird, zeigt die Grusche-Geschichte. Es ist eine Geschichte der Arbeit, die auch Gefühle (Mutterliebe, Kinderliebe) als Arbeit definiert und wie alle Arbeit von Entfremdung bedroht ist. Wird das
Kind dem ersten »Besitzer« zugesprochen, könnte es die verlachen, die es aufgehoben, die sich produktiv zu ihm verhalten, die es
also produziert haben:

> Ginge es in goldnen Schuhn
> Träte es mir auf die Schwachen
> Und es müßte Böses tun
> Und könnte mir lachen.[34]

Entfremdung wird in der Struktur des Verlachens vorgestellt. Das
Produkt, das einem anderen, nicht dem Produzierenden gehört,
verlacht den Produzenten, es negiert ihn und dabei sich selbst. So
wird am Verlachen zugleich die Struktur der Entfremdung freige-
legt, die es umschlagen läßt ins Groteske (z. B. in der Hochzeits-
szene). Überwunden wird diese Struktur dadurch, daß die komische Figur in den Raum des entfremdenden Verlachens eintritt,
nach dem Prinzip der Verschiebung als Figur saturnalischer Umkehr und nach dem Prinzip der Verdichtung als Figur der Zweideutigkeit in den potenzierten Spielen der Binnenhandlung wie in der
Verwerfung zwischen Binnen- und Rahmenhandlung. Diese Anwesenheit der komischen Figur in der ausschließenden Ordnung des

Verlachens bringt die Wende zum Guten, die Vollendung der Handlung zur Komödie.

Brecht hat diese gleitende Komik für die Zeit nach dem Krieg, für die erwartete Zeit einer postrevolutionären sozialistischen Gesellschaft entworfen. Seine frühere Komödie *Herr Puntila und sein Knecht Matti* ist als ein charakteristisches Exil-Stück gleitender Komik viel weniger offen. Alles ist hier auf Verlachen, auf das »Gesellschaftlich-Komische« ausgerichtet, bei starrem Gegenüber des Sieger-Lachens (von der Zukunft her gesehen: Matti) und des Lachens der komischen Figur (des saturnalischen, sinnlichen, zweideutigen Puntila). Auf der anderen Seite zeigt z. B. die *Don Juan*-Bearbeitung von Benno Besson und Elisabeth Hauptmann[35], daß Brechts »Schule« in der DDR kaum in der Lage war, die Struktur einer gleitenden Komik aufzunehmen. Don Juan wird zu einer Karikatur des Adels und als solche von einer selbst schon wieder überholten bürgerlichen Position aus verlacht. Was Brecht mit dem *Kreidekreis* in die literarische Öffentlichkeit der DDR eingeführt hatte, war aus dem Blick: eine Komödie, die über die Dichotomie von Verlach-Komik und chaotischem Lachen der komischen Figur hinaus war. Statt dessen finden wir Verlach-Komödien. In Strittmatters *Katzgraben* feierte sich das Volk, das die gesellschaftliche Umwälzung ausgefochten hatte. Bedeutsam ist das Stück in seinem Vermögen, die konkrete Erfahrung der großen Mühen kleiner Schritte nach vorn zu fassen. Brecht notierte zu Strittmatter:

Er erzählt ein Stück Geschichte seiner Klasse als eine Geschichte der behebbaren Schwierigkeiten, der korrigierbaren Ungeschicklichkeiten, über die er lacht, ohne sie je auf die leichte Achsel zu nehmen.[36]

Lachen über behebbare Schwierigkeiten gibt auch Kipphardts Komödie *Shakespeare dringend gesucht* frei, eine Satire auf Anpassertum im Theaterbetrieb, die großen Beifall fand.

Nicht die Brecht-Schule gab der Komödie neue Impulse, sondern ein Autor von außen, *Peter Hacks*, der 1955 in die DDR übersiedelte:

Daß mich Brecht hergeholt hat, stimmt nicht. Er hat mir nur mein Herkommen erleichtert. Direkt mit ihm zusammengearbeitet habe ich eigentlich nie. Natürlich sind meine ersten Stücke ohne ihn nicht denkbar.[37]

Hacks' Behauptung, in der DDR die besseren Bedingungen für sein Schaffen zu haben, sollte ernst genommen werden und nicht auf Motive vordergründigen Nutzens reduziert werden (etwa dem, daß das Deutsche Theater in Berlin für ihn zu einer Art Hausbühne wurde). Die Entscheidung für das sozialistische Gesellschaftssystem ist bei Hacks grundsätzlich. Von letzterem spricht Hacks allerdings stets nur abstrakt, in allgemeinsten geschichtstheoretischen Formeln. Im Zentrum steht der »Lehrsatz« von den nicht mehr antagonistischen Widersprüchen in der sozialistischen Gesellschaftsordnung, aus dem weitreichende theoretische Folgerungen gezogen werden: im Hinblick auf die Konfliktstruktur die Aufhebung des Tragischen[38], im Hinblick auf die Figurenkonzeption die Möglichkeit, große Figuren zu gestalten, da deren Behinderungen abnehmen[39], im Hinblick auf die Zeichenstruktur die neu möglichen Vermittlungen von Wirklichkeit und Idee, Sinnlichkeit und Geist, Lust- und Realitätsprinzip, im Politischen letztlich die Vereinigung von Herr und Knecht (die Plebejer, die traditionell Unteren, sind zugleich die Herrschenden). Das Theorem von den aufgehobenen antagonistischen Widersprüchen eröffnet einen neuen, glänzenden Raum des Schreibens, *wenn* es als jetzt in der sozialistischen Gesellschaft sich verwirklichend angenommen wird. Peter Hacks macht einen geschichtsphilosophischen Konditionalsatz zur Grundlage seines Schreibens und unterschreibt ihn mit der Übersiedlung in die DDR gewissermaßen durch seine Biographie.

Hacks Schreiben geht von einem Postulat aus, somit ist es durchtränkt von einem konstituierenden *Als ob*, ist es Komödie nicht erst auf der Ebene der Handlung, sondern schon des Diskurses. Das erklärt den schnoddrigen, ironischen oder maßlosen, insgesamt immer am Rand des Unernstes sich bewegenden Ton kunsttheoretischer Äußerungen von Hacks und legt nahe, die Metapher vom »zweiten Clown im kommunistischen Frühling« auf ihn selbst anzuwenden. Hacks hat sich für sein Schreiben in der sozialistischen Gesellschaft gewissermaßen seinen eigenen »kategorischen Imperativ« gebildet: schreibe so, als ob die Maxime deines Schreibens (d.i. das Theorem von den aufgehobenen antagonistischen Widersprüchen) allgemeines Gesetz wäre. Wie Kant sich dem Schönen zuwandte (»Das Schöne ist das Symbol des Sittlichguten«[40]), um dem problematischen Als ob des kategorischen Imperativs aufzuhelfen, setzt auch Hacks auf die Kunst als leitende Kraft, allerdings in einer charakteristischen Engführung. Das Komödiantische des Diskurses hilft sich auf durch Kunst, die notwendig nicht tragisch sein kann, sondern komisch sein muß: Komödie mithin auf der Ebene des »Diskurses« wie der »Handlung«.[41] Damit wird der Komik des Verlachens und der Dichotomie von Verlachen und komischer Figur der Boden entzogen. Denn Verlachen setzt eine Position außerhalb und über dem Komischen voraus, die gesichert bleibt. Sie ist in einem Diskurs eingezogen, der selbst wesenhaft komödiantisch ist. So folgt aus den Grundlagen des Schreibens bei Hacks schon immer gleitende Komik.

Gegen das »bürgerliche Lustspiel« *Der Müller von Sanssouci* (E 1957, U 1958)[42] läßt sich vieles einwenden[43], aber wie im Märchen vom Hasen und Igel hat der Autor den Einwand immer zuvor schon selbst formuliert. Das Stück verabsolutiert das Verlachen. Alle Figuren sind eingeschwärzt – aber Hacks konzipierte das Stück als Schattentheater, in dem man »des Menschen edles Bild vollkommen schwarz darstellt«[44], im Programmheft spricht er von der »völligen Negativität des Gegenstandes«.[45] Sie soll die ständige kluge Überlegenheit des Publikums über die gezeigten Personen und Vorgänge garantieren.[46] »Bürgerliches Lustspiel« bedeutet demnach Spiel, das auf Verlachen bürgerlichen Verhaltens aus ist. Das Spiel wird potenziert: die Komödie entfaltet ein Geschehen zwischen König und Müller, das selbst schon eine inszenierte Komödie war. Deren Denunziation ergibt kein angemessenes Urteil über das Bündnis zwischen Bürgertum und aufgeklärtem Monarchen. Aber Hacks will ja nicht Geschichte schreiben. Sein Gegenstand, sagt er, sei »die Kleinheit eines Menschen«[47], eben des titelgebenden Müllers. Im Unterschied zu allen anderen Figuren vermag er die Komödie Friedrichs nicht mitzuspielen, weder unwissend, noch wissend, nachdem er in den abgekarteten Charakter des Spiels eingeweiht worden ist. Diese Unfähigkeit bleibt im Stück, das sonst für alles Erklärungen präsentiert, die einzige Dunkelstelle. Nicht um Erklärungen scheint es hier zu gehen, sondern um eine Haltung. Das Publikum soll verlachen, es soll klüger sein angesichts einer Figur, die nicht mitzuspielen vermag in einem abgekarteten Spiel. Offenbar soll diese Fähigkeit im Publikum aktiviert werden. Ist aber der komische Diskurs des Peter Hacks, der ausgeht von einem konstituierenden Als ob, nicht selbst ein abgekartetes Spiel? Dann hat die erste Komödie, die Hacks in der DDR schrieb und die auf der Handlungsebene als Verlach-Komödie deutscher Untertanenseligkeit so schal ist, auf der Diskursebene einen bedeutenden kommunikativen Sinn, der die etablierte Verlach-

Komik zugleich ins Gleiten bringt. Mit dieser Komödie sucht der Autor ein Publikum, versucht, sich ein solches zu bilden, das mitzuspielen vermag in seinen abgekarteten Spielen.

Moritz Tassow (E 1960/61, U 1965) benötigt dann solche Mitspieler. Sie müssen das Postulat akzeptieren, daß sich das etablierte sozialistische Gesellschaftssystem ohne antagonistische Widersprüche fortentwickle. Dann kann lachend der Blick zurück, auf den Beginn dieser Epoche, erfolgen und von dort aus, wieder lachend, die Antizipation einer kommunistischen Zukunft mitvollzogen werden, die in der Jetztzeit des Zuschauers real würde (Kollektivierung der Landwirtschaft). Aber wieder geht es Hacks nicht um Mimesis realer Geschichte – da müßte er, wie Müller, den Preis dieses Fortschritts nennen: Massenflucht und Mauerbau –, zur Debatte steht vielmehr die Struktur von Antizipation selbst.

Der doppelte Zeitsprung – zurück und von dort aus nach vorn – ermöglicht Tassow als Figur des Dazwischen, des Chaos, saturnalischer Umkehr, freigelassener Sinnlichkeit, augenblickshafter Verwirklichung des goldenen Zeitalters, allerdings in gezähmter, klassikverdächtiger Weise. Nicht im Widerspruch, sondern im Einklang sind bei Tassow Vitalität und Denken, Triebnatur und Geist, Sinnlichkeit und Vernunft. So steht er für den ganzen Menschen im Sinne Schillers, für aufgehobene Entfremdung im Sinne von Marx. Verschoben zum Ideal der deutschen Klassik, in ihrer idealistischen oder materialistischen Spielart, findet die komische Figur Eingang in den »kommunistischen Frühling«. Dieser aber ist nicht poetisch, sondern nach geschichtlich beglaubigten Gesetzen des revolutionären Verlaufs aufgefaßt. Nicht das Dorf Gargentin, in dem Tassow im Alleingang die Revolution durchführt und die »Kommune 3. Jahrtausend« gründet, sondern erst die Konfrontation mit dem Berufsrevolutionär Mattukat stellt Tassow in einen ihm fremden Kontext, macht die komische Figur zur Metapher sowohl eines bösen Buben à la Busch wie der prekären Dichterexistenz im Sinne Goethes. Spielraum gewinnt die komische Figur *in* der historischen Zeit nicht dadurch, daß sie sich dialektisch an ihr abarbeitet, sondern wieder, jetzt sogar doppelt, durch ein Als ob. Tassow handelt, als ob die Zeit einfach da sei, in der sich die Verheißungen der deutschen Klassik wie der Geschichtstheorie von Marx erfüllen. Wie die Rahmenhandlung zeigt, besitzt Mattukat die reale Macht. Er läßt Tassow aus besonderen Gründen, auch solchen revolutionärer Sehnsucht, eine Zeitlang sein Wesen treiben. Von Mattukat aus gesehen, erweist sich Tassows antizipatorisches Handeln als so fiktiv, wie es die Kunst ist. Tassows Wende zum Schriftsteller ist so nur eine Entscheidung für den Raum, in dem er mit seinem Handeln sich schon längst befindet.

War Tassow Vorschein des ganzen Menschen, so erweist sich durch Mattukat, den Vertreter des Realitätsprinzips, das Handeln dabei als ein bloßes Als ob. Das Ideal des ganzen, wieder in sein Wesen gelangten Menschen, verschiebt sich sodann auf eine neue Einheit von Tassow *und* Mattukat als Vereinigung von Ziel und Weg, Utopie und Realität, Freiheit und Notwendigkeit, Genuß und Arbeit. Die Brisanz des Stücks liegt darin, daß diese Vereinigung nirgends als real möglich erscheint. Aber diese Brisanz ist komisch gewendet. Es kann über den unangemessenen Anspruch Blasches gelacht werden, dieses Ideal schon zu verkörpern. Die Repräsentanten von revolutionärem Weg und Ziel vereinigen sich zwar nicht, aber sie löschen sich auch nicht gegenseitig aus, stehen mithin nicht dichotomisch zueinander, sondern gewähren einander Spielraum. Die Komödie ist der Ort, wo sich beide berühren, ohne vernichtend zusammenzustoßen, allerdings auch ohne sich zu vereinigen. Daraus entsteht ein spezifisches Lachen. Das Verlachen, das seinem Wesen nach rückwärts gerichtet ist, auf überholte, überwundene Positionen, wird umgebogen nach vorwärts. Dabei wird nicht die Gegenwart um des Zieles willen verlacht, sondern von der anerkannten Position der Gegenwart her (der jetzt geschichtsmächtigen Sieger) wird der Repräsentant des Ziels (die komische Figur) verlacht, weil ihrer Wirklichkeit erst noch aufgeholfen werden muß. Daß dies Verlachen aber das Ziel nicht zu weit entrückt oder ganz vernichtet, verhindert jenes konstitutive Als ob des komischen Diskurses, der postulierte Lehrsatz also, daß in der sozialistischen Phase der Geschichte Realität und Utopie im Prozeß einer nicht tragischen Vermittlung begriffen sind, was die Zeitstruktur des Stücks zusätzlich bestätigt: der kühne Vorgriff Tassows ist in der Entstehungszeit des Stücks – zumindest dem Anschein nach – Realität geworden.

Die Komödie des »Lachens nach vorn« ist eine Antwort auf die Krise des sozialistischen Typs der Verlach-Komödie[48], nachdem sich das Verlachen geschichtlich überwundener Positionen als trivial und der darin artikulierte Machtanspruch der Sieger als ideologisch erwiesen hat. Hacks setzt mit seinem neuen Komödientypus zwar den abstrakt übernommenen Lehrsatz von den nicht mehr antagonistischen Widersprüchen im Sozialismus weiterhin voraus,

357

aber er vermag eine produktive Konsequenz aus ihm zu ziehen. Prekär an diesem Komödientypus bleibt jedoch der Wirklichkeitsbezug. Wenn der geschichtliche Sieger mit seiner Verlach-Komik und die antizipierende komische Figur sich Spielraum geben, indem sie einander berühren, ohne sich zu durchdringen, so gewähren sie einander nur eine fiktive, eine Als-ob-Wirklichkeit. Dagegen sucht Hacks schon in der Zeit der Arbeit am *Tassow* seiner Komödie neue, vitalisierende Kräfte zu erschließen. Er findet sie bei Aristophanes. Trotz der einst vehementen Abwehr des Plebejischen und des Volksstücks[49] wendet er sich damit der Tradition einer Literatur von unten zu, einer plebejisch vitalistischen Literatur und deren Komik des Freisetzens unterdrückter, verdrängter Sinnlichkeit. Ein großer Erfolg wurde Hacks' Bearbeitung des *Frieden* (E 1962, U 1962), ohne Erfolg blieb seine Bearbeitung der *Vögel* als Libretto zu einer komischen Oper (E 1980, U 1981).

Der Frieden gehört zu den frühen, einschichtigen Komödien des Aristophanes. Ein utopisches Dasein wird entworfen (Anbruch einer allgemeinen Friedenszeit) und überschwenglich gefeiert. Der Bauer Trygaios fliegt auf einem Riesen-Mistkäfer in den Himmel, befreit mit einem Chor attischer Bauern die Friedensgöttin Eirene und gewinnt für sich die Göttin Opora (Hacks übersetzt: Lenzwonne).

An Aristophanes hebt Hacks das Phantastische des Einfalls[50] und der Metapher[51] hervor und die Freiheiten, die diese Phantastik eröffnet. Nicht ein pathetischer Held, sondern ein stinkender Bauer, dem es um seine ganz individuelle Lust geht (er will fressen, saufen und sich mit einer jungen Frau im Bett wälzen), wird zum großen Menschheitsbeglücker. Der ganze Bereich des Sinnlichen, auch die unterm Zivilisationsgebot verdrängten Wünsche der Lust dürfen sich aussprechen, und sie sind weder nur augenblickshaft, noch egoistisch oder chaotisch; denn sie befördern das allgemeine Gute. Das ist für Hacks der entscheidende Fund. Auch Aristophanes gestaltet ein Lachen nach vorn: als Lachen von unten, das verdrängte Wünsche freisetzt, als Lachen der komischen Figur, die der Lust, statt der Arbeit, dem Unsinn, statt dem Sinn, dem Durchbrechen der Ordnung statt dieser frönt. Die komische Figur (der Bauer Trygaios), die sich dem phantastischen Einfall verdankt und die das befreiende Lachen trägt, ist *in* der Wirklichkeit, weil sie diese zugleich »mit göttlichem Scheine beglänzt«[52], sie steigert zur beglückenden Welt.

Das Lachen nach vorn wird zugleich verlacht, d. h. ironisch behandelt. Die komische Figur wächst, ohne daß sie es will, über sich
hinaus. Diesen Aspekt vor allem akzentuiert die Bearbeitung. Be-
weggrund des Trygaios bleibt das »niedere« Lustverlangen, aber
diesem zu Willen vollbringt er für die Anderen und mit den Anderen die befreienden Taten. Sein Lachen der Lust ist »sozialisiert«
zur Beförderung des Menschheitsglücks; so ironisiert, tritt es an
die Stelle des Verlachens der Sieger.

Mit dem Ironisieren der komischen Figur ist Hacks auch über
seine Ablehnung des Plebejischen und des auf ihm beruhenden
Volksstücks hinaus. Dem plebejischen Helden hatte er als »Tugend«
konzediert, daß er Realist, Materialist und Nicht-Herrscher sei,
daß er, weil grundsätzlich ohne Moral und Ideal, auch ohne die der
Herrschenden sei. Doch hatte er ihn abgelehnt, weil sich sein Materialismus aufs Fressen und Saufen und sein Realismus darauf
beschränke, die Welt zu nehmen, wie sie ist. So sei er jeder Verallgemeinerung unfähig, unproduktive Negation. Ihm stellt er den Proletarier entgegen, auf dem das »realistische Theaterstück« gründe,
das nun an der Zeit sei. 1957 lauteten die Lehrbuchformeln so:

Das heutige Proletariat entspricht dem Volk von einst, aber es entspricht
auch den Mächtigen von einst. Es ist die erste Klasse, die zugleich unter-
ste Klasse und herrschende Klasse ist.[53]

Jetzt, mit Aristophanes, darf es statt dieses papierenen Helden den
Plebejer wieder geben, darf dieser auch »unten« bleiben, bei seinen
niederen Lüsten, die gefeiert werden, nicht als das Negative, das die
Geschichte im Prozeß hält (so noch in *Die Sorgen und die Macht*),
auch nicht als das Endziel, als Antrieb und Lohn der Askese, sondern hier und jetzt, als ganz bei sich bleibend und doch das allgemeine Glück befördernd, d. h. als ironischerweise doch der Verallgemeinerung fähig. Damit war der »positive Held« überwunden,
jener Held der Geschichte oder der Arbeit, der die Last der Welt pathetisch auf sich nimmt. Hacks formuliert:

Die Helden dienen der Geschichte, indem sie sie hassen, und die Geschichte haßt ihre Diener und macht sie zu den traurigen Figuren als die
wir sie kennen. [...] Der Held hat erhabene Zwecke und platte Erfolge;
Trygaios hat den plattesten Zweck und den erhabensten Erfolg. Der Held
geht aufs Ganze und gewinnt einen kleinen Teil; Trygaios will seinen kleinen Teil und an dem hängt das Ganze. Die Riesen erweisen sich als beschränkt, nur dieser kleine Mann ist ein Riese.[54]

Als Plebejer, komische Figur, Lachen von unten hat der »zweite Clown« Anwesenheit im Verlachen der Sieger, d.i. des »ersten Clowns« gewonnen und mehr noch dazu. Denn in dieser Struktur ist er eine Metapher, eine substituierende Vergegenwärtigung der Poesie selbst, einer symbolischen Poesie im Sinne Goethes:

Es ist ein großer Unterschied, ob der Dichter zum Allgemeinen das Besondere sucht oder im Besonderen das Allgemeine schaut. [...] die letztere [Art] aber ist eigentlich die Natur der Poesie, sie spricht ein Besonderes aus, ohne ans Allgemeine zu denken oder darauf hinzuweisen. Wer nur dieses Besondere lebendig faßt, erhält zugleich das Allgemeine mit, ohne es gewahr zu werden, oder erst spät.[55]

Die komische Figur, das Lachen von unten, manifestiert seine Anwesenheit im Verlachen, indem es Poesie, Symbol wird, allerdings ironisch, wider die eigene Absicht; nur darin wird Goethes Symbolbegriff modifiziert. Wie aber ist die ursprüngliche Zusammengehörigkeit von Besonderem und Allgemeinem garantiert, den der Symbolbegriff, auch noch ironisch gewendet, voraussetzt? Das führt auf die These von den nicht antagonistischen Widersprüchen als dem konstitutiven Als ob des literarischen Diskurses bei Hacks zurück. Die komische Figur kann nur zum ironischen Symbol werden, wenn wir so handeln, als ob der Antagonismus zwischen individuellem Lustanspruch und Forderung des gesellschaftlichen Ganzen prinzipiell aufgehoben sei.

Ist dies Poetisieren, dies Symbolisch-Machen der komischen Figur, ihres Witzes, ihres Lachens der Lust, ihrer »Aristophanischen Freiheiten« Aristophanes noch gemäß? Wird nicht der dionysische, dithyrambische Aristophanes, den die Romantiker wiederentdeckt und gefeiert hatten, überwölbt, gebändigt durch die – wenn auch unfreiwillige – Symbolkraft? Schon Hegel hatte Aristophanes' Komödien humoristisch interpretiert (als Vergegenwärtigen des in sich selbst versöhnten, heiteren Gemüts). Hacks kommt mit seinem Ansatz allenfalls jenen Komödien des Aristophanes nahe, die im Lachen von unten ein utopisches Dasein entwerfen, ohne den sonst charakteristischen, zweiten Teil, in dem sich die Komödie an der Utopie schadlos hält.[56] Darum mißlang die Bearbeitung der *Vögel*.

Die komische Figur, Peithetairos und sein Begleiter Euelpides verlassen das ränkevolle Athen, suchen eine Stadt des Wohllebens, überreden die Vögel, solch eine Stadt im Raum zwischen Menschen und Göttern zu bauen (Nephelokkygia, Wolkenkuckucksheim);

mit dieser aber etablieren sie nicht nur neue Herrschaft und Aus-
beutung, sondern trennen auch Menschen und Götter. So weit
folgt Hacks der Handlung. Den Schluß jedoch übernimmt er nicht.
Peithetairos gewinnt bei Aristophanes die Zeustochter Basileia,
Personifikation guter Herrschaft, die Hochzeit verweist auf eine
neue Zeit des Heils und Friedens, nachdem die alten Götter abge-
dankt haben – wenn dies neue Reich auch zwischen Himmel und
Erde, an einem Nicht-Ort, U-Topos, im bodenlosen Raum der
Phantasie gründet. Hacks poetisiert hier nicht das Lachen von unten seines Helden. Entsprechend läßt er den fundamentalen
Sprachwitz der Komödie völlig außer Acht und trifft diese damit in
ihrem Lebensnerv. Der phantastische Einfall der Wolkenstadt ist
aus Sprache geboren. Der Raum der Vögel, die »Stätte« zwischen
Himmel und Erde, soll zu einer »Stadt« werden. Der Herrschaftsanspruch der Vögel wird aus unsinnigsten sprachlichen Etymolo-
gien abgeleitet. Die Wolkenstadt, das neue Zwischenreich, gründet
im Spielraum der Sprache, der trennt zwischen dem, was bisher
problemlos zusammenkam: Menschen und Götter, Natur und
Geist, Wirklichkeit und Sinn. Aristophanes schrieb mit seiner Komödie eine Aitiologie des Zwischenreichs der Sprache, der Ordnung der Signifikanten, die die unmittelbare Gewalt absoluter
Wirklichkeit, für die die Götter stehen, distanziert – um den Preis,
einen Graben aufzureißen zwischen Sache und Bedeutung, Besonderem und Allgemeinem. Wenn Hacks die komische Figur, die bei
sich, d. h. »unten« bleibt und doch so weltbedeutsam wird, poetisiert und ironisch symbolisiert, so steht dies der Sprachauffassung
von Aristophanes' *Vögel* fundamental entgegen, die am Zeichen
den Trennstrich zwischen Signifikant und Signifikat pointiert. Daher fehlt bei Hacks die Sprachthematik der Komödie. Während Aristophanes das Zwischenreich in seinem utopischen Gehalt feiert
und als trennendes zugleich zurücknimmt, spricht Hacks seinem
Helden die ironische Symbolkraft als falsche Anmaßung ab. Seine
komische Figur gründet kein neues Reich, gewinnt keine Basileia,
vielmehr trifft sie auf Herakles, der die Vereinigung zum Symbol zu
leisten vermag: zuerst zweigeteilt in Schatten und Gott, dann aber
sich vereinigend und als »wahres« Symbol das Zwischenreich der
Vögel als falsche, angemaßte Symbolik vernichtend:

Die Vögel sind wieder gemeine Gegenstände der Ornithologie, welche
durcheinander laufen und zirpen und sich endlich nach den Seiten hin
verziehen.[57]

Die komische Figur kann im Raum des sieghaften Verlachens nur anwesend sein, wenn sie poetisierbar ist, Symbolkraft hat – zugegebenermaßen wider die eigene Absicht, also ironischerweise, da solche Symbolkraft dem Wesen des chaotischen Lachens widerspricht. Dem Helden des *Frieden* erkannte Hacks diese Poetisierbarkeit zu, dem der *Vögel* nicht. Ein Jahrzehnt hat Hacks mit der Konzeption einer Poetisierung der komischen Figur, die im *Frieden* erarbeitet war, Komödie auf Komödie geschaffen. Dann erfolgt (1973) die Bearbeitung des *Jahrmarktsfests zu Plundersweilern*, und danach setzt das Komödienschaffen fast für ein Jahrzehnt aus. In expliziter Auseinandersetzung mit Goethe, an dem sich sein Symbolverfahren ja orientiert, ging Hacks offenbar das Vertrauen in die Symbolkraft der komischen Figur verloren.

Zur Debatte steht der Umgang der Klassik mit dem Lachen von unten. Goethes Stücke der niederen Komik, seine Schwänke und Farcen, fallen zwar in die Zeit vor Weimar, wurden aber – gerade auch das *Jahrmarktsfest* – in Weimar bearbeitet. Auch in der klassischen Periode hat sich Goethe mit anderen Traditionen der komischen Figur (wie der Commedia dell'arte und dem Singspiel) auseinandergesetzt.

In Goethes *Jahrmarktsfest* erscheint die Weltsicht der komischen Figur totalisiert. Beide Fassungen (1773 und 1778) entwerfen eine chaotische Welt. Eine Vielzahl von Figuren wirbelt ohne Sinn durcheinander, das »Hohe« wird verballhornt, grotesk verzerrt, die niederen Lüste machen sich breit; statt Ordnung, Sinn und kohärenter Figuren regieren Unterbrechung, Montage, Parodie, Sprachfetzen von Sprechern ohne festes Ich das Spiel.[58] Die Fassung von 1788 dehnt das Binnenspiel aus, in dem eine Wandertruppe die biblische Esther-Geschichte aufführt. Nur in diesem absolut lächerlichen, die biblischen Figuren völlig verballhornenden Spiel scheint Ordnung auf, Sieg der Tugend, Bestrafung des Lasters, Lohn für die Unterwerfung unter Gott und die Obrigkeit. Die Jahrmarktswelt gibt sich als fröhlich betriebener Leerlauf, in dem alles gleich gilt, die entlastet ist vom Sinn, den das Über-Ich gebietet, von moralisch religiösen oder politisch gesellschaftlichen Normen und Werten wie auch von Geboten formaler Strukturierung. Sie impliziert zugleich aber eine beunruhigend nihilistische Weltsicht, die Goethe als Kehrseite prometheischer Haltung gestaltet, nach der jedes Ich auf dem Anspruch besteht, seiner Natur zu folgen. So entstehen Goethes Farcen und Schwänke neben der Prometheus- oder Ur-Faust-Dichtung. Goethe bewältigte dies zerstörende Nebeneinander, nachdem er ihm in der Konfiguration Faust-Mephisto eine literarische Struktur erfand. Für die Weltsicht der Farce steht Mephisto; er ist »Zyniker, Materialist und Nihilist. Er negiert alles ›Höhere‹ im Menschen. Er sieht die Welt als Narrenhaus und Tummelplatz chaotischer Triebe«.[59] Über Mephistos Welt der komischen Figur erhebt sich die Tragödie Fausts. Das Drama aber zielt selbst über die Tragödie hinaus. Mit dem *Vorspiel auf dem Theater* und dem *Prolog im Himmel* ist es situiert im Raum einer höheren, alles Getrennte verbindenden Komödie weltüberlegener Heiterkeit. Die höchste Synthesis aller Gegensätze als Komödie: nach dem Gesetz von Polarität und Steigerung manifestiert die komische Figur über die sie zurückweisende Tragödie hinaus ihre Anwesenheit in der umgreifenden Komödie der Heiterkeit. Diese in der deutschen Klassik vorgegebene literarische Bewältigung der komischen Figur müßte dem Ergebnis nach Hacks sehr entsprechen. Aber Hacks gelangt nicht dorthin, weil er die Ausgangssituation, die Totalisierung der Weltsicht der komischen Figur, nicht zugeben kann. Sein *Jahrmarktsfest* steht nicht für eine chaotische Welt schlechthin, sondern grenzt das Sinn- und Ordnungslose auf eine Erscheinung *innerhalb* der Welt ein: auf die Literatur. Fluchtpunkt ist bei Goethe das chaotische Lachen der komischen Figur, bei Hacks das Verlachen: sei es literarischer Hohlköpfe (im erweiterten Esther-Spiel oder in der Konfrontation des Prinzipals der Schauspielertruppe mit dem dichtenden Magister Schievelbusch), sei es des Mißverhältnisses von gesungenem Lied und moralischem Anspruch der Hörer und Sänger (in den Liederszenen des Marmotte oder des Bänkelsängers).

Hacks weiß, daß er eine reine Verlach-Komödie geschrieben hat. Sein Stück, läßt er vernehmen, zeige »die lächerlichen Mißverständnisse zwischen den groben Plattköpfen und den feinen«.[60] Das Ergebnis ist eine traurige Verarmung. Die chaotische Welt schrumpft zur Literatur, die sich selbst und ihre Zuhörer verlacht. Das Binnenspiel wird breit ausgemalt: später wertet Hacks solches »Vollenden« eines angeblichen Fragments selbst als literarische Borniertheit.[61] Das Bedürfnis nach Eindeutigkeit (des Abwertens, Verwerfens), nach Strukturierung (in der Einschränkung auf das eine Thema Literatur) und nach Vollständigkeit zeigt an, daß da etwas verdrängt wird: das chaotische Lachen, das die Vorlage auf der Handlungs- wie der Diskurs-Ebene entfaltet. Wo sich Goethe dem

Beunruhigenden einer totalisierten Welt der chaotischen Figur überließ und sich die Aufgabe stellte, sie literarisch zu bewältigen, wehrt Hacks nur ab. Er bearbeitet das Beunruhigende nicht, sondern verdrängt es. Schlechthin unerträglich ist offenbar, der Welt der komischen Figur völlig Raum zu geben, statt sie unters Gebot der Poetisierung und Symbolisierung zu stellen. So verdrängt er jenen Goethe, der dem chaotischen Lachen offen ist und gewinnt oder bewahrt sich einen absoluten Herrscher im Reich der Literatur. Dessen Inthronisierung aber beruht auf Verdrängung. Die Bearbeitung indiziert derart Hacks' Übergang von einem Autor, der auf eine neu anbrechende Klassik vertraut, zum Klassizisten. Das *Gespräch im Hause Stein über den abwesenden Herrn von Goethe* wird den Heros dann feiern, an dem die Umwelt sich nur lächerlich machen kann. Hacks aber hat sich um die Möglichkeit gebracht, Stücke zu schreiben, die mehr wären als Verlach-Komödien. Erst mit *Pandora* gelangt er aus diesem unproduktiven Ansatz wieder heraus. Denn da gesteht er seinem Heros zu, was er im *Jahrmarktsfest* verdrängt hatte: Krise, Lähmung, Hoffnungslosigkeit, Gefühl des Scheiterns.[62]

Hacks sucht die komische Figur durch ihre ironische Symbolkraft in das Lachen der geschichtlichen Sieger zu integrieren. Wo dies nicht möglich ist, wird sie entweder als angemaßtes Symbol zurückgewiesen oder verdrängt. Anders *Heiner Müller.* Seine Texte beharren gerade auf dem, was in der scheinbar kohärenten Kette der geschichtlichen Sieger als das Nicht-Integrierbare verdrängt wird. Das sind nicht die Knechte von einst oder heute; denn diese werden als die Herren von morgen die Kette der Sieger fortsetzen. Es ist vielmehr das, was in der »Ermächtigung« zum geschichtlich Herrschenden verlorengeht, unterdrückt wird: der Glücksanspruch hier und jetzt, das Recht des Augenblicks, der Lust, der Freiheit, die Erfahrung einer nicht zum Objekt gemachten Natur. Immer radikaler fragt Müller nach der inhärenten Gewalt der geschichtlichen Befreiungsbewegungen, der Subjektbildung und der Konstitution von Sinn und Bedeutung überhaupt, immer entschiedener wird Zerstören[63] des geschichtlichen Sinns, des Subjekts und der Bedeutung zum Grundimpuls seiner Texte. Virtuell vertreten diese dementsprechend von jeher das Ordnungsprengende, die Grenzüberschreitung, die das Wesen der komischen Figur erst ausmacht. Kaum überrascht also die eingangs zitierte Selbstinterpretation Müllers, daß er alle seine Stücke »relativ komisch« finde. Es wandeln sich allerdings die Strukturen, in denen dies Verdrängte seine Anwesenheit an den verdrängenden Ordnungen manifestiert.

Das erste Stück Müllers, das er ausdrücklich auch als Komödie bezeichnet, *Die Umsiedlerin* (E 1956–61, U 1961)[64], entfaltet seine Komik aus der Figurenkonstellation. Es stehen sich gegenüber Flint, der Repräsentant der Herrschenden, der sich für die neue Gesellschaft aufreibt, und Fondrak, der Asoziale, der auf seinem Glücksanspruch hier und jetzt besteht. Weder die revolutionäre Konstellation von Herr und Knecht noch die gesellschaftlich affirmative von Herr und Diener wird damit berufen, sondern eine Dramatik zwischen Realitäts- und Lustprinzip, Über-Ich und Es, verkörpert in Figuren des gesellschaftlichen Aufbaus in der Frühgeschichte der DDR. Fondrak beharrt auf dem Besonderen seines Ich, auf dem Genuß, auf Bedürfnissen, die ohne Arbeit befriedigt werden sollen, auf Lusterfüllung, die nicht auf ein fernes, immer vertagtes Ziel zu verschieben sind. Sein Anspruch ist infantil, parasitär und destruktiv, aber zugleich Anwalt des Lachend-Lebendigen, das sich wehrt gegen das Auseinanderfallen von Arbeit und Genuß, von Weg und Ziel.

Fondraks Weltsicht ist die der komischen Figur. Gerade auf Fondrak aber ist Flint fixiert, ausgerechnet ihn will er für den Aufbau gewinnen. Das ist das Komische der Figurenkonstellation, Komik des Mißverhältnisses zwischen Anstrengung und deren Objekt. Das Lächerliche hat allerdings Sinn; denn auch Flint lebt partiell seinen Lustanspruch egoistisch aus, allerdings ohne mit diesem Selbstwiderspruch fertig zu werden. Fondrak zu gewinnen, hieße diesen Teil des Ich in stellvertretender Handlung in die gut geheißene Bahn des gesellschaftlichen Fortschritts integrieren. Aber Fondrak weigert sich, geht in den Westen. Der Fondrak-Aspekt in Flint, das chaotische Lachen der Lust im Raum der neuen gesellschaftlichen Sieger, bleibt unbewältigt, fremd. Benannt ist das Stück nach der Figur der Umsiedlerin.[65] Sie hat einen anderen Bezug zu Fondrak. Sie trägt ein Kind von ihm, bekennt sich zu ihm. Von ihm verlassen, weigert sie sich, um des Kindes willen in eine neue, vom Mann bestimmte Herrschaftsstruktur einzutreten. Ihr Lachen auf einen neuen Heiratsantrag hin bedeutet die Erwartung eines Selbstseins ohne Bestätigung neuer Herrschaftsstrukturen. In der DDR war beides unerträglich und wurde massiv geahndet: sowohl, daß Flint einen Fondrak-Anteil hat, den er nicht in den gesellschaftlichen Fortschritt integrieren kann, als auch, daß eine Frau die Ehe verweigert als Struktur von Gewalt. An solche rein stoffliche Provokation klammerten sich borniete Funktionäre. Müllers Komik jedoch erhielt nach dieser Erfahrung einen anderen Ort. Sie erscheint nicht mehr verkörpert in Figuren, sondern in der Struktur der Vertretung, der Maskierung. Die Stelle des Lachens wird »vertreten« durch Aggression, durch Tod-Ernst. *Wolokolamsker Chaussee 1*, eine Hinrichtungsgeschichte, führt dies sehr viel später ausdrücklich vor[66]: der Tod, der das Ich isoliert, der es heraus-stellt, tritt an die Stelle der utopischen Alternative, die für einen Moment aufblitzt, des gemeinschaftlichen Lachens, das leben läßt. Damit ist Müller zur alten Dichotomie zurückgelangt. Das ausgeschlossene Lachen ist in den ausschließenden Ordnungen nur in der Struktur der Abwesenheit gegenwärtig, am ihm anderen. Das stellen Müllers Texte immer schriller heraus. Sie entfalten ein Pathos der Abwesenheit als ein Pathos der Vertretung. So gewinnen sie ihre Dramatik nicht mehr aus Figurenkonstellationen, sondern aus der Zeichenordnung selbst. Das mag den Weg zu der immer wieder festgestellten Sprachgewalt Müllers begünstigt haben, wie dessen Lust, ständig zu zitieren.

Komik, Lachen im vertretenden gegensätzlichen Zeichen, in der Negation: dies bedeutet gegenüber der frühen Komödie *Die Umsiedlerin* einen Rückschritt, allerdings »ein Zurückgehen, um woandershin weiterzugehen«.[67] Mit dem Stück *Der Auftrag* (E 1979) erarbeitet Müller eine neue Struktur für die Anwesenheit des Lachens der komischen Figur im Lachen der Sieger: ein Lachen der »Übertretung«[68], das zugleich Einfallstelle ist für die Dekomposition des Ich. Die Französische Revolution ist in der imperialen Ordnung Napoleons untergegangen. Das ist die Grundsituation des Dramas, so ist sein erstes Lachen ein Verlachen der Revolution, ihres Ziels der Freiheit, das sich in den Dienst immer neuer Unterdrücker stellen läßt; es erweitert sich zum Lachen über die Dialektik des Geschichtsprozesses, in dem die großen Aufgaben, Ziele und Fortschritte sich nur als Masken immer neuer Unfreiheiten und Unterdrückungen erweisen:

ANTOINE [. . .] Die Freiheit führt das Volk auf die Barrikaden, und wenn die Toten erwachen, trägt sie Uniform. Ich werde dir jetzt ein Geheimnis verraten: sie ist auch nur eine Hure und ich kann schon darüber lachen. Hahaha [. . .][69]

Aber das Verlachen der Revolution begründet bei Müller keine Position des Darüber-Stehens, kein höheres Bewußtsein. Damit wird das negierende Lachen zum »Lachen in der Negation«. Über die »Hure Freiheit« lachend, merkt Antoine an:

Aber hier ist etwas leer, das hat gelebt. Ich war dabei, als das Volk die Bastille gestürmt hat. Ich war dabei, als der Kopf des letzten Bourbonen in den Korb fiel.[70]

Das Lachen erhebt sich an der Stelle, wo eine Leere ist, also ist es Signifikant der Leere, und da es sich dort befindet, wo etwas gelebt *hat,* gehört zu diesem Signifikanten ein Moment des Todes. Aus dem Lachen Antoines aber, das Signifikant ist der Leere und des Todes, erwächst im Drama ein Binnendrama, und folgerichtig ist dieses selbst nichts anderes als ein Signifikant von Entzogen-Sein. In einer Art Traum-Spiel wird die Situation dreier Revolutionäre berufen, die die Revolution nach Jamaika exportieren sollten und deren Auftrag unter Napoleon zum Zeichen wird, das auf nichts mehr verweist. Ein Lachen neuer Qualität scheint dort auf, wo das Lachen als Signifikant der Leere, dem sich das Binnendrama verdankt, in diesem selbst wieder auf ein Lachen trifft. Erstmals geschieht dies, wenn die aus ihrem Auftrag entlassenen Revolutionäre französische Revolution spielen, sie verlachen und mit ihr die Dialektik des Geschichtsprozesses überhaupt (in litaneihaft wiederholten Sätzen: »DIE REVOLUTION IST DIE MASKE DES TODES DER TOD IST DIE MASKE DER REVOLUTION«[71]). Dies Spiel des Verlachens aber ist keines; denn es hat keinen Halt in einem höheren Bewußtsein, vielmehr geht ihm Regression in den Zustand vor der Ich-Bildung voraus. Der lachende Debuisson ist zurückgekehrt zur »ersten Liebe«, in den Schoß der »ewigen Mutter«, der »Idiotin«[72]

Das revolutionäre Handeln wird zum Lach-Theater im Fahren-Lassen des Ich. Dies Lachen übertritt die Ich-Grenze, dekomponiert das Ich. Das Sub-jektum der Geschichte verschwindet. Das zweite Lachen im Binnendrama bestätigt dies. Mit Lachen antwortet Debuisson auf die Vorstellung, das Fahren-Lassen des Ich als Subjekts der Geschichte betreffe nur die Weißen und schaffe Platz für ein neues, größeres Ich (der Farbigen), an das nun die Stafette, Lenker des Geschichtsprozesses zu sein, weitergereicht werde. Lachend wird dieser pathetische Gedanke zurückgewiesen, da er ein Rückfall in das »Theater der Revolution«[73] ist, in den unendlich sich fortzeugenden Dualismus von Herr und Knecht, bei dem der Aufstand des Knechts immer nur die Maske neuer Sklaverei ist.

Dieses Lachen windet sich aus der Dialektik des Geschichtsprozesses heraus. In der Schlußrede präzisiert Debuisson, der Eigner des neuen Lachens, nochmals dessen Wesensform der Übertretung: Herauswinden aus der Dialektik des Geschichtsprozesses, deren letzte Wahrheit immer nur »Tod den Befreiern« heißt[74], Fahren-Lassen des Ich als Subjekt der Geschichte in der Regression zum Ich-entgrenzenden, Ich-sprengenden Genuß (Phantasma schrankenlosen Einverleibens der Welt), zur Ich-Auflösung in eine Natur, die nicht mehr vom logoszentrierten Ich kolonisiert wird (»Warum sind wir nicht einfach da und sehen dem Krieg der Landschaften zu«[75]), in die Ungeschiedenheit von Selbst und Welt:

Dann warf der Verrat [d. i. zugleich die »erste Liebe«, die »ewige Mutter«] sich auf ihn wie ein Himmel, das Glück der Schamlippen ein Morgenrot.[76]

Das Lachen der »Übertretung, in dem das Binnendrama seinen Fluchtpunkt hat, eliminiert geschichtlichen Sinn, das Subjekt und Bedeutung überhaupt, da die Regression in die Ungeschiedenheit von Selbst und Welt das Unterscheiden als die Grundlage aller Bedeutungsbildung einzieht. Wie aber ist im Raum solchen Lachens der Übertretung Sprechen und Gestalten möglich, die doch wesentlich Grenze-Setzen, Unterscheiden voraussetzen? Die zerfallenden, inkohärenten und montierten Texte Müllers zeigen die Figur der Übertretung nicht nur als Objekt der Darstellung, sondern zentral auch als deren Subjekt, also Darstellungsmodus. Das Lachen der komischen Figur wird bei Müller als Lachen der Übertretung strukturell, aber gerade als solches, als das Ordnungslose schlechthin, muß es Anwesenheit gewinnen an den verlachend ausgrenzenden Ordnungen. Im *Auftrag* wird dies durch eine Brechung von Binnen- und Rahmenhandlung erreicht. Das Verlachen der Revolution öffnet sich zum Lachen der Übertretung und gibt diesem zugleich Halt. Müller leistet dies durch das Prinzip des Seriellen. Die Texte sind nicht abgeschlossen, sondern Zitate eigener wie anderer Werke, aus fremden Kontexten losgelöst, in immer neue Kontexte integrierbar und miteinander kombinierbar. So verlangt jeder Text einen anderen, der ihm Halt gibt, und hat selbst anderen Halt zu geben: ein Textuniversum, aus dem »der Autor verschwindet«[77], das sich fortzeugt, um der »Lücke im Text« Raum zu geben, als welche die komische Figur und ihr Lachen der Übertretung zuletzt bei Heiner Müller erscheinen:

[...] gesucht: die Lücke im Ablauf, das Andre in der Wiederkehr des Gleichen, das Stottern im sprachlosen Text, das Loch in der Ewigkeit, der vielleicht erlösende FEHLER: zerstreuter Blick des Mörders, wenn er den Hals des Opfers auf dem Stuhl mit den Händen, mit der Schneide des Messers prüft, auf den Vogel im Baum, ins Leere der Landschaft, Zögern vor dem Schnitt, Augenschließen vor dem Blutstrahl, Lachen der Frau, das einen Blick lang den Würgegriff lockert.[78]

Die dramatischen Strukturen, die Hacks und Müller in der Auseinandersetzung mit der komischen Figur erarbeitet haben, bleiben nicht auf ihre Stücke beschränkt. Den Ansatz, die komische Figur zu poetisieren, sie symbolkräftig zu machen, um ihr Lachen in das Verlachen der geschichtlichen Sieger integrieren zu können, zeigt z. B. Rainer Kirschs Komödie *Heinrich Schlaghands Höllenfahrt* (1973). Lachen als Einfallstelle der Dekomposition von geschichtlichem Sinn, des Ich wie der Bedeutungen zeichnet sich dagegen als Fluchtpunkt neuerer Stücke von Christoph Hein ab. Hein hat Lenz' *Neuen Menoza* bearbeitet (1981), ein Stück, das eine Null, ein Nichts ins Zentrum stellt, den Hohlkopf und Spießer Biederling, um den – gerade weil er ein Nichts ist – sich Spiele voller Übertreibung, ausgelassener Spiellust entfalten. Ein leeres Zentrum, eine Lücke: die Absenz des Ich wird zur Chance lustbetonten, ausgelassenen, den Körper in seiner mimischen Manier wieder zulassenden Spiels, das all das ausspielt, was die Gewalt der Konstitution des Ich, des geschichtlichen Sinns und der Bedeutung niederhält. Hein mildert gegenüber Lenz jedoch ab, als wagte er noch nicht, die lustbetonte Konsequenz solch eines Spiels aus leerem Zentrum zu ziehen. Entschiedener unternimmt dies sein neuestes Stück *Die wahre Geschichte des Ah Q* (1983). Eine Rahmensituation wie bei Müller: Geschichte als Stillstand, Revolutionen, die die Struktur von Herrschaft nur neu reproduzieren. Als Lücke in dieser Kette der Sieger figurieren zwei Landstreicher, die – wie Wladimir und Estragon auf Godot – auf die Anarchie warten. Aber sie sind unfähig, einem Lachen der Übertretung Raum zu geben. Der Autor denunziert sie als Clowns der Anarchie, als Maulhelden und Mörder. Indem die neuen alten Herren, die immer lachenden Sieger, Ah Q – Kryptogramm für Arlecchino – den Kopf abschlagen, wiederholt sich für unsere Zeit dessen Vertreibung:

> WANG [...] Ist das nicht komisch, Ah Q? Zum Totlachen?
> AH Q Ich kann nicht lachen. Es tut weh.[79]

Anmerkungen

1 »*Deutschland spielt noch immer die Nibelungen*«. *DDR-Dramatiker Heiner Müller über seine Theaterarbeit zwischen Ost und West*, in: Der Spiegel, 1983, Nr. 19 (9. 5. 83), S. 207.

2 *VI. Deutscher Schriftstellerkongreß 1969*, Berlin und Weimar 1969, S. 173; zit. nach: Karl Richter, *Vom Herrschaftsanspruch der Komödie. Dramentheoretische Betrachtungen im Anschluß an Dürrenmatt und Hacks*, in: Jahrbuch der deutschen Schillergesellschaft 22 (1978), S. 637–656, S. 644.

3 Darstellungen hierzu: Ulrich Profitlich, *Über Begriff und Terminus »Komödie« in der Literaturkritik der DDR*, in: Zeitschrift für Literaturwissenschaft und Linguistik 30/31 (1978), S. 190–205; Karl Richter (vgl. Anm. 2); Reinhold Grimm, *Kapriolen des Komischen. Zur Rezeptionsgeschichte seiner Theorie seit Hegel, Marx und Vischer*, in: R. Grimm und Walter Hinck, *Zwischen Satire und Utopie*, Frankfurt/ Main 1982, S. 20–125. – Darstellungen aus DDR-Sicht: Georgina Baum, *Humor und Satire in der bürgerlichen Ästhetik. Zur Kritik ihres apologetischen Charakters*, Berlin 1959; Wolfgang Heise, *Hegel und das Komische*, in: Sinn und Form 16 (1964), S. 811–830; Ursula Wertheim und Wilfried Adling, *Konflikte in unserer Wirklichkeit*, in: Theater der Zeit 20/13 (1965), S. 21–22; Erich Kühne, *Satire und groteske Dramatik. Über weltanschauliche und künstlerische Probleme bei Dürrenmatt*, in: Weimarer Beiträge 12/4 (1966), S. 539–565; Brigitte Thurm, *Gesellschaft, Kollisionen, Persönlichkeit. Gedanken zu Konfliktstruktur und Genrefragen unserer Dramatik*, in: Theater der Zeit 25/5 (1970), S. 10–12; Ernst Schumacher, *Die Marxisten und die Tragödie*, in: Theater der Zeit 32/11 (1977), S. 4–6.

4 *Geschichte der deutschen Literatur von den Anfängen bis zur Gegenwart*, Bd. 11: *Literatur der Deutschen Demokratischen Republik*, Berlin 1976, S. 415.

5 »*Einleitung zur Kritik der Hegelschen Rechtsphilosophie*«, in: Karl Marx und Friedrich Engels, *Werke*, hg. v. Institut für Marxismus-Leninismus beim ZK der SED, Berlin 1956–68 (MEW), Bd. 1, S. 382.

6 Peter Christian Giese, *Das »Gesellschaftlich-Komische«. Zu Komik und Komödie am Beispiel der Stücke und Bearbeitungen Brechts*, Stuttgart 1974.

7 »*Manifest der Kommunistischen Partei*«, in: MEW 4, S. 476.

8 Z. B.: »Die Komödie hat daher das zu ihrer Grundlage und ihrem Ausgangspunkte, womit die Tragödie schließen kann: das in sich absolut versöhnte, heitere Gemüt« (Hegel, *Vorlesungen über die Ästhetik*, Theorie Werkausgabe, Bd. 3, Frankfurt/Main 1980, S. 552).

9 Georgina Baum (vgl. Anm. 3).

10 Vgl. Anm. 3.

11 Peter von Matt, *Das Lachen in der Literatur,* Vortrag an der Univ. Bochum, 30. 11. 84.

12 Otto Rommel, *Die wissenschaftlichen Bemühungen um die Analyse des Komischen,* in: DVjs 21 (1943), zitiert nach dem Wiederabdruck in: R. Grimm und Klaus L. Berghahn (Hg.), *Wesen und Formen des Komischen im Drama,* Darmstadt 1975, S. 2.

13 Hierzu: Eckehard Catholy, *Komische Figur und dramatische Wirklichkeit,* in: *Wesen und Formen des Komischen* (vgl. Anm. 12), S. 402–418.

14 Neu eingeführter Begriff, da bisherige Bestimmungen dieses Lachens (zuletzt bei Hans Robert Jauß) zuletzt doch auf antinomische Gegenüberstellungen (z. B. von »Verlachen« und »groteskem Lachen«, von »Lachen über« und »Lachen mit«) zurückfallen (Jauß, *Über den Grund des Vergnügens am komischen Helden,* in: Wolfgang Preisendanz und Rainer Warning [Hg.], *Das Komische,* München 1976, S. 103–132).

15 *Interview,* in: Peter Hacks, *Das Poetische,* Frankfurt/Main 1972, S. 93; *Einige Gemeinplätze über das Stückeschreiben,* in: Neue deutsche Literatur 4/9 (1956), S. 119–126, inbes. S. 123.

16 Rudi Strahl, *Es grient so verschämt. Zum Dilemma des zeitgenössischen Lustspiels,* in: Theater der Zeit 32/7 (1977), S. 52.

17 Hacks, *Einige Gemeinplätze* (vgl. Anm. 15), S. 124.

18 *Mauern, Gespräch mit Sylvère Lothringer,* in: Müller, *Rotwelsch,* Berlin 1982, S. 52.

19 Heiner Müller, *VERKOMMENES UFER MEDEAMATERIAL LANDSCHAFT MIT ARGONAUTEN,* in: Müller, *Herzstück,* Berlin 1983, S. 96 und 97.

20 Heinrich Heine, *Deutschland. Ein Wintermärchen,* Kaput III.

21 So charakterisiert in: Christoph Trilse u. a., *Theaterlexikon,* Berlin 1977, S. 111; hierzu: Wolfram Krömer, *Die italienische Commedia dell'arte,* Darmstadt 1976.

22 Heiner Müller, *Germania Tod in Berlin,* Berlin 1977, S. 44.

23 Ebd., S. 46.

24 Joachim Ritter, *Über das Lachen,* in: Blätter für Deutsche Philosophie 14 (1940), Wiederabdruck: Ritter, *Subjektivität,* Frankfurt/Main 1974, S. 62–92.

25 *Der Bau,* in: Müller, *Geschichten aus der Produktion 1.* Berlin 1974, S. 92, und: *Die Hamletmaschine,* in: Müller, *Mauser,* Berlin 1978, S. 89.

26 Unterscheidung von realer, imaginärer und symbolischer Ordnung nach: Roland Barthes, *Die Imagination des Zeichens,* in: Barthes, *Literatur oder Geschichte,* Frankfurt/Main 1973, S. 36–43.

27 Jan Knopf, *Brecht Handbuch. Theater,* Stuttgart, 1980, S. 259; Klaus-

Detlef Müller, *Die Funktion der Geschichte im Werk Bertolt Brechts*, Tübingen ²1972, S. 208.

28 *Der Kaukasische Kreidekreis*, in: Brecht, *werkausgabe edition suhrkamp*, Frankfurt/Main 1967, S. 2105.

29 Ebd., S. 2005.

30 Vgl. z. B. Das Poem »*Die Erziehung der Hirse*«; hierzu: Verf., *Im Zeichen des Aufbruchs: die Literatur der fünfziger Jahre*, in: Hans-Jürgen Schmitt (Hg.), *Sozialgeschichte der deutschen Literatur*, Bd. 11: *Die Literatur der DDR*, München 1983, S. 353–358.

31 *Arbeitsjournal*, 8. Mai 1944.

32 *Kreidekreis* (vgl. Anm. 28), S. 2087f.

33 Ebd.

34 Ebd., S. 2102.

35 Über Entstehung und Verfasserschaft dieser Bearbeitung: Jan Knopf, *Brecht Handbuch. Theater* (vgl. Anm. 27), S. 321f.

36 *Notate zu »Katzgraben«*, in: Junge Kunst 1 (1958), zit. nach: *Theater in der Zeitenwende. Zur Geschichte des Dramas und Schauspieltheaters in der Deutschen Demokratischen Republik 1945–1968*, Bd. 1, Berlin 1972, S. 241.

37 Zitiert nach: Manfred Durzak, *Zwischen Aristophanes und Brecht. Gespräch mit dem Dramatiker Peter Hacks in Ost-Berlin*, in: FAZ, 16. 2. 1974 (Wochenendbeilage).

38 *Einige Gemeinplätze* (vgl. Anm. 15); *Versuch über das Theaterstück von morgen*, in: Hacks, *Das Poetische* (vgl. Anm. 15), S. 41.

39 *Über Langes »Marski«*, in: Hacks, *Das Poetische* (vgl. Anm. 15), S. 113.

40 *Kritik der Urteilskraft* § 59; hierzu: Odo Marquard, *Kant und die Wende zur Ästhetik*, in: Zeitschrift für philosophische Forschung 16 (1962).

41 Unterscheidung nach: Tzvetan Todorov, *Les Catégories du récit littéraire*, in: Communications (1966), S. 125–151.

42 Nachfolgend werden als Siglen gebraucht: E = Jahr der Entstehung, U = Jahr der Uraufführung.

43 Horst Laube, *Peter Hacks*, Velber 1972, S. 36–38; U. Profitlich, »*Des Menschen edles Bild vollkommen schwarz« – Zur Darstellung Preußens in Peter Hacks' »Müller von Sanssouci«*, in: Jahrbuch der Literatur in der DDR, Bd. 2, Bonn 1981/82, S. 89–113.

44 *Der Müller von Sanssouci*, in: Hacks, *Ausgewählte Dramen 3*, Berlin und Weimar 1981, S. 7.

45 Zitiert nach: Hacks, *Die Maßgaben der Kunst. Gesammelte Aufsätze*, Düsseldorf 1977, S. 324.

46 Ebd.

47 Ebd.

48 Vgl. Uwe E. Ketelsen, *Hacks. Moritz Tassow*, in: W. Hinck (Hg.), *Die deutsche Komödie*, Düsseldorf 1977, S. 342–359, insbes. S. 348f.

49 Hacks, *Das realistische Theaterstück*, in: Neue deutsche Literatur 5/10 (1957), S. 90–104.

50 Hacks, *Wie bearbeitet man den Aristophanes?* in: Theater heute 4/5 (1963), Stückbeilage, S. III.

51 Hacks, *Über das Gegenwartsdrama, abschließend*, in: Hacks, *Maßgaben* (vgl. Anm. 45), S. 337.

52 Ebd., S. 338.

53 *Das realistische Theaterstück* (vgl. Anm. 49), S. 102; hierzu: U. Profitlich, *»Heute sind alle guten Stücke Volksstücke«. Zum Begriff des »sozialistischen Volksstücks«*, in: ZfdPh 97 (1978), S. 182–218.

54 *Götter, welch ein Held! Zu »Der Frieden«*, in: Hacks, *Maßgaben* (vgl. Anm. 45), S. 342 f.

55 *Maximen und Reflexionen*, in: Goethes Werke (Hamburger Ausgabe), Bd. 12, Hamburg 1953, Nr. 751, S. 471.

56 W. Hinck, *Einleitung. Die Komödie zwischen Satire und Utopie*, in: Grimm und Hinck, *Satire und Utopie* (vgl. Anm. 3), S. 9.

57 Hacks, *Die Vögel. Komische Oper nach Aristophanes*, in: Hacks, *Oper*, München 1980, S. 196.

58 Die Deutung folgt Martin Stern, *Die Schwänke der Sturm-und-Drang-Periode: Satiren, Farcen und Selbstparodien in dramatischer Form*, in: Walter Hinderer (Hg.), *Goethes Dramen. Neue Interpretationen*, Stuttgart 1980, S. 23–41.

59 Ebd.

60 Hacks, *Warum ich für nichts kann. Zu »Das Jahrmarktsfest zu Plundersweilern«*, in: Hacks, *Maßgaben* (vgl. Anm. 45), S. 387.

61 Hacks, *Saure Feste*, in: Hacks, *Pandora*, Berlin und Weimar 1981, S. 101 f.

62 Ebd., S. 103.

63 *»Mein Hauptinteresse beim Stückeschreiben ist, Dinge zu zerstören«*. in: Müller, *Mauern*, (vgl. Anm. 18), S. 81.

64 Über die Schwierigkeit, das Stück in der DDR zur Aufführung zu bringen: Hacks, *Ekbal, oder: Eine Theaterreise nach Babylon*, in: Hacks, *Maßgaben* (vgl. Anm. 45), S. 30 f.

65 Um nach dem Verdikt (1961) das Stück in der DDR wieder aufführbar zu machen, gab Müller ihm – bei wenigen geringfügigen Änderungen – den neuen Titel »Die Bauern«; s. Müller, *Die Umsiedlerin oder Das Leben auf dem Lande*, Berlin 1975.

66 In: Müller, *Shakespeare Factory 1*, Berlin 1985, S. 241–250.

67 Theater der Zeit 35/7 (1980), S. 13.

68 »Übertretung« im Sinne Foucaults als Figur des Denkens und der Erfahrung verstanden, mit der das abendländische Denken das Prinzip der Dialektik verläßt, dem es jahrtausendelang gefolgt ist (Michel Foucault, *Zum Begriff der Übertretung*, in: Foucault, *Schriften zur Literatur*, Frankfurt/Main 1979, S. 69–89). Zu Müllers »Lachen der

Übertretung« ausführlicher: Verf., *»Jetzt will ich sitzen wo gelacht wird«: Über das Lachen bei Heiner Müller,* in: Jahrbuch zur Literatur in der DDR (1986).

69 Müller, *Herzstück* (vgl. Anm. 19), S. 45.
70 Ebd.
71 Ebd., S. 51.
72 Ebd., S. 52.
73 Ebd., S. 53.
74 Ebd., S. 66.
75 Ebd., S. 67.
76 Ebd., S. 70.
77 Müller beruft sich wiederholt auf Foucaults These vom »Verschwinden des Autors«; vgl. Foucault, *Was ist ein Autor?,* in Foucault, *Schriften* (vgl. Anm. 68), S. 7–31.
78 Müller, *Bildbeschreibung,* in: Müller, *Shakespeare Factory 1* (vgl. Anm. 66), S. 13.
79 Christoph Hein, *Die wahre Geschichte des Ah Q,* Darmstadt 1984, S. 106.

Klaus Siebenhaar
»Der freundliche Blick auf Widersprüche…«
Volksstücktradition und Realismus im DDR-Drama

Die »Kunst zu erben« (Ernst Bloch/Hanns Eisler) erweist sich gerade im Bereich des Selbstverständlichen als voller Tücken. So mag es nur auf den ersten Blick verwundern, wenn die ernsthaften Bemühungen von DDR-Theaterkritik, -wissenschaft und -regisseuren um ein schillerndes Genre mit dem Stoßseufzer »Volkstheater und kein Ende«[1] zu einem vorläufigen Abschluß gebracht werden. Denn die Diskussion um die »verstärkte Pflege des wirklich Volkstümlichen«[2] durchzieht mit immer neuen Akzentuierungen die kulturpolitischen Debatten von den fünfziger bis in die achtziger Jahre hinein[3], wenngleich sich die vielfältigen Aufbrüche und Erkundungen zu einer »möglichen Form sozialistischen Volkstheaters«[4] innerhalb der großen Erbauseinandersetzungen eher bescheiden ausnehmen. Die Schwierigkeiten mit der Gattung Volksstück und ihren künstlerisch-ästhetischen Vermittlungsformen erklären sich in doppelter Hinsicht aus dem kulturellen Traditionsverständnis der DDR: Zum einen versperrte lange Zeit eine ganz auf die Pflege des »klassischen Erbes« ausgerichtete Literatur- und Theaterpolitik den Blick für plebejische Überlieferungen, was gepaart mit einem normativen Realismus-Konzept zur Vernachlässigung bestimmter Stilmittel (Märchen, Groteske, Phantastik im Alltag) führte. Rudolf Münz hat auf die großen geschichtlichen Bezüge dieser einseitigen Entwicklung hingewiesen, indem er generalisierend feststellte, daß der Terminus Volkstheater in »der deutschen Theaterkultur bis in die jüngste Vergangenheit eine verschwindend geringe Rolle« spielte »im Vergleich etwa zu dem Begriff des Nationaltheaters«.[5] Hinzu kommt, daß sich diese historisch tradierte Problematik im weit gespannten Netz politischer Grundannahmen des Sozialismus verfängt: Wo das Volk zur herrschenden Klasse aufrückt, drohen Volksstück und Volkstümlichkeit zu tautologischen Wendungen zu verkümmern, sie verlieren an kulturgeschichtlicher Spezifik oder erfahren eine grenzenlose weltliterarische Dimensionierung – von Shakespeare über Lessing, Goethe, Ibsen, hin zu O'Casey oder Brecht erstreckt sich der Bogen: »Die Volksstücke, die dem Sozialismus angemessen sind, hei-

ßen ›Faust‹ und ›Leben des Galilei‹, die Komödien eines auf sozialistische Art lebenden Volkes heißen ›Zerbrochener Krug‹ und ›Herr
Puntila‹!«[6] Die kulturpolitischen Allgemeinplätze bedingen eine
literarische und theatralische Praxis, die zwischen schlichter Unbe-
fangenheit (»[…] muß Volkstheater die dringenden Bedürfnisse
des Volkes verwirklichen helfen«[7]), theoretischen Gratwanderun-
gen (»Lust und Vergnügen sind bei uns identisch mit der Erwek-
kung höherer menschlicher, gesellschaftlicher Produktivität«[8])
und versteckter Selbstkritik (»[…] ganze Dramaturgien brechen
auf, Volksstücke zu suchen«[9]) schwankt und nur zögernd dieses
»andere« Erbe antritt.

Die wechselvollen Bemühungen um Volkstümlichkeit und Volksstück lassen sich vor dem Hintergrund gesamtgesellschaftlichen
Wandels – vom Aufbau des Sozialismus hin zum Wohlstand im Sozialismus – grob in drei Phasen gliedern. Neben den ideologischen
und ökonomischen Faktoren bestimmt der stetig wachsende Einfluß des Mediums Fernsehen die literarischen Grenzziehungen
(Volksstück und/oder Komödie, Lustspiel). Publikumserwartung
und veränderte Sehgewohnheiten provozieren stets den wachen
Blick weltanschaulicher Wertebewahrer, denn letztlich geht es immer auch um die brisante Frage nach der Vereinbarkeit von Unterhaltung, Vergnügen, Komik und Belehrung.

»…neue Wege, nicht ohne Kenntnis der alten!«
Brecht und die Folgen

Die großen Epochen des Volkstheaters von Shakespeare bis zu Nestroy kennen den literarischen Komplementärbegriff nicht, ihre
genrespezifischen Eigenarten bilden sich als »Intention«[10] aus dem
jeweiligen sozialgeschichtlichen Regelrahmen heraus. Themen,
Konflikte, Personal und Blickwinkel nehmen Bezug auf die Bedürfnisse und den Geschmack ihrer Zuschauer. Diese lebendige In-
terdependenz erschließt sich über ein Spiel, das in Mimik, Gestus
und Sprache auf das Verständnis seiner nichtprivilegierten Adressaten zielt. Die Bandbreite der literarischen Vorlage reicht von Shakespeares Tragödien über die Stegreifimprovisationen der Commedia
dell'arte bis zu Zauberspielen, Possen und Schwänken des 19. Jahrhunderts. Das Volksstück als eigenständige Gattung taucht erst auf,
als sich »die Institution Volkstheater bereits in der Auflösung be-

fand«.[11] Schon Anzengruber und Thoma erheben zum Programm, was als Einheit längst nicht mehr existiert: Volksstück und Volkstheater. Soziale Erosionen verwischen darüber hinaus immer stärker die gesellschaftlichen Konturen, so daß die dem Begriff innewohnende Zielprojektion zunehmend diffuser erscheint.

Bertolt Brechts Maßgaben des »neuen Volksstücks« gründen deshalb auf einer klassenspezifischen Bestimmung von »Volk« (= Proletariat, Arbeiter, Bauern), so daß Kriterien wie naiv, poetisch und wirklichkeitsnah nur den ästhetischen Rahmen abstecken. Die weitestgehend im skandinavischen Exil formulierten Anmerkungen zu Volksstück, Volkstümlichkeit und Realismus vereinigen avantgardistische Techniken der zwanziger Jahre (literarische Revue, episches Drama), eine artistisch-natürliche Schauspielkunst und einen Stilanspruch, der dem diskreditierten Genre erstmals künstlerische »Erlesenheit« zugesteht. Brecht betreibt dabei nicht die Ehrenrettung des »kruden« Volksstücks, er weitet sein Anliegen vielmehr zu einer Gesamtschau realistischer Methoden für ein marxistisches Kulturkonzept nach der Überwindung des Faschismus. Der von nationalsozialistischer Sozialdemagogie befreite Volks-Begriff findet seine literarische Umsetzung in einem Prozeß des »Volkstümlichwerdens«: statt Routine, Klischee, Primitivität und Dilettantismus Einfachheit, Größe, Würde, Phantasie, Feinfühligkeit in Form und Inhalt.[12] Brecht nimmt die vermeintlich niederen Unterhaltungsbedürfnisse des Publikums ernst, er verweigert sich aber sowohl vordergründiger, sinnentleerter Delikatesse als auch einer verengten (sozialistischen) Realismusdoktrin. Ohne plebejisch-bürgerliche Traditionsstränge (Ballade, Moritat, Volksbuch, Historie, Sittenstück u. a.) zu leugnen, weist sein Programm doch jene antizipatorischen Züge auf, welche die Grundhaltung des Versuchs und Experiments bewahren. *Herr Puntila und sein Knecht Matti* (1940) gerät ihm dabei zum Erprobungsmodell des »weitherzigen, produktiven, intelligenten« Realismus[13]: Topoi, Themen und Figurenkonstellationen des »alten« Volksstücks werden zitiert und – einschließlich der für Brecht ungewohnten Stimmungsmomente von Natur und Landschaft – kritisch-dialektisch gewendet. Formal und spieltechnisch setzt Brecht das ganze Repertoire seines epischen Theaters ein, das »Gesellschaftlich-Komische« (Peter Christian Giese) erwächst aus der Konfrontation von philosophischem Witz und poetisierter Alltäglichkeit. Der für die Inszenierung 1951 hinzugefügte Prolog sowie die umfangreichen Notate zu Stück und

Aufführung bezeugen Brechts ungebrochenes Vertrauen in die politisch-ästhetische Aussagekraft des *Puntila* unter veränderten gesellschaftlichen Bedingungen, und die Präferenzen der DDR-Bühnen für dieses Stück unterstreichen nicht zuletzt dessen anspruchsvollen Unterhaltungswert, selbst wenn Manfred Nössig einschränkt, daß bei aller Bedeutung innerhalb der Brecht-Pflege »diese absolute Bevorzugung in letzter Zeit Einseitigkeit signalisiert«.[14] In derselben Rezension von 1972 kommt der Kritiker aber nicht umhin, einen der Gründe für diesen Trend im Volksstückcharakter selbst aufzuspüren: »[...] das Bedürfnis nach Heiterkeit, ja Deftigkeit, auch nach fremdem nationalem Kolorit läßt sich damit gut und verantwortlich erfüllen«.[15]

Dem Theaterpraktiker Brecht schwebte ein solches Verfahren, das »Lust am Erkennen« und »Spaß an der Veränderung«[16] in »große« volkstümliche Formen kleidet, mit Erwin Strittmatters »historischer Komödie«[17] *Katzgraben* bereits 1953 vor. Brecht sieht Strittmatters Zeitstück, das für ihn schon durchlebte, aber noch nicht »bewältigte« Geschichte behandelt, in der Tradition der Raimund, Anzengruber, Ruederer und Thoma: »Er geht neue Wege, nicht ohne Kenntnis der alten!«[18] Die Deutung der Gegenwart sowohl aus der weit zurückliegenden als auch der jüngsten Vergangenheit erlaubt eine kritisch-dialektische Impulsgebung, die aus der Distanz heraus Einsichten fördert und aktuelle Konflikte durchschaubar macht. Es klingt wie die Paraphrase der in der Emigration aufgestellten Thesen zum neuen Volksstück, wenn Brecht Strittmatters Komödie um die Entwicklung des Dorfes Katzgraben zwischen 1947 und 1949 »köstliche Einzelzüge«, »widerspruchsvolle Individualität« in der Figurengestaltung sowie Plastizität, Kraft und Bilderreichtum in der »jambisch gehobenen Volkssprache«[19] zuerkennt. Arbeiter und Bauern auf der Bühne sprechen zu hören »wie die Helden Shakespeares und Schillers«[20] bedeutet die Nobilitierung des Volkstümlichen, und aus der Wechselbeziehung von neuem Inhalt und neuer Form gewinnen Brecht/Strittmatter einen Realismus, der dramen- und aufführungstechnisch tradierte Stilmittel (sprechende Namen, chronikalische Struktur, soziale Definition der Figuren wie im Volksmärchen) mit den poetischen Bedürfnissen und ideologischen Notwendigkeiten des sozialistischen Aufbaus in Einklang zu bringen sucht. Dazu gehören im Fabelablauf die genaue Markierung der sozioökonomischen Drehpunkte, die sprunghafte Zuspitzung der Krisen und Konflikte und satirisch-distanzierende Elemente (Sprach-, Figuren-, Situationskomik). In der Umwertung von ›groß‹ und ›klein‹ offenbart sich der Bezug zum zentralen Komödien- (und Volksstück-)Topos der »verkehrten Welt«: Sinnbild (auch) des Triumphs der Depravierten über die ›Oberen‹. Mit der Person des Parteisekretärs Steinert stellt sich für Brecht erstmals direkt an einem Gegenwartsstoff die Frage des positiven Helden, des anleitenden Vorbilds. Man entscheidet sich gegen eine schematisch-typisierende Idealisierung, die den Zuschauer von der kritischen Reflexion des Geschehens entbinden und die epische Gesamtkonzeption des Stückes zerstören würde. Situationsbedingte Demonstration von Haltungen und Handlungen bildet das Gerüst zum »Aufbau eines Helden«[21], Autor und Regisseur bewahren die Vielfalt poetischer Spielarten: »Wir müssen aufmerksam verfolgen, was entsteht. Was entsteht, müssen wir entwickeln.«[22] Die Bauernkomödie *Katzgraben* begründet ein für die fünfziger und sechziger Jahre signifikantes Genre der DDR-Dramatik mit: »Agroprop«.[23] Der Klassenkampf auf dem Land rückt mit besonderer Drastik ökonomische Umwälzungen in den Blickpunkt, erweisen sich doch hier die Restbestände feudaler Herrschaft als archaisch und zählebig. Abgesehen von der politischen Dringlichkeit der Landreform bietet dieses Nebeneinander von Tradition und revolutionärem Neubeginn in Denk- und Lebenspraxis stofflich und atmosphärisch die Voraussetzungen, milieugerechte Stimmungsbilder zu entwerfen und bei aller Ernsthaftigkeit des Anliegens komisch-burleske Elemente einfließen zu lassen. In Strittmatters zweitem Stück, *Die Holländerbraut* (1960), verstärken sich die balladesk-legendenhaften Züge, treten Landschaftskolorit, Dialektfärbung, Natursymbolik und Volksliedklänge deutlicher hervor und das Komödiantische fast ganz in den Hintergrund: Der knappe episodische Reihungsstil gemahnt an einen Bilderbogen; es handelt sich nicht um poetische Anreicherungen oder volkstümliches Dekor, sondern um szenisch-dramaturgisch sinnfällige Bestandteile einer historischen Recherche aus der Perspektive der ehemals Deklassierten. Mit der *Holländerbraut* rückt wie schon in Friedrich Wolfs *Bürgermeister Anna* (1950) eine Frauenfigur in den Mittelpunkt des Geschehens. Bei Strittmatter wird Hanna Tainz während der nationalsozialistischen Herrschaft als angebliche Geliebte eines holländischen Zwangsarbeiters brutal gedemütigt, ihr Vater ermordet. Opportunismus, Mißtrauen und geschlechtsspezifische Diskriminierung erfährt sie aber auch in gemilderter Form

als Bürgermeisterin nach der Befreiung. Die materiellen Verhältnisse und noch nicht überwundene Denkschablonen erschweren
kollektive und individuelle Lernprozesse – siegreich und doch
»schmerzvoll« lächelnd steht am Ende Hanna Tainz da.[24] Wieder
mischt Strittmatter die »hohe« Sprache der Tragödie mit gestischen
Tonfällen Brechtscher Provenienz. Gesellschaftlicher Wandel vollzieht sich voller Widersprüche und persönlicher Verluste, die opti-
mistische Zukunftsperspektive wirkt eher gedämpft. Friedrich
Wolf dagegen setzt auf die schwankhaften Effekte des »kruden«
Volkstheaters: »So erscheint die nach dem Prinzip der aristoteli-
schen Dramaturgie gebaute Komödie als Kombination von Bekeh-
rungs- und Lösungsstück [...].«[25] Wolf spart nicht an den in den
zwanziger Jahren erprobten Zutaten des tendenzgeladenen Zeitstücks: typisierte Figuren, klare antagonistische Klassenlage bei
der Konfliktschürung, naturalistisch getönte Sprache. Im Rahmen
dieser Grundmuster konzentriert sich die Dorfkomödie auf die
weibliche Hauptfigur Anna Drews, deren Vorbildrolle ganz ungebrochen aus ihrem kreatürlichen Elan erwächst (darin durchaus
Zuckmayerschen Helden vergleichbar) und die somit den Aufbau-
willen schlechthin verkörpert. Jene ihr kompositorisch zugeordne-
ten Gegenspieler »machen es möglich, einen großen Aktionsradius
für die Hauptfigur zu schaffen, die neue Qualität dieses Menschen-
typs kräftig herauszustellen«.[26] Eindeutige politische Botschaft
und Happy-End verbinden sich zum klassischen Komödien-
schluß, der keine offenen Fragen mehr kennt.

Nimmt man noch Helmut Baierls der *Mutter Courage* nachemp-
fundene Komödie *Frau Flinz* (1961) hinzu, so wird deutlich, wie in-
tensiv die ästhetischen Divergenzen der Weimarer Republik und
des Exils die dramatischen Bemühungen um Volkstümlichkeit und
Realismus formal wie inhaltlich weiterbestimmen. Die Antipoden
Brecht und Wolf markieren eine Wegscheide, deren Richtungswei-
sung keiner auf der einen oder anderen Seite in dieser Ausschließlichkeit folgt. In bezug auf das Volksstück im allgemeinen bedeutet
dies aber auch, daß lange Zeit kaum ein anderer ›progressiver‹ Traditionsstrang (Nestroy, Horváth z. B.) wirksam wird.

Baierls aktualisierte Brecht-Adaption zeigt bereits mit der positiven Umwertung der Protagonistin die Schwierigkeiten auf: Gereicht noch bei Brecht die Unbelehrbarkeit der Courage zum kritischen Anschauungsunterricht für das Parkett, so reimt es sich im
Prolog zur *Frau Flinz* ganz anders:

Wollt ihr sie loben, müßt ihr wohl verstehn,
Sie als die großen Helden anzusehn.[27]

Trotz kommentierender Spruchbänder, epischen Szenariums, direkter Wendungen an die Zuschauer und allerlei sprachlicher Kunstgriffe (Volksweisheiten, Bibelzitate u. ä.) fabriziert die Komödie auf der Bühne die fertigen Lösungen: »Frau Flinz und ihre fünf Söhne haben den Staat erobert, und der Staat hat sie erobert.«[28] Aus der Perspektive der kleinen Leute wird in bester Volksstückmanier Durchsetzungsvermögen und plebejische List der Frau Flinz vorgeführt; noch in ihren Fehlern regt sie zur Identifikation an, und es löst sich das Distanziert-Demonstrative im Plakativ-Belehrenden auf: »Frau Flinz greift nach der Lenin-Broschüre.«[29]

  Einen Weg ganz eigener Art innerhalb der sozialistischen Dramatik nach Brecht beschreitet Peter Hacks. Sein Bekenntnis zur Methode des Meisters schließt den zögerlichen Umgang mit zeitgenössischen Stoffen ein. Neben dem nachhaltig bekräftigten Postulat einer Dramaturgie der Widersprüche[30] nimmt in seinen Überlegungen zum Realismus die Auseinandersetzung mit dem volkstümlich-plebejischen Erbe breiten Raum ein. In der Abhandlung über das »realistische Theaterstück« rekonstruiert Hacks die Geburt des Realismus aus dem Geist der Komödie, der »plebejischen Position« und des Volksstücks: »Die plebejische Position ist eine kleinbürgerlich-romantische Position; bemüht im Progreß, stöbert sie in alten Kalendern. Ihr dramaturgisches Leitbild ist das Volksstück. [...] jene schönen, einfältigen, derben und naiven Gesamtkunstwerke mit ihrer epischen Montagetechnik, ihrer noch nicht von der Resignation des Familiendramas aufgezehrten Personenfülle.«[31] Vor der Ahnengalerie der Eulenspiegel, Schwejk, Pocci und Chaplin schält Hacks die verwertbaren Elemente der tradierten Gattungen heraus – nicht um sie bloß umzufunktionieren, sondern um gänzlich neue Lösungen zu finden. Liegen der Komödie nach Hacks bisher »überwindbare, da unernste Widersprüche« zugrunde, so kann es in Zukunft nur um »überwindbare ernste Widersprüche« gehen.[32] Zeichnen den plebejischen Helden vulgärer Materialismus, »Nicht-Handeln«, »unproduktive Negation«, Tricks und eine eher »anektdotische« Existenz aus, so gilt für die sozialistische Gegenwart: »Das heutige Proletariat entspricht dem Volk von einst, aber es entspricht auch den Mächtigen von einst.«[33] Das realistische Theaterstück tritt an die Stelle des alten Volksstücks, indem es Konflikt- und Perspektivegestaltung radikal verändert, naive List durch wissenschaftliche Dialektik, krittelnden Humor durch revolutionären Witz, gemütvolle Lieder durch aktivierende Songs ersetzt und damit die »gesellschaftliche Qualität« einführt.[34] Der Blick von »Ganz-Unten« – mit all seinen spontananarchischen, provozierend-amoralischen, unschöpferisch-anklagenden Komponenten – wird abgelöst von der marxistischen Gesamtschau der Dinge. In der Reproduktion der »großen Tugenden« auf die »Bewußtseinsebene des zwanzigsten Jahrhunderts«[35] offenbart sich die Kontinuität: Nicht verlorengehen darf nach Hacks eine respektlose Wachsamkeit gegenüber »idealistischen Abweichungen«[36] – auch und gerade im Sozialismus. Der Gegensatz von »plebejischem« und »proletarischem Bewußtsein« vermittelt sich im Frühwerk Hacks' aus der Distanz der feudal-bürgerlichen Vorgeschichte: Es sind Stücke über die »Pflicht des Menschen, sich zu emanzipieren; es waren Geschichten von Leuten, die sich ihrer Schranken entledigen, [...] oder solche, die gegen unemanzipierte Seelen, gegen lakaienhafte und opportunistische Haltungen polemisierten [...]«.[37] Legenden zu korrigieren und aus dem entgegengesetzten Blickwinkel neu zu verhandeln, heißt, die »unteren Klassen« zu »Subjekten des Fortschritts« zu erheben und diesen Fortschritt als Vernunft, d. h. erklärbar zu schildern.[38] Historische Komödien wie *Die Schlacht bei Lobositz* (1956) oder *Der Müller von Sanssouci* (1958) und »antiheldische Historien«[39] wie *Das Volksbuch vom Herzog Ernst* (1953) oder *Die Eröffnung des Indischen Zeitalters* (1954) nehmen ausdrücklich in Schemata und sprachlichem Bilderreichtum Anleihen beim »romantischen« Volksstück. Um »Abscheu vor der Vorzeit zu wecken«[40], beherrschen negative »Gegenstände« die Fabeln, aus dem Spannungsverhältnis von vorgeführter Vergangenheit zur Gegenwart bezieht Hacks Aktualität: Die ungewohnten Einblicke in Machtmechanismen und Geschichtsverläufe gestatten kritische Anteilnahme und legen das »Soziologische der Gesellschaftsstruktur«[41] bloß. Demontierte Helden, die von ihrer Zeit überholt sind oder an schlichter »Kleinheit«[42] kranken, erlauben keine positiven Haltungen; Hacks demonstriert »plebejische Positionen«, ohne ihnen zu verfallen. Im *Moritz Tassow* (1961) weitet sich der Problemaufriß ins Gegenwärtig-Utopische. Das Heute und die Zukunft geraten auf den Prüfstand des provokant-anarchischen Titelhelden, »bei dem Potenz des Geistes wie des Fleisches im Überfluß vorhanden ist«.[43]

Hacks variiert das Herr-Knecht-Verhältnis in der Konfrontation zwischen dem plebejischen Genußmenschen Tassow und dem proletarischen Praktiker Mattukat. Eingebettet in eine halb realistische, halb märchenhafte Szenerie, vorgetragen im shakespeareschen Blankvers und angereichert mit versteckten literarischen Zitaten von Rabelais bis Wilhelm Busch, entwickelt sich ein Kampf zweier Gleichberechtigter mit relativ offenem Ausgang: Weder der anmaßende Phantast, Eulenspiegel und Kopfkommunist, der als Sympathieträger kaum zu schlagen ist, noch der sensibel-pragmatisch handelnde Parteikommunist sind im Besitz der *ganzen* Wahrheit. Spielerisch mischt Hacks Narrenspiel, sozialrevolutionäre Dorfgeschichte, hohe Komödie und Volksstück zu einem Kunstprodukt, das die Diskrepanz von Entwurf und Entstehendem als ernstzunehmendes systemimmanentes Problem zu behandeln weiß: »Auf sinnliche Weise gewinnen wir einige Einsichten für die Konkretisierung revolutionärer Vorstellungen.«[44] Das Poetische, Artifizielle und Derbe des Stückes unterstreicht die umstrittene Uraufführung Benno Bessons (1965) – gestützt vom Bühnenbild Fritz Cremers und den balladesk-volksliedhaften Kompositionen Rudolf Wagner-Régenys.[45] So erfüllt sich denn Mitte der sechziger Jahre, als sich doch längst ästhetisch-formal weniger avancierte Versuche Aufmerksamkeit verschafft hatten, in theoretischer, dramenpraktischer und inszenatorischer Hinsicht das Brechtsche Volkstümlichkeitskonzept in einem singulären Akt.

»Heute drückt das Volksstück die Einheit der Gesellschaft aus.« Vorstöße zum sozialistischen Volksstück

Die Herausbildung einer literarisch vorgeprägten Fernsehspielkultur seit Anfang der sechziger Jahre beschleunigt den Verzicht auf irritierende Experimente. Personal und Konflikte dieser Fernsehdramatik orientieren sich jetzt ganz unverhohlen an bewährten Konstellationen und inhaltlichen Versatzstücken. Die von Brecht, Strittmatter und Hacks verworfene bloße »Umfunktionierung« der Gattung wird nun mit allem Nachdruck betrieben. Helmut Sakowski und Benito Wogatzki – die erfolgreichsten Vertreter dieses Ansatzes – künden vom sozialistischen Volksstück für jedermann, in dem sich der Wandel von der Herren- zur wahren Volkskunst erfülle. Der sich bereits in einigen schlichten »sozialistischen Lustspielen« der fünfziger Jahre abzeichnende Trend zum naiven Umgang mit alten Schablonen erhält nun einen programmatischen Anstrich. Während Wogatzki seine flach-schematisch gezeichneten Szenen aus Industrie und Arbeitswelt mit allerlei märchenhaftkomischen Ingredienzien volkstümlich ausschmückt, setzt Sakowski auf die dörflichen Sujets.[46] Wie vor ihm schon Fred Reichwald arbeitet er gleichzeitig für Bühne und Medien (Hörfunk, Fernsehen). Sakowski beschränkt Themen und Fabel auf Binnenprobleme des sozialistischen Aufbaus, von der *Entscheidung der Lene Mattke* (1959) bis zum fünfteiligen Fernsehroman *Wege übers Land* (1968) verdichten sich in Frauengestalten die alltäglichen Schwierigkeiten in und mit der neuen Gesellschaftsordnung. Die Widersprüche sind von vornherein überwindbar, mangelt es den noch Unbelehrten doch einzig am rechten Bewußtsein. Auf diesem festen ideologischen Grund etabliert sich eine dramatische Erzählhaltung, welche die »Königsebene« (Wogatzki) für die kleinen Leute reserviert. In der sozialen Verkehrung der Perspektive gipfelt die Umfunktionierung des kleinbürgerlich-plebejischen zum sozialistischen Volksstück. Ankunft und Aufbau des Sozialismus verlangen in dieser Lesart den großen proletarischen Helden, der ungebrochen und vorbildhaft seinen Weg geht. Damit entfällt die Dialektik von Form und Inhalt wie bei Brecht und Hacks; Sakowski pflanzt in seine ausdrücklich dem alten Volksstück entlehnten dramatis personae den Geist der neuen Zeit ein: »Aber im Unterschied zum Volksstück früherer Zeiten sind solche Figuren wie der Knecht Anrees oder die schwarze Lisa aus ›Steine im Weg‹ in ganz andere Situationen gestellt, sie haben völlig andere Konflikte, nämlich die der Herrschenden. Früher hat das Volksstück die Teilung ausgedrückt, Geschichten erzählt von der unterdrückten Klasse. Heute drückt das Volksstück die Einheit der Gesellschaft aus. Heute sind alle guten Stücke Volksstücke.«[47] Dieses einfache Verfahren gestattet eine Synthese von epischer Dramenstruktur und aristotelischer Wirkungsästhetik, in der sich die charakteristischen Details komplexer Individuen in der vorgegebenen Typik objektiver Prozesse verlieren. Zu Recht wertet Uwe-K. Ketelsen die eingeflochtenen Liebesaffairen und Privathändel als Scheinattribute, gehen sie doch völlig in den alles determinierenden historischen Vorgängen auf.[48] Die kalkulierte »Einheit« bestätigt im Happy-End – so zwischen Lisa und Paul in Sakowskis Erfolgsstück *Steine im Weg* (1960/62) –, was jenseits verschiedener Störfaktoren schon vorher feststeht. Die einst subversiv-entlarvende Funktion solch konstruierter Harmonie[49] verkümmert zum reinen Bestätigungsritual. Dialektanleihen, Milieu, Natur sind in diesem Rahmen Indikatoren angenommener Wirklichkeitsnähe, die den Handlungsschematismus stimmungsvoll kaschieren.

Anders als Sakowski situiert Horst Salomon sein Lustspiel *Der Lorbaß* (1967) in einer »mittleren Stadt«[50] und schafft mit dem »Lümmel« Harald Schmieder einen frühen Vorläufer von Plenzdorfs Edgar Wibeau. Trotz dieser Konzentration auf einen Außenseiter wird das skizzierte Grundmuster nur durch eine Facette ergänzt: »Volkstümlicher Witz und große Heiterkeit« attestiert ein Kritiker[51], und der Regisseur Benno Besson lobt die spürbare Nähe Salomons zu Gegenstand und Menschen: »Er versteht es, die Wahrheit und das Wesentliche der neuen gesellschaftlichen Verhältnisse zu erfassen und in einfachen Worten wiederzugeben.«[52] Die Ballade vom jugendlichen »Querkopf«[53], dessen Selbstverwirklichungsdrang und individuelles Schöpfertum sich an seiner Umwelt und der gestrengen Parteidisziplin des Genossen Hirsch reibt, basiert auf der »Darstellung weltanschaulich gleichgesinnter Konfliktpartner«.[54] Effektsicher kontrastiert Salomon von Amerikanismen durchsetzten Halbstarken-Jargon mit durch Bildungszitate veredelter Umgangssprache und offiziellem Parteideutsch, so daß Generationenkonflikt, Habitus und gesellschaftliche Verantwortung des einzelnen auch sprachlich nuanciert werden. Jugendprotest mit Gitarrenklängen, kleinbürgerliche Wohlstandsattitüden der Eltern, Routinedenken und Korruption kündigen thematisch die Betonung zwischenmenschlicher, kleiner alltäglicher Nöte des »entwickelten Sozialismus« an. »Sei zufrieden, daß du unzufrieden bist«, gibt der märchenhaft als Weiser kostümierte »Alte Bergmann«, bei dem sich die Gegenspieler Lorbaß und Hirsch vor den jeweiligen Akten in einer Art kommentierenden Dauerprologs immer wieder einfinden, gleichsam als Losung und Lehre aus.[55]

Claus Hammel durchbricht endgültig die eng gesteckten Grenzen dörflicher Sujets, seine Interieurs verweisen auf das bereits in DEFA-Filmen der fünfziger Jahre (z. B. *Berliner Romanze*, 1956) angeschnittene Großstadtleben, sind eingefärbt mit Berliner Lokalkolorit. Kaleidoskopartig, in der raschen Szenenfolge an Horváths *Kasimir und Karoline* erinnernd, ziehen in *Um neun an der Achterbahn* (1964) Personen und Schauplätze vorbei, zentriert um das Schicksal der Sabine Krause, deren Entscheidung zwischen zwei Müttern sich zur Wahl zwischen Kapitalismus und Sozialismus auswächst. Ganz in der Manier der sogenannten Ankunftsdramatik überschattet der große weltanschauliche Konflikt die subjektive Tragik, plakativ gezeichnet prallen die beiden feindlichen Welten aufeinander. Dennoch gelingen Hammel in seiner poetischen Beweisführung intime, zart getönte Stimmungen, Gefühle der Jugendlichen wiedergebende Szenen (Sabine – Moritz). Rummelplatz-Atmosphäre und zum Teil psychologisch vertiefte Charaktere sichern von vornherein die Theaterwirksamkeit: »Das Publikum erhielt im besten Sinne des Wortes Gelegenheit, bedeutsame gesellschaftliche Einsichten auf höchst vergnügliche Weise in Besitz zu nehmen.«[56] Die Spekulation um die Gunst des Zuschauers erfüllt sich für Hammel auch mit *Morgen kommt der Schornsteinfeger* (1967). Nicht mehr Ereignisse »epochalen« Zuschnitts bilden nun die stoffliche Grundlage, die »Sinnerfüllung des Daseins« rückt von der Peripherie ins Zentrum des Interesses: »Das Einrichten des persönlichen Lebens innerhalb der neuen Errungenschaften, das Finden einer bewußten Einstellung brachte auf dieser Stufe der Gesellschaftsentwicklung neue individuelle Probleme mit sich.«[57] Das kleine Glück der Alltagsmenschen in diesem sozialistischen Typus des Berliner Volksstücks bedrohen nicht mehr anonyme Schicksalsmächte oder korrupte Klassengegner, sondern in einer Art Umkehrschluß wiederum die materiellen Verhältnisse: Jetzt ist es überzogenes Anspruchsdenken, das als Wohlstandssymptom die moralischen und politischen Grundwerte auszuhöhlen beginnt. Aus der Kollision von Traum und Wirklichkeit erwächst kein weltgeschichtliches Ringen, bescheidener vollzieht sich die Sinnsuche des jungen Paares Jule und Jette im faßbaren Hier und Heute: »Es ist ja auch nicht von mir, daß Sozialismus und Glück wirklich ein und dasselbe sind. Aber in dem Augenblick, wo ich das selber find – erst in dem Augenblick ist es doch für mich wahr.«[58] Naiv nachempfundener Alltagsrealismus mit illustrativen Detailstudien wird kritisch herbeizitiert als Anleihe beim biedermeierlich-spießigen »Holden Glück im stillen Winkel«, um so vor Entideologisierung, dem apolitischen Rückzug in private Freiräume zu warnen.

Der Maler Karl Hermann Roehricht beerbt mit seiner »Berliner Alltagskomödie« *Familie Birnchen* (1975) ganz unverhohlen Kalisch u. a.: Deftige Typen mit Original-Dialekt im nostalgisch ausgepinselten Kneipenmileu präsentieren und durchleiden die kleinen und großen Sorgen im real existierenden Sozialismus. Für diese unverbildete Belebung des »kruden« Volksstücks unter den Vorzeichen eines sozialistischen »Lachtheaters« stehen allerdings schon in den sechziger Jahren Autoren wie Werner Salchow mit seinen Bauernschwänken oder Franz Freitag, dessen LPG-Lustspiele *Verschwörung um Hannes* (1963) und *Der Egoist* (1968) mit tradierten Rollenklischees und schlichter Situationskomik biederes Unterhaltungsniveau erreichen.

Alfred Matusche bleibt auch innerhalb dieses Spektrums der schwer einzuordnende Außenseiter. Sein in einem »dörflichen Randgebiet von Berlin«[59] spielendes Stück *Die Nacht der Linden* (1965/66) fängt in atmosphärisch dichten Bildern die Schatten der nazistischen Vergangenheit und die große, unglückliche Liebesgeschichte der »Lindenkrug«-Wirtin Kate ein. Der zart-melancholische Volksliedton – gipfelnd in den Linden als naturhafter Chiffre der Ewigkeit – schwingt vor allem in seinen Frauenfiguren nach, die unbedingt und gefährdet zugleich agieren. Abschied, Verzicht, Schwermut, aber auch Kampf lasten auf allem Geschehen; Zeitgeschichte und individuelles Lebensschicksal wirken »authentisch« miteinander verzahnt, und die Musikalität der Sprache ist bar aufgesetzter Romantizismen. Der Epilog der Kate verdeutlicht Matusches Verweigerung jeder formelhaften Belehrung und harmonisierenden, einheitsstiftenden Konfliktbereinigung – der Mensch als natur- und gesellschaftsbestimmtes Wesen verstrickt sich unentrinnbar im Spannungsfeld von Traum, Ahnung und Wirklichkeit:

> Was bleibt? Ein Lied im Sommerwind
> Zu fernem Dorf, den Dächern mit grauen Schiefern.
> Und weißen Wolken, die darüber sind.[60]

»Das Volksstück spielt heute. Hier.« Szenische Erkundungen zwischen kritisch-heiterer Lebensbejahung und artifizieller Bewußtseinsdemaskierung

Bewegen sich Dramenpersonal, Stoffe und Perspektivegestaltung seit etwa Mitte der sechziger Jahre auf einen kaum noch theoretisch erweiterten affirmativen Alltagsrealismus zu, der zumeist didaktisch unterfüttert erscheint, fürchten viele »Dramatiker (und die Theaterschaffenden) der siebziger Jahre platte Abbildung von Realität, Nachbereitung bekannter Vorgänge [...]«.[61] Dies bedeutet nicht allein die (Wieder-)Entdeckung volkstümlicher Traditionen vom Märchen bis zum Narrenspiel, die gewonnenen Spielräume füllen sich gleichzeitig mit Figuren, die mehr Fragen aufwerfen, denn Antworten anbieten. Ab- und Vorbilder weichen satirisch zugespitzten, grotesk überhöhten oder märchenhaft verfremdeten Wirklichkeitsbefunden. Brüche offenbart das gesellschaftliche Gefüge, beschädigt und reduziert wirken nun viele Zeitgenossen. Ohne mechanisch eine Konvergenz zwischen Entwicklungen in der Bundesrepublik und der DDR herstellen zu wollen, fällt doch auf, daß sich dieser »neue Realismus« über verwandte Techniken (Kritik über Sprache, Kurzszenen u. ä.) sowie Parallelen in Motivkreisen und Figuren (Entfremdung, die Darstellung der Alten, Jugendprotest, Moral und Konsum usw.) konstituiert. Die Erneuerung volkstümlicher Literaturformen in der westdeutschen und österreichischen Dramatik durch Sperr, Kroetz, Fassbinder, Turrini oder Bauer vollzieht sich als »Demaskierung des Bewußtseins« im Horváthschen Sinne: Randgruppen- und Außenseiterthematik korrespondieren mit der Aufdeckung repressiv-autoritären Verhaltens des Wohlstandsbürgertums. Engagiert, parteilich und mit schonungsloser Drastik wird die Sache der Opfer und Schwachen (Heimarbeiter, »Fremde«, Ausländer, Behinderte) vorgetragen, erst allmählich kommen kleinbürgerliche Lebensverhältnisse (Kroetz: *Oberösterreich,* 1972) hinzu. Entlarvung über Sprache (synthetischer Dialekt) und Zerstörung provinzieller Idyllik gestatten keine positiven Helden; Betroffenheit, Solidarität soll sich nur beim Zuschauer einstellen. Die zum Teil sozialexotischen Recherchen münden aber mehr und mehr in lakonischen Alltagsberichten, welche die geistig-moralische und soziale Verfassung der Nation in den kleinen privaten Katastrophen, Ängsten prismatisch gebündelt widerspiegeln. Unter anderen gesellschaftlichen Voraussetzungen dringen in der DDR privat-subjektive Befindlichkeiten in den Makrokosmos und sprengen gemeinsam mit formalen Experimenten den eingeschliffenen »Modell«-Realismus früherer Jahre. Autoren wie Heinz Drewniok, Jörg-Michael Koerbl oder Jürgen Groß stehen für diese künstlerische Bandbreite, die nun vollends gattungspoetische Eingrenzungen als unmöglich erscheinen läßt.

»Immer sind es Fragen, die zwischenmenschliche Bereiche, Kontakte, Beziehungen betreffen«, betont Drewniok für seine szenischen Erkundungen »nach dem Woher und Wohin«.[62] Wahrheit, Ehrlichkeit, Liebe, Vertrauen und Erkenntnis sind die gesuchten Grundwerte in einer Welt, in der Gewohnheit und Gewöhnung zunehmend in Gleichgültigkeit umschlagen. Er zeichnet Miniaturen, überschaubare, reale Lebenszusammenhänge und verzichtet auf alles Gleichnishafte, Historisierende. *Szenen aus dem Thüringer Wald* (1981) offenbart nicht allein Nähe zu Valentin und Horváth; wie Ziem, Deichsel, Mühl und Turrini durchleuchtet Drewniok intimbanale Situationen, Begebenheiten mit analytischer Optik. Ob in der kleinen Musiker-Valentinade an einem »Abend wie jeder andere…«[63], der den Alten Karl und Kasimir plötzlich bittere Wahrheiten bringt, ob in der merkwürdigen Waldbegegnung von Kurt und Karl, die unerwartet ins Philosophische und Bedrohliche umkippt, oder in der Spießersatire *Egon ist da*, die Rollenstereotypen (»Männersachen«) bloßstellt: Nie wird »große Philosophie«[64] bemüht, um Defekte zu veranschaulichen. Wachsende Sprachlosigkeit, Aneinandervorbeireden verraten Ohnmacht, Lebenslüge und Schuld der »alten Männer am Meer« in Jörg-Michael Koerbls gleichnamigem Stück (1979). Keine romantischen oder naturalistischen Landschaftspanoramen dekorieren die lapidare Handlung, allein akustisch setzt die Natur ihre Signale, »überschwemmt« am Ende die Stimmen, um in plötzliche Stille umzuschlagen.[65] Diese düster-pessimistischen Momentaufnahmen erlauben keine wirklichen Einsichten oder Perspektiven mehr. Begrenzten Spielraum gesteht auch Jürgen Groß seinem Figurenensemble der *Geburtstagsgäste* (1980) zu. Der Zugriff auf den Alltag bedeutet hier demaskierende Sprachartistik – derb und stilisiert zugleich, syntaktisch gebrochen, ordinär und pathetisch seziert Groß ein Familientreffen. Diesem oft variierten Schema gewinnt er einen kargen Reiz ab: Alles wird auf den Punkt gebracht, die eingebauten Lieder vermitteln eine vage Ahnung von Volksstückatmosphäre. »Geburtstag ist doch keine Beerdigung«[66], bemerkt Süverzapf, und wirklich bewegen sich Haß, materielles Kalkül, unbewältigte Vergangenheitsaufarbeitung und Eingeständnisse gegenwärtiger Trostlosigkeit stets am Rande des Abgrunds. Mit grotesken Einfällen und kaltem Realismus diagnostiziert Groß Entfremdung, sprechende Namen und naive Abzählreime gehören zum ironischen Spiel mit der Gattung. Der bröckelnde Putz in der ehemaligen »Bonzenbude«[67] entspricht dem Zerfall der menschlichen Bande, es klingt wie ein Vermächtnis, wenn die alte Graenke am Schluß sagt:

> Ich möcht Hoffnung haben, wenn es taugt,
> was uns ein Leben lang plagte.
> Das Glück.[68]

Groß' *Geburtstagsgäste* stellen den radikalsten Versuch dar, überkommene Formen zu skelettieren und als Material wieder zu nutzen. Konventioneller führen dagegen Baierl und Hammel in den siebziger Jahren ihre Ansätze weiter, wenngleich Imagination und Wirklichkeit nun enger verflochten erscheinen. Erlebte Gegenwart bleibt der Bezugspunkt in Baierls *Sommerbürger* oder in der Komödie *Kirschenpflücken* (1980), einem »philosophischen Volksstück über Menschen«, welche die »Autorenphantasie« zu Blankversen zwingt: »Reden wir miteinander, will das Stück sagen, ohne Umschweife, geradezu, an das große Ganze denkend, aber auch an das ganze Kleine!«[69] Parteiliche Sicht auf die Moral der Arbeiterklasse leitet auch Claus Hammel in seinem liebevoll-grotesken Portrait des alten Sonderlings Scharping: *Lokomotive im Spargelbeet* (1984). Nostalgie und eine Prise Sozialromantik grundieren die angestrengte Komödie sich selbst lösender Komplikationen: »Der reale Sozialismus ist das Resultat kluger Strategie, energischer und engagierter Planerfüllung und tatkräftiger Improvisation. Dafür steht – als Bild – die Lokomotive im Spargelbeet!«[70] Diesen freundlichen Blicken auf kaum noch wahrnehmbare Widersprüche verweigert sich Helmut Bez in seinem Kleinstadtpanorama *Jutta oder Die Kinder von Damutz* (1978), nach Plenzdorfs *Neuen Leiden des jungen W.* (1973) das wohl am nachhaltigsten wirkende Gegenwartsdrama der siebziger Jahre.[71] Alltäglichkeit und Durchschnittlichkeit gerinnen hier nicht zu sozialistischer Idyllik, formal und inhaltlich erweist sich die tragisch endende Suche nach dem Sinn des Lebens, dem kleinen Glück, als sinnliches Experiment. Ausgedehnte monologische Passagen verraten noch den ursprünglichen Hörspieltext, bewirken aber auch in Selbstkommentar und -reflexion die gewünschte »lebendige Überlieferung von Geschichten«.[72] Lenz, Büchner, O'Casey und Tschechow als literarische Anreger zeichnen für die episodische, z.T. parallel verlaufende Struktur und die präzise soziale Differenzierung der Figuren mitverantwortlich. In der aufrißartigen Methode und der knapp-charakterisierenden, gestischen Sprache erinnert Bez' Schauspiel an

Kroetz-Stücke aus dem gleichen Zeitraum. Ganz unprätentiös und ohne konstruierte Lösungen offeriert er seine Sicht auf existentielle Nöte, auf Wehmut und Versagen hinter der Fassade provinzieller Beschaulichkeit.

Das »beziehungsreiche Ausprägen der Gattungsspezifik«[73] endet nicht selten vor den Schranken der Wahrscheinlichkeit. Groteske, Phantastik und der Einbruch des Märchenhaften ins sichere Gefüge des »Wirklichen« besitzen kaum Tradition auf dem DDR-Theater.[74] Nähme man Hacks' Anspruch ernst, »daß alles Drama, welches gut und nicht billig ist, sich in der Stoffwahl und künstlerischer Zurüstung vom Märchendrama kaum unterscheidet«[75], so hätte die DDR-Gegenwartsdramatik wenig Gültiges zu bieten. Abgesehen von Ulrich Plenzdorf, Joachim Knauth oder Albert Wendt rückt Armin Stolpers *Lausitzer Triologie* diesen verkümmerten Traditionsstrang am nachhaltigsten wieder ins Bewußtsein. Die poetischen Entdeckungsfahrten speisen sich zwar aus Legenden, Volksmythen, dem Aroma eines Landstrichs, die zwischen märchenhafter Einbildung und konkreter Dorfrealität lyrisch-schwebende Atmosphäre, die nie in Gemütlichkeit versinkt, deckt die aktuellen Konflikte aber nicht zu: »Man ist heimatverbunden, aber offen zur Welt.«[76] Stolper beschert in Tragikomödien beschädigte, aber provokante Existenzen – Außenseiter und Arrivierte. *Klara und der Gänserich* (1973), *Schuster und der Hahn* (1975) sowie *Die Vogelscheuche* (1977/78) reklamieren im Spiel der Narren, der »Sonderlinge, Gestrauchelten, Glücksucher und komischen Käuze«[77] Subjektivität und Selbstfindung als unverzichtbare Werte, die abstrakten »großen Gegenstände« sind suspendiert. Stolper zielt auf eine formal-ästhetische Geschlossenheit seiner Zeitkritik, »die sich mit Poesie nicht herausputzt«.[78] Es geht diesmal um die Ehrenrettung der von der Moderne (vorgeblich) diskreditierten »einfachen« Mittel: Naivität, Phantastik und der lokale Binnenraum der ›Provinz‹ treten organisch verschmolzen als Programm gegen die Avantgarde auf.

Fühlt sich Stolper in seinen poetischen Volksstücken der Spannung aus bewußter Konventionalität und schöpferischer Unruhe verpflichtet, so gründet der mittlerweile zum »kulturpolitischen Phänomen«[79] auswachsende Erfolg Rudi Strahls auf affirmativem Humor: »[...] liebenswürdige Kritik an allzu menschlichen Schwächen unserer Mitbürger!«[80] Es wäre nun zu billig, Strahl als linken Kalisch oder gar Millowitsch zu etikettieren. Verblüfft bis fassungslos registriert eine eher an klassischen Maßstäben geschulte Literaturwissenschaft und Theaterkritik den unaufhaltsamen Aufstieg eines Lustspielautors, der sich ungeniert der Erfolgsrezepte des »bürgerlichen Lachtheaters« (Volker Klotz) bedient. Keine Frage: Erst mit Rudi Strahl kehrt die Posse in den Sozialismus zurück – mit jener milden Schärfe, die schon Kalisch, Malss oder Niebergall auszeichnete: »Vielleicht sind die Sympathie für oder die sichtliche Zufriedenheit der genannten Autoren mit Personal und Milieu ihrer Stücke das Moment, das am ehesten mit Rudi Strahl verbindet, bestimmte Gefahrenpunkte eingeschlossen.«[81] Seine märchenhaft verkleideten oder mit Komik und szenischen »Einfällen« überlagerten Grundsituationen zeigen menschliche Schwächen, Mängel im System und Auswüchse einer modernen Wohlstandsgesellschaft. Strahl kündet aber auch davon, »die Praxis des Sozialismus als Realität des historischen Fortschritts anzunehmen und, ohne ideologische Hintertreppenromantik, ihre Qualifizierung zu befördern«.[82] In diesem versöhnlichen Sinne kreiert Strahl ein Volksstück alten Stils: Im heimlichen Einverständnis zwischen Autor und Publikum verflüchtigt sich der Brechtsche Anspruch einer Dialektik von Form und Inhalt – man geht vertraut und kritisch-freundlich miteinander um. Das vorläufig letzte Produkt dieser Art, *Der Stein des Anstoßes* (1985), weist sich ganz ausdrücklich als Volksstück aus. Alten- und Jugendprobleme, Neuspießertum, Kunstdebatten und Umweltverschmutzung reichern den Themenkatalog bis zum allseitigen Happy-End an – geschickt verknüpft Strahl Aktualität mit Vergangenheit (Aufbau und Veteranen) und überfrachtet alles mit immer neuen Wendungen und Gags. Allein: der heiter mahnende Blick des »Siegers« schweift ohne tiefgreifende Irritation durch den sozialistischen Alltag.

Anmerkungen

1 Christa Hasche, *Volkstheater und kein Ende. Schlußwort zu einigen Selbstverständigungsversuchen*, in: Theater der Zeit 32/5 (1977), S. 1–3. Vgl. auch Andreas Scheinert, *Volkstheater – Volksstück. Beiträge zur Begriffsbestimmung*, in: Theater der Zeit 32/1 (1977), S. 28f.
2 Hans Anselm Perten, *Das Volkstheater in unserer Epoche*, in: Theater der Zeit 36/5 (1981), S. 6.

3 Vgl. Ulrich Profitlich, *»Heute sind alle guten Stücke Volksstücke.«
Zum Begriff des »sozialistischen Volksstücks«*, in: ZfdPh 97 (1978), Sonderheft; vor dieser umfassenden Darstellung hatte bereits Joachim
Hintze die Problematik angerissen: *Volkstümliche Elemente im modernen deutschen Drama*, in: Hessische Blätter für Volkskunde 61
(1970), S. 32ff.

4 Fritz Wendrich, *Politisches Theater – Volkstheater*, in: Theater der Zeit
37/2 (1982), S. 3.

5 Rudolf Münz, *Volkstheater und Nationaltheater*, in: Theater der Zeit
32/4 (1977), S. 10. Vgl. auch Gerhard Branstner, *Das eigentliche Theater oder Die Philosophie des Augenblicks*, Halle und Leipzig 1984.
Wolfgang Gersch, *Volkstheater und sozialistisches Theater*, in: Material
zum Theater, 1979, Nr. 119, S. 52–56.

6 Henryk Keisch, *Aussage und dramatischer Beweis oder Müssen sozialistische Familiensonntage ohne Konflikte verlaufen?*, in: Neue deutsche
Literatur 16/4 (1968), S. 107.

7 Bärbel Jaksch und Christoph Schroth, *Schweriner Erfahrungen*, in:
Theater der Zeit 32/5 (1977), S. 19.

8 Werner Neubert, *Notat zu Henryk Keisch*, in: Neue deutsche Literatur 16/4 (1968), S. 111.

9 Martin Linzer, *Volkstheater – vorgestern, gestern und heute?*, in: Theater der Zeit 31/11 (1976), S. 6.

10 Vgl. Robert Weimann, *Shakespeare und die Tradition des Volkstheaters.
Soziologie, Dramaturgie, Gestaltung*, Berlin 1967, S. 22.

11 Jürgen Hein, *Das Volksstück. Entwicklung und Tendenzen*, in: ders.
(Hg.), *Theater und Gesellschaft. Das Volksstück im 19. und 20. Jahrhundert*, Düsseldorf 1973, S. 11.

12 Bertolt Brecht, *Volkstümlichkeit und Realismus*, in: ders., *Schriften
zum Theater*, Bd. 4, Frankfurt/Main 1964, S. 161; vgl. auch *Anmerkungen zum Volksstück* S. 140ff.

13 Bertolt Brecht, *Über Realismus*, in: *Gesammelte Werke*, Bd. 19,
Frankfurt/Main 1967, S. 321.

14 Manfred Nössig (Hg.), *Die Schauspieltheater der DDR und das Erbe
(1970–1974)*, Berlin 1976, S. 185.

15 Ebd., S. 186.

16 Bertolt Brecht, *»Katzgraben«-Notate*, in: ders., *Schriften zum Theater*, Bd. 7, S. 70.

17 Ebd., S. 77.

18 Ebd., S. 71.

19 Ebd., S. 72.

20 Ebd., S. 78.

21 Ebd., S. 139.

22 Ebd., S. 79.

23 Vgl. David Bathrick, *Agroprop: Kollektivismus und Drama in der*

DDR, in: Reinhold Grimm/Jost Hermand (Hg.), *Geschichte im Gegenwartsdrama,* Stuttgart u. a. 1976, S. 96–110.

24 Erwin Strittmatter, *Die Holländerbraut,* in: *Sozialistische Dramatik. Autoren der Deutschen Demokratischen Republik,* Berlin 1968, S. 171.

25 Wolfram Buddecke und Helmut Fuhrmann, *Das deutschsprachige Drama seit 1945. Schweiz – Bundesrepublik – Österreich – DDR,* München 1981, S. 250.

26 Werner Mittenzwei (Hg.), *Theater in der Zeitenwende. Zur Geschichte des Dramas und des Schauspieltheaters in der Deutschen Demokratischen Republik, 1945–1968,* Bd. 1, Berlin 1972, S. 235.

27 Helmut Baierl, *Stücke,* Berlin 1969, S. 41.

28 Zit. nach Werner Mittenzwei, *Gestaltung und Gestalten im modernen Drama,* Berlin und Weimar 1965, S. 274.

29 Helmut Baierl, a. a. O., S. 112.

30 Vgl. u. a. Wolfgang Schivelbusch, *Sozialistisches Drama nach Brecht,* Darmstadt und Neuwied 1974, S. 61.

31 Peter Hacks, *Das realistische Theaterstück,* in: Neue deutsche Literatur 5/10 (1957), S. 101 f. Vgl. auch Peter Schütze, *Peter Hacks. Ein Beitrag zur Ästhetik des Dramas – Antike und Mythenaneignung,* Kronberg/Ts. 1976, S. 26–41.

32 Peter Hacks, a. a. O., S. 95.

33 Ebd., S. 102.

34 Ebd.

35 Ebd.

36 Ebd., S. 100.

37 Peter Hacks, *Interview,* in: ders., *Essays,* Leipzig 1984, S. 32.

38 Peter Hacks, *Einige Gemeinplätze über das Stückeschreiben,* in: Neue deutsche Literatur 4/9 (1956), S. 120.

39 Christoph Trilse, *Peter Hacks,* Berlin 1980, S. 104ff.

40 Peter Hacks, *Anmerkungen zu Wagners Kindermörderin,* in: Junge Kunst, 1957, H. 2, S. 23.

41 Peter Hacks, *»Die Schlacht bei Lobositz«. Anmerkung,* in: *Maßgaben der Kunst. Gesammelte Aufsätze,* Berlin 1978, S. 330.

42 Peter Hacks, *»Der Müller von Sanssouci«. Anmerkungen,* ebd., S. 332.

43 Armin Stolper, *Spiel mit der Zukunft. Zur Regiearbeit Benno Bessons,* in: Programmheft der Volksbühne zu »Moritz Tassow«, 1965, H. 1, S. 21.

44 Armin Stolper, *»Moritz Tassow« als Utopie,* ebd., S. 4.

45 Vgl. Tilo Müller-Medek, *Die Tassow-Lieder in den Vertonungen Rudolf Wagner-Régenys,* ebd., S. 11 ff.

46 Vgl. Ludwig Hoffmann, *Nachwort,* in: *Volksstücke,* Berlin 1968, S. 395.

47 Volker Kurzweg, *Interview mit Helmut Sakowski,* in: Weimarer Beiträge 15/4 (1969), S. 748.

48 Vgl. Uwe-K. Ketelsen, *Das ›sozialistische Menschenbild‹ als dramentheoretisches Problem in der DDR-Literatur,* in: Basis 5 (1975), S. 73 ff.

49 Vgl. Ernst Bloch, *Das Prinzip Hoffnung,* Bd. 1, in: ders., *Gesamtausgabe,* Bd. 5, Frankfurt/Main 1977, S. 515 ff. Siehe dagegen auch Manfred Nössig, *Städtisches und Ländliches,* in: Theater der Zeit 18/20 (1963), S. 8.

50 Horst Salomon, *Der Lorbaß,* in: *Neue Stücke. Autoren der Deutschen Demokratischen Republik,* Berlin 1971, S. 390.

51 Horst Gebhardt, *Heiter, kritisch, optimistisch,* in: Theater der Zeit 22/24 (1967), S. 17.

52 Zit. ebd., S. 17.

53 Horst Salomon, a. a. O., S. 395.

54 Autorenkollektiv, *Geschichte der Literatur der Deutschen Demokratischen Republik,* Berlin 1980, S. 682.

55 Horst Salomon, a. a. O., S. 443.

56 *Theater in der Zeitenwende,* Bd. 2, S. 247.

57 Karl Heinz Schmidt, *Begegnung mit Autoren und Stücken,* in: *Neue Stücke,* S. 545.

58 Claus Hammel, *Morgen kommt der Schornsteinfeger,* in: *Neue Stücke,* S. 319.

59 Alfred Matusche, *Die Nacht der Linden,* in: ders., *Welche, von den Frauen? und andere Stücke,* hg. v. Armin Stolper und Jochen Ziller, Berlin 1979, S. 90.

60 Ebd., S. 127.

61 Renate Ullrich, *Neue Dramatik der DDR 1975–1982. Ergebnisse, Probleme, Tendenzen,* in: Material zum Theater, 1984, Nr. 186, S. 15.

62 Peter Reichel, *»Unser Leben soll kein Zufall sein.« Gespräch mit Heinz Drewniok,* in: Theater der Zeit 36/5 (1981), S. 64f.

63 Heinz Drewniok, *Szenen aus dem Thüringer Wald,* ebd., S. 66.

64 Peter Reichel, a. a. O., S. 66.

65 Jörg-Michael Koerbl, *Alte Männer am Meer,* in: *Neue DDR-Dramatik,* Berlin 1981, S. 105.

66 Jürgen Groß, *Geburtstagsgäste,* in: ders., *Match und andere Stücke,* Berlin 1984, S. 108.

67 Ebd., S. 75.

68 Ebd., S. 152.

69 Hans-Rainer John, *Fortschritt ist Fortschreiten mit den Menschen. Gespräch mit Helmut Baierl über »Kirschenpflücken«,* in: Theater der Zeit 35/2 (1980), S. 57.

70 Claus Hammel, *Zueignung,* in: Theater der Zeit 39/12 (1984), S. 52.

71 Zum Kontext des Plenzdorfschen Erfolgsstücks vgl. Brigitte Stuhl-

macher, *Jugend. Plenzdorfs »Die neuen Leiden des jungen W.« und die Tradition: Halbe, Wedekind, Hasenclever*, in: Hans Kaufmann (Hg.), *Tendenzen und Beispiele. Zur DDR-Literatur in den siebziger Jahren*, Leipzig 1981, S. 185–220.

72 Hans-Rainer John, *Erlebnis, Beobachtung, Erfahrung. Gespräch mit Helmut Bez*, in: Theater der Zeit 33/10 (1978), S. 56.

73 Rolf Rohmer, *Drei Aspekte. Kommunikation, Schauspielkunst, Volkstheatertradition*, in: Theater der Zeit 37/6 (1982), S. 13.

74 Vgl. u.a. Wolfgang Kröplin, *Zerrspiegel und Vergrößerungsglas. Aspekte zur Rezeption des Grotesken*, in: Theater der Zeit 33/8 (1978), S. 22–24.

75 Peter Hacks, *Was ist ein Drama, was ist ein Kind?*, in: *Das Untier von Samarkand. Märchendramen*, Berlin 1980, S. 9f.

76 Armin Stolper, *Marginalien zum Glück*, in: Programmheft des Hans-Otto-Theaters zu *Die Vogelscheuche oder die Heimkehr des verlorenen Sohnes*, 1980/81, H. 9, o.S.

77 Vgl. Armin Stolper, *Narrenspiel will Raum. Von Stücken und von Stückeschreibern*, Berlin 1977, S. 219.

78 Gottfried Fischborn, *Stückeschreiben. Claus Hammel, Heiner Müller, Armin Stolper*, Berlin 1981, S. 158.

79 Peter Reichel, *Meine Leute, meine Leute. Zur Autorenposition von Rudi Strahl*, in: Theater der Zeit 37/8 (1982), S. 59.

80 Hans-Rainer John, *Thema ist der Friedenskampf. Gespräch mit dem Dramatiker Rudi Strahl*, in: Theater der Zeit 39/2 (1984), S. 51.

81 Gottfried Fischborn, *Der heimliche Diktator oder das Lachtheater Rudi Strahls. Ein Essay*, in: Rudi Strahl, *Lustspiele, Einakter und szenische Miniaturen*, Berlin 1985, S. 550.

82 Manfred Nössig, *Er ist wieder da*, in: Theater der Zeit 38/12 (1983), S. 56.

III. Anhang

Auswahlbibliographie zum DDR-Drama

A. Systematischer Aufriß

Die folgende Bibliographie beschränkt sich streng auf das Drama im engeren Sinne, sie ersetzt nicht Bibliographien zur DDR-Literatur schlechthin, schon gar nicht solche zur Ideologie, Politik oder Kulturpolitik.

Einige bibliographische Artikel sind so geordnet, daß zunächst – in chronologischer Ordnung – wichtige ›Dokumente‹ (programmatische Äußerungen und Reflexionen zu dem behandelten Problem) aufgeführt werden, danach sogenannte ›Darstellungen‹. Bei all ihrer Fragwürdigkeit soll diese Trennung dem Benutzer anzeigen, wo das Schwergewicht eines Titels liegt. Als ›Darstellungen‹ sind dabei solche Titel verstanden, bei denen Deskription, Analyse und Information (auch bibliographische Information) den Vorrang haben vor (explizit oder implizit) normativen Äußerungen. Es versteht sich, daß sie darum ihren Charakter als ›Dokumente‹ nicht verlieren, sowenig umgekehrt die ›Dokumente‹ in Programmatik und Reflexion aufgehn.

Raummangel zwang zu einer strengen Auswahl, so daß oft ein oder zwei Dokumente eine ganze ›Phase‹ vertreten müssen. Die ausgewählten Dokumente entstammen vor allem den zwei Jahrzehnten zwischen 1956 und etwa 1976, in denen die Beziehung zwischen offizieller Programmatik und Dramatik relativ eng ist, gemessen an den für das dramatische Genre wenig ergiebigen Anfangsjahren und auch dem jüngsten Jahrzehnt, in dem sich Nachdenken über Dramatik eher in den Reflexionen der Dramatiker selbst vollzieht. Auf solche Reflexionen wird sparsam verwiesen, auch wenn es sich um kurze Notate oder Gesprächsäußerungen, also nicht um diskursive Texte handelt.

Gelegentlich wird im ersten Teil der Bibliographie auf den zweiten hingedeutet, und zwar auf dort angeführte Sammelausgaben theoretischer Äußerungen (z. B. Müller O = Heiner Müller, *Rotwelsch,* Berlin: Merve 1982).

Ist als Erscheinungsort »Berlin« genannt, meint dies Berlin-Ost. In den wenigen Fällen, in denen West-Berliner Publikationen angeführt werden, ist eine Verlagsangabe hinzugefügt.

Ein Exemplar von in der DDR entstandenen Dissertationen ist meist über die Deutsche Bibliothek (Frankfurt) entleihbar.

Gliederung

I. Nachschlagewerke
 1. Lexika
 2. Handbücher

II. Gesammelte Aufsätze von Regisseuren, Theaterkritikern, Theater- und Literaturwissenschaftlern

III. Geschichte des DDR-Dramas
 1. Gesamtdarstellungen (großenteils nicht bis zur Gegenwart führend)
 2. Zum frühen DDR-Drama bis zum Beginn der 60er Jahre
 3. Zum DDR-Drama der späten Ulbricht-Ära (ca. 1963/64 bis 1971)
 4. Zum DDR-Drama nach dem VIII. Parteitag (1971 ff.)
 5. Zur aktuellen Situation des DDR-Dramas (Informationen und Einschätzungen)

IV. Drama und Wirklichkeit
 1. Dramatik und Fragen des Realitätsbezugs (insbesondere zum Problem »Parabel«)
 2. Mythos und Geschichte im DDR-Drama
 3. Darstellung und Kritik der Gesellschaft (gesellschaftlicher Widersprüche) im Zeitstück
 4. Gegenwart und Zukunft – Wirklichkeit und Ideal – Die Gegenwart als Prozeß – Drama als Utopie
 5. Einzelthemen
 a) Alltag und Revolution
 b) ›Private‹ Probleme (›Innerlichkeit‹) als Thema der Dramatik
 c) Arbeit und Arbeiter
 d) Parteifunktionäre (›Planer‹ und ›Leiter‹)
 e) Frauen
 f) Jugendliche

V. Dramatische Strukturen und Formelemente
 1. Die Charaktere
 a) Allgemeine Fragen der Menschendarstellung – positive oder negative Figuren?
 b) Figurenaufbau – Widersprüchlichkeit der Figuren – Verhältnis von Charakteren und Fabel
 c) Entwicklung oder Wandel der Figur?
 d) Der einzelne als Objekt und/oder Subjekt seines Geschicks
 e) Determinanten individuellen Verhaltens

2.Der dramatische Konflikt
   a) Übergreifende Fragen
   b) Das Verhältnis des einzelnen zur Gesellschaft
   c) Die ›oben‹-›unten‹-Konstellation – der sog. ›anarchische‹
      (›Selbsthelfer‹-)Held
   d) Die sog. ›Anspruchs‹-Konstellation
3.Der Dramenschluß
   a) Guter oder unbefriedigender, offener oder definitiver Ausgang
   b) ›Perspektive‹ im Drama
   c) ›Notwendiges‹ Leiden? Zur Frage der Entbehrlichkeit von Opfern im sozialistischen Zeitstück
   d) Tragische Elemente im DDR-Drama
4.Fragen der Dramenkomposition
   a) Zum Problem ›geschlossenes‹ oder ›offenes‹, ›dramatisches‹ oder ›episches‹ Drama
   b) Zum Problem ›Drama als Fragment‹
5.Sprache und Vers im Drama

VI. Das Gattungsproblem
   1.Tragödie – Tragik im DDR-Drama
   2.Komödie – Komik, Tragikomik und Groteskes im DDR-Drama
   3.Volksstück

VII. Der Zuschauer
   1.Intendierte Wirkungen und Funktionen der dramatischen Kunst (übergreifende Titel)
   2.Erwartungen, Bedürfnisse, Fähigkeiten des Publikums und ihre Berücksichtigung durch die Dramatiker
   3.Das Zuschauerverhalten – Diskussion der klassischen Termini
      a) Einzelne Aspekte des Rezeptionsverhaltens, bes. Distanz, Einfühlung, Illusion, Identifikation, Schrecken
      b) Katharsis
      c) Passivität oder Koproduktion des Zuschauers

I. Nachschlagewerke

1. Lexika

Heinz Ludwig Arnold (Hg.), *Kritisches Lexikon zur deutschsprachigen Gegenwartsliteratur*, München 1978 ff.

Günter Albrecht u. a., *Schriftsteller der DDR*, Leipzig [2]1975 (Meyers Taschenlexikon).

Manfred Brauneck (Hg.), *Autorenlexikon deutschsprachiger Literatur des 20. Jahrhunderts*, Reinbek 1984.

Christoph Trilse u. a., *Theaterlexikon*, Berlin 1977.

2. Handbücher

Karl Heinz Berger u. a. (Hg.), *Schauspielführer*, Bd. II 2, Berlin 1975.

Hans Jürgen Geerdts u. a., *Literatur der Deutschen Demokratischen Republik. Einzeldarstellungen*, Bd. 1, Berlin 1976; Bd. 2, Berlin 1979.

Manfred Berger u. a. (Hg.), *Kulturpolitisches Wörterbuch*, Berlin [2]1978.

Elimar Schubbe (Hg.), *Dokumente zur Kunst-, Literatur- und Kulturpolitik der SED [1946–1970]*, Stuttgart 1972.

Gisela Rüß (Hg.), *Dokumente zur Kunst-, Literatur- und Kulturpolitik der SED 1971–1974*, Stuttgart 1976.

Peter Lübbe (Hg.), *Dokumente zur Kunst-, Literatur- und Kulturpolitik der SED 1975–1980*, Stuttgart 1984.

Hartmut Zimmermann u. a. (Hg.), *DDR Handbuch*, 2 Bde., Köln [3]1985.

Eine empfehlenswerte Zusammenstellung weiterer Nachschlagewerke ist enthalten in: Manfred Jäger, *Kultur und Politik in der DDR*, Köln 1982.

II. Gesammelte Aufsätze von Regisseuren, Theaterkritikern, Theater- und Literaturwissenschaftlern

Günther Cwojdrak, *Bei Licht besehen. Berliner Theaterkritiken 1961–1980*, Berlin 1982.

Fritz Erpenbeck, *Aus dem Theaterleben*, Berlin 1959.

Hans Koch, *Unsere Literaturgesellschaft*, Berlin 1965.

Werner Mittenzwei, *Kampf der Richtungen*, Leipzig 1978.

Ernst Schumacher, *Berliner Kritiken*, Bd. 1–3, Berlin 1975, 1982.

Inge von Wangenheim, *Von Zeit zu Zeit*, Halle 1975.

Manfred Wekwerth, *Theater in Veränderung*, Berlin 1960.

Manfred Wekwerth, *Notate*, Frankfurt/Main 1967 (es 219).

Manfred Wekwerth, *Theater und Wissenschaft*, München 1974.

Manfred Wekwerth, *Theater in Diskussion*, Berlin 1982.

III. Geschichte des DDR-Dramas

1. Gesamtdarstellungen (grossenteils nicht bis zur Gegenwart führend)

Werner Mittenzwei (Hg.), *Theater in der Zeitenwende*, 2 Bde., Berlin 1972.

Redaktion von »Theater der Zeit«, *Entwicklungsstationen der DDR-Dramatik*, in: MzT 28 (1973), S. 5–23.

Konrad Franke, *Die Literatur der Deutschen Demokratischen Republik*, Zürich und München [2]1974.

Wolfgang Schivelbusch, *Sozialistisches Drama nach Brecht. Drei Modelle: Peter Hacks – Heiner Müller – Hartmut Lange*, Darmstadt und Neuwied 1974.

Gerhard R. Kaiser, *Parteiliche Wahrheit – Wahrheit der Partei? Zu Inhalt, Form und Funktion der DDR-Dramatik*, in: Hans-Jürgen Schmitt (Hg.), *Einführung in Theorie, Geschichte und Funktion der DDR-Literatur*, Stuttgart 1975, S. 213–246.

Horst Haase u. a., *Geschichte der deutschen Literatur, Bd. 11: Literatur der Deutschen Demokratischen Republik*, Berlin 1976.

Jack Zipes, *Bertolt Brecht oder Friedrich Wolf? Zur Tradition des Dramas in der DDR*, in: Peter Uwe Hohendahl und Patricia Herminghouse (Hg.), *Literatur und Literaturtheorie in der DDR*, Frankfurt/Main 1976, S. 191–240.

H. G. Hüttich, *Theater in the Planned Society. Contemporary Drama in the German Democratic Republic in its Historical, Political and Cultural Context*, Chapel Hill 1978.

Johannes Maczewski, *Der adaptierte Held. Untersuchungen zur Dramatik in der DDR*, Bern usw. 1978.

Wolfram Buddecke und Helmut Fuhrmann, *Das deutschsprachige Drama seit 1945. Schweiz – Bundesrepublik – Österreich – DDR. Kommentar zu einer Epoche*, München 1981, S. 243–325.

Wolfgang Emmerich, *Kleine Literaturgeschichte der DDR*, Darmstadt und Neuwied [2]1984.

Gunner Hüttich, *Zur Entwicklung des Dramas in der DDR*, in: Manfred Durzak (Hg.), *Deutsche Gegenwartsliteratur*, Stuttgart 1981, S. 552–578.

Otto F. Riewoldt, *Theaterarbeit. Über den Wirkungszusammenhang von Bühne, Dramatik, Kulturpolitik und Publikum*, in: Hans-Jürgen Schmitt (Hg.), *Die Literatur der DDR*, München 1983, S. 133–186.

2. Zum frühen DDR-Drama bis zum Beginn der 60er Jahre

Klaus Völker, *Drama und Dramaturgie in der DDR*, in: *Theater hinter dem »Eisernen Vorhang«*, Basel usw. 1964, S. 60–87.

Karl-Heinz Schmidt, *Wesen und Darstellung menschlicher Konflikte in der sozialistischen deutschen Dramatik*, Diss. Berlin 1965.

Ernst Wendt, *Dramatik im Osten*, in: Henning Rischbieter und Ernst Wendt, *Deutsche Dramatik in West und Ost*, Velber b. Hannover 1965, S. 73–128.

Hermann Kähler, *Die Gegenwart auf der Bühne. Die sozialistische Wirklichkeit in den Bühnenstücken der DDR von 1956–1963/64*, Berlin 1966.

Erika Stephan, »... als ginge man durch sich hindurch...«. *Weiterbildung als Gegenstand der dramatischen Künste*, in: Sonntag 24/28 (1970), S. 4.

Hans Lorenz, *Zur Darstellung von Konflikt und Charakterentwicklung im Zeitstück der DDR-Dramatik von 1952 bis zum Ausgang der sechziger Jahre*, Diss. Rostock 1975.

Gunnar Müller-Waldeck, *Aspekte der Brecht-Rezeption in der DDR-Dramatik der 50er und 60er Jahre – dargestellt an der Gestaltung des Gegenwartsthemas in Stücken von Helmut Baierl, Heiner Müller, Peter Hacks und Volker Braun*, Diss. Greifswald 1974.

Jürgen Baumgarten, *Volksfrontpolitik auf dem Theater*, Gaiganz 1975.

David Bathrick, *Agroprop: Kollektivismus und Drama in der DDR*, in: Reinhold Grimm und Jost Hermand (Hg.), *Geschichte im Gegenwartsdrama*, Stuttgart usw. 1976, S. 96–110.

Bernhard Greiner, *Proletarische Öffentlichkeit – Begriff aufgehobener deutscher Misere und der Literatur in der DDR*, in: Paul Gerhard Klussmann und Heinrich Mohr (Hg.), *Jahrbuch zur Literatur in der DDR*, Bd. 2, Bonn 1982, S. 1–47.

Gudrun Klatt, *Erfahrungen des »didaktischen« Theaters der fünfziger Jahre in der DDR*, in: WB 23/7 (1977), S. 34–69.

Wolfram Schlenker, *Das »Kulturelle Erbe« in der DDR*, Stuttgart 1977.

Stephan Bock, *Literatur Gesellschaft Nation*, Stuttgart 1980.

Theo Girshausen, *Realismus und Utopie. Die frühen Stücke Heiner Müllers*, Köln 1981.

3. Zum DDR-Drama der späten Ulbricht-Ära (ca. 1963/64 bis 1971)

Klaus Völker, *Sozialismus, auf Idylle herabgekommen*, in: Th 8/12 (1967), S. 22–23.

Eberhard Röhner, *Abschied, Ankunft und Bewährung. Entwicklungsprobleme unserer sozialistischen Literatur*, Berlin 1969.

Heinz Klunker, *Zeitstücke – Zeitgenossen. Gegenwartstheater in der DDR*, Hannover 1972.

Ingeborg Münz-Koenen, *Fernsehdramatik. Experimente – Methoden – Tendenzen. Ihre Entwicklung in den sechziger Jahren*, Berlin 1974.

Walfried Hartinger, *Die Fragen und die Antworten unserer Literatur,* in: Manfred Diersch und Walfried Hartinger (Hg.), *Literatur und Geschichtsbewußtsein. Entwicklungentendenzen der DDR-Literatur in den sechziger und siebziger Jahren,* Berlin und Weimar 1976, S 5–50.

Walter Reiss, *Gemeinsamkeiten in der Dramatik der russischen Sowjetliteratur und der DDR-Literatur der sechziger Jahre,* Diss. Jena 1978.

Heidemarie Risch-Kohl, *Das historische Subjekt und die gesellschaftliche Perspektive in der Literatur der DDR nach dem VI. Parteitag der SED,* Diss. FU Berlin 1979.

4. ZUM DDR-DRAMA NACH DEM VIII. PARTEITAG (1971 FF.)

Gudrun Klatt, *DDR-Dramatik am Beginn der 70er Jahre,* in: WB 19/10 (1973), S. 117–130.

Gudrun Klatt und Therese Hörnigk, *Sozialistische Wirklichkeit im Drama. Tendenzen der gegenwärtigen DDR-Dramatik,* in: TdZ 29/11 (1974), S. 2–5.

Hans Kaufmann, *Literatur in einer dynamischen Gesellschaft,* in: Eva und Hans Kaufmann, *Erwartung und Angebot. Studien zum gegenwärtigen Verhältnis von Literatur und Gesellschaft in der DDR,* Berlin 1976, S. 9–44.

Gudrun Klatt, *Methoden – Erfahrungen – Entdeckungen. Entwicklungsprobleme und Leistungen der DDR-Dramatik,* in: TdZ 30/11 (1975), S. 50–54.

Knut Lennartz und Thomas Wieck, *Stoffe – Konflikte – Theatralische Angebote. Notizen zur DDR-Dramatik der letzten Jahre,* in: MzT 68 (1975), S. 47–70.

Klaus Schuhmann, *Aspekte des Verhältnisses zwischen Individuum und Gesellschaft in der Gegenwartsliteratur der DDR,* in: WB 21/7 (1975), S. 5–36.

Dieter Schlenstedt, *Prozeß der Selbstverständigung,* in: WB 22/12 (1976), S. 5–37.

Hans Kaufmann, *Zur DDR-Literatur der siebziger Jahre,* in: SuF 30 (1978), S. 171–176.

Ernst Schumacher, *Brecht und sozialistischer Realismus heute,* in: WB 24/10 (1978), S. 142–164.

Joseph Pischel, *Zur theoretischen Selbstverständigung der DDR-Schriftsteller in den sechziger und siebziger Jahren (Thesen),* in: Wiss. Zschr. der Wilhelm-Pieck-Univ. Rostock, Gesellsch.-sprachw. Reihe 28/1–2 (1979), S. 65–70.

Gottfried Fischborn, *Haltungen. Dramatiker in den siebziger Jahren,* in: TdZ 35/4 (1980), S. 35–38.

Irina Rusta, *Zeitgenössische sowjetische Produktionsstücke und ihre Rezeption an den DDR-Theatern der 70er Jahre,* Diss. Berlin 1980.

Klaus Schuhmann, *Weite und Vielfalt der Wirklichkeitsdarstellung in der DDR-Literatur,* in: WB 26/8 (1980), S. 5–23.

Hans Kaufmann, *Veränderte Literaturlandschaft,* in: ders. (Hg.), *Tendenzen und Beispiele. Zur DDR-Literatur in den siebziger Jahren,* Leipzig 1981, S. 7–40 [auch in: WB 27/3 (1981), S. 27–53].

Ulrich Profitlich, *Das Drama der DDR in den siebziger Jahren,* in: Peter Uwe Hohendahl und Patricia Herminghouse (Hg.), *Literatur der DDR in den siebziger Jahren,* Frankfurt/Main 1983, S. 114–152.

5. Zur aktuellen Situation des DDR-Dramas (Informationen und Einschätzungen)

Gottfried Fischborn, *DDR-Dramatik im Druck. Beim Lesen von Stückveröffentlichungen in »Theater der Zeit« 1980/81 notiert,* in: TdZ 37/3 (1982), S. 64–66 und 37/4, S. 61–63.

Martin Linzer, *Lese-Werkstatt,* in: TdZ 37/8 (1982), S. 10–11.

Klaus Pfützner, *DDR-Dramatik ins Zentrum rücken. Zu den III. Werkstatt-Tagen des DDR-Schauspiels,* in: TdZ 37/7 (1982), S. 3–6.

Peter Reichel, *Anmerkungen zur DDR-Dramatik seit 1980,* in: WB 29/8 (1983), S. 1403–1426 und WB 29/10 (1983), S. 1709–1728.

Peter Reichel, *DDR-Dramatik 1983,* in: TdZ 39/4 (1984), S. 21–24.

Renate Ullrich, *Neue Dramatik der DDR 1975–1982,* in: MzT 186 (1984), S. 3–89.

Gegenwartsdramatik – Vogelscheuche oder Jungbrunnen?, in: TdZ 40/11 (1985), S. 32–35.

Volker Trauth, *Auf der Suche nach Werten, Idealen und Vorbildern. Betrachtungen zu neuen Stücken junger Dramatiker,* in: TdZ 40/10 (1985), S. 50–52.

Joachim Giehm, *Entdeckungen im Alltag. Arbeitsprozeß und Arbeiterfigur in unserer »jüngeren« Dramatik,* in: TdZ 41/2 (1986), S. 10–12.

IV. Drama und Wirklichkeit

1. Dramatik und Fragen des Realitätsbezugs (insbesondere zum Problem »Parabel«)

Bertolt Brecht B, Bd. 19, S. 529ff.

Ernst Schumacher, *Er wird bleiben,* in: *Erinnerungen an Brecht,* zusammengestellt von Hubert Witt, Leipzig ²1966, S. 326–340.

Peter Hacks P, S. 7, 75ff, 118ff.

Peter Hacks, *Oper und Drama,* in: SuF 25 (1973), S. 1236–1255.

Manfred Wekwerth, *Der Vorgang – Die Sprache des Theaters,* in: MzT 58 (1975), S. 3–71.

Karl-Heinz Hafranke, *Individualgeschichte und Gesellschaftsprozeß in unserer neueren Dramatik*, in: WB 22/4 (1976), S. 12–35.

Heiner Müller, *Keuner ± Fatzer*, in: Reinhold Grimm und Jost Hermand (Hg.), *Brecht-Jahrbuch 1980*, Frankfurt/Main 1981, S. 14–21.

Ernst Schumacher, *Darstellende Künste und sozialistische Lebensweise*, in: WB 28/7 (1982), S. 50–69.

Heiner Müller/Urs Jenny, Hellmuth Karasek (Int.), *Deutschland spielt noch immer die Nibelungen*, in: Der Spiegel, 9. 5. 1983, S. 196–207.

Weitere Angaben enthält der Abschnitt VIII 3. Informativ ist der Aufsatz von Werner Mittenzwei, *Der Realismusstreit um Brecht*, in: SuF 29 (1977), S. 160–190, bes. S. 166ff., 179ff.

2. Mythos und Geschichte im DDR-Drama

Bertolt Brecht B, Bd. 16, S. 701 u. Bd. 19, S. 533ff.

Fritz Erpenbeck, *Deutsche Misere – nur komisch?*, in: ders., *Aus dem Theaterleben*, Berlin 1959, S. 140–144.

Fritz Erpenbeck, *Historie unhistorisch interpretiert*, in: ders., *Aus dem Theaterleben*, Berlin 1959, S. 135–139.

Peter Hacks P, S. 79.

Erhard John, *Einführung in die Ästhetik*, Halle [4]1972, S. 43ff.

Volker Braun G, S. 68ff., 122ff., 137ff.

Rolf Rohmer, *Entwicklungsprobleme unserer Dramatik*, in: MzT 28 (1973), S. 24–44.

Ernst Schumacher, *Aktuale und perspektivische Probleme der Gestaltung und Darstellung von Geschichte in der Dramatik und auf dem Theater der DDR unter den Bedingungen der entwickelten sozialistischen Gesellschaft*, in: MzT 48 (1974), S. 29–49.

Heiner Müller D, S. 124.

Maik Hamburger, Heiner Müller, Klaus Tragelehn/Christoph Müller (Int.), *Shakespeares Stücke…*, in: Th 16/7 (1975), S. 32–37.

Geschichte und Drama. Ein Gespräch mit Heiner Müller, in: Basis 6 (1976), S. 48–64.

Rainer Kerndl, *Die Vielfalt unserer Dramatik*, in: TdZ 33/5 (1978), S. 52–54.

Heiner Müller, *Notate zu Fatzer*, in: Die Zeit, 17. 3. 1978, S. 9–10.

Öffentlicher Briefwechsel. Uta Birnbaum und Rainer Kerndl über Fragen der Gegenwartsdramatik, in: TdZ 33/8 (1978), S. 14–16.

Gottfried Fischborn, *Dramatik im Druck. Beim Lesen von Stückveröffentlichungen in »Theater der Zeit« 1980/81 notiert (2)*, in: TdZ 37/4 (1982), S. 61–63.

Klaus Pfützner, *DDR-Dramatik ins Zentrum rücken. Zu den III. Werkstatt-Tagen des DDR-Schauspiels*, in: TdZ 37/7 (1982), S. 3–6.

Volker Braun/Jan Knopf (Int.), *Der Dank gebührt Friedrich Schiller*, in: Zeitung, Badisches Staatstheater Karlsruhe, 3 (Dezember 1982), S. 1–2.

Weitere Angaben in den oben abgedruckten Beiträgen von Hartmann, Hermand u. Emmerich (bes. Anm. 20) sowie in folgenden Darstellungen:

Walter Dietze, *Nachwort*, in: ders. (Hg.), *1525. Dramen zum deutschen Bauernkrieg*, Berlin und Weimar 1975, S. 635–688.

Gudrun Klatt, *Bilanz eines Jubiläums. Der 450. Jahrestag des Bauernkriegs in Drama und Theater der DDR*, in: TdZ 30/7 (1975), S. 46–48.

Rüdiger Bernhardt, *Antikerezeption im Werk Heiner Müllers*, in: WB 22/3 (1976), S. 83–122 [erweitert unter demselben Titel als Diss. B, Halle 1979].

Helen Fehervary, *Enlightenment or Entanglement: History and Aesthetics in Bertolt Brecht and Heiner Müller*, in: New German Critique 8 (1976), S. 80–109.

Wolfram Schlenker, *Das »Kulturelle Erbe« in der DDR*, Stuttgart 1977 [S. 93 ff. zur Misere-Theorie].

Klaus Schuhmann, *Weite und Vielfalt der Wirklichkeitsdarstellung in der DDR-Literatur*, in: WB 26/8 (1980), S. 5–23.

Roland Heine, *Mythenrezeption in den Dramen von Peter Hacks, Heiner Müller und Hartmut Lange. Zum Versuch der Grundlegung einer »sozialistischen Klassik«*, in: Colloquia Germanica 14/3 (1981), S. 239–260.

Frank Hörnigk, *Geschichte im Drama*, 2 Bde., Diss. Berlin 1981.

Hans Kaufmann, *Veränderte Literaturlandschaft*, in: WB 27/3 (1981), S. 27–53.

Peter Reichel, *Anmerkungen zur DDR-Dramatik seit 1980. Teil I und II*, in: WB 29/8 (1983), S. 1403–1426 u. WB 29/10 (1983), S. 1709–1728.

Volker Riedel, *Antikerezeption in der Literatur der DDR*, Berlin 1984.

3. Darstellung und Kritik der Gesellschaft (Gesellschaftlicher Widersprüche) im Zeitstück

Bertolt Brecht B, Bd. 16, S. 923, 925 f., 940 und Bd. 19, S. 531.

Ernst Schumacher, *Er wird bleiben*, in: *Erinnerungen an Brecht*, zusammengestellt von Hubert Witt, Leipzig ²1966, S. 326–340.

Alfred Antkowiak, *Plädoyer für die wirkliche Wirklichkeit*, in: Sonntag 11/45 (1956), S. 4.

Lothar Creutz, *Anfänge sozialistischer Dramatik*, in: TdZ 12/11 (1957), Beilage, S. 2–8.

Peter Hacks, *Das realistische Theaterstück*, in: NDL 5/10 (1957), S. 90–104.

Claus Hammel, *Sie stirbt so wunderschön sozialdemokratisch. Pavel Kohouts Schauspiel »So eine Liebe« in der Berliner Volksbühne*, in: Sonntag 13/41 (1958), S. 7 [weitere Beiträge zu der grundsätzlichen, durch Kohouts Stück ausgelösten Diskussion in: Sonntag 1958, Nr. 22, 30, 33, 34, 37; TdZ 1958, H. 6 u. H. 9, sowie bei Erpenbeck, *Aus dem Theaterleben*, Berlin 1959, S. 126ff.].

Christa Wolf, *Kann man eigentlich über alles schreiben?*, in: NDL 6/6 (1958), S. 3–16, bes. S. 11.

Siegfried Wagner, *Künstler und Publikum auf dem Weg zu einem sozialistischen Nationaltheater*, in: TdZ 14/8 (1959), Beilage, S. 2–26.

Peter Hacks P, S. 41, 109.

Günter P. Karl, *Sozialistische Dramatik in nationaler Bewährung*, in: TdZ 17/4 (1962), S. 61–74.

Wolfgang Heise, *Hegel und das Komische*, in: SuF 16 (1964), S. 811–830.

Hanns Anselm Perten, Kuba/Henryk Keisch (Int.), *Warum spielen wir »Barbara«? Ein Gespräch*, in: NDL 12/2 (1964), S. 115–123.

Hans Pfeiffer, *Prämissen sozialistischer Dramatik*, in: NDL 14/10 (1966), S. 140–147.

Volker Braun G, S. 20, 25f., 43f., 105f., 138, 151.

Wolfgang Heise, *Mehr als ein Augenblick des Lachens. Überlegungen zum Komischen auf dem Theater*, in: Sonntag 25/31 (1971), S. 3–4.

Rolf Rohmer, *Entwicklungprobleme unserer Dramatik*, in: MzT 28 (1973), S. 24–44.

Hans Kaufmann, *Literatur in einer dynamischen Gesellschaft*, in: Eva und Hans Kaufmann, *Erwartung und Angebot. Studien zum gegenwärtigen Verhältnis von Literatur und Gesellschaft in der DDR*, Berlin 1976, S. 9–44.

Rainer Kerndl/Erika Stephan (Int.), *Interview mit Rainer Kerndl*, in: WB 22/4 (1976), S. 65–81, bes. S. 77.

Hans Kaufmann, *Zur DDR-Literatur der siebziger Jahre*, in: SuF 30 (1978), S. 171–176 [auf diesen Artikel antwortet Hans Koch in: ND, 15./16. 4. 1978].

Weitere Angaben in folgenden Darstellungen:

Heinrich Mohr, *Literatur als Kritik und Utopie der Gesellschaft*, in: DA 10 (1977), Sh., S. 57–70.

Jochen Staadt, *Konfliktbewußtsein und sozialistischer Anspruch in der DDR-Literatur. Zur Darstellung gesellschaftlicher Widersprüche in Romanen nach dem VIII. Parteitag der SED 1971*, Berlin: Spiess 1977.

Peter Zimmermann, *Industrieliteratur der DDR*, Stuttgart 1984, bes. S. 109ff.

4. Gegenwart und Zukunft – Wirklichkeit und Ideal – die Gegenwart als Prozess – Drama als Utopie

Bertolt Brecht B, Bd. 19, S. 547.

Hans Pfeiffer, *Wirkung und Wirklichkeit des Schaustücks,* in: SuF 7 (1955), S. 546–563.

Peter Hacks, *Das realistische Theaterstück,* in: NDL 5/10 (1957), S. 90–104.

Hans Kaufmann, *Ästhetische Probleme der ältesten und der jüngsten sozialistischen deutschen Literatur,* in: Junge Kunst 2/12 (1958), S. 76–80.

Johanna Rudolph, *Literatur unserer Gegenwart,* in: ND, 11. 6. 1958.

Kurt Hager, *Parteilichkeit und Volksverbundenheit unserer Literatur und Kunst,* in: Forum 17/7 (1963), S. 8–12.

Horst Redeker, *Die Dialektik und der Bitterfelder Weg,* in: NDL 11/5 (1963), S. 64–80.

Käthe Seelig, *Zu den objektiven und subjektiven Voraussetzungen für die Darstellung der Perspektive und ihrer Gestaltung in der dramatischen Kunst,* in: Wiss. Zschr. der Karl-Marx-Univ. Leipzig, Gesellsch.-sprachw. Reihe 13/5 (1964), S. 855–862.

Peter Hacks P, S. 7ff.

Volker Braun/Klaus Höpcke (Int.), *Ab-fall und Aufstieg. Gespräch mit Volker Braun,* in: ND, 17. 9. 1966.

Max Zimmering, *Zu einigen ideologischen Problemen,* in: NDL 14/2 (1966), S. 19–40.

Volker Braun G, S. 23f., 41ff., 58, 105, 134.

Erhard John, *Einführung in die Ästhetik,* Halle ⁴1972, S. 46f.

Gottfried Fischborn und Gerda Baumbach, *Wirklichkeit und Stückeschreiben – 33 Thesen zur Aneignung der Realität durch Dramatiker der DDR,* in: MzT 68 (1975), S. 23–46.

Peter Hacks, *Der Fortschritt in der Kunst,* in: ders. S, S. 245–259, bes. S. 247ff.

Wolfgang Heise, *Shakespeare – ein Beispiel des Realismus,* in: WB 23/9 (1977), S. 5–26.

Heinz Plavius, *Positionsbestimmung,* in: WB 26/6 (1980), S. 136–147.

Gottfried Fischborn, *Dramatik im Druck. Beim Lesen von Stückveröffentlichungen in »Theater der Zeit« 1980/81 notiert (2),* in: TdZ 37/4 (1982), S. 61–63.

Heiner Müller O, S. 61f.

Weitere Angaben in folgenden Darstellungen:

Hans Kaufmann, *Literatur in einer dynamischen Gesellschaft,* in: Eva und Hans Kaufmann, *Erwartung und Angebot. Studien zum gegenwärtigen Verhältnis von Literatur und Gesellschaft in der DDR,* Berlin 1976, S. 9–44.

Gustav Schröder, *Zur Geschichte der utopischen Literatur in der DDR*, in: Potsdamer Forschungen 16 (1975), S. 31–47.

Klaus Schuhmann, *Aspekte des Verhältnisses zwischen Individuum und Gesellschaft in der Gegenwartsliteratur der DDR*, in: WB 21/7 (1975), S. 5–36.

Dieter Schlenstedt, *Prozeß der Selbstverständigung*, in: WB 22/12 (1976), S. 5–37.

Heinrich Mohr, *Literatur als Kritik und Utopie der Gesellschaft*, in: DA 10 (1977), Sh., S. 57–70.

Ingeborg Gerlach, *Der schwierige Fortschritt. Gegenwartsdeutung und Zukunftserwartung im DDR-Roman*, Königstein/Ts. 1979.

Joseph Pischel, *Zur theoretischen Selbstverständigung der DDR-Schriftsteller in den sechziger und siebziger Jahren (Thesen)*, in: Wiss. Zschr. der Wilhelm-Pieck-Univ. Rostock, Gesellsch.-sprachw. Reihe 28/1–2 (1979), S. 65–69.

Heidemarie Risch-Kohl, *Das historische Subjekt und die gesellschaftliche Perspektive in der Literatur der DDR nach dem VI. Parteitag der SED*, Diss. FU Berlin 1979.

Dieter Schlenstedt, *Literatur der DDR im Spiegel ihrer Literaturgeschichte*, in: WB 26/2 (1980), S. 25–42.

Horst Heidtmann, *Utopisch-phantastische Literatur in der DDR*, München 1982.

Heidi Urbahn de Jaurégui, *Vom tätigen Hoffen und hoffnungslosen Tun. Aspekte des Utopischen und des Utopielosen bei Peter Hacks*, in: Revue d'Allemagne 14/4 (1982), S. 525–542.

Werner Jehser, *Zur Dialektik von Ideal und Wirklichkeit in den Stücken von Peter Hacks seit Mitte der siebziger Jahre*, in: WB 29/10 (1983), S. 1729–1752.

5. Einzelthemen

a) Alltag und Revolution

Peter Hacks P, S. 28, 35, 41.

Edith Braemer, *Problem »Positiver Held«*, in: NDL 9/6 (1961), S. 41–65.

Ingrid Seyfarth, *Unser Werkstattgespräch mit Helmut Sakowski*, in: TdZ 20/24 (1965), S. 16–18.

Dieter Schiller, *Gewöhnliche Revolutionäre*, in: Sonntag 24/4 (1970), S. 4–6.

Manfred Wekwerth/WB (Int.), *Produktive Brecht-Nachfolge*, in: WB 19/2 (1973), S. 27–45.

Heiner Müller/Horst Laube (Int.), *Der Dramatiker und die Geschichte seiner Zeit*, in: Th 16 (1975), Sh., S. 119–123, bes. S. 122.

Jürgen Kuczynski, *Held und Alltag*, in: NDL 31/8 (1983), S. 120–134.

Weitere Angaben in folgenden Darstellungen:

Werner Mittenzwei, *Das Bild des Revolutionärs in der sozialistischen Literatur*, in: Werner Mittenzwei und Reinhard Weisbach (Hg.), *Revolution und Literatur. Zum Verhältnis von Erbe, Revolution und Literatur*, Leipzig 1971, S. 11–44.

Werner Mittenzwei, *Der Realismusstreit um Brecht III*, in: SuF 29 (1977), S. 343–376, bes. S. 371f.

Gunter Reus, *Oktoberrevolution und Sowjetrußland auf dem deutschen Theater*, Bonn 1978.

b) ›Private‹ Probleme (›Innerlichkeit‹) als Thema der Dramatik

Hans Koch, *Der einzelne und die Gesellschaft*, in: ND, 16. 6. 1973.

Werner Mittenzwei, *Brecht 1973 oder das Problem der Individualität*, in: TdZ 28/2 (1973), S. 6–11.

Hans Koch, *Kunst und realer Sozialismus*, in: ND, 15./16. 4. 1978.

Geschichte und Drama. Ein Gespräch mit Heiner Müller, in: Basis 6 (1976), S. 48–64.

Heiner Müller, *Notate zu Fatzer*, in: Die Zeit, 17. 3. 1978, S. 9–10.

Joseph Pischel, *Zur theoretischen Selbstverständigung der DDR-Schriftsteller in den sechziger und siebziger Jahren (Thesen)*, in: Wiss. Zschr. der Wilhelm-Pieck-Univ. Rostock, Gesellsch.-sprachw. Reihe 28/1–2 (1979), S. 65–69.

Rainer Kerndl, *Theatermesse und Theateralltag*, in: TdZ 35/9 (1980), S. 55f.

Weitere Literaturangaben zu dieser in nennenswertem Umfang erst in den siebziger Jahren öffentlich diskutierten Frage in den Abschnitten IV 3 und V 2 b.

c) Arbeit und Arbeiter

Marianne Lange, *Das Verhältnis zur Arbeiterklasse – das Grundproblem der sozialistischen Literatur*, in: Einheit 13/9 (1958), S. 1276–1294.

Eberhard Röhner, *Arbeiter in der Gegenwartsliteratur*, Berlin 1967.

Karl-Heinz Jakobs, *Das Wort des Schriftstellers. Über den Arbeiter in unserer Literatur*, in: NDL 20/10 (1972), S. 152–158.

Zeitgenossen. Rundtischgespräch zur literarischen Darstellung von Arbeiterpersönlichkeiten in unserer Literatur, in: Sonntag 31/30 (1977), S. 3 u. 6.

Ernst Schumacher, *Darstellende Künste und sozialistische Lebensweise*, in: WB 28/7 (1982), S. 50–69.

Peter Reichel, *Anmerkungen zur DDR-Dramatik seit 1980. Teil I und II*, in: WB 29/8 (1983), S. 1403–1426; WB 29/10 (1983), S. 1709–1728.

Joachim Giehm, *Entdeckungen im Alltag. Arbeitsprozeß und Arbeiterfigur in unserer »jüngeren« Dramatik*, in: TdZ 41/2 (1986), S. 10–12.

Weitere Angaben in folgenden *Darstellungen:*

Ingeborg Gerlach, *Bitterfeld,* Kronberg 1974.

Bernhard Greiner, *Von der Allegorie zur Idylle. Die Literatur der Arbeitswelt in der DDR,* Heidelberg 1974.

Bernhard Greiner, *Arbeitswelt als Perspektive literarischer Öffentlichkeit in der DDR,* in: Heinz Ludwig Arnold (Hg.), *Handbuch zur deutschen Arbeiterliteratur,* Bd. 1, München 1977, S. 83–121.

Joseph Pischel, *Zur theoretischen Selbstverständigung der DDR-Schriftsteller in den sechziger und siebziger Jahren,* Diss. Rostock 1978.

Helen Fehervary, *Die erzählerische Kolonisierung des weiblichen Schweigens. Frau und Arbeit in der DDR-Literatur,* in: Reinhold Grimm und Jost Hermand (Hg.), *Arbeit als Thema in der deutschen Literatur vom Mittelalter bis zur Gegenwart,* Königstein 1979, S. 171–195.

Peter Zimmermann, *Industrieliteratur der DDR,* Stuttgart 1984.

Zum Problem der Naturbeherrschung:

Volker Braun, *Offener Brief,* in: TdZ 22/8 (1967), S. 14.

Peter Hacks, *Oper und Drama,* in: SuF 25 (1973), S. 1236–1255.

Volker Braun/Jacques Poulet, Bernard Sobel (Int.), *Comme une gerçure toujours ouverte,* in: La Nouvelle Critique 121 nouvelle série (1979), S. 19–22.

Joseph Pischel, *Zur theoretischen Selbstverständigung der DDR-Schrifsteller in den sechziger und siebziger Jahren,* Diss. Rostock 1978.

Alexander Stephan, *Die wissenschaftlich-technische Revolution in der Literatur der DDR,* in: Der Deutschunterricht 30/2 (1978), S. 18–34.

d) Parteifunktionäre (›Planer‹ und ›Leiter‹)

Edith Braemer, *Problem »Positiver Held«,* in: NDL 9/6 (1961), S. 41–65.

Rainer Kerndl, *Zwischen Schreibtisch und Probebühne,* in: Forum 17/5 (1963), S. 12–13.

Irene Böhme, *Ankunft auf der »Königsebene«,* in: Sonntag 11 (1965), S. 4–5.

Wilfried Adling, *Von der Kraft des Kollektivs,* in: TdZ 21/8 (1966), S. 6–8.

Eberhard Röhner, *Arbeiter in der Gegenwartsliteratur,* Berlin 1967.

Helmut Sakowski/Einheit (Int.), *Der Schriftsteller und das Glück,* in: Einheit 24 (1969), S. 1217–1223.

Helmut Sakowski/Volker Kurzweg (Int.), *Interview mit Helmut Sakowski,* in: WB 15/4 (1969), S. 742–751.

Weitere Literatur zu dem besonders in den sechziger Jahren diskutierten Thema im voraufgehenden Abschnitt, vor allem in folgenden Darstellungen:

Gunter Reus, *Oktoberrevolution und Sowjetrußland auf dem deutschen Theater,* Bonn 1978, bes. S. 318 ff.

Peter Zimmermann, *Industrieliteratur der DDR,* Stuttgart 1984.

e) Frauen

Jack D. Zipes, *Die Funktion der Frau in den Komödien der DDR. Noch einmal: Brecht und die Folgen,* in: Wolfgang Paulsen (Hg.), *Die deutsche Komödie im zwanzigsten Jahrhundert,* Heidelberg 1976, S. 187–205.

Gerhard Fischer, *Frau, Ehe und Familie in der sozialistischen Gesellschaft: Anmerkungen zu Heiner Müllers ›Zement‹,* in: AUMLA 48 (1977), S. 248–267.

Helen Fehervary, *Die erzählerische Kolonisierung des weiblichen Schweigens. Frau und Arbeit in der DDR-Literatur,* in: Reinhold Grimm und Jost Hermand (Hg.), *Arbeit als Thema in der deutschen Literatur vom Mittelalter bis zur Gegenwart,* Königstein 1979, S. 171–195.

Marion Heidrich, *Untersuchungen zur Figurenproblematik des Mädchens und der jungen Frau in der DDR-Dramatik der 70er Jahre, ausgeführt an Werken von Armin Müller, Gisela Steineckert, Joachim Brehmer und Volker Braun,* Diss. Dresden 1981.

Jochen Hoffmann, *Das Frauenbild im frühen DDR-Drama und in der proletarisch-revolutionären Literatur: Fred Reichwalds ›Das Wagnis der Maria Diehl‹,* in: Margy Gerber u. a. (Hg.), *Studies in GDR Culture and Society,* Washington 1981, S. 195–204.

Genia Schulz, *Abschied von Morgen. Zu den Frauengestalten im Werk Heiner Müllers,* in: *Text + Kritik 73: Heiner Müller,* München 1982, S. 58–70.

Katherine Vanovitch, *Women as social visionaries in the prose and drama of the GDR in the 1970s,* in: Ian Wallace (Hg.), *The GDR under Honecker 1971–1981,* Dundee 1981, S. 107–113.

Katherine Vanovitch, *Female Roles in East German Drama 1949–1977,* Frankfurt/Main und Bern 1982.

f) Jugendliche

Christine Cosentino, *Bekehrter Held und Einzelgänger: Zu Fragen der DDR-Jugendproblematik bei Armin Stolper, Ulrich Plenzdorf und Reiner Kunze,* in: Journal of English and German Philology 77/4 (1978), S. 495–503.

Brigitte Stuhlmacher, *Jugend. Plenzdorfs »Die neuen Leiden des jungen W.« und die Tradition: Halbe, Wedekind, Hasenclever,* in: Hans Kaufmann (Hg.), *Tendenzen und Beispiele. Zur DDR-Literatur in den siebziger Jahren,* Leipzig 1981, S. 185–220.

V. Dramatische Strukturen und Formelemente

1. DIE CHARAKTERE

a) Allgemeine Fragen der Menschendarstellung – positive oder negative Figuren?

Bertolt Brecht B, S. 784f., 811ff., 932.

Hedda Zinner, *Positive Charaktere in der Gegenwartsdramatik*, in: Tägliche Rundschau, 26. 3. 1954.

Peter Hacks, *Das realitische Theaterstück*, in: NDL 5/10 (1957), S. 90–104.

Peter Hacks P, S. 25ff., 113f.

Edith Braemer, *Problem »Positiver Held«*, in: NDL 9/6 (1961), S. 41–65.

Walter Dreher, *Der positive Held historisch betrachtet*, in: NDL 10/3 (1962), S. 87–91.

Rainer Kerndl, *Zwischen Schreibtisch und Probebühne*, in: Forum 17/5 (1963), S. 12–13.

Helmut Baierl, *Auf der Suche nach dem Helden*, in: Sonntag 44 (1964), S. 3–5.

Hans Koch, *Unsere Literaturgesellschaft. Kritik und Polemik*, Berlin 1965, bes. S. 145ff.

Helmut Baierl, *Wie ist die heutige Wirklichkeit auf dem Theater darstellbar*, in: SuF 18/Sh. 1 (1966), S. 736–742.

Karl Heinz Schmidt, *Zur Gestaltung des Menschenbildes im Sozialismus*, in: TdZ 24/1 (1969), S. 12–16.

Wilfried Adling, *Studien zur dramatischen Gestaltung des sozialistisch-humanistischen Menschenbildes – unter besonderer Berücksichtigung des dramatischen Früh- und Spätwerks von Maxim Gorki*, Diss. Greifswald 1970.

Wilfried Adling, *Zur aktuellen Bedeutung von Gorkis Dramaturgie für die Dramatik der DDR*, in: WB 18/11 (1972), S. 32–56.

Erwin Bartsch, *Über die Gestaltung des Helden in der sozialistisch-realistischen Kunst*, in: MzT 45 (1974), S. 4–18.

Heiner Müller D, S. 122.

Geschichte und Drama. Ein Gespräch mit Heiner Müller, in: Basis 6 (1976), S. 48–64.

Hans-Rainer John, *Das Gespräch geht weiter. Nach den Bezirksdelegiertenkonferenzen des Theaterverbandes*, in: TdZ 35/5 (1980), S. 8–9.

Ernst Schumacher, *Darstellende Künste und sozialistische Lebensweise*, in: WB 28/7 (1982), S. 50–69.

Jürgen Kuczynski, *Held und Alltag*, in: NDL 31/8 (1983), S. 120–134.

Christoph Funke, *Fragen nach dem Helden*, in: TdZ 40/3 (1985), S. 6–10.

Weitere Angaben in folgenden Darstellungen:

Dieter Vogel, *Der positive Held – Geschichte und Funktion eines literarischen Charakters*, Diss. FU Berlin 1973.

Uwe-K. Ketelsen, *Das ›sozialistische Menschenbild‹ als dramentheoretisches Problem in der DDR-Literatur*, in: Basis 5 (1975), S. 65–79.

Christiane Lemke, *Persönlichkeit und Gesellschaft. Zur Theorie der Persönlichkeit in der DDR*, Opladen 1980.

b) Figurenaufbau – Widersprüchlichkeit der Figuren – Verhältnis von Charakteren und Fabel

Bertolt Brecht B, Bd. 16, S. 784f., 794, 918, 934; Bd. 19, S. 547, 553.

Hans Lucke, *Über einige Schwierigkeiten beim Schreiben von Zeitstücken*, in: TdZ 12/11 (1957), S. 13–16.

Klaus Jarmatz, *Probleme unserer sozialistischen Kulturrevolution und unserer sozialistischen Gegenwartsdramatik*, in: Junge Kunst 3/11 (1959), S. 63–68.

Schaffensfragen der sozialistischen Dramatik. Ein Rundtischgespräch, in: NDL 10/6 (1962), S. 120–139.

Horst Redeker, *Die Dialektik und der Bitterfelder Weg*, in: NDL 11/5 (1963), S. 64–80.

Werner Mittenzwei, *Zum Problem des Figurenaufbaus im sozialistischen Drama*, in: Neue Texte 4 (1964), S. 124–154.

Armin-Gerd Kuckhoff, *Konflikt und Charaktere*, in: TdZ 22/21 (1967), S. 4–6 u. S. 28.

Werner Mittenzwei, *Gestaltung und Gestalten im modernen Drama*, Berlin und Weimar [2]1969.

Karl-Heinz Jakobs, *Das Wort des Schriftstellers. Über den Arbeiter in unserer Literatur*, in: NDL 20/10 (1972), S. 152–158.

Weitere Literaturangaben in folgender Darstellung:

Hans Lorenz, *Zur Darstellung von Konflikt und Charakterentwicklung im Zeitstück der DDR-Dramatik von 1952 bis zum Ausgang der sechziger Jahre*, Diss. Rostock 1974.

c) Entwicklung oder Wandlung der Figur?

Bertolt Brecht B, Bd. 16, S. 890, 916.

Wilfried Adling, *Erwin Strittmatters »Holländerbraut«*, in: TdZ 16/7 (1961), S. 64–69.

Karl-Heinz Schmidt, *Wesen und Darstellung menschlicher Konflikte in der sozialistischen deutschen Dramatik*, Diss. Berlin 1965.

Werner Mittenzwei, *Gestaltung und Gestalten im modernen Drama*, Berlin und Weimar [2]1969.

Werner Mittenzwei, *Das Bild des Revolutionärs in der sozialistischen Literatur*, in: Werner Mittenzwei und Reinhard Weisbach (Hg.), *Revolu-*

tion und Literatur. Zum Verhältnis von Erbe, Revolution und Literatur,
Leipzig 1971, S. 11–44.

d) Der einzelne als Objekt und/oder Subjekt seines Geschicks

Peter Hacks P, S. 30f.

Klaus Wolf, *Überlegungen zu den Möglichkeiten sozialistischer Dramatik der Gegenwart*, in: TdZ 24/9 (1969), S. 43–47.

Thomas Wieck, *Entwicklung oder Neubeginn?*, in: TdZ 25/12 (1970), S. 12–16.

Volker Braun G, S. 124f., 138.

Peter Hacks, *Oper und Drama*, in: SuF 25 (1973), S. 1236–1255.

Rolf Rohmer, *Entwicklungsprobleme unserer Dramatik*, in: MzT 28 (1973), S. 24–44.

Aus der Diskussion, in: MzT 39 (1974), S. 33–63, bes. S. 40ff. u. 58.

Volker Braun/Jacques Poulet, Bernard Sobel (Int.), *Comme une gerçure toujours ouverte*, in: La Nouvelle Critique 121 nouvelle série (1979), S. 19–22.

Erhard John, *Dialektik von Objektivem und Subjektivem als philosophisches und ästhetisches Problem*, in: WB 27/2 (1981), S. 44–62.

Ernst Schumacher, *Individuum, Gesellschaft und zeitgenössisches Theater*, in: TdZ 35/10 (1981), S. 8–10.

e) Determinanten individuellen Verhaltens

Bertolt Brecht B, Bd. 16, S. 780, 830, 835.

Peter Hacks, *Einige Gemeinplätze über das Stückeschreiben*, in: NDL 4/9 (1956), S. 119–126.

Peter Hacks, *Das realistische Theaterstück*, in: NDL 5/10 (1957), S. 90–104.

Schaffensfragen der sozialistischen Dramatik. Ein Rundtischgespräch, in: NDL 10/6 (1962), S. 120–139.

Volker Braun G, S. 71f.

Werner Mittenzwei, *Das Bild des Revolutionärs in der sozialistischen Literatur*, in: Werner Mittenzwei und Reinhard Weisbach (Hg.), *Revolution und Literatur. Zum Verhältnis von Erbe, Revolution und Literatur*, Leipzig 1971, S. 11–44.

Peter Hacks, *Oper und Drama*, in: SuF 25 (1973), S. 1236–1255.

Hans-Rainer John, *Das Gespräch geht weiter. Nach den Bezirksdelegiertenkonferenzen des Theaterverbandes*, in: TdZ 35/5 (1980), S. 8–9.

Volker Braun, *Büchners Briefe*, in: Heinz Ludwig Arnold (Hg.), *Text + Kritik*, Sbd.: *Georg Büchner III*, München 1981, S. 5–14.

2. Der dramatische Konflikt

a) Übergreifende Fragen

Probleme der zeitgenössischen Dramatik, in: TdZ 7/11 (1952), S. 2–5. [Zur sog. »Theorie der Konfliktlosigkeit« vgl. auch die Artikel in: TdZ 7/18 (1952), Beilage S. III–VIII, und Aufbau 8/6 (1952), S. 572–576.]

Wolfgang Joho, *Es ist nicht alles »in bester Ordnung«. Zur Rolle des Konfliktes in unserer Literatur,* in: Sonntag 7/48 (1952), S. 3.

Zur Frage des Konflikts in Kunst und Literatur. Einige sowjetische Aufsätze, Berlin 1953.

Alfred Antkowiak, *Bemerkungen über den Konflikt in der Literatur,* in: NDL 1/10 (1953), S. 134–139.

Günther Cwojdrak, *Stalins letztes Werk und Fragen unserer Literatur,* in: NDL 1/4 (1953), S. 148–156.

Bertolt Brecht B, Bd. 16, S. 833f, 936f.

Hans Pfeiffer, *Wirkung und Wirklichkeit des Schaustücks,* in: SuF 7 (1955), S. 546–563.

Renate Zuchardt, *Handlung und Konflikt,* in: TdZ 10/8 (1955), S. 7–10.

Peter Hacks, *Das realistische Theaterstück,* in: NDL 5/10 (1957), S. 90–104.

Wilfried Adling, *Der neue Held und der dramatische Konflikt,* in: TdZ 18/17 (1963), S. 12–14.

Hans Koch, *Kritik und Literatur,* in: NDL 11/2 (1963), S. 107–122.

Rudolf Münz, *Vom Wesen des Dramas. Umrisse einer Theater- und Dramentheorie,* Halle 1963.

Horst Redeker, *Die Dialektik und der Bitterfelder Weg,* in: NDL 11/5 (1963), S. 64–80.

Wilfried Adling und Renate Geldner, *Zur Bedeutung des Konflikts für unsere sozialistische Gegenwartsdramatik,* in: Einheit 20/7 (1965), S. 95–103.

Hans Koch, *Unsere Literaturgesellschaft. Kritik und Polemik,* Berlin 1965, bes. S. 165 ff.

Hans Marnette, *Zum Problem des literarischen Konflikts,* in: Wiss. Zschr. der PH Potsdam, Gesellsch.-sprachw. Reihe 9/1 (1965), S. 45–57.

Armin-Gerd Kuckhoff, *Konflikt und Charaktere,* in: TdZ 22/21 (1967), S. 4–6 u. S. 28.

Käthe Rülicke-Weiler, *Konflikte im Sozialismus,* in: ND 11. 7. 1967 u. 12. 7. 1967.

Armin-Gerd Kuckhoff, *Prognose für das Theater,* in: TdZ 23/6 (1968), S. 16–18.

Karl Heinz Schmidt, *Zur Gestaltung des Menschenbildes im Sozialismus,* in: TdZ 24/1 (1969), S. 12–16.

Volker Braun G, S. 19, 50.

Werner Jehser, *Zum neuen Charakter des literarischen Konflikts,* in: WB 16/2 (1970), S. 82–107.

Werner Neubert, *Unsere Konflikte in unserer Literatur,* in: NDL 18/1 (1970), S. 5–13.

Walfried Hartinger und Klaus Werner, *Zur Konfliktgestaltung in der sozialistisch-realistischen Literatur und Kunst,* in: WB 18/9 (1972), S. 119–130.

Werner Jehser, *Spielraum für schöpferische Aktivität. Persönlichkeit und Konflikt in unserer Gegenwartsdramatik,* in: Forum 26/11 (1972), S. 11.

Helga Herting (Bearb.), *Parteilichkeit und Volksverbundenheit,* Berlin 1972, S. 238–301.

Karl-Heinz Jakobs, *Über Konflikte und von der rechten Art zu lesen,* in: Sonntag 27/48 (1973), S. 7–8.

Aus der Diskussion, in: MzT 39 (1974), S. 33–63.

Manfred Wekwerth, *Exkurs 12: Was wird aus dem Konflikt?,* in: ders., *Theater und Wissenschaft,* München 1974, S. 150–155.

Günther K. Lehmann, *Phantasie und künstlerische Arbeit,* Berlin und Weimar ²1976.

Weitere Angaben in folgenden Darstellungen:

Karl-Heinz Schmidt, *Wesen und Darstellung menschlicher Konflikte in der sozialistischen deutschen Dramatik,* Diss. Berlin 1965.

Hans Lorenz, *Zur Darstellung von Konflikt und Charakterentwicklung im Zeitstück der DDR-Dramatik von 1952 bis zum Ausgang der sechziger Jahre,* Diss. Rostock 1974.

b) Das Verhältnis des einzelnen zur Gesellschaft

Klaus Jarmatz, *Probleme unserer sozialistischen Kulturrevolution und unserer sozialistischen Gegenwartsdramatik,* in: Junge Kunst 3/11 (1959), S. 63–68.

Kurt Hager, *Parteilichkeit und Volksverbundenheit unserer Literatur und Kunst,* in: Forum 17/7 (1963), S. 8–12.

Rainer Kerndl, *Zwischen Schreibtisch und Probebühne,* in: Forum 17/5 (1963), S. 12–13.

Helmut Baierl, *Auf der Suche nach dem Helden,* in: Sonntag 44 (1964), S. 3–5.

Peter Hacks P, S. 92, 113f.

Horst Redeker, *Versuch einer ästhetischen Analyse (1),* in: Sonntag 19/1 (1964), S. 3–5 u. 19/2, S. 9–11.

Werner Jehser, *Zum neuen Charakter des literarischen Konflikts,* in: WB 16/2 (1970), S. 82–107.

Werner Jehser, *Spielraum für schöpferische Aktivität. Persönlichkeit und*

Konflikt in unserer Gegenwartsdramatik, in: Forum 26/11 (1972), S. 11.

Hans Koch, *Der einzelne und die Gesellschaft*, in: ND, 16. 6. 1973.

Rolf Rohmer, *Entwicklungsprobleme unserer Dramatik*, in: MzT 28 (1973), S. 24–44.

Hans Koch, *Kunst und realer Sozialismus*, in: ND, 15./16. 4. 1978.

Heiner Müller/Jacques Poulet (Int.), *Viv(r)e la contradiction!*, in: France Nouvelle, 29. 1. 1979, S. 43–50.

Klaus Pfützner, *Gewinn und Defizit? Zu einigen Problemen im gegenwärtigen dramatischen Schaffen*, in: TdZ 35/3 (1980), S. 4–7.

Weitere Angaben in folgenden Darstellungen:

Werner Mittenzwei, *Gestaltung und Gestalten im modernen Drama*, Berlin und Weimar ²1969.

Hans-Georg Werner, *Überlegungen zum Verhältnis von Individuum und Gesellschaft in den Stücken von Peter Hacks*, in: WB 20/4 (1974), S. 31–67.

Klaus Schuhmann, *Aspekte des Verhältnisses zwischen Individuum und Gesellschaft in der Gegenwartsliteratur der DDR*, in: WB 21/7 (1975), S. 5–36.

Karl-Heinz Hafranke, *Individualgeschichte und Gesellschaftsprozeß in unserer neueren Dramatik*, in: WB 22/4 (1976), S. 12–35.

Joseph Pischel, *Zur theoretischen Selbstverständigung der DDR-Schriftsteller in den sechziger und siebziger Jahren*, Diss. Rostock 1978.

Klaus Schuhmann, *Weite und Vielfalt der Wirklichkeitsdarstellung in der DDR-Literatur*, in: WB 26/8 (1980), S. 5–23.

Hans Kaufmann, *Veränderte Literaturlandschaft*, in: WB 27/3 (1981), S. 27–53.

c) Die ›oben‹-›unten‹-Konstellation – der sog. ›anarchische‹ (›Selbsthelfer‹-)Held

Peter Hacks, *Das realistische Theaterstück*, in: NDL 5/10 (1957), S. 90–104, bes. S. 100.

Edith Braemer, *Problem »Positiver Held«*, in: NDL 9/6 (1961), S. 41–65.

Volker Braun G, S. 20, 41 f., 53 f., 112, 132.

Wilfried Adling, *Über Stücke und über Maßstäbe*, in: TdZ 28/10 (1973), S. 16–20.

Aus der Diskussion, in: MzT 39 (1974), S. 33–63.

Heiner Müller/Horst Laube (Int.), *Der Dramatiker und die Geschichte seiner Zeit*, in: Th 16/Sh. (1975), S. 119–123.

Volker Braun/Jacques Poulet, Bernard Sobel (Int.), *Comme une gerçure toujours ouverte*, in: La Nouvelle Critique 121 nouvelle série (1979), S. 19–22.

Ernst Schumacher, *Aktuale und perspektivische Probleme der Gestaltung und Darstellung von Geschichte in der Dramatik und auf dem Theater der DDR unter den Bedingungen der entwickelten sozialistischen Gesellschaft,* in: MzT 48 (1979), S. 29–49, bes. S. 38 ff.

Heiner Müller, *Keuner ± Fatzer,* in: Reinhold Grimm und Jost Hermand (Hg.), *Brecht-Jahrbuch 1980,* Frankfurt/Main 1981, S. 14–21.

Volker Braun, *Büchners Briefe,* in: Heinz Ludwig Arnold (Hg.), *Text + Kritik,* Sbd.: *Georg Büchner III,* München 1981, S. 5–14.

Volker Braun/Jan Knopf (Int.), *Der Dank gebührt Friedrich Schiller,* in: Zeitung, Badisches Staatstheater Karlsruhe, 3 (Dezember 1982), S. 1–2.

Weitere Angaben in dem oben abgedruckten Aufsatz von Theo Girshausen sowie bei:

Ingeborg Münz-Koenen, *Fernsehdramatik. Experimente – Methoden – Tendenzen,* Berlin 1974, bes. S. 202 ff.

Wolfgang Schivelbusch, *Sozialistisches Drama nach Brecht,* Darmstadt und Neuwied 1974.

Ingeborg Gerlach, *Bitterfeld,* Kronberg 1974.

Heiner Müller A, S. 141.

d) Die sog. ›Anspruchs‹-Konstellation

Volker Braun G, S. 64. [Braun bezieht sich auf Äußerungen, die Fritz Selbmann auf dem VI. Deutschen Schriftstellerkongreß machte (Berlin und Weimar 1969, S. 158 ff.); Selbmann bezog sich auf: Dieter Schlenstedt, *Ankunft und Anspruch,* in: SuF 18 (1966), S. 814–835.]

Fritz Rödel, *Das neue Menschenbild in Bühnendrama und Fernsehspiel,* in: NDL 17/10 (1969), S. 140–148.

Klaus Jarmatz, *Ästhetische Fragen im Spiegel der Literaturkritik,* in: NDL 21/8 (1973), S. 109–122.

Hans Kaufmann, *Literatur in einer dynamischen Gesellschaft,* in: Eva und Hans Kaufmann, *Erwartung und Angebot,* Berlin 1976, S. 9–44, bes. S. 28, 31.

Rainer Kerndl, *Die Vielfalt unserer Dramatik,* in: TdZ 33/5 (1978), S. 52–54.

Ingrid Seyfarth, *Kontinuität zahlt sich aus,* in: Sonntag 32/24 (1978), S. 7–8.

Weitere Angaben in folgenden Darstellungen:

Hans Lorenz, *Zur Darstellung von Konflikt und Charakterentwicklung im Zeitstück der DDR-Dramatik von 1952 bis zum Ausgang der sechziger Jahre,* Diss. Rostock 1974, S. 191–234.

Wolfgang Knipp, *Zum Verhältnis von Individuum und Gesellschaft in ausgewählten Romanen der DDR-Literatur,* Köln 1980, S. 518–537.

3. DER DRAMENSCHLUSS

a) Guter oder unbefriedigender, offener oder definitiver Ausgang

Wolfgang Joho, *Es ist nicht alles »in bester Ordnung«. Zur Rolle des Konfliktes in unserer Literatur*, in: Sonntag 7/48 (1952), S. 3.

Alfred Antkowiak, *Bemerkungen über den Konflikt in der Literatur*, in: NDL 1/10 (1953), S. 134–139.

Zur Frage des Konflikts in Kunst und Literatur. Einige sowjetische Aufsätze, Berlin 1953.

Peter Hacks, *Kunst hat den längeren Atem*, in: Sonntag 11/36 (1956), S. 6.

Lothar Creutz, *Anfänge sozialistischer Dramatik*, in: TdZ 12/11 (1957) Beilage, S. 2–8.

Peter Hacks, *Das realistische Theaterstück*, in: NDL 5/10 (1957), S. 90–104.

Wilfried Adling, *Zu einigen Problemen und Stücken zeitgenössischer Dramatik*, in: Junge Kunst 2/8 (1959), S. 9–20.

Horst Redeker, *Die Dialektik und der Bitterfelder Weg*, in: NDL 11/5 (1963), S. 64–80.

Peter Hacks P, S. 104.

Ingrid Seyfarth, *Unser Werkstattgespräch mit Helmut Sakowski*, in: TdZ 20/24 (1965), S. 16–18.

Hans Pfeiffer, *Prämissen sozialistischer Dramatik*, in: NDL 14/10 (1966), S. 140–147.

Käthe Rülicke-Weiler, *Konflikte im Sozialismus*, in: ND, 11. 7. 1967 u. 12. 7. 1967.

Claus Hammel/Irene Böhme (Int.), *Interview mit Claus Hammel*, in: WB 15/2 (1969), S. 325–336.

Werner Jehser, *Zum neuen Charakter des literarischen Konflikts*, in: WB 16/2 (1970), S. 82–107.

Brigitte Thurm, *Schlacht um uns selbst*, in: TdZ 25/3 (1970), S. 4–7.

Volker Braun G, S. 20, 51.

Peter Hacks, *Oper und Drama*, in: SuF 25 (1973), S. 1236–1255.

Volker Braun, Ulrich Plenzdorf, Günter Kunert/Karl Corino (Int.), *Gespräche mit DDR-Schriftstellern*, in: DA 7/2 (1974), S. 165–171, bes. S. 167–170.

Horst Haase, *Dramatik im Fernsehen*, in: WB 20/10 (1974), S. 97–115.

Karl-Heinz Jakobs, [Beitrag], in: *VII. Schriftstellerkongreß der DDR. Protokoll*, Berlin und Weimar 1974, S. 110–118, bes. 112f.

Heiner Müller/Benjamin Henrichs (Int.), *Die zum Lächeln nicht Zwingbaren*, in: Die Zeit, 24. 5. 1974, S. 19.

Heiner Müller D, S. 121.

Günther K. Lehmann, *Phantasie und künstlerische Arbeit*, Berlin und Weimar ²1976, bes. S. 388ff.

Dieter Schlenstedt, *Prozeß der Selbstverständigung*, in: WB 22/12 (1976), S. 5–37.

Heiner Müller O, S. 65, 116.

Hans Kaufmann, *Veränderte Literaturlandschaft*, in: WB 27/3 (1981), S. 27–53, bes. S. 40.

b) ›Perspektive‹ im Drama

Friedrich Wolf B, S. 339, 355.

Peter Hacks, *Einige Gemeinplätze über das Stückeschreiben*, in: NDL 4/9 (1956), S. 119–126.

Georg Lukács, *Das Problem der Perspektive*, in: NDL 4/3 (1956), S. 128–133.

Rudolf Bahro, Ulrich Döring und Heidi Mühlberg, *Kritische Bemerkungen zu einigen Kunsttheorien von Peter Hacks*, in: TdZ 13/12 (1958) Beilage, S. 19–32.

Johanna Rudolph, *Literatur unserer Gegenwart*, in: ND, 11. 6. 1958.

Wilfried Adling, *Zu einigen Problemen und Stücken zeitgenössischer Dramatik*, in: Junge Kunst 2/8 (1958), S. 9–20.

Gottfried Fischborn, *Das Morgen im Heute*, in: TdZ 19/1 (1964), S. 22–23.

Käthe Seelig, *Zu den objektiven und subjektiven Voraussetzungen für die Darstellung der Perspektive und ihrer Gestaltung in der dramatischen Kunst*, in: Wiss. Zschr. der Karl-Marx-Univ. Leipzig, Gesellsch.-sprachw. Reihe 13 (1964), S. 855–862.

Anna Seghers, *Die Aufgaben des Schriftstellers heute – Offene Fragen*, in: Sonntag 50 (1966), S. 3–6.

Erhard John, *Einführung in die Ästhetik*, Halle [4]1972, S. 194 ff.

Hans Kaufmann, *Zur DDR-Literatur der siebziger Jahre*, in: SuF 30 (1978), S. 171–176.

Ernst Schumacher, *Brecht und sozialistischer Realismus heute*, in: WB 24/10 (1978), S. 142–164.

Klaus Schaefer, *Wesen und Funktion der »Perspektive« im literarischen Produktions- und Rezeptionsprozeß*, in: WB 26/12 (1980), S. 167–173.

Weitere Literaturangaben im Abschnitt IV 4.

c) ›Notwendiges‹ Leiden? Zur Frage der Entbehrlichkeit von Opfern im
sozialistischen Zeitstück

Jurij Brĕzan, [Diskussionsbeitrag], in: *IV. Deutscher Schriftstellerkongreß*, Berlin 1956, H. 2, S. 156.

Helmut Baierl, *Was ist der Gegenstand der sozialistischen Dramatik heute?*, in: TdZ 18/15 (1963), S. 15–17.

Rainer Kerndl, *Zwischen Schreibtisch und Probebühne*, in: Forum 17/5 (1963), S. 12–13.

Helmut Baierl, *Auf der Suche nach dem Helden*, in: Sonntag 44 (1964),
S. 3–5.
Gespräch mit Heiner Müller, in: Heiner Müller A, S. 141 f.
Helmut Sakowski/Einheit (Int.), *Der Schriftsteller und das Glück*, in: Einheit 24 (1969), S. 1217–1223.
Armin Stolper A, S. 338 f.
Hans Kaufmann, *Literatur in einer dynamischen Gesellschaft*, in: Eva und
Hans Kaufmann, *Erwartung und Angebot. Studien zum gegenwärtigen
Verhältnis von Literatur und Gesellschaft in der DDR*, Berlin 1976, S. 9–44, bes. S. 35.
Günther K. Lehmann, *Phantasie und künstlerische Arbeit*, Berlin und
Weimar [2]1976, bes. S. 393 f.
Heiner Müller, [Gesprächsäußerungen], in: Ulrich Profitlich, *Über den
Umgang mit Heiner Müllers ›Philoktet‹*, in: Basis 10 (1980), S. 142–157,
bes. S. 155.
Volker Braun, *Büchners Briefe*, in: Heinz Ludwig Arnold (Hg.), *Text +
Kritik*, Sbd.: *Georg Büchner III*, München 1981, S. 5–14.

Weitere Angaben, zumal für das letzte Jahrzehnt, enthält der Abschnitt
VI 1.

d) Tragische Elemente im DDR-Drama
S. u. im Abschnitt VI 1.

4. FRAGEN DER DRAMENKOMPOSITION

*a) Zum Problem ›geschlossenes‹ oder ›offenes‹, ›dramatisches‹ oder ›episches‹
Drama*
Bertolt Brecht B, Bd. 16, S. 706 f., 831.
Paul Rilla, *Episch oder dramatisch?*, in: ders., *Essays*, Berlin 1955, S. 434–441.
Renate Zuchardt, *Die Fabel – Das Rückgrat*, in: TdZ 10/7 (1955), S. 3–6
[erster Teil eines »Versuchs einer Dramaturgie«, der in den folgenden
Nummern fortgesetzt wurde: Jg. 1955, H. 8, H. 10, H. 12; Jg. 1956,
H. 2, H. 3, H. 5, H. 6].
Peter Hacks, [Beitrag zu] *Das Theater der Gegenwart. Eine Rundfrage*,
in: NDL 5/4 (1957), S. 127–129, bes. S. 128.
Hans Kaufmann, *Ästhetische Probleme der ältesten und der jüngsten so-
zialistischen deutschen Literatur*, in: Junge Kunst 2/12 (1958), S. 76–80.
Wilfried Adling, *Zu einigen Problemen und Stücken zeitgenössischer Dra-
matik*, in: Junge Kunst 2/8 (1958), S. 9–20.
Fritz Erpenbeck, *Aus dem Theaterleben*, Berlin 1959, passim.
Wilfried Adling, *Erwin Strittmatters »Holländerbraut«*, in: TdZ 16/7
(1961), S. 64–69.

Alfred Kurella, *Unsere künstlerische Freiheit*, in: NDL 9/8 (1961), S. 56–61.

Rudolf Münz, *Vom Wesen des Dramas. Umrisse einer Theater- und Dramentheorie*, Halle 1963.

Ursula Wertheim, *Fabel und Episode in Dramatik und Epik*, in: NDL 12/7 (1964), S. 87–107.

Gottfried Fischborn, *Fabel und Episode (2)*, in: TdZ 20/2 (1965), S. 7–9.

Volker Braun G, S. 135, 142.

Manfred Wekwerth, *Der Vorgang – Die Sprache des Theaters*, in: MzT 58 (1975), S. 3–71.

Armin Stolper/Gottfried Fischborn (Int.), *Gespräch mit Armin Stolper*, in: TdZ 31/1 (1976), S. 49–53.

Weitere Angaben in dem in diesem Band abgedruckten Aufsatz von David Bathrick über Agitproptheater sowie in folgenden Darstellungen:

Hans Marnette, *Zum Problem der Komposition im Drama*, in: Wiss. Zschr. der PH Potsdam, Gesellsch.-sprachw. Reihe 10/2 (1966), S. 271–283.

Werner Mittenzwei, *Der Realismusstreit um Brecht I,* in: SuF 28 (1976), S. 1273–1313.

Gerda Baumbach, *Dramatische Poesie für Theater. Heiner Müllers »Bau« als Theatertext*, Diss. Leipzig 1978.

Stephan Bock, *Literatur Gesellschaft Nation*, Stuttgart 1980.

Theo Girshausen, *Realismus und Utopie*, Köln 1981.

Gunnar Müller-Waldeck, *Die Frage Aristotelismus/episches Theater und die DDR-Dramatik der 70er Jahre*, in: Greifswalder Germanistische Forschungen 3 (1981), S. 113–121.

b) Zum Problem ›Drama als Fragment‹

Peter Hacks, *Über das Revidieren von Klassikern*, in: Th 16/Sh. (1975), S. 124–128.

Heiner Müller D, S. 125.

Thomas Brasch/Christoph Müller (Int.), *Thomas Brasch im Gespräch über sich und sein Schreiben*, in: Th 18/2 (1977), S. 45–46.

Heiner Müller/Jacques Poulet (Int.), *Viv(r)e la contradiction!*, in: France Nouvelle, 29. 1. 1979, S. 43–50.

Heiner Müller, *Keuner ± Fatzer*, in: Reinhold Grimm und Jost Hermand (Hg.), *Brecht-Jahrbuch 1980*, Frankfurt/Main 1981, S. 14–21.

Heiner Müller/Werner Heinitz (Int.), *»Das Vaterbild ist das Verhängnis«*, in: Th 25/1 (1984), S. 61–62.

Bertolt Brecht B, Bd. 16, S. 809.

Peter Hacks, *Einige Gemeinplätze über das Stückeschreiben*, in: NDL 4/9 (1956), S. 119–126, bes. S. 121 f.

Peter Hacks, *Das realistische Theaterstück*, in: NDL 5/10 (1957), S. 90–104.

Fritz Erpenbeck, *Weshalb überhaupt Verse im Bühnenwerk?*, in: ders., *Aus dem Theaterleben*, Berlin 1959, S. 169–171.

Peter Hacks P, S. 33, 47 ff., 95, 107, 117.

Rolf Rohmer, *Die Sprache im sozialistischen Drama der Gegenwart*, in: Rolf Rohmer u. a. (Hg.), *Theater hier und heute*, Berlin 1968 (Beiträge zur Theaterwissenschaft), S. 161–195.

Maik Hamburger, Heiner Müller, Klaus Tragelehn/Eva Walch (Int.), *Shakespeare in heutiger Übersetzung*, in: TdZ 25/7 (1970), S. 7–11.

Peter Hacks, *Oper und Drama*, in: SuF 25 (1973), S. 1236–1255.

Gerda Baumbach, *Dramatische Poesie für Theater. Heiner Müllers »Bau« als Theatertext*, Diss. Leipzig 1978.

Heiner Müller/Klaus Völker (Int.), *Ein Stück Protoplasma*, in: Th 24/9 (1983), S. 30.

VI. Das Gattungsproblem

1. Tragödie – Tragik im DDR-Drama

Bertolt Brecht B, Bd. 16, S. 924.

Heinz Hofmann, *Blick auf die neue Dramatik*, in: NDL 3/3 (1955), S. 132–136.

Hans Pfeiffer, *Wirkung und Wirklichkeit des Schaustücks*, in: SuF 7 (1955), S. 546–563.

Peter Hacks, *Einige Gemeinplätze über das Stückeschreiben*, in: NDL 4/9 (1956), S. 119–126.

Gerhard Zwerenz, *Aristotelische und Brechtsche Dramatik*, Rudolstadt 1956.

Peter Hacks, *Aristoteles, Brecht oder Zwerenz?*, in: TdZ 12/3 (1957) Beilage, S. 2–7.

Peter Hacks, *Das realistische Theaterstück*, in: NDL 5/10 (1957), S. 90–104.

Wolfgang Heise, *Zu einigen Grundfragen der marxistischen Ästhetik*, in: DZfPh 5/1 (1957), S. 50–81.

Rudolf Bahro, Ulrich Döring und Heidi Mühlberg, *Kritische Bemerkungen zu einigen Kunsttheorien von Peter Hacks*, in: TdZ 13/12 (1958) Beilage, S. 19–32.

Christa Wolf, *Kann man eigentlich über alles schreiben?*, in: NDL 6/6 (1958), S. 3–16, bes. S. 11.

Edith Braemer, *Problem »Positiver Held«*, in: NDL 9/6 (1961), S. 41–65.

Günther P. Karl, *Sozialistische Dramatik in nationaler Bewährung*, in: TdZ 17/4 (1962), S. 61–74.

Alexander Weigel, *Genre als Fessel?*, in: TdZ 18/18 (1963), S. 10–11.

Peter Hacks P, S. 116.

Käthe Seelig, *Zur Theorie des tragischen Charakters*, in: Rolf Rohmer u. a. (Hg.), *Theater hier und heute*, Berlin 1968 (Beiträge zur Theaterwissenschaft), S. 196–212.

Mara Marquardt, *Zur Bedeutung der antiken Tragödie und Komödie für die marxistische Theorie der ästhetischen Widerspruchskategorien*, in: Wiss. Zschr. der Friedrich-Schiller-Univ. Jena, Gesellsch.-sprachwiss. Reihe 18/4 (1969), S. 57–60.

Werner Jehser, *Zum neuen Charakter des literarischen Konflikts*, in: WB 16/2 (1970), S. 82–107.

Hermann Kähler, *Vom Wert des Schönen*, in: WB 16/7 (1970), S. 27–46.

Erhard John, *Einführung in die Ästhetik*, Halle ⁴1972, S. 103 ff.

Wilhelm Girnus, *Zukunftslinien (VII)*, in: SuF 25 (1973), S. 1005–1075, bes. S. 1036 ff.

Gottfried Fischborn und Gerda Baumbach, *Wirklichkeit und Stückeschreiben – 33 Thesen zur Aneigung der Realität durch Dramatiker der DDR*, in: MzT 68 (1975), S. 23–46.

Heiner Müller/Horst Laube (Int.), *Der Dramatiker und die Geschichte seiner Zeit*, in: Th 16/Sh. (1975), S. 119–123.

Wolfgang Heise, *Shakespeare – ein Beispiel des Realismus*, in: WB 23/9 (1977), S. 5–26.

Ernst Schumacher, *Die Marxisten und die Tragödie*, in: TdZ 31/11 (1977), S. 4–6 [eine Entgegnung auf diesen Aufsatz von Bernhard Kartheus und eine Replik Schumachers in: TdZ 33/2 (1978), S. 54–55].

Heiner Müller/Jacques Poulet (Int.), *Viv(r)e la contradiction!*, in: France Nouvelle, 29. 1. 1979, S. 43–50.

Mischka Dammaschke, *Ist es zu früh, ist es zu spät? Einige Werke der DDR-Dramatik im Licht der Sickingen-Debatte zwischen Marx, Engels und Lassalle*, in: TdZ 38/10 (1983), S. 1–4.

Heiner Müller/Urs Jenny, Hellmuth Karasek (Int.), *Deutschland spielt noch immer die Nibelungen*, in: Der Spiegel, 9. 5. 1983, S. 196–207.

Weitere Angaben in folgenden Darstellungen:

Wolfgang Schivelbusch, *Sozialistisches Drama nach Brecht. Drei Modelle: Peter Hacks – Heiner Müller – Hartmut Lange*, Darmstadt und Neuwied 1974.

Joan Elizabeth Holmes-Glick, *The Portrayal of Tragic Conflicts in the Drama of the German Democratic Republic*, Diss. Johns Hopkins Univ. 1976.

Gunter Reus, *Oktoberrevolution und Sowjetrußland auf dem deutschen Theater,* Bonn 1978.

Heinz-Dieter Weber, *Die Wiederkehr des Tragischen in der Literatur der DDR,* in: Der Deutschunterricht 30/2 (1978), S. 79–99.

Ulrich Profitlich, »*Dialektische« Tragik im DDR-Drama?,* in: Hans Dietrich Irmscher und Werner Keller (Hg.), *Drama und Theater im 20. Jahrhundert. Festschrift für Walter Hinck,* Göttingen 1983, S. 317–332.

2. KOMÖDIE – KOMIK, TRAGIKOMIK UND GROTESKES IM DDR-DRAMA

Herbert Ihering, *Selbstkritik und Deutsches Lustspiel,* in: Aufbau 2/4 (1946), S. 421–422.

Stefan Brodwin, *Die Komödie und ihre gesellschaftliche Bedeutung,* in: Aufbau 3/7 (1947), S. 21–28.

Günther Sauer, *Wo bleibt die moderne Komödie?,* in: TdZ 2/9 (1947), S. 7–9.

Bertolt Brecht D, S. 558f., 599.

Bertolt Brecht C, Bd. 7, S. 167f.

Bertolt Brecht B, Bd. 16, S. 805f., 834, 924.

Bertolt Brecht, [Gesprächsäußerung], in: Ernst Schumacher, *Er wird bleiben,* in: *Erinnerungen an Brecht,* zusammengestellt von Hubert Witt, Leipzig [2]1966, S. 326–340, bes. S. 332.

Konstantin Simonow, *Einige Fragen zum Problem der sowjetischen Komödie,* in: TdZ 7/24 (1952), S. 16–18.

W. Frolow, *Einiges über das Lustspiel,* in: TdZ 7/14 (1952), S. 1–2.

W. Frolow, *Die Besonderheiten des Genres der Komödie,* in: Deutsche Filmkunst 1/3 (1953), S. 15–29.

Über die künstlerische Gestaltung der Komödie, in: Forum 8/39 (1954), S. 5.

Renate Zuchardt, *Besonderheiten der heiteren Gattung,* in: TdZ 10/3 (1956), S. 4–9.

Slatan Dudow, *Die Komödie und ihre gesellschaftliche Bedeutung,* in: Deutsche Filmkunst 4/11 (1956), S. 336–339.

Peter Hacks, *Wagners Kindermörderin. Bearbeitet von Peter Hacks,* in: Junge Kunst 1/2 (1957), S. 2–23, bes. S. 23.

Wolfgang Heise, *Hegel und das Komische,* in: SuF 16 (1964), S. 811–830.

Erich Kühne, *Mehrschichtigkeit und Vielseitigkeit des Komödienkonflikts,* in: WB 10/2 (1964), S. 163–183.

Wilfried Adling und Renate Geldner, *Zur Bedeutung des Konflikts für unsere sozialistische Gegenwartsdramatik,* in: Einheit 20/7 (1965), S. 95–103, bes. S. 102.

Hans Kaufmann, *Zum Tragikomischen bei Brecht und anderen,* in: ders., *Analysen, Argumente, Anregungen,* Berlin 1973.

Erich Kühne, *Satire und groteske Dramatik. Über weltanschauliche und künstlerische Probleme bei Dürrenmatt,* in: WB 12/4 (1966), S. 539–565.

Brigitte Thurm, *Gesellschaft, Kollisionen, Persönlichkeit,* in: TdZ 25/5 (1970), S. 10–12.

Wolfgang Heise, *Mehr als ein Augenblick des Lachens. Überlegungen zum Komischen auf dem Theater,* in: Sonntag 25/31 (1971), S. 3–4.

Hermann Kähler, *Überlegungen zu Komödien von Peter Hacks,* in: SuF 24 (1972), S. 399–423.

Helmut Baierl/Karl-Heinz Müller (Int.), *Gespräch mit Helmut Baierl,* in: TdZ 31/5 (1976), S. 57–61.

Ursula Boock, *Das Groteske und das Absurde,* in: MzT 95 (1977), S. 64–79.

Werner Krecek, *Bildschirm und Komödienfreunde,* in: FuF 5/12 (1977), S. 14–15.

Rudi Strahl, *Es grient so verschämt,* in: TdZ 32/7 (1977), S. 51–52 [textgleich mit dem folgenden Titel].

Rudi Strahl, *Zum Dilemma zeitgenössischen Lustspiels,* in: NDL 25/7 (1977), S. 169–171.

Wolfgang Kröplin, *Zerrspiegel oder Vergrößerungsglas,* in: TdZ 33/8 (1978), S. 22–24.

Lustspiel, in: Manfred Berger u. a. (Hg.), *Kulturpolitisches Wörterbuch,* Berlin [2]1978, S. 465–466.

Heiner Müller O, S. 81.

Volker Braun/Jan Knopf (Int.), *Der Dank gebührt Friedrich Schiller,* in: Zeitung, Badisches Staatstheater Karlsruhe, 3 (Dezember 1982), S. 1–2.

Weitere Angaben in folgenden Darstellungen:

Manfred Jäger, *Das ganz neue Lachen,* in: ders., *Sozialliteraten,* Düsseldorf 1973, S. 197–215.

Peter Christian Giese, *Das »Gesellschaftlich-Komische«. Zu Komik und Komödie am Beispiel der Stücke und Bearbeitungen Brechts,* Stuttgart 1974.

Hans Lorenz, *Zur Darstellung von Konflikt und Charakterentwicklung im Zeitstück der DDR-Dramatik von 1952 bis zum Ausgang der sechziger Jahre,* Diss. Rostock 1974, S. 186ff.

Jack D. Zipes, *Die Funktion der Frau in den Komödien der DDR,* in: Wolfgang Paulsen (Hg.), *Die deutsche Komödie im zwanzigsten Jahrhundert,* Heidelberg 1976, S. 187–206.

Ulrich Profitlich, *Über Begriff und Terminus ›Komödie‹ in der Literaturkritik der DDR,* in: LiLi 30/31 (1978), S. 190–205.

Reinhold Grimm, *Kapriolen des Komischen. Zur Rezeptionsgeschichte seiner Theorie seit Hegel, Marx und Vischer,* in: Reinhold Grimm und Wal-

ter Hinck, *Zwischen Satire und Utopie. Zur Komiktheorie und zur Geschichte der europäischen Komödie*, Frankfurt/Main 1982, S. 20–125.
Klaus Pfützner, *DDR-Dramatik ins Zentrum rücken. Zu den III. Werkstatt-Tagen des DDR-Schauspiels*, in: TdZ 37/7 (1982), S. 3–6.

3. VOLKSSTÜCK

Peter Hacks, *Das realistische Theaterstück*, in: NDL 5/10 (1957), S. 90–104.
Rudolf Bahro, Ulrich Döring und Heidi Mühlberg, *Kritische Bemerkungen zu einigen Kunsttheorien von Peter Hacks*, in: TdZ 13/12 (1958) Beilage, S. 19–32.
Eva Nahke, *Plebejisches oder sozialistisches Theater?*, in: Junge Kunst 2/9 (1958), S. 39–44.
Fritz Erpenbeck, *Volkstümlichkeit*, in: TdZ 14/5 (1959), S. 12–16.
Christoph Funke, *Thesen und Fragen zum Volksstück*, in: TdZ 22/12 (1967), S. 10–13.
Ludwig Hoffmann, *Nachwort*, in: *Volksstücke*, Berlin 1967, S. 389–395.
Heinz Nahke, *Sozialistische Volksgestalten als Träger unserer Macht*, in: *Fernsehdramatik im Gespräch*, Berlin 1969, S. 9–45.
Helmut Sakowski/Volker Kurzweg (Int.), *Interview mit Helmut Sakowski*, in: WB 15/4 (1969), S. 742–751.
Brigitte Thurm, *Der Produzent im Theater*, in: TdZ 25/9 (1970), S. 8–10 u. S. 64.
Martin Linzer, *Volkstheater – vorgestern, gestern und heute?*, in: TdZ 31/11 (1976), S. 6–10.
Wolfgang Gersch, *Volkstheater und sozialistisches Theater*, in: MzT 119 (1979), S. 52–56.

Weitere Literatur ist verzeichnet in dem Beitrag von Klaus Siebenhaar im vorliegenden Band sowie bei:
Ulrich Profitlich, *»Heute sind alle guten Stücke Volksstücke« – Zum Begriff des »sozialistischen Volksstücks«*, in: ZfdPh 97 (1978), Sh., S. 182–218.
Ernst Schumacher, *Bertolt Brechts Vorleistungen für ein neues Volkstheater*, in: MzT 119 (1979), S. 26–51.

VII. Der Zuschauer

1. INTENDIERTE WIRKUNGEN UND FUNKTIONEN DER DRAMATISCHEN KUNST (ÜBERGREIFENDE TITEL)

Bertolt Brecht B, Bd. 16, S. 828, 922, 935; Bd. 19, S. 548, 926f.

Günther Cwojdrak, *Über unsere Gegenwartsliteratur,* in: NDL 1/1 (1953), S. 157–165.

Marianne Lange, *Die Rolle der Kunst und der Literatur bei der Formung des sozialistischen Bewußtseins,* in: Einheit 11/5 (1956), S. 441–448.

Wilfried Adling, *Zu einigen Problemen und Stücken zeitgenössischer Dramatik,* in: Junge Kunst 2/8 (1958), S. 9–20.

Hagen Mueller-Stahl, *Klassenkampf im Parkett. Gedanken über das Entstehen eines neuen Theaterpublikums,* in: Sonntag 13/16 (1958), S. 6.

Siegfried Wagner, *Künstler und Publikum auf dem Weg zu einem sozialistischen Nationaltheater,* in: TdZ 14/8 (1959) Beilage, S. 2–26.

Henryk Keisch, *Das Gegenwartsthema in unserer jüngsten Dramatik,* in: Einheit 17/10 (1962), S. 91–101.

Horst Redeker, *Beobachtung oder Praxis. Über Wesen und Funktion unserer Kunst,* in: DZfPh 11/7 (1963), S. 805–825.

Horst Redeker, *Die Dialektik und der Bitterfelder Weg,* in: NDL 11/5 (1963), S. 64–80.

Peter Hacks P, S. 34f.

Jürgen Heise, [Diskussionsbeiträge], in: *Brecht-Dialog 1968,* Berlin 1968, S. 216ff.

Volker Braun G, S. 26, 46, 59.

Peter Hacks, *Oper und Drama,* in: SuF 25 (1973), S. 1236–1255.

Manfred Naumann u. a., *Gesellschaft – Literatur – Lesen. Literaturrezeption in theoretischer Sicht,* Berlin und Weimar 1973.

Maik Hamburger, Heiner Müller, Klaus Tragelehn/Christoph Müller (Int.), *Shakespeares Stücke…,* in: Th 16/7 (1975), S. 32–37.

Heiner Müller D, S. 125f.

Dieter Schlenstedt u. a. (Hg.), *Funktion der Literatur,* Berlin 1975.

Dieter Schlenstedt, *Prozeß der Selbstverständigung,* in: WB 22/12 (1976), S. 5–37.

Gottfried Fischborn, *Haltungen. Dramatiker in den siebziger Jahren,* in: TdZ 35/4 (1980), S. 35–38.

Heinz Plavius, *Positionsbestimmung,* in: WB 26/6 (1980), S. 136–147.

Peter Reichel, *Anmerkungen zur DDR-Dramatik seit 1980,* in: WB 29/8 (1983), S. 1403–1426 und WB 29/10 (1983), S. 1709–1728.

Weitere Angaben in folgenden Darstellungen:

Bernhard Greiner, *Proletarische Öffentlichkeit – Begriff aufgehobener deutscher Misere und der Literatur in der DDR,* in: Paul Gerhard Klussmann und Heinrich Mohr (Hg.), *Jahrbuch zur Literatur in der DDR*, Bd. 2, Bonn 1982, S. 1–47.

Dietrich Sommer u. a. (Hg.), *Funktion und Wirkung. Soziologische Untersuchungen zur Literatur und Kunst*, Berlin und Weimar 1978.

Johannes Goldhahn, *Zur Entwicklung des Funktionsverständnisses von Literatur bei Schriftstellern der DDR*, in: WB 26/7 (1980), S. 93–115.

Peter Weisbrod, *Literarischer Wandel in der DDR*, Heidelberg 1980, S. 246–255.

2. ERWARTUNGEN, BEDÜRFNISSE, FÄHIGKEITEN DES PUBLIKUMS UND IHRE BERÜCKSICHTIGUNG DURCH DIE DRAMATIKER

Bertolt Brecht B, Bd. 16, S. 798, 829f, 831ff; Bd. 19, S. 542ff., 553.

Bertolt Brecht D, S. 549f.

Hagen Mueller-Stahl, *Klassenkampf im Parkett. Gedanken über das Entstehen eines neuen Theaterpublikums*, in: Sonntag 13/16 (1958), S. 6.

Käthe Rülicke-Weiler, *Dramaturgie des Veränderns*, in: NDL 13/3 (1965), S. 54–77, bes. S. 60.

Rainer Kerndl, *Vom »Feuerregen« auf der Schauspielbühne*, in: ND, 22. 7. 1972.

Karl-Heinz Jakobs, *Über Konflikte und von der rechten Art zu lesen*, in: Sonntag 27/48 (1973), S. 7–8.

Aus der Diskussion, in: MzT 39 (1974), S. 33–63, bes. S. 46ff.

Heiner Müller/Horst Laube (Int.), *Der Dramatiker und die Geschichte seiner Zeit*, in: Th 16/Sh. (1975), S. 119–123.

Herbert Pietsch, *Ästhetische Erziehung – als Faktor kultureller Entwicklung betrachtet*, in: Wiss. Zschr. der Humboldt-Univ. Berlin, Gesellsch.-sprachw. Reihe 25/2 (1976), S. 217–221.

Hubertus Gassner, *Theorie der Kunstbedürfnisse und Rezeptionsästhetik*, in: Hubertus Gassner, Eckhart Gillen (Hg.), *Kultur und Kunst in der DDR seit 1970*, Lahn-Gießen 1977, S. 85–140.

Jost Hermand, *Erbepflege und/oder Massenwirksamkeit. Zur Genre-Diskussion in der DDR*, in: Walter Hinck (Hg.), *Textsortenlehre – Gattungsgeschichte*, Heidelberg 1977, S. 104–117.

Werner Krecek, *Bildschirm und Komödienfreunde*, in: FuF 5/12 (1977), S. 14–15.

Günter Kunert, *Autor und Publikum in der DDR*, in: Marlis Gerhardt und Gert Mattenklott (Hg.), kontext 2 (1978), S. 64–80.

Stephan Bock, *Literatur Gesellschaft Nation*, Stuttgart 1980, bes. S. 71ff.

Leonore Krenzlin, *Theoretische Diskussionen und praktisches Bemühen um die Neubestimmung der Funktion der Literatur an der Wende der 50er Jahre*, in: Ingeborg Münz-Koenen u. a., *Literarisches Leben in der DDR 1945 bis 1960*, Berlin 1980, S. 152–195.

Günther K. Lehmann, *Wissenschaftlich-technischer Fortschritt und ästhetische Wertorientierung in der entwickelten sozialistischen Gesellschaft*, in: WB 26/7 (1980), S. 22–43.

Heiner Müller, *Gespräch mit Bernard Umbrecht*, in: Heiner Müller O, S. 107–124.

Ernst Schumacher, *Darstellende Künste und sozialistische Lebensweise*, in: WB 28/7 (1982), S. 50–69.

Horst Laatz, *Theaterpublikum in der DDR*, in: DA 17 (1984), S. 529–535.

Weitere Darstellungen in Abschnitt VII 1.

3. DAS ZUSCHAUERVERHALTEN – DISKUSSION DER KLASSISCHEN TERMINI

a) Einzelne Aspekte des Rezeptionsverhaltens, bes. Distanz, Einfühlung, Illusion, Identifikation, Schrecken

Bertolt Brecht B, Bd. 16, S. 813 f., 895 f., 900 ff., 927.

Bertolt Brecht D, S. 549 f., 559.

Ernst Schumacher, *Er wird bleiben*, in: *Erinnerungen an Brecht*, zusammengestellt von Hubert Witt, Leipzig ²1966, S. 326–340.

Gerhard Zwerenz, *Aristotelische und Brechtsche Dramatik*, Rudolstadt 1956.

Fritz Erpenbeck, *Aus dem Theaterleben*, Berlin 1959.

Horst Redeker, *Die Dialektik und der Bitterfelder Weg*, in: NDL 11/5 (1963), S. 64–80.

Werner Mittenzwei, *Gestaltung und Gestalten im modernen Drama*, Berlin und Weimar ²1969.

Peter Hacks, *Oper und Drama*, in: SuF 25 (1973), S. 1236–1255.

Heiner Müller/Horst Laube (Int.), *Der Dramatiker und die Geschichte seiner Zeit*, in: Th 16/Sh. (1975), S. 119–123.

Heiner Müller D, S. 122.

Werner Mittenzwei, *Der Methodenstreit – Brecht oder Stanislawski?*, in: ders., *Kampf der Richtungen*, Leipzig 1978, S. 148–171.

Wilhelm Girnus, *Nachsatz zu der Kontroverse über Claus Trägers Artikel »Revolution und Literatur bei Marx«*, in: SuF 32 (1980), S. 448–456.

Heiner Müller/Rolf Rüth, Petra Schmitz (Int.), *Schreiben aus Schadenfreude...*, in: Th 23/4 (1982), S. 1–3.

Heiner Müller/Werner Heinitz (Int.), *»Das Vaterbild ist das Verhängnis«*, in: Th 25/1 (1984), S. 61–62.

Heiner Müller/Olivier Ortolani (Int.), *Die Form entsteht aus dem Maskieren*, in: *Theater 1985*, Zürich 1985, S. 88–93.

b) Katharsis

Werner Mittenzwei, *Die Brecht-Lukács-Debatte,* in: SuF 19 (1967), S. 235–269.

Gottfried Fischborn, *Friedrich Wolf – heute. Methodische Aspekte aus seinem dramatischen Erbe,* in: TdZ 26/8 (1971), S. 12–14.

· Gottfried Fischborn, *Geschichtlichkeit, Struktur und Funktion im Drama,* in: WB 19/2 (1973), S. 141–166.

Werner Mittenzwei, *Der Realismusstreit um Brecht III,* in: SuF 29 (1977), S. 343–376, bes. S. 367f.

Gottfried Fischborn, *Katharsis als sozialistische Wirkungsstrategie. Beobachtungen und Hypothesen aus einem Jahrzehnt DDR-Dramatik,* in: Horst Nalewski und Klaus Schuhmann (Hg.), *Selbsterfahrung als Welterfahrung. DDR-Literatur in den siebziger Jahren,* Berlin und Weimar 1981, S. 83–97.

c) Passivität oder Koproduktion des Zuschauers

Bertolt Brecht B, Bd. 16, S. 924.

Peter Hacks, [Beitrag zu] *Das Theater der Gegenwart. Eine Rundfrage,* in: NDL 5/4 (1957), S. 127–129, bes. S. 128.

Henryk Keisch, *Die Sorgen der Macht und das Morgen der Macht,* in: NDL 11/1 (1963), S. 126–140, bes. S. 132f.

Volker Braun G, S. 47.

Heiner Müller D, S. 125.

Geschichte und Drama. Ein Gespräch mit Heiner Müller, in: Basis 6 (1976), S. 48–64.

Weitere Angaben in folgenden Darstellungen:

Werner Mittenzwei, *Brecht – Die ästhetischen Folgen des Funktionswechsels,* in: Dieter Schlenstedt u. a. (Hg.), *Funktion der Literatur,* Berlin 1975, S. 348–355 u. S. 421–422.

Hans Kaufmann, *Zur DDR-Literatur der siebziger Jahre,* in: SuF 30 (1978), S. 171–176.

Joseph Pischel, *Zur theoretischen Selbstverständigung der DDR-Schriftsteller in den sechziger und siebziger Jahren,* Diss. Rostock 1978.

Gerold Koller, *Der mitspielende Zuschauer. Theorie und Praxis im Schaffen Brechts.* Zürich und München 1979.

Joseph Pischel, *Zur theoretischen Selbstverständigung der DDR-Schriftsteller in den sechziger und siebziger Jahren (Thesen),* in: Wiss. Zschr. der Wilhelm-Pieck-Univ. Rostock, Gesellsch.-sprachw. Reihe 28/1–2 (1979), S. 65–70.

Dieter Schlenstedt, *Literatur der DDR im Spiegel ihrer Literaturgeschichte,* in: WB 26/2 (1980), S. 25–42.

Dieter Schlenstedt, *Die neuere DDR-Literatur und ihr Leser. Wirkungsästhetische Analysen,* München 1980.

Theo Girshausen, *Realismus und Utopie. Die frühen Stücke Heiner Müllers*, Köln 1981.

VIII. Erberezeption im DDR-Drama

1. Darstellungen zur gattungübergreifenden Erberezeption und Erbedebatte

Jürgen Scharfschwerdt, *Die Klassikideologie in Kultur-, Wissenschafts- und Literaturpolitik*, in: Hans-Jürgen Schmitt (Hg.), *Einführung in Theorie, Geschichte und Funktion der DDR-Literatur*, Stuttgart 1975, S. 109–163.

Frank Trommler, *Die Kulturpolitik der DDR und die kulturelle Tradition des deutschen Sozialismus*, in: Peter Uwe Hohendahl und Patricia Herminghouse (Hg.), *Literatur und Literaturtheorie in der DDR*, Frankfurt/Main 1976, S. 13–72.

Karl Robert Mandelkow, *Wandlungen des Klassikbildes in Deutschland im Lichte gegenwärtiger Klassikkritik*, in: Karl Otto Conrady (Hg.), *Deutsche Literatur zur Zeit der Klassik*, Stuttgart 1977, S. 423–439.

Wolfram Schlenker, *Das »Kulturelle Erbe« in der DDR*, Stuttgart 1977.

Bernd Leistner, *Unruhe um einen Klassiker. Zum Goethe-Bezug in der neueren DDR-Literatur*, Halle und Leipzig 1978.

Klaus Dautel, *Zur Theorie des literarischen Erbes in der »entwickelten sozialistischen Gesellschaft« der DDR – Rezeptionsvorgabe und Identitätsangebot*, Stuttgart 1980.

Heinrich Küntzel, *Der andere Kleist. Wirkungsgeschichte und Wiederkehr Kleists in der DDR*, in: *Jahrbuch zur Literatur in der DDR*, Bd. 1, Bonn 1980, S. 105–139.

Peter Uwe Hohendahl, *Theorie und Praxis des Erbens: Untersuchungen zum Problem der literarischen Tradition in der DDR*, in: Peter Uwe Hohendahl und Patricia Herminghouse (Hg.), *Literatur der DDR in den siebziger Jahren*, Frankfurt/Main 1983, S. 13–52.

Karl Robert Mandelkow, *Die literarische und kulturpolitische Bedeutung des Erbes*, in: Hans-Jürgen Schmitt (Hg.), *Die Literatur der DDR*, München 1983, S. 78–119.

2. Darstellungen zur dramatisch-theatralischen Erberezeption

Manfred Berger, *Vom Nathan zum Nathan. Probleme der Erbe-Rezeption auf dem Theater nach 1945*, in: WB 17/7 (1971), S. 50–71.

Werner Mittenzwei, *Brechts Verhältnis zur Tradition*, Berlin 1972.

Werner Mittenzwei, *Brecht und die Probleme der deutschen Klassik,* in: SuF 25 (1973), S. 135–168.

Volker Braun G, S. 77ff., 122, 142f.

Gudrun Klatt, *Arbeiterklasse und Theater. Agitprop-Tradition – Theater im Exil – Sozialistisches Theater,* Berlin 1975.

Paul Michael Lützeler, *Goethes »Faust« und der Sozialismus. Zur Rezeption des klassischen Erbes in der DDR,* in: Basis 5 (1975), S. 31–54.

Manfred Nössig (Hg.), *Die Schauspieltheater der DDR und das Erbe (1970–1974),* Berlin 1976 [enthält Bibliographie zur Erbe-Debatte 1970–1974].

Rudolf Dau u. a., *Künstlerisches Erbe und sozialistische Gegenwartskunst,* Berlin 1977.

Lutz Winckler, *Humanismus und literarisches Erbe: Die Faustus-Debatte,* in: ders. (Hg.), *Antifaschistische Literatur,* Kronberg 1977, Bd. 2, S. 196–270.

André Müller, *Shakespeare ohne Geheimnis,* Leipzig 1980.

Christa Hasche, *»Über die Mehrheit der Welten«. Anmerkungen und Überlegungen zu Lessings Rolle im Theater der DDR,* in: WB 27/9 (1981), S. 49–56.

Frank Hörnigk, *Geschichte im Drama,* 2 Bde., Diss. Berlin 1981.

Irene Knoll, *Theoretische und poetisch-praktische Probleme der Aneignung des klassisch-humanistischen Erbes in Werken Volker Brauns in den 70er Jahren,* Diss. Berlin 1981.

Bernd Leistner, *Zum Schiller-Bezug bei Peter Hacks,* in: Horst Nalewski und Klaus Schuhmann (Hg.), *Selbsterfahrung als Welterfahrung. DDR-Literatur in den siebziger Jahren,* Berlin und Weimar 1981, S. 98–117.

Die *Dokumente* zur Erberezeption sind vor allem in den Darstellungen von Mittenzwei (1972), Nössig, Schlenker, Dautel, Trommler u. Hohendahl nachgewiesen.

3. Brecht-Rezeption in der DDR

a) Allgemeines

Gerhard Zwerenz, *Aristotelische und Brechtsche Dramatik,* Rudolstadt 1956.

Fritz Erpenbeck, *Aus dem Theaterleben,* Berlin 1959, passim.

Brecht-Dialog 1968. Politik auf dem Theater. Dokumentation 9.–16. 2. 1968, Berlin 1968.

Werner Mittenzwei, *Gestaltung und Gestalten im modernen Drama,* Berlin und Weimar [2]1969.

Reinhard Weisbach, *Über den späten Brecht oder zur Funktion des Theaters in der entwickelten sozialistischen Gesellschaft,* in: MzT 26 (1973), S. 4–21.

Manfred Wekwerth/WB (Int.), *Produktive Brecht-Nachfolge*, in: WB 19/2 (1973), S. 27–45.

Ernst Schumacher, *Brecht und sozialistischer Realismus heute*, in: WB 24/10 (1978), S. 142–164.

Werner Mittenzwei, *Der Realismus-Streit um Brecht. Grundriß der Brecht-Rezeption in der DDR 1945–1975*, Berlin und Weimar 1978.

Günter Hartung, *Ein Meinungsstreit um Brecht kritisch betrachtet*, in: WB 25/1 (1979), S. 126–149 [mit weiteren Literaturangaben].

Brauchbarkeit und Anwendung ästhetischer Kategorien Brechts auf Theorie und Praxis zeitgenössischer Kunst, in: *Brecht 78*, Berlin 1979, S. 87–123.

Manfred Wekwerth, *Brecht-Theater in der Gegenwart*, in: Wolfgang Fritz Haug u. a. (Hg.), *Aktualisierung Brechts*, Berlin: Argument-Verlag 1980, S. 101–122.

Ernst Schumacher, *Positive Aspekte und ungelöste Widersprüche*, in: *Brecht 81*, Berlin 1981, S. 14–23.

Werner Hecht, *Blick auf Brecht nach vorn*, in: TdZ 38/2 (1983), S. 7–12.

Regisseure über ihren Umgang mit Brecht, in: TdZ 38/2 (1983), S. 13–16.

Weitere Angaben in folgenden Darstellungen:

Manfred Jäger, *Zur Rezeption des Stückeschreibers Brecht in der DDR*, in: Heinz Ludwig Arnold (Hg.), *Text + Kritik*, Sbd.: *Bertolt Brecht I*, München 1972, S. 107–118.

Manfred Jäger, »Nicht traurig, aber ungünstig« – *Brecht und sein Theater im schwierigen Milieu der DDR*, in: ders., *Sozialliteraten*, Düsseldorf 1973, S. 151–179.

David Bathrick, *The Dialectics of Legitimation: Brecht in the GDR*, in: New German Critique 1/2 (1974), S. 90–103.

Jan Knopf, *Erblasser Dr. Johann Faust. Hanns Eislers Faustoper und die deutschen Traditionen*, in: Joachim Dyck u. a., *Brechtdiskussion*, Kronberg 1974, S. 261–283.

Jürgen Baumgarten, *Volksfrontpolitik auf dem Theater*, Gaiganz 1975.

Jack D. Zipes, *Die Funktion der Frau in den Komödien der DDR. Noch einmal: Brecht und die Folgen*, in: Wolfgang Paulsen (Hg.), *Die deutsche Komödie im zwanzigsten Jahrhundert*, Heidelberg 1976, S. 187–205.

Gudrun Klatt, *Vom Umgang mit Brecht in den siebziger Jahren – Gedanken zu Trends in der literaturwissenschaftlichen Publizistik der DDR*, in: *Brecht 81*, Berlin 1981, S. 186–195.

b) Zur Brecht-Rezeption einzelner Dramatiker

Gunnar Müller-Waldeck, *Aspekte der Brecht-Rezeption in der DDR-Dramatik der 50er und 60er Jahre – dargestellt an der Gestaltung des Gegenwartsthemas in Stücken von Helmut Baierl, Heiner Müller, Peter Hacks und Volker Braun*, Diss. Greifswald 1974.

Baierl

Marion Buhl, *Zur Brecht-Rezeption des Dramatikers Helmut Baierl,* in: Wiss. Zschr. der Wilhelm-Pieck-Univ. Rostock, Gesellsch.- sprachwiss. Reihe 29/3–4 (1980), S. 27–30.

Brasch

Thomas Brasch/Marlene Gärtner (Int.), *Ein Gespräch mit Thomas Brasch,* in: Bühne und Parkett 24/3 (1978), S. 1–2.

Braun

Volker Braun, [Interviewäußerung], in: Gerda Baumbach, *Dramatische Poesie für Theater,* Diss. Leipzig 1978, S. 21.

Hacks

Peter Hacks, *Aristoteles, Brecht oder Zwerenz?,* in: TdZ 12/3 (1957) Beilage, S. 2–7.
Peter Hacks, *An einige Aristoteliker,* in: TdZ 13/5 (1958), S. 23–28.
Peter Hacks P, S. 20, 45 f., 139.
Peter Hacks/TdZ (Int.), *Gespräch mit Peter Hacks,* in: TdZ 30/2 (1975), S. 43–46.
Heidi Ritter, *Vom »aufklärerischen« zum »klassischen« Theater – Untersuchungen zum Traditionsverhältnis in den Dramen von Peter Hacks,* Diss. Halle 1976.

Müller

Geschichte und Drama. Ein Gespräch mit Heiner Müller, in: Basis 6 (1976), S. 48–64.
Heiner Müller, *Notate zu Fatzer,* in: Die Zeit, 17. 3. 1978, S. 9–10.
Heiner Müller/Wend Kässens, Michael Töteberg (Int.), *Brecht und die Terroristen,* in: Das-da-Magazin, Frühjahr 1978, S. 32–34.
Heiner Müller, *Keuner ± Fatzer,* in: Reinhold Grimm und Jost Hermand (Hg.), *Brecht-Jahrbuch 1980,* Frankfurt/Main 1981, S. 14–21.
Heiner Müller/Matthias Matussek, Andreas Roßmann (Int.), *Ich scheiß auf die Ordnung,* in: Tip-Magazin 1982, Nr. 7, S. 43 – 48.
Heiner Müller, *Gespräch mit Bernard Umbrecht,* in: Heiner Müller O, S. 107–124.
Heiner Müller/Werner Heinitz (Int.), *»Das Vaterbild ist das Verhängnis«,* in: Th 25/1 (1984), S. 61–62.
Heiner Müller/Urs Jenny, Hellmuth Karasek (Int.), *Deutschland spielt noch immer die Nibelungen,* in: Der Spiegel, 9. 5. 1983, S. 196–207.

B. Zu einzelnen Dramatikern (zusammengestellt von Matthias Dannenberg)

Im folgenden sind ausschließlich die (für eine bestimmte Phase) wichtigsten Autoren berücksichtigt, und zwar meist nur mit einer *Auswahl* ihrer Dramen.

Zu den *Drucknachweisen:* Genannt wurden nur Ausgaben, die ohne größere Schwierigkeiten zu beschaffen sind. Von vornherein ausgeschlossen blieben Bühnenmanuskripte. Unter den angegebenen Drucken ist nicht in allen Fällen der Erstdruck. Es wurde aber darauf geachtet, den Erstdruck immer dann aufzunehmen, wenn dessen Erscheinungsjahr vom Uraufführungsjahr (ermittelt größtenteils über die Zeitschrift ›Theater der Zeit‹) wesentlich (um mehrere Jahre) abweicht. Hinweise auf die Entstehungszeit sind ebenfalls nur dann gegeben, wenn Uraufführung oder Erstdruck sich um Jahre verzögerten. Der *Ort* der Uraufführung ist nur genannt, wenn diese in einem andren Land erfolgte als in der DDR.

Zu den angegebenen *theoretischen Äußerungen:* Auch bei diesen handelt es sich um eine Auswahl. Auswahlkriterium war die Bedeutung des Titels für das dramatische Gesamtwerk des Autors. Dasselbe gilt für die Interviews. Sie sind verzeichnet, indem zunächst der Name des interviewten Autors genannt wird, dann, durch Schrägstrich abgetrennt, der Name des Interviewers, z. B. Heiner Müller/Uwe Wittstock (Int.).

Zur Beschränkung auf eine Auswahl sah sich der Hg. auch bei den Angaben zur *Sekundärliteratur* gezwungen. Für die Erwähnung einer Publikation entschied unter anderem die Ausführlichkeit der in ihr gegebenen (biographischen und vor allem bibliographischen) Informationen, die dem Benutzer weiterhelfen können. Dabei wurde meist solchen Aufsätzen oder Monographien der Vorzug gegeben, die das dramatische *Gesamtwerk* eines Autors oder zumindest eine Gruppe von Werken behandeln; Publikationen zu einem einzelnen Stück sind nur ausnahmsweise erwähnt. Häufig wurde darauf verzichtet, *Untertitel* von Aufsätzen oder Monographien anzugeben.

Auch in diesem Teil der Bibliographie wurden Verlage nur bei Publikationen aus Berlin-West angegeben. Ist als Erscheinungsort »Berlin« genannt, meint dies Berlin-Ost.

BAIERL, HELMUT *1926

Wichtigste Stücke: Die Feststellung (BA Leipzig 1958, SD, A; U 1958) –
Frau Flinz (BA Berlin 1962, A; U 1961) – *Mysterium buffo* (nach Majakowski; SuF 1966/2; U 1967) – *Johanna von Döbeln* (A; U 1969, EA der
Neufassung u. d. T. *Die Abenteuer der Johanna von Döbeln* 1976) – *Der
lange Weg zu Lenin* (nach Kurella; NS; U 1970) – *Schlag dreizehn* (TdZ
1971/8, ursprüngliche Fassung u. d. T. *Der Dreizehnte* A; U 1971) –
...stolz auf 18 Stunden (TdZ 1974/1, B; U 1973) – *Die Lachtaube* (TdZ
1974/9,B; U 1974) – *Der Sommerbürger* (TdZ 1976/5; U 1976) – *Rück-
spiele* (Teilabdruck u. d. T. *Das haben wir alles gemacht* NDL 1979/10;
U 1979) – *Kirschenpflücken* (ursprünglicher Titel *Amalgam;* TdZ 1980/2)
– *Leo und Rosa* (NDL 1982/5; U 1982)

Sammelausgaben

Stücke, Berlin 1969 (= A).

...stolz auf 18 Stunden. Die Lachtaube, Berlin und Weimar 1975 (= B).

Theoretische Äußerungen des Autors

Helmut Baierl, *Was ist der Gegenstand der sozialistischen Dramatik
heute?,* in: TdZ 18/15 (1963), S. 15–17.

Helmut Baierl, *Auf der Suche nach dem Helden,* in: Sonntag 44 (1964),
S. 3–5.

Helmut Baierl/TdZ (Int.), *Unser Werkstattgespräch mit Helmut Baierl,*
in: TdZ 20/1 (1965), S. 4–6.

Helmut Baierl, *Wie ist die heutige Wirklichkeit auf dem Theater darstellbar,*
in: SuF 18/Sh. 1 (1966), S. 736–742.

Helmut Baierl, *Autor in drei Medien,* in: TdZ 25/8 (1970), S. 4–6.

Helmut Baierl, [Beitrag], in: *DDR-Dramatiker über Brecht,* in: Werner
Hecht (Hg.), *Brecht 73,* Berlin 1973, S. 197–230.

Helmut Baierl/Karl-Heinz Müller (Int.), *Gespräch mit Helmut Baierl,* in:
TdZ 31/5 (1976), S. 57–61.

Helmut Baierl/Klaus Kändler (Int.), *Interview mit Helmut Baierl,* in:
WB 29/5 (1983), S. 913–926.

Über den Autor

Gunnar Müller-Waldeck, *Aspekte der Brecht-Rezeption in der Dramatik
der 50er und 60er Jahre – dargestellt an der Gestaltung des Gegenwartsthemas in Stücken von Helmut Baierl, Heiner Müller, Peter Hacks und
Volker Braun,* Diss. Greifswald 1974.

Margarete Wein, *Studien zum dramatischen Schaffen Helmut Baierls,* Diss.
Halle 1977.

Michael Lee Burwell, *»Theater der Zeit« as a mirror of GDR drama, with
a focus on Baierl, Kerndl, Braun, and Müller,* Diss. Univ. of Minnesota
1980.

BARTSCH, KURT *1937

In der DDR entstandene dramatische Werke des seit 1980 in Westberlin lebenden Autors: *Der Bauch* (TdZ 1977/6, A; U 1974) – *Die Goldgräber* (TdZ 1977/6, A; U 1976) – *Der Strick* (TdZ 1977/6, A; U 1977 Budapest) – *Warten auf Brecht* (U 1978)

Sammelausgabe
Der Bauch und andere Songspiele, Berlin und Weimar 1977 (= A).

Theoretische Äußerungen des Autors
Kurt Bartsch, Reiner Bredemeyer/Gerhard Piens (Int.), *Zwei Schuhnummern zu klein?*, in: Sonntag 24/22 (1970), S. 11.

Kurt Bartsch/Karl Corino (Int.), *Wörter wirken wie Dynamit*, in: Deutsche Zeitung, 29. 6. 1979.

Über den Autor
[Anonym], *Bemerkungen zu drei Stücken von Kurt Bartsch*, in: TdZ 32/6 (1977), S. 62–63.

Martin Linzer, *Spektakel 2 – Zeitstücke von Bartsch, Braun, Hein, Müller, Rücker, Weicker u. a.*, in: TdZ 29/12 (1974), S. 50–54.

Manfred Behn-Liebherz, *Kurt Bartsch*, in: KLG [dort weitere bibliographische Angaben].

BEZ, HELMUT *1930

Dramatische Werke: *Jutta oder Die Kinder von Damutz* (TdZ 1978/10; U 1978) – *Warmer Regen* (TdZ 1979/11; U 1979) – *Die verkehrte Welt* (TdZ 1982/1; U 1984) – *Nachruf* (U 1985)

Theoretische Äußerungen des Autors
Helmut Bez/Hans-Rainer John (Int.), *Erlebnis, Beobachtung, Erfahrung*, in: TdZ 33/10 (1978), S. 55–57.

Helmut Bez/Hans-Rainer John (Int.), *Werkstattgespräch*, in: TdZ 34/11 (1979), S. 54–55.

Helmut Bez/Hans-Rainer John (Int.), *Historischer Stoff neu gefaßt. Die Metamorphose der »Verkehrten Welt«*, in: TdZ 37/1 (1982), S. 57–60.

Über den Autor
Jochen Gleiß, *Elegisch und ungelöst. Zur Erstinszenierung von »Jutta oder Die Kinder von Damutz«*, in: TdZ 33/10 (1978), S. 54–56.

Renate Ullrich, *Neue Dramatik der DDR 1975–1982*, in: MzT 186 (1984), S. 3–89, bes. S. 26–29.

BRASCH, THOMAS *1945

In der DDR entstandene oder konzipierte dramatische Werke des 1976 emigrierten Autors: *Das beispielhafte Leben und der Tod des Peter Göring* (zusammen mit L. Trolle; U 1972, nach der Premiere verboten) – *Lovely Rita* (Th 1977/2, B; e 1974/75; U 1978 Westberlin) – *Herr Geiler* (auszugsweise Th 1977/2; vollständiger Abdruck B) – *Die argentinische Nacht* (nach O. Dragun; BA Frankfurt/Main 1977; U 1977 BRD) – *Der Papiertiger* (A, Spectaculum 1977/26, B; U 1977 Austin/USA) – *Rotter* (BA Frankfurt/Main 1978; U 1977 BRD)

Sammelausgaben

Poesiealbum 89, hg. v. B. Jentzsch, Berlin 1975 (= A).

Kargo, Frankfurt/Main 1977 (= B).

Theoretische Äußerungen des Autors

Thomas Brasch/Der Spiegel (Int.), *»Ich stehe für niemand anders als für mich«*, in: Der Spiegel, 3. 1. 1977, S. 79–81.

Thomas Brasch/alternative (Int.), *Neuankömmling*, in: alternative 20/113 (1977), S. 93–100.

Thomas Brasch/Karl Corino (Int.), *Interview mit Thomas Brasch*, in: DA 10/5 (1977), S. 506–511.

Thomas Brasch/Christoph Müller (Int.), *»Eine geschichtslose Generation«. Thomas Brasch im Gespräch über sich und sein Schreiben*, in: Th 18/2 (1977), S. 45–46.

Thomas Brasch/New German Critique (Int.), *Interview with Thomas Brasch*, in: New German Critique 12 (1977), S. 141–168.

Thomas Brasch/Marlene Gärtner (Int.), *Ein Gespräch mit Thomas Brasch*, in: Bühne und Parkett 24/3 (1978), S. 1–2.

Thomas Brasch/Hans Ester (Int.), *Gespräch mit Thomas Brasch*, in: Deutsche Bücher 9/2 (1979), S. 85–98.

Über den Autor

Christoph Müller, *Verzweifelt bitter und ohnmächtig wütend*, in: Th 18/2 (1977), S. 39–42.

Sibylle Wirsing, *Ulysses in Charlottenburg. Über den Schriftsteller Thomas Brasch*, in: FAZ, 22. 10. 1980.

Hanno Beth, *Thomas Brasch*, in: KLG [dort weitere bibliographische Angaben].

BRAUN, VOLKER *1939

Wichtigste Stücke: *Die Kipper* (u. d. T. *Kipper Paul Bauch* Forum 1966/18, u. d. T. *Die Kipper* SuF 1972/1, BA Berlin und Weimar 1972, veränderte Fassung A und B, weitere veränderte Fassung C, weitere veränderte Fassung D und F; U 1972) – *Hinze und Kunze* (TdZ 1973/2, veränderte Fassung A und B, weitere veränderte Fassung D und F; U u. d. T. *Hans Faust* 1968) – *Tinka* (A, veränderte Fassung B, weitere veränderte Fassung D, weitere veränderte Fassung F; e 1972/73; U 1976) – *Guevara oder Der Sonnenstaat* (Spectaculum 1977/27, Th 1978/1, veränderte Fassung E, F; e 1975; U 1977 BRD) – *Großer Frieden* (C, TdZ 1979/7, veränderte Fassung E, F; e 1976; U 1979) – *Simplex Deutsch* (TdZ 1980/7, veränderte Fassung E und F; U 1980) – *Schmitten* (E, TdZ 1982/4, Th 1982/4, F; e 1969–1978; U 1982) – *Dmitri* (F; e 1979/80; U 1982 BRD)

Sammelausgaben

Die Kipper. Hinze und Kunze. Tinka – 3 Stücke, Berlin 1975 (= A).

Stücke 1, Frankfurt/Main 1975 (= B).

Im Querschnitt. Volker Braun. Gedichte Prosa Stücke Aufsätze, Halle und Leipzig 1978 (= C).

Stücke 1, Frankfurt/Main ²1981 (= D).

Stücke 2, Frankfurt/Main 1981 (= E).

Stücke, Berlin 1983 (= F).

Theoretische Äußerungen des Autors

Volker Braun/Klaus Höpcke (Int.), *Ab-fall und Aufstieg. Gespräch mit Volker Braun*, in: ND, 17. 9. 1966.

Volker Braun, [Gesprächsbeiträge], in: *DDR-Dramatiker über Brecht*, in: Werner Hecht (Hg.), *Brecht 73*, Berlin 1973, S. 197–230.

Volker Braun, [Beitrag], in: *Aus der Diskussion*, in: MzT 39 (1974), S. 33–63.

Volker Braun, *Es genügt nicht die einfache Wahrheit. Notate*, Frankfurt/Main 1976 (= G).

Volker Braun/Jacques Poulet, Bernard Sobel (Int.), *Comme une gerçure toujours ouverte*, in: La Nouvelle Critique 121 nouvelle série (1979), S. 19–22.

Volker Braun, *Büchners Briefe*, in: Heinz Ludwig Arnold (Hg.), *Text + Kritik*, Sbd.: *Georg Büchner III*, München 1981, S. 5–14.

Volker Braun/Jan Knopf (Int.), *Der Dank gebührt Friedrich Schiller*, in: Zeitung, Badisches Staatstheater Karlsruhe, 3 (Dezember 1982), S. 1–2.

Volker Braun, *Der Frieden, das ist das letzte*, in: Ingrid Krüger (Hg.), *Mut zur Angst*, Darmstadt und Neuwied 1982, S. 169–171.

Volker Braun, *Abweichen vom bürgerlichen Verkehr*, in: Die Zeit, 31. 1. 1986.

Weitere Äußerungen ebenso wie Sekundärliteratur sind verzeichnet in den Bibliographien von Winfried Hönes (in: Text u. Kritik 55, 1977, S. 58–64) und von Manfred Behn in KLG sowie in den Monographien von Rosellini und Profitlich (s. u.).

Wichtige ungedruckte Äußerungen werden außerdem mitgeteilt in:
Gerda Baumbach, *Dramatische Poesie für Theater. Heiner Müllers Bau als Theatertext*, Diss. Leipzig 1978.

Über den Autor

Gunnar Müller-Waldeck, *Aspekte der Brecht-Rezeption in der DDR-Dramatik der 50er und 60er Jahre – dargestellt an der Gestaltung des Gegenwartsthemas in Stücken von Helmut Baierl, Heiner Müller, Peter Hacks und Volker Braun*, Diss. Greifswald 1974.

Karl Heinz Schmidt, *Zur Dramaturgie des Volker Braun*, in: SuF 30 (1978), S. 433–450.

Werner Jehser, *Erproben nötiger Haltungen. Zu einigen weltanschaulichen und ästhetischen Problemen Volker Brauns*, in: TdZ 34/7 (1979), S. 45–47.

Gottfried Fischborn, *Reflektieren über Volker Braun*, in: Sonntag 34/20 (1980), S. 7.

Rolf Nemitz, *Die Widerspruchskunst des Volker Braun*, in: Wolfgang Fritz Haug u. a. (Hg.), *Aktualisierung Brechts*, Berlin: Argument-Verlag 1980, S. 43–56.

Frank Hörnigk, *Erinnerungen an Revolutionen. Zu Entwicklungstendenzen in der Dramatik Heiner Müllers, Peter Hacks' und Volker Brauns am Ende der siebziger Jahre*, in: Hans Kaufmann (Hg.), *Tendenzen und Beispiele. Zur DDR-Literatur in den siebziger Jahren*, Leipzig 1981, S. 148–184.

Irene Knoll, *Theoretische und poetisch-praktische Probleme der Aneignung des klassisch-humanistischen Erbes in Werken Volker Brauns in den 70er Jahren*, Diss. Berlin 1981.

Jay Rosellini, *Volker Braun*, München 1983.

Rüdiger Mangel und Georg Wieghaus, *Behauptung der Geschichte. Zur Dramatik von Heiner Müller und Volker Braun in den siebziger Jahren*, in: Gert Mattenklott und Gerhart Pickerodt (Hg.), *Literatur der siebziger Jahre*, Berlin: Argument-Verlag 1985, S. 37–51.

Ulrich Profitlich, *Volker Braun*, München 1985.

BRECHT, BERTOLT *1898 † 1956

Nach der 1948 erfolgten Rückkehr aus dem Exil entstandene oder fertiggestellte Stücke und Bearbeitungen: *Die Tage der Commune* (A 10, B 5; e 1948/49; U 1956) – *Das Verhör des Lukullus* (B 4; e 1939 als Hsp, 1949 als Libretto; U 1951 als Oper, EA einer Neufassung u. d. T. *Die Verurteilung des Lukullus* 1951) – *Der Hofmeister* (nach Lenz; A 11, B 6; U 1950) – *Coriolan von Shakespeare* (A 11, B 6; e 1951/52; U 1960 BRD) – *Der Prozeß der Jeanne d'Arc zu Rouen 1431* (nach A. Seghers; A 12, B 6; U 1952) – *Don Juan* (nach Molière; A 12,B 6; U 1952) – *Turandot oder*

Der Kongreß der Weißwäscher (A 14, B 5; e 1953/54; U 1969 Zürich) –
Pauken und Trompeten (nach Farquhar; A 12, B 6; U 1955)

Sammelausgaben

Stücke, Bd. 1–14, Frankfurt/Main 1953–1968 (= A + Bandangabe).
Gesammelte Werke in 20 Bänden, Frankfurt/Main 1967 (= B + Bandangabe).

Theoretische Äußerungen des Autors (Sammelausgaben)

Bertolt Brecht, *Schriften zum Theater*, 7 Bde., Frankfurt/Main 1963–1964 (= C + Bandangabe).
Bertolt Brecht, *Gesammelte Werke in 20 Bänden*, Frankfurt/Main 1967, Bd. 16, 17, 19 (= B; Text gegenüber C verändert, häufig gekürzt).
Bertolt Brecht, *Arbeitsjournal*, Bd. 2: *1942–1955*, Frankfurt/Main 1973 (= D).
Werner Hecht (Hg.), *Brecht im Gespräch. Diskussionen, Dialoge, Interviews*, Frankfurt/Main 1975.

Über das Spätwerk des Autors

Theodor Luthardt, *Vergleichende Studien zu Brechts »Kleines Organon für das Theater«*, Diss. Jena 1955.
Hans-Joachim Bunge, *Antigone-Modell 1948 von Bertolt Brecht und Caspar Neher. Zur Praxis und Theorie des epischen (dialektischen) Theaters Bertolt Brechts*, Diss. Greifswald 1957.
Hans Mayer, *Bertolt Brecht und die Tradition*, Pfullingen 1961.
Hans Kaufmann, *Bertolt Brecht. Geschichtsdrama und Parabelstück*, Berlin 1962.
Käthe Rülicke-Weiler, *Die Dramaturgie Brechts*, Berlin 1966.
Erinnerungen an Brecht, zusammengestellt von Hubert Witt, Leipzig ²1966.
Klaus-Detlef Müller, *Die Funktion der Geschichte im Werk Bertolt Brechts*, Tübingen 1967, ²1972.
Ilja Fradkin, *Die »Bearbeitungen« von Bertolt Brecht*, in: Kunst u. Literatur 16/2 (1968), S. 159–171.
Werner Mittenzwei, *Erprobung einer neuen Methode zur ästhetischen Position Bertolt Brechts*, in: ders. (Hg.), *Positionen. Beiträge zur marxistischen Literaturtheorie in der DDR*, Leipzig 1969, S. 59–100.
Hans Bunge, *Fragen Sie mehr über Brecht. Hanns Eisler im Gespräch.* Nachwort von Stephan Hermlin, München 1970.
Herbert Lassek, *Begriff und Funktionswandel der Literatur bei Bertolt Brecht*, Diss. Humboldt-Univ. Berlin 1971.
Werner Hecht, *Sieben Studien über Brecht*, Frankfurt/Main 1972.
Peter Christian Giese, *Das »Gesellschaftlich-Komische«. Zu Komik und Komödie am Beispiel der Stücke und Bearbeitungen Brechts*, Stuttgart 1974.

Karl-Heinz Ludwig, *Bertolt Brecht. Philosophische Grundlagen und Implikationen seiner Dramaturgie,* Bonn 1975.

Arrigo Subbiotto, *Bertolt Brecht's Adaptions for the Berliner Ensemble,* London 1975.

Karl-Heinz Ludwig, *Bertolt Brecht: Tätigkeit und Rezeption von der Rückkehr aus dem Exil bis zur Gründung der DDR,* Kronberg 1976.

Werner Mittenzwei, *Brechts Verhältnis zur Tradition,* Berlin [4]1976.

Klaus Völker, *Bertolt Brecht,* München 1976.

Stephan Bock, *Brechts Vorschläge zur Überwindung der »Deutschen Misere« (1948–1956),* in: Paul Gerhard Klussmann und Heinrich Mohr (Hg.), *Jahrbuch zur Literatur in der DDR,* Bd. 2, Bonn 1982, S. 49–67.

Werner Mittenzwei, *Kampf der Richtungen,* Leipzig 1978.

Stephan Bock, *Literatur Gesellschaft Nation,* Stuttgart 1980.

Gerhard Fischer, *Brechts Dramen 1948–1950,* in: Bernd Hüppauf (Hg.), *»Die Mühen der Ebenen«. Kontinuität und Wandel in der deutschen Literatur und Gesellschaft 1945–1949,* Heidelberg 1981, S. 271–306.

Günther Hartung, *Einleitung in Brechts Ästhetik,* in: WB 28/6 (1982), S. 70–81.

Heinrich Vormweg, *Ein bestimmtes Lernen. Brecht in Ostberlin,* in: ders., *Das Elend der Aufklärung,* Darmstadt und Neuwied 1984, S. 91–117.

Wolfgang Wittkowski, *Aktualität der Historizität: Bevormundung des Publikums in Brechts Bearbeitungen,* in: Walter Hinderer (Hg.), *Brechts Dramen. Neue Interpretationen,* Stuttgart 1984, S. 343–368.

Weitere Sekundärliteratur und Gesprächsäußerungen sind verzeichnet bei:

Reinhold Grimm, *Bertolt Brecht,* Stuttgart [3]1971.

Klaus Dietrich Petersen, *Kommentierte Auswahlbibliographie,* in: Heinz Ludwig Arnold (Hg.), *Text + Kritik,* Sbd.: *Bertolt Brecht I,* München [2]1978, S. 142–163.

Jan Knopf, *Bertolt Brecht. Ein kritischer Forschungsbericht,* Frankfurt/Main 1974.

Stephan Bock, *Brecht, Bertolt. Auswahl- und Ergänzungsbibliographie,* Bochum 1979.

Jan Knopf, *Brecht-Handbuch. Theater,* Stuttgart 1980.

Christiane Bohnert, *Auswahlbibliographie zu Bertolt Brecht und seinem dramatischen Werk,* in: Walter Hinderer (Hg.), *Brechts Dramen. Neue Interpretationen,* Stuttgart 1984, S. 405–445.

Vgl. weiterhin den Abschnitt VIII 3 im vorliegenden Band.

DREWNIOK, HEINZ *1949

Dramatische Werke: *Szenen aus dem Thüringer Wald* (3 Einakter mit den Titeln *Karl und Kasimir, Waldesruh, Egon ist da* TdZ 1981/5; U *Karl und*

Kasimir 1981, U *Egon ist da* 1984) – *Die Jungs* (3. Fassung TdZ 1982/3; U 1981) – *Wenn Georgie kommt* (TdZ 1983/2, U 1983) – *Teamwork* (U 1985)

Theoretische Äußerung des Autors

Heinz Drewniok/Peter Reichel (Int.), »*Unser Leben soll kein Zufall sein*«, in: TdZ 36/5 (1981), S. 64–66.

Über den Autor

Peter Reichel, *Raum zwischen Figuren. Der Dramatiker Heinz Drewniok*, in: Sonntag 36/33 (1982), S. 6.

Heinz Kersten, *Der DDR-Dramatiker Heinz Drewniok*, in: DA 16 (1983), S. 463–465.

Renate Ullrich, *Neue Dramatik der DDR 1975–1982*, in: MzT 186 (1984), S. 3–89, bes. S. 36–39.

GRATZIK, PAUL *1935

Dramatische Werke: *Malwa* (nach Gorki; U 1968) – *Umwege – Bilder aus dem Leben des jungen Motorenschlossers Michael Runna* (TdZ 1971/2, NS, A; U 1970) – *Der Kniebist* (U 1972) – *Handbetrieb – Szenen auf einem Kornfeld* (A; U 1976) – *Lisa* (A; U 1977) – *Transportpaule* (als Roman Rostock 1977; U einer dramatisierten Fassung von R. Koloc 1981) – *Die Axt im Haus* (U 1984)

Sammelausgabe

Umwege. Handbetrieb. Lisa. Drei Stücke, Rostock 1977 (= A).

Über den Autor

Ernstgeorg Hering, Nachwort zu A.

Heinz Klunker, *Der Duft des kleinen sozialistischen Alltags. Paul Gratzik – Außenseiter des DDR-Kulturbetriebs*, in: Frankfurter Rundschau, 24. 6. 1978.

Dietrich Grohnert, *Paul Gratzik. Arbeiter, Dramatiker, Erzähler*, in: Deutsch als Fremdsprache 19/Sh. (1982), S. 99–102.

Manfred Behn-Liebherz, *Paul Gratzik*, in: KLG [dort weitere bibliographische Angaben].

GROSS, JÜRGEN *1946

Dramatische Werke: *Trampelpfad* (NDD; U 1977) – *Match* (TdZ 1978/11, A; U 1978) – *Geburtstagsgäste* (TdZ 1980/4, A; e 1976–1979; U 1980) – *Die Parteibraut* (e 1976–1980) – *Denkmal* (TdZ 1983/9, A; e 1979; U 1983) – *Blinder Eifer* (e 1976–1981; U 1981) – *Die Diebin und die Lüg-*

nerin (TdZ 1982/6; U 1982) – *Motzek* (e 1981–1983) – *Asche im Mund* (TdZ 1986/6)

Sammelausgabe
Match und andere Stücke, Berlin 1984 (= A).

Theoretische Äußerung des Autors
Jürgen Groß, Gunter Preuß, Uwe Saeger, Frieder Venus, Albert Wendt/ Peter Reichel (Int.), *Zwischen Text und Szene,* in: WB 25/7 (1979), S. 23–40.

Über den Autor
Wilfried Adling, R. Dreßler, D. Wiedemann, *Wirkung und Wertung. Ergebnisse einer theatersoziologischen Untersuchung zur Rezeption von Jürgen Groß' Stück »Match«,* in: WB 27/2 (1981), S. 112–127.

Frank Hörnigk, *Geschichte im Drama,* 2 Bde., Diss. Berlin 1981, Bd. 2, S. 156–221.

Christa Neubert-Herwig, *Angebote für das Gegenwartstheater. Bemerkungen zu Jürgen Groß' »Match«,* in: ZfG 2/3 (1981), S. 287–299.

Renate Ullrich, *Neue Dramatik der DDR 1975–1982,* in: MzT 186 (1984), S. 3–89, bes. S. 31–33.

HACKS, PETER *1928

Wichtigste Stücke: *Das Volksbuch vom Herzog Ernst oder Der Held und sein Gefolge* (A, E, H, K; e 1953; U 1967 BRD) – *Eröffnung des indischen Zeitalters* (NDL 1955/2, A, E; U 1954 BRD; Neufassung u. d. T. *Columbus oder Die Weltidee zu Schiffe* G, H) – *Die Schlacht bei Lobositz* (A, E, G, H; U 1956) – *Die Kindermörderin* (nach H. L. Wagner; Junge Kunst 1957/2, B, D; e 1957; U 1959 BRD) – *Der Müller von Sanssouci* (NDL 1958/2, E, H, M; U 1958) – *Die Sorgen und die Macht* (3. Fassung E, K; U 2. Fassung 1960, EA 3. Fassung 1962) – *Moritz Tassow* (SuF 1965/6, F, G; e 1961; U 1965) – *Der Frieden* (nach Aristophanes; Th 1963/5, D; U 1962) – *Polly oder Die Bataille am Bluewater Creek* (nach J. Gay; SuF 1965/3 + 4, C, D; e 1963; U 1965) – *Die schöne Helena* (nach Meilhac/Harlévy/Offenbach; C, D; U 1964) – *Margarete in Aix* (Th 1967/2, F, K; e 1966; U 1969 Basel) – *Amphitryon* (Th 1968/3, F, G; U 1968 BRD) – *Prexaspes* (TdZ 1975/2, K, L; e 1968; U 1976) – *Omphale* (Th 1970/5, SuF 1970/4, F, G; U 1970 BRD) – *Numa* (L; e 1971) – *Adam und Eva* (Th 1972/12, SuF 1973/1, L, M; U 1973) – *Das Jahrmarktsfest zu Plundersweilern* (nach Goethe; Th 1975/12, I, N; e 1973; U 1975) – *Ein Gespräch im Hause Stein über den abwesenden Herrn von Goethe* (NDL 1977/1, K, L; e 1974; U 1976) – *Rosie träumt* (I, N; U 1975) – *Die Fische* (TdZ 1978/1, L, M; e 1975; U 1978 BRD) – *Senecas Tod* (NDL 1978/6, L, M; U 1980)

– *Pandora* (nach Goethe; NDL 1980/9, N; U 1982) – *Barby* (nach R. Strahl; NDL 1983/6, N; U 1983) – *Musen* (M; U 1983) – *Die Binsen* (O; U 1985) – *Fredegunde* (O; e 1983)

Sammelausgaben

Theaterstücke, Berlin 1957 (= A).

Zwei Bearbeitungen, Frankfurt/Main 1963 (= B).

Stücke nach Stücken. Bearbeitungen 2, Frankfurt/Main 1965 (= C).

Stücke nach Stücken, Berlin und Weimar 1965 (= D).

Fünf Stücke, Frankfurt/Main 1965 (= E).

Vier Komödien, Frankfurt/Main 1971 (= F).

Ausgewählte Dramen, Berlin 1972 (= G).

Stücke, Leipzig 1972 (= H).

Zwei Bearbeitungen, Berlin und Weimar 1976 (= I).

Ausgewählte Dramen 2, Berlin und Weimar 1976, [2]1981 (= K).

Sechs Dramen, Düsseldorf 1978 (= L).

Ausgewählte Dramen 3, Berlin und Weimar 1981 (= M).

Stücke nach Stücken 2, Berlin und Weimar 1985 (= N).

Die Binsen. Fredegunde. Zwei Dramen, Berlin und Weimar 1985 (= O).

Theoretische Äußerungen und Interviews sind enthalten in den Sammelbänden:

Das Poetische, Frankfurt/Main 1972 (= P).

Oper, Berlin und Weimar 1975 u. Düsseldorf 1976 (= Q, R).

Die Maßgaben der Kunst, Düsseldorf 1977 (= S).

Essais, Leipzig 1984 (= T).

Weitere Interviews und theoretische Äußerungen wie auch Sekundärliteratur sind nachgewiesen in der Monographie von Schütze (s. u.) sowie in Herbert Haffners Artikel über Peter Hacks in KLG. Jüngere Äußerungen sind enthalten in der Studie von Gerda Baumbach (s. u.) und in: Claus Träger und Peter Hacks, *Ein Briefwechsel*, in: ZfG 5/2 (1984), S. 168–182.

Über den Autor

Hermann Kähler, *Überlegungen zu Komödien von Peter Hacks*, in: SuF 24 (1972), S. 399–423.

Horst Laube, *Peter Hacks*, Velber bei Hannover 1972.

Gunnar Müller-Waldeck, *Aspekte der Brecht-Rezeption in der DDR-Dramatik der 50er und 60er Jahre – dargestellt an der Gestaltung des Gegenwartsthemas in Stücken von Helmut Baierl, Heiner Müller, Peter Hacks und Volker Braun*, Diss. Greifswald 1974.

Wolfgang Schivelbusch, *Sozialistisches Drama nach Brecht. Drei Modelle: Peter Hacks – Heiner Müller – Hartmut Lange*, Darmstadt und Neuwied 1974.

Hans-Georg Werner, *Überlegungen zum Verhältnis von Individuum und Gesellschaft in den Stücken von Peter Hacks*, in: WB 20/4 (1974), S. 31–67.

Urs Allemann, *Die poetischen Rückzugsgefechte des Peter Hacks*, in: Th 17/5 (1976), S. 33–39.

Heidi Ritter, *Vom »aufklärerischen« zum »klassischen« Theater – Untersuchungen zum Traditionsverhältnis in den Dramen von Peter Hacks*, Diss. Halle 1976.

Winfried Schleyer, *Die Stücke von Peter Hacks*, Stuttgart 1976.

Peter Schütze, *Peter Hacks*, Kronberg 1976.

Christine Cosentino, *Geschichte und »humane Utopie«: Zur Heldengestaltung bei Peter Hacks*, in: The German Quarterly 50/3 (1977), S. 248–263.

Heidi Ritter, *Vom »aufklärerischen« zum »klassischen« Theater*, in: G. Hartung u. a. (Hg.), *Erworbene Tradition*, Berlin und Weimar 1977, S. 194–225.

Judith R. Scheid, *»Enfant terrible« of Contemporary East German Drama. Peter Hacks in his Role as Adaptor and Innovator*, Bonn 1977.

Gerda Baumbach, *Dramatische Poesie für Theater. Heiner Müllers Bau als Theatertext*, Diss. Leipzig 1978 [enthält wichtige ungedruckte Gesprächsäußerungen von Hacks].

Ulrich Profitlich, *»Heute sind alle guten Stücke Volksstücke« – Zum Begriff des »sozialistischen Volksstücks«*, in: ZfdPh 97 (1978), Sh., S. 182–218.

Frank Hörnigk, *Jede Zeit hat ihre Lieblingsfiguren. Zu Peter Hacks*, in: Anneliese Löffler (Hg.), *...an seinem Platz geprüft. Gelebtes und Erzähltes bei DDR-Autoren*, Halle und Leipzig 1979, S. 84–110.

Gertrud Schmidt, *Peter Hacks in BRD und DDR*, Köln 1980.

Christoph Trilse, *Peter Hacks*, Berlin: das europäische buch [2]1981 [zuerst u. d. T. *Das Werk des Peter Hacks*, Berlin 1980].

Eike Middell, *Wie man ein Klassiker wird*, in: SuF 34 (1982), S. 863–886.

Heidi Urbahn de Jaurégui, *Vom tätigen Hoffen und hoffnungslosen Tun. Aspekte des Utopischen und des Utopielosen bei Peter Hacks*, in: Revue d'Allemagne 14/4 (1982), S. 525–542.

Werner Jehser, *Zur Dialektik von Ideal und Wirklichkeit in den Stücken von Peter Hacks seit Mitte der siebziger Jahre*, in: WB 29/10 (1983), S. 1729–1752.

Raymond Heitz, *Peter Hacks, Théâtre et socialisme*, Bern usw. 1984.

HAMMEL, CLAUS *1932

Wichtigste Stücke: *Frau Jenny Treibel oder Wo sich Herz zum Herzen find't* (nach Fontane; TdZ 1964/11 Blg, A; U 1964) – *Um neun an der Achter-*

bahn (TdZ 1964/18 Blg, SD, A; U 1964) – *Ein Yankee an König Artus' Hof*
(TdZ 1966/10 Blg, A; U 1967) – *Morgen kommt der Schornsteinfeger*
(Forum 1967/19, A, NS; U 1967) – *Le Faiseur oder Warten auf Godeau*
(SuF 1971/1; U 1970) – *Rom oder Die zweite Erschaffung der Welt* (TdZ
1975/3, BA Berlin und Weimar 1976; U 1975) – *Das gelbe Fenster, der
gelbe Stein* (TdZ 1977/3; U 1977) – *Humboldt und Bolívar oder Der neue
Continent* (TdZ 1979/8, BA Berlin und Weimar 1980; U 1979) – *Die Preu-
ßen kommen* (TdZ 1981/9, BA Berlin 1982; U 1981) – *Die Lokomotive im
Spargelbeet* (Arbeitsfassung TdZ 1984/12; U 1984)

Sammelausgabe
Komödien, Berlin und Weimar 1969 (= A).

Theoretische Äußerungen des Autors
Claus Hammel/Irene Böhme (Int.), *Interview mit Claus Hammel*, in:
WB 15/2 (1969), S. 325–336.
Claus Hammel/TdZ (Int.), *Gespräch mit Claus Hammel*, in: TdZ 30/3
(1975), S. 41–44.

Über den Autor
Irene Böhme, *Metamorphose eines Dramatikers*, in: WB 15/2 (1969),
S. 337–354.
Christoph Trilse, *Stücke gegen den »dritten Weg«*, [Rezension] zu: Claus
Hammel: *Komödien*, in: NDL 18/8 (1970), S. 151–156.
Fritz Rödel, *Claus Hammel*, in: Hans Jürgen Geerdts u. a., *Literatur der
DDR. Einzeldarstellungen*, Bd. 1, Berlin 1976, S. 419–432.
Rüdiger Bernhardt, *»…auf dem Weg zu diesem Stück«: Claus Hammels
»Rom oder Die zweite Erschaffung der Welt«*, in: Günter Hartung u. a.
(Hg.), *Erworbene Tradition. Studien zu Werken der sozialistischen deut-
schen Literatur*, Berlin und Weimar 1977, S. 226–255.
Rüdiger Bernhardt, *Adaptionen, Ansprüche und Ahnen. Zum dramati-
schen Schaffen von Claus Hammel*, in: TdZ 36/9 (1981), S. 59–60.
Gottfried Fischborn, *Stückeschreiben. Claus Hammel – Heiner Müller –
Armin Stolper*, Berlin 1981.

HAUSER, HARALD *1912

Wichtigste Stücke: *Prozeß Wedding* (U 1953) – *Am Ende der Nacht* (aus-
zugweise NDL 1955/10, vollständiger Abdruck SD; U 1955) – *Im
Himmlischen Garten* (NDL 1958/3; U 1958) – *Weißes Blut* (als Fsp
NDL 1959/3; U als Fsp 1959, als Bst 1960) – *Night-step* (u. d. T. *Der
Spuk von Frankenhöh* NDL 1961/3; U 1962) – *Barbara* (NDL 1964/2;
U 1964)

Theoretische Äußerungen des Autors

Harald Hauser, [Beitrag], in: *Das Theater der Gegenwart. Eine Rund-frage*, in: NDL 5/4 (1957), S. 127–134.

Harald Hauser, [Gesprächsbeitrag], in: *Aus der Diskussion*, in: MzT 39 (1974), S. 33–63, bes. S. 35–38.

Über den Autor

Joachim Fiebach, *Dramatik auf dem Wege*, in: NDL 10/9 (1962), S. 67–83.

Hanns Anselm Perten, Kuba/Henryk Keisch (Int.), *Warum spielen wir »Barbara«?*, in: NDL 12/2 (1964), S. 115–123.

Dieter Wuckel, *Die Figurencharakteristik als Funktion der dramatischen Redeformen im Bühnenwerk Harald Hausers*, Diss. Potsdam 1967.

Werner Mittenzwei (Hg.), *Theater in der Zeitenwende*, Berlin 1972, Bd. 1, S. 250–254, Bd. 2, S. 59–62, S. 123–126 u. S. 252.

Klaus Hammer, *Harald Hauser*, in: Hans Jürgen Geerdts u. a., *Literatur der DDR. Einzeldarstellungen*, Bd. 2, Berlin 1979, S. 119–134.

HEIN, CHRISTOPH *1944

Dramatische Werke: *Vom hungrigen Hennecke* (U 1974) – *Schlötel oder Was solls* (A; U 1974) – *Cromwell* (TdZ 1978/7, A; U 1980) – *John D. erobert die Welt* (anderer Titel *Die Geschäfte des Herrn D.*; U 1979) – *Lassalle fragt Herrn Herbert nach Sonja. Die Szene ein Salon* (Erstfassung u. d. T. *Lassalle oder Die Genesis* 1974; A, B; U 1980 BRD) – *Der neue Menoza oder Geschichte des kumbanischen Prinzen Tandi* (nach Lenz; A; U 1982) – *Die wahre Geschichte des Ah Q* (TdZ 1983/10, B; U 1983)

Sammelausgaben

Cromwell und andere Stücke, Berlin und Weimar 1981, ²1985 (= A).

Die wahre Geschichte des Ah Q. Stücke und Essays, Darmstadt und Neu-wied 1984 (= B).

Theoretische Äußerungen des Autors

Christoph Hein/TdZ (Int.), *Christoph Hein antwortet auf Fragen von »Theater der Zeit«*, in: TdZ 33/7 (1978), S. 51–52.

Christoph Hein/Gregor Edelmann (Int.), *»Ansonsten würde man ja auf-hören zu schreiben…«*, in: TdZ 38/10 (1983), S. 54–56.

Christoph Hein, *Waldbruder Lenz*, in: B, S. 136–160 [Erstdruck in: Connaissance de la RDA, Nr. 13, Paris, Nov. 1981].

Christoph Hein, *Öffentlich arbeiten*, in: B, S. 161–164 [Erstdruck u. d. T.: *Damit Lessing nicht resigniert. Rede*, in: Frankfurter Rund-schau, 8. 10. 1983].

Christoph Hein, *Lorbeerwald und Kartoffelacker. Vorlesung über einen*

Satz Heinrich Heines [Gastvorlesung vor Germanistik-Studenten der Universität Jena am 9. 12. 1981], in: B, S. 165–187.

Über den Autor

Christa Schuenke, *Tyrann und Don Quixote. Zu Christoph Heins Schauspiel »Cromwell«*, in: TdZ 33/7 (1978), S. 50.

Frank Hörnigk, *Geschichte im Drama*, 2 Bde., Diss. Berlin 1981, Bd. 2, S. 156–221.

Heinz Klunker, *Der Revolutionär endet im Salon. Christoph Heins »Lassalle fragt Herrn Herbert nach Sonja. Die Szene ein Salon«*, in: Th 22/2 (1981), S. 8–10.

Peter Hacks, [Laudatio für Christoph Hein], in: NDL 30/6 (1982), S. 159–163.

Andreas Roßmann, *Die Wiederkehr des verlorenen Sohns. Lenz' »Der neue Menoza« und eine Bearbeitung durch Christoph Hein, aufgeführt in Schwerin*, in: Th 23/8 (1982), S. 42–43.

Rüdiger Bernhardt, Klaus Kändler, Bernd Leistner, Gabriele Lindner, Bernd Schick, Ursula Wilke, *»Der fremde Freund« von Christoph Hein*, in: WB 29 (1983), S. 1635–1655.

Frank Hörnigk, *Christoph Hein: Cromwell*, in: WB 29/1 (1983), S. 33–39.

Mischka Dammaschke, *Ist es zu früh, ist es zu spät? Einige Werke der DDR-Dramatik im Lichte der Sickingen-Debatte zwischen Marx, Engels und Lassalle*, in: TdZ 38/10 (1983), S. 1–4.

Ursula Heukenkamp, *Die fremde Form*, in: SuF 35 (1983), S. 625–632.

Wolfgang Albrecht, *Christoph Hein. Dramatiker und Erzähler*, in: Deutsch als Fremdsprache 21 (1984), Literar. Sh., S. 41–44.

Martin Linzer, *Ratespiel ohne Botschaft. Nachdenken über »Ah Q« von Christoph Hein und seine Inszenierung am Deutschen Theater*, in: TdZ 39/3 (1984), S. 52–54.

Wolfgang Nagel, *Zu Hause hinter der Mauer. Ein Bericht*, in: Zeit-Magazin, 17. 2. 1984.

Andreas Roßmann, *Die Revolution als Geisterschiff. Christoph Heins »Die wahre Geschichte des Ah Q«*, in: DA 17 (1984), S. 232–233 [auch in: Th 25/3 (1984), S. 53].

Rudolf Münz, Nachwort zu A.

Manfred Behn-Liebherz, *Christoph Hein*, in: KLG [dort weitere bibliographische Angaben].

KERNDL, RAINER *1928

Dramatische Werke: *Schatten eines Mädchens* (A; U 1961) – *Seine Kinder* (TdZ 1963/18 Blg, Forum 1963/8, SD, A; U 1963) – *Ein Plädoyer für die Suchenden* (TdZ 1965/18 Blg, A; U 1966) – *Die seltsame Reise des Alois*

Fingerlein (NDL 1967/10, TdZ 1968/16 Blg, BA Berlin 1968, A, B; U 1967) – *Doppeltes Spiel* (Neufassung des 1968 uraufgeführten Fsp und Bst *Der verratene Rebell*; C; EA 1969) – *Ich bin einem Mädchen begegnet* (NS, A; U 1969) – *Wann kommt Ehrlicher?* (TdZ 1972/1, A; U 1971) – *Nacht mit Kompromissen* (Arbeitsfassung TdZ 1973/11, Neufassung NDL 1976/9, C; U Arbeitsfassung 1973, EA Neufassung 1976) – *Jarash, ein Tag im September* (C; U 1974) – *Der vierzehnte Sommer* (TdZ 1977/5, C; U 1977) – *Die lange Ankunft des Alois Fingerlein* (TdZ 1979/1, B; U 1979) – *Der Georgsberg* (U 1984)

Sammelausgaben

Stücke, Berlin 1972 (= A).
Stücke, Berlin 1979 (= B).
Stücke, Berlin 1983 (= C).

Theoretische Äußerungen des Autors

Rainer Kerndl, *Zwischen Schreibtisch und Probebühne,* in: Forum 17/5 (1963), S. 12–13.
Rainer Kerndl/TdZ (Int.), *Unser Werkstattgespräch mit Rainer Kerndl,* in: TdZ 20/5 (1965), S. 7–9.
Rainer Kerndl, [Beitrag], in: *DDR-Dramatiker über Brecht,* in: Werner Hecht (Hg.), *Brecht 73,* Berlin 1973, S. 197–230.
Rainer Kerndl/Jochen Gleiß (Int.), *Im Gespräch mit Dramatikern. Rainer Kerndl,* in: TdZ 30/2 (1975), S. 31–32.
Rainer Kerndl, *Wo steht unsere Dramatik?,* in: NDL 24/1 (1976), S. 38–44.
Rainer Kerndl/Erika Stephan (Int.), *Interview mit Rainer Kerndl,* in: WB 22/4 (1976), S. 65–81.

Über den Autor

Klaus Völker, *Sozialismus, auf Idylle herabgekommen. Neue Stücke von Baierl, Salomon, Kerndl und Bauer bei den Ostberliner Festtagen,* in: Th 8/12 (1967), S. 22–26.
Hermann Kähler, Nachwort zu A.
Irene Böhme, *Rebellierende Schatten. Aspekte im dramatischen Schaffen von Rainer Kerndl,* in: TdZ 29/3 (1974), S. 6–9.
Heinz Klunker, *Zeitstücke – Zeitgenossen,* München 1975, S. 65–72 u. S. 215 f.
[Autorenkollektiv,] *Individualgeschichte und Gesellschaftsprozeß in Stücken von Rainer Kerndl und Heiner Müller,* in: Elisabeth Simons (Hg.), *Erkundung der Gegenwart. Künste in unserer Zeit,* Berlin 1976, S. 155–177.
Erika Stephan, *Vorstellungen von unserem Leben. Zur Entwicklung des Dramatikers Rainer Kerndl,* in: WB 22/4 (1976), S. 82–101.

Gottfried Fischborn, *Rainer Kerndl,* in: Hans Jürgen Geerdts u. a., *Literatur der DDR. Einzeldarstellungen,* Bd. 2, Berlin 1979, S. 174–185.

Gottfried Fischborn, *»Der Akteur mit der Feder«. Über Neuerertum und Traditionalismus bei Rainer Kerndl,* in: TdZ 34/1 (1979), S. 51–53.

Rudi Strahl, Nachwort zu B.

Michael Lee Burwell, *»Theater der Zeit« as a mirror of GDR drama, with a focus on Baierl, Kerndl, Braun, and Müller,* Diss. Univ. of Minnesota 1980.

Christoph Funke, Nachwort zu C.

KLEINEIDAM, HORST *1932

Dramatische Werke: *Millionenschmidt* (TdZ 1963/12 Blg; U 1962) – *Von Riesen und Menschen* (Forum 1967/21, TdZ 1968/15 Blg, SD; U 1967) – *Barfuß nach Langenhanshagen* (NDL 1967/7; U 1968) – *Polterabend* (TdZ 1973/12; U 1974) – *Hinter dem Regenbogen* (gedruckt in: *1525. Dramen zum deutschen Bauernkrieg,* hg. v. W. Dietze, Berlin und Weimar 1975; U 1975) – *Karaseck* (U 1977)

Theoretische Äußerung des Autors

Horst Kleineidam, *Ein heißes Herz tut not,* in: ND, 29. 5. 1968.

Über den Autor

Christoph Hamm, *Auf den Spuren des Autors* [Horst Kleineidam], in: ND, 30. 6. 1962, Beilage.

Werner Mittenzwei (Hg.), *Theater in der Zeitenwende,* Berlin 1972, Bd. 2, S. 73 u. S. 275 f.

Walter Dietze, Nachwort zu: ders. (Hg.), *1525. Dramen zum deutschen Bauernkrieg,* Berlin und Weimar 1975.

Gudrun Klatt, *Bilanz eines Jubiläums. Der 450. Jahrestag des Bauernkrieges im Drama und Theater der DDR,* in: TdZ 30/7 (1975), S. 46–48.

KNAUTH, JOACHIM *1931

Wichtigste Stücke: *Heinrich VIII. oder der Ketzerkönig* (BA Berlin 1960; U 1955) – *Wer die Wahl hat* (U 1958) – *Die Kampagne* (A; U 1963) – *Der Maulheld* (nach Plautus; A; U 1970 BRD) – *Wie der König zum Mond wollte* (B; U 1970) – *Die Weibervolksversammlung* (nach Aristophanes; A; U 1972 BRD) – *Der Prinz von Portugal* (TdZ 1973/1, A, B; U 1973) – *Die Nachtigall* (nach Andersen; A, B; U 1974 Wien) – *Bellebelle oder Der Ritter Fortuné* (NDL 1974/6, B; U 1975)

Sammelausgaben

Stücke, Berlin 1973 (= A).
Vier Theatermärchen und ein Essay, Berlin 1981 (= B).

Theoretische Äußerungen des Autors

Joachim Knauth, [Beitrag], in: *Das Theater der Gegenwart. Eine Rundfrage*, in: NDL 5/4 (1957), S. 127–134.
Joachim Knauth, *Dramatik in Entwicklung*, in: Berliner Zeitung, 19. 10. 1957.

Über den Autor

Jochen Ziller, *Zwischenbescheid über Joachim Knauth*, Nachwort zu A.
Christoph Trilse, *Seine Stücke sind Komödien. Das Bühnenwerk Knauths und die Bühne*, in: Sonntag 30/28 (1976), S. 7.
Christoph Trilse, *Ein ästhetischer Moralist und seine »Besserungsstücke«*, in: NDL 24/3 (1976), S. 136–139.
Christoph Trilse, *Joachim Knauth*, in: Hans Jürgen Geerdts u. a., *Literatur der DDR. Einzeldarstellungen*, Bd. 2, Berlin 1979, S. 186–199.

KUBSCH, HERMANN WERNER *1911 † 1983

Nach 1945 entstandene Stücke: *Ende und Anfang* (U 1949) – *Die ersten Schritte* (U 1950)

Über den Autor

Lothar Creutz, *Anfänge sozialistischer Dramatik*, in: TdZ 12/11 (1957) Beilage, S. 2–8.
Karl-Heinz Schmidt, *Wesen und Darstellung menschlicher Konflikte in der sozialistischen deutschen Dramatik*, Diss. Berlin 1965, S. 190–197.
Werner Mittenzwei (Hg.), *Theater in der Zeitenwende*, Berlin 1972, Bd. 1, S. 127–129 u. S. 230–233.
Hans Lorenz, *Zur Darstellung von Konflikt und Charakterentwicklung im Zeitstück der DDR-Dramatik von 1952 bis zum Ausgang der sechziger Jahre*, Diss. Rostock 1974, S. 78–88.

LANGE, HARTMUT *1937

In der DDR entstandene oder konzipierte Stücke des 1965 emigrierten Autors: *Senftenberger Erzählungen oder Die Enteignung* (auszugsweise TdZ 1961/5, vollständiger Abdruck A) – *Marski* (TdZ 1965/12 Blg, Th 1966/9, A; U 1966 BRD) – *Der Hundsprozeß* (A; e 1964; U 1968 Westberlin)

Sammelausgabe
Texte für das Theater 1960–76. Reinbek b. Hamburg 1977 (= A).

Über den Autor

Wolfgang Schivelbusch, *Sozialistisches Drama nach Brecht. Drei Modelle: Peter Hacks – Heiner Müller – Hartmut Lange,* Darmstadt und Neuwied 1974.

Jochen Schulte-Sasse, *Hartmut Lange,* in: Dietrich Weber (Hg.), *Deutsche Literatur der Gegenwart in Einzeldarstellungen,* Bd. 2, Stuttgart 1977, S. 356–383.

Gunter Reus, *Oktoberrevolution und Sowjetrußland auf dem deutschen Theater,* Bonn 1978.

Roland Heine, *Mythenrezeption in den Dramen von Peter Hacks, Heiner Müller und Hartmut Lange. Zum Versuch der Grundlegung einer »sozialistischen Klassik«,* in: Colloquia Germanica 14/3 (1981), S. 239–260.

Heinz-B. Heller, *Hartmut Lange: Marski,* in: Wolfram Buddecke und Helmut Fuhrmann, *Das deutschsprachige Drama seit 1945. Schweiz – Bundesrepublik – Österreich – DDR. Kommentar zu einer Epoche,* München 1981, S. 446–454.

Peter Zimmermann, *Industrieliteratur der DDR,* Stuttgart 1984, S. 150–155.

LUCKE, HANS *1927

Wichtigste Stücke: *Taillenweite 68* (BA Berlin 1953; U 1953) – *Der Keller* (BA Berlin 1958; U 1957) – *Satanische Komödie* (U 1963) – *Mäßigung ist aller Laster Anfang* (U 1969) – *Die eigene Haut* (U 1976) – *Donnerschlag und Federkiel* (NDL 1981/6) – *Stadelmann* (TdZ 1983/4, A; U 1983) – *Schmierentheater* (TdZ 1985/12, A; U 1986 u. d. T. *Der Doppelte Otto*)

Sammelausgabe
Stadelmann. Drei Komödien, [angekündigt im Henschelverlag] Berlin 1986 (= A).

Theoretische Äußerung des Autors
Hans Lucke/Hans-Rainer John (Int.), *Drei Fragen an Hans Lucke,* in: TdZ 40/12 (1985), S. 54–55.

Über den Autor
Werner Mittenzwei (Hg.), *Theater in der Zeitenwende,* Berlin 1972, Bd. 2, S. 112–116.

Dramatische Werke: *Welche, von den Frauen?* (B; e 1952; U 1979) – *Die Dorfstraße* (A; U 1955) – *Nacktes Gras* (NDL 1957/7; U 1958) – *Die Nacht der Linden* (B, TdZ 1979/4; e 1965/66; U 1979) – *Van Gogh* (SuF Sonderheft 1966, A; U 1973) – *Der Regenwettermann* (TdZ 1965/22 Blg, SD, A; e 1963 als Fsp; U als Fsp 1963, EA als Bst 1968) – *Das Lied meines Weges* (A; U 1969) – *Kap der Unruhe* (A; U 1970) – *Prognose* (anderer Titel *Neue Häuser;* B; U 1971) – *An beiden Ufern* (SuF 1971/3, B; U 1974)

Sammelausgaben

Dramen, Berlin 1971 (= A).
Welche, von den Frauen? und andere Stücke, Berlin 1979 (= B).

Über den Autor

Joachim Fiebach, *Dramatik auf dem Wege,* in: NDL 10/9 (1962), S. 67–83.

Erika Stephan, *Gedenken Alfred Matusche,* in: Sonntag 27/34 (1973), S. 7.

Armin Stolper, *Begegnungen mit Alfred Matusche,* in: A, S. 193–215, und ders., *Der Theaterprofessor und andere Käuze,* Rostock ²1980, S. 148–182.

Christoph Trilse, *Alfred Matusche,* in: Weltbühne 68/34 (1973), S. 1086–1087.

Gottfried Fischborn, Thomas Fritz, Martin Linzer, Christoph Schroth, Armin Stolper, Rolf Winkelgrund, Jochen Ziller, *3 Gespräche über Alfred Matusche,* in: B, S. 79–88, S. 156–170 u. S. 218–232.

Martin Linzer, »... mußt graden Weges du gehn«. *Notizen zu Alfred Matusche,* in: TdZ 34/4 (1979), S. 64.

Martin Linzer, *Sensibel erzählt. Uraufgeführt:* »Welche von den Frauen?« in Schwedt, »Die Nacht der Linden« in Potsdam, in: TdZ 34/9 (1979), S. 10–12.

Christoph Trilse, *Alfred Matusche,* in: Hans Jürgen Geerdts u. a., *Literatur der DDR. Einzeldarstellungen,* Bd. 2, Berlin 1979, S. 200–211.

MICKEL, KARL * 1935

Dramatische Werke des überwiegend als Lyriker hervorgetretenen Autors: *Nausikaa* (A; U 1968) – *Einstein* (Opernlibretto, Musik von Paul Dessau; TdZ 1974/4, A; U 1974) – *Celestina oder Die Tragikomödie von Calisto und Melibea* (nach de Rojas; NDL 1980/1; U 1974)

Sammelausgabe

Einstein/Nausikaa. Die Schrecken des Humanismus in zwei Stücken, Berlin: Rotbuch Verlag 1974 (= A).

Theoretische Äußerungen des Autors

Karl Mickel, [Beitrag], in: *DDR-Dramatiker über Brecht*, in: Werner Hecht (Hg.), *Brecht 73*, Berlin 1973, S. 197–230.

Karl Mickel, Nachwort zu A.

Gespräch mit Karl Mickel, in: Andreas W. Mytze (Hg.), Europäische Ideen 13 (1975), S. 13–15.

Karl Mickel/Rudolf Heukenkamp (Int.), *Aufklären heißt umstülpen. Karl Mickel im Gespräch*, in: NDL 28/1 (1980), S. 52–58.

Über den Autor

Manfred Jäger, *Karl Mickel*, in: KLG [dort weitere bibliographische Angaben].

MÜLLER, HEINER *1929

Wichtigste Stücke: *Der Lohndrücker* (zusammen mit Inge Müller; NDL 1957/5, SD, A, K; e 1956; U 1958) – *Die Korrektur. Ein Bericht vom Aufbau des Kombinats ›Schwarze Pumpe‹* (zusammen mit Inge Müller; 1. Fassung als Hsp NDL 1958/5 und A, 2. Fassung als Bst A; U als Hsp 1957, als Bst 1958) – *Der Bau* (SuF 1965/1 + 2, A, K, M; e 1963/64; U 1980) – *Die Bauern* (nach A. Seghers, Neufassung von *Die Umsiedlerin oder Das Leben auf dem Lande;* C, K, N; 1. Fassung e 1961, Neufassung e 1964; U 1. Fassung 1961, EA Neufassung 1976) – *Philoktet* (nach Sophokles; SuF 1965/5, Th 1965/8, I, F, K; e 1958–1964; U 1968 BRD) – *Herakles 5* (I, A, K, M; e 1964–1966; U 1974 Westberlin) – *Der Horatier* (K, F; e 1968; U 1973 Westberlin) – *Mauser* (Alternative 1976/110 + 111, F; e 1970; U 1975 Austin/USA) – *Macbeth* (nach Shakespeare; TdZ 1972/4, Th 1972/6, H, K, N; U 1971) – *Germania Tod in Berlin* (Th 1977 Sonderheft,E; e 1956–1971; U 1978 BRD) – *Zement* (nach Gladkow;TdZ 1974/6, B, K; U 1973) – *Traktor* (B, TdZ 1975/8, L; e 1955–1961, Kommentar und Montage e 1974; U 1975) – *Die Schlacht. Szenen aus Deutschland* (C, Th 1975 Sonderheft,L; e 1951–1974; U 1975) – *Leben Gundlings Friedrich von Preußen Lessings Schlaf Traum Schrei. Ein Greuelmärchen* (Spectaculum 1977/26, L, Th 1979/3, G; e 1975/76; U 1979 BRD) – *Hamletmaschine* (Th 1977/12, F; e 1977; U 1979 Paris) – *Der Auftrag. Erinnerung an eine Revolution* (SuF 1979/6, Th 1980/3, M, G; U 1980) – *Quartett* (nach Laclos; Th 1981/7, G; U 1982 BRD) – *Verkommenes Ufer Medeamaterial Landschaft mit Argonauten* (G; U 1983 BRD) – *Wolokolamsker Chaussee I + II* (nach Bek;Teil I SuF 1985/2 undTh 1985/7 u. d. T. *Russische Eröffnung* und H,Teil I + IITdZ 1986/2; UTeil I 1985) – *Bildbeschreibung* (SuF 1985/5, H; U 1985)

Sammelausgaben

a) Heiner-Müller-Ausgabe im Rotbuch Verlag Berlin

Geschichten aus der Produktion 1, 1974 (= A).

Geschichten aus der Produktion 2, 1974 (= B).

Die Umsiedlerin oder Das Leben auf dem Lande, 1975 (= C).

Theater-Arbeit, 1975 (= D).

Germania Tod in Berlin, 1977 (= E).

Mauser, 1978 (= F).

Herzstück, 1983 (= G).

Shakespeare Factory 1, 1985 (= H).

b) Weitere Ausgaben

Philoktet. Herakles 5, Frankfurt/Main 1966 (= I).

Stücke, Berlin 1975 (= K).

Die Schlacht. Traktor. Leben Gundlings Friedrich von Preußen Lessings Schlaf Traum Schrei, Berlin ²1981 (= L).

Der Auftrag. Der Bau. Herakles 5. Todesanzeige, Berlin 1981 (= M).

Die Bauern. Macbeth, Berlin 1984 (= N).

Theoretische Äußerungen und Interviews

Eine Sammlung wichtiger Interviews erschien unter dem Titel *Rotwelsch*, Berlin: Merve 1982 (= O).

Weitere Interviews und theoretische Äußerungen wie auch Sekundärliteratur sind nachgewiesen in den Bibliographien von Silbermann (s. u.) und Wittstock (in: Text + Kritik 73, 1982), in den Monographien von Schulz und Wieghaus (s. u.) sowie in Theo Bucks Artikel über Heiner Müller in KLG. Eine Auswahl jüngster Äußerungen:

Heiner Müller/Wend Kässens, Michael Töteberg (Int.), *Brecht und die Terroristen*, in: Das-da-Magazin, Frühjahr 1978, S. 32–34.

Heiner Müller/Jacques Poulet (Int.), *Viv(r)e la contradiction!*, in: France Nouvelle, 29. 1. 1979, S. 43–50.

Heiner Müller/Matthias Matussek, Andreas Roßmann (Int.), *Ich scheiß auf die Ordnung*, in: Tip-Magazin 1982, Nr. 7, S. 43–48.

Heiner Müller/Rolf Rüth, Petra Schmitz (Int.), *Schreiben aus Schadenfreude...*, in: Th 23/4 (1982), S. 1–3.

Heiner Müller/Urs Jenny, Hellmuth Karasek (Int.), *Deutschland spielt noch immer die Nibelungen*, in: Der Spiegel, 9. 5. 1983, S. 196–207.

Heiner Müller/Klaus Völker (Int.), *Ein Stück Protoplasma*, in: Th 24/9 (1983), S. 30.

Heiner Müller/Werner Heinitz (Int.)., *»Das Vaterbild ist das Verhängnis«*, in: Th 25/1 (1984), S. 61–62.

Heiner Müller, *Die Wunde Woyzeck*, in: Süddeutsche Zeitung, 19./ 20. 10. 1985.

Heiner Müller, *Zu Wallenstein*, in: Zeitung Staatliche Schauspielbühnen Berlins 1980–1985, Berlin 1985.

Heiner Müller/Olivier Ortolani (Int.), *Die Form entsteht aus dem Maskieren*, in: *Theater 1985*, Zürich 1985, S. 88–93.

Heiner Müller/Uwe Wittstock (Int.), *Warum verdient man so gut am Weltuntergang, Herr Müller?*, in: FAZ-Magazin, 17. 1. 1986, S. 50–51.

Heiner Müller/Gregor Edelmann (Int.), *Solange wir an unsere Zukunft glauben, brauchen wir uns vor unserer Vergangenheit nicht zu fürchten*, in: TdZ 41/2 (1986), S. 62–64.

Über den Autor

Helen Fehervary, *Heiner Müllers Brigadenstücke*, in: Basis 2, Frankfurt/Main 1971, S. 103–140.

Rüdiger Bernhardt, *Antikerezeption im Werk Heiner Müllers*, in: WB 22/3 (1976), S. 83–122.

Helen Fehervary, *Enlightenment or Entanglement. History and Aesthetics in Bertolt Brecht and Heiner Müller*, in: New German Critique 8 (1976), S. 80–109.

Peter Kubitschek, *Untersuchungen zu frühen Stücken von Heiner Müller*, Diss. Halle 1977.

John Milfull, *Gegenwart und Geschichte: Heiner Müllers Weg von »Der Bau« zu »Zement«*, in: AUMLA 48 (1977), S. 234–247.

Gerda Baumbach, *Dramatische Poesie für Theater. Heiner Müllers »Bau« als Theatertext*, Diss. Leipzig 1978 [enthält wichtige ungedruckte Gesprächsäußerungen Müllers].

Theo Girshausen (Hg.), *Heiner Müllers »Endspiel«*, Köln 1978 [Aufsatzsammlung nicht nur zu *Hamletmaschine*].

Rüdiger Bernhardt, *Antikerezeption im Werk Heiner Müllers*, Diss. Halle 1979.

Ulrich Profitlich, *»Nötiges« und »unnötiges« Töten. Zu Heiner Müllers »Versuchsreihe«*, in: Gerd Michels (Hg.), *Festschrift für Friedrich Kienecker zum 60. Geburtstag*, Heidelberg 1980, S. 219–246.

Genia Schulz, *Heiner Müller*, Stuttgart 1980.

Marc Silberman, *Heiner Müller*, Amsterdam 1980.

Gottfried Fischborn, *Stückeschreiben. Claus Hammel – Heiner Müller – Armin Stolper*, Berlin 1981.

Theo Girshausen, *Realismus und Utopie. Die frühen Stücke Heiner Müllers*, Köln 1981.

Frank Hörnigk, *Geschichte im Drama*, 2 Bde., Diss. Berlin 1981, Bd. 1, S. 113–155.

Georg Wieghaus, *Heiner Müller*, München 1981.

Heinz Ludwig Arnold (Hg.), *Text + Kritik 73: Heiner Müller*, München 1982.

Marianne Streisand, *Frühe Stücke Heiner Müllers*, Diss. Berlin 1983.

Marianne Streisand, *Theater der sozialen Phantasie und der geschichtlichen Erfahrung*, in: SuF 35 (1983), S. 1058–1067.

Georg Wieghaus, *Zwischen Auftrag und Verrat. Werk und Ästhetik Heiner Müllers*, Frankfurt/Main usw. 1984.

Rüdiger Mangel und Georg Wieghaus, *Behauptung der Geschichte. Zur Dramatik von Heiner Müller und Volker Braun in den siebziger Jahren*, in: Gert Mattenklott und Gerhart Pickerodt (Hg.), *Literatur der siebziger Jahre*, Berlin: Argument-Verlag 1985, S. 37–51.

Arlene Akiko Teraoka, *The Silence of Entropy or Universal Discourse. The Postmodernist Poetics of Heiner Müller*, New York usw. 1985.

PLENZDORF, ULRICH *1934

Dramatische Werke: *Die neuen Leiden des jungen W.* (»Urfassung« in dem unten aufgeführten Band von Brenner, 1. Prosafassung SuF 1972/2, als Bst Spectaculum 1974/20; e 1968/69, als Bst 1972; U 1972) – *Buridans Esel* (nach de Bruyn; A; U 1975) – *Die Legende vom Glück ohne Ende* (als Filmerzählung Berlin 1973, als Roman Rostock 1979, als Bst A; e 1973 als Drehbuch u. d. T. *Die Legende von Paul und Paula*; U 1983)

Sammelausgabe
Buridans Esel/Legende vom Glück ohne Ende. Zwei Theaterstücke [angekündigt im Henschelverlag] Berlin 1986 (= A).

Theoretische Äußerungen des Autors
Volker Braun, Ulrich Plenzdorf, Günter Kunert/Karl Corino (Int.), *Gespräche mit DDR-Schriftstellern*, in: DA 7/2 (1974), S. 165–171, bes. S. 167–170.

Ulrich Plenzdorf/Der Spiegel (Int.), *Macht Sozialismus sinnlich?*, in: Der Spiegel, 12. 4. 1976, S. 224–227.

Ulrich Plenzdorf/W. Christian Schmitt (Int.), *»Wichtig ist, daß ich an meine Leute 'rankomme«*, in: Badische Zeitung, 13. 11. 1979.

Über den Autor
Peter J. Brenner (Hg.), *Plenzdorfs »Neue Leiden des jungen W.«*, Frankfurt/Main 1982 [enthält die »Urfassung« von 1968/69].

Siegfried Mews, *Ulrich Plenzdorf*, München 1984.

Manfred Behn-Liebherz, *Ulrich Plenzdorf*, in: KLG.

In diesen drei Titeln weitere Literaturangaben.

SAEGER, UWE *1948

Dramatische Werke: *Das Vorkommnis* (TdZ 1978/4; U 1978) – *Im Glashaus* (U 1983) – *Flugversuch* (TdZ 1983/7; U 1983) – *Außerhalb von Schuld* (TdZ 1985/1; U 1984)

Theoretische Äußerungen des Autors

Jürgen Groß, Gunter Preuß, Uwe Saeger, Frieder Venus, Albert Wendt/ Peter Reichel (Int.), *Zwischen Text und Szene*, in: WB 25/7 (1979), S. 23–40.

Uwe Saeger, *Nachsätze zu »Außerhalb von Schuld«*, in: TdZ 40/1 (1985), S. 54–56.

Über den Autor

Michael Stone, *Die da oben, wir da unten. Uwe Saegers »Außerhalb von Schuld« beim Berliner Ensemble*, in: Der Tagesspiegel, 27. 4. 1986.

SAKOWSKI, HELMUT *1924

Dramatische Werke: *Die Entscheidung der Lene Mattke* (BA Leipzig 1960, A; U 1958 als Fsp, EA als Hsp und Bst 1969) – *Steine im Weg* (TdZ 1963/10 Blg, BA Berlin 1963 [1967 als 5. veränderte Auflage], SD, A; U als Fsp 1960, EA als Bst in veränderter Fassung 1962) – *Weiberzwist und Liebeslist* (BA Berlin 1961; U als Fsp und EA als Bst 1961) – *Letzten Sommer in Heidkau* (als Fsp u. d. T. *Sommer in Heidkau* TdZ 1964/24 Blg, als Bst in veränderter Fassung BA Berlin 1967 und A; U als Fsp 1964, EA als Bst 1965) – *Wege übers Land* (BA als »dramatischer Fernsehroman« Halle/Saale 1969, A; U als »Fernsehroman« 1968, EA als Bst in veränderter Fassung 1969) – *Die Verschworenen* (Teil 1 des »Fernsehromans« SuF 1971/2, Teil 2 NDL 1971/3; U als »Fernsehroman« 1971, EA als Bst in veränderter Fassung 1977) – *Daniel Druskat* (als Roman Berlin 1976 und München 1977; U als »Fernsehroman« 1976, EA als Bst in veränderter Fassung 1984)

Sammelausgabe

Wege übers Land. Ein Lesebuch, Berlin 1984 (= A).

Theoretische Äußerungen des Autors

Ingrid Seyfarth, *Unser Werkstattgespräch mit Helmut Sakowski*, in: TdZ 24 (1965), S. 16–18.

Helmut Sakowski/Volker Kurzweg (Int.), *Interview mit Helmut Sakowski*, in: WB 15/4 (1969), S. 742–751.

Helmut Sakowski/Einheit (Int.), *Der Schriftsteller und das Glück*, in: Einheit 24 (1969), S. 1217–1223 [auch in B, S. 78–89].

Helmut Sakowski, *Das Wagnis des Schreibens*, Berlin 1983 (= B).
Helmut Sakowski/Ilse Galfert (Int.), *Ein Gespräch*, in: A, S. 359–364.
Helmut Sakowski/Hermann Kähler (Int.), *Parteilichkeit – Gerechtigkeit* [Teilstück eines Gesprächs], in: A, S. 371–373.

Über den Autor

Volker Kurzweg, *Dem Leben und dem Volk verbunden. Zum dramatischen Werk Helmut Sakowskis*, in: WB 15/4 (1969), S. 752–762.
Heinz Nahke, *Sozialistische Volksgestalten als Träger unserer Macht*, in: *Fernsehdramatik im Gespräch*, Berlin 1969, S. 9–45.
Hans Lorenz, *Zur Darstellung von Konflikt und Charakterentwicklung im Zeitstück der DDR-Dramatik von 1952 bis zum Ausgang der sechziger Jahre*, Diss. Rostock 1974, S. 138–164.
Werner Jehser, *Konflikte und Figuren im dramatischen Werk Helmut Sakowskis*, in: Klaus Jarmatz, Christel Berger (Hg.), *Weggenossen. Fünfzehn Schriftsteller der DDR*, Frankfurt/Main 1975, S. 348–394.
Käte Kaewert und Anneliese Löffler, *Die Suche nach dem großen Charakter. Zu Helmut Sakowski*, in: Anneliese Löffler (Hg.), *...an seinem Platz geprüft. Gelebtes und Erlebtes bei DDR-Autoren*, Halle und Leipzig 1979, S. 195–215.
Ilse Galfert, Vorwort zu A.

SALOMON, HORST *1929 † 1972

Dramatische Werke: *Vortrieb* (Junge Kunst 1961/7 + 8; U 1961) - *Katzengold* (1. Fassung TdZ 1964/4 Blg, 2. Fassung TdZ 1964/16 Blg; U 1964) – *Der Lorbaß* (auszugsweise NDL 1968/1, vollständiger Abdruck u. d. T. *Ein Lorbaß* NS; U 1967) – *Genosse Vater* (Fsp und Bst; U 1969)

Theoretische Äußerungen des Autors

Horst Salomon, *Der eigenen Kraft bewußt...*, in: Junge Kunst 5/6 (1961), S. 81–82.
Ich wollte eine Tragödie schreiben. Nach einem Gespräch mit Horst Salomon, in: Sonntag 18/17 (1963), S. 4.

Über den Autor

Irene Böhme und Egon Richter, *Wer ist eines Stückes Schmied?*, in: Sonntag 18/17 (1963), S. 3.
Irene Böhme, *Doch nützlich dort, wo es benötigt wird. Zur Uraufführung von Horst Salomons »Katzengold« in Gera*, in: Sonntag 27 (1964), S. 7–8.
Ilse Galfert, *Zur dramaturgischen Arbeit*, in: TdZ 19/14 (1964), S. 6–10.
Irene Böhme, *Worüber lacht man? Uraufführung von Horst Salomons*

»*Der Lorbaß*« *an den Bühnen der Stadt Gera*, in: Sonntag 22/13 (1967), S. 8.

Klaus Völker, *Sozialismus, auf Idylle herabgekommen. Neue Stücke von Baierl, Salomon, Kerndl und Bauer bei den Ostberliner Festtagen*, in: Th 8/12 (1967), S. 22–26.

Heinz Klunker, *Zeitstücke – Zeitgenossen*, München 1975, S. 72–80 u. S. 205–211.

SCHNEIDER, ROLF *1932

Dramatische Werke: *Prozeß Richard Waverly* (A; e 1961 als Hsp; U als Bst 1963) – *Der Mann aus England* (A; U 1962) – *Die Geschichte vom Moischele* (Dramenfragment; A; e 1965) – *Dieb und König* (in der 2. Fassung als Bst A und BA Frankfurt/Main 1969; U als Fsp und in der 1. Fassung als Bst u. d. T. *Der Dieb und der König* 1966, EA der 2. Fassung als Bst 1969 BRD) – *prozeß in nürnberg* (auszugsweise NDL 1968/1, vollständiger Abdruck BA Frankfurt/Main 1968 und A; U 1967) – *Einzug ins Schloß* (auszugsweise NDL 1971/11, vollständiger Abdruck BA Berlin 1972; U 1971) – *Octavius und Kleopatra* (U 1972) – *Die Heiligung Johannas* (U 1972) – *Die beiden Nachtwandler* (nach Nestroy; U 1975) – *Die Mainzer Republik* (SuF 1981/5; U 1980 BRD)

Sammelausgabe
Stücke, Berlin 1970 (= A).

Theoretische Äußerungen des Autors
Rolf Schneider/Martin Linzer (Int.), *Gedanken über Theater*, in: A, S. 341–346.

Rolf Schneider/Karl Corino (Int.), *Ein DDR-Schriftsteller gibt Auskunft*, in: DA 7 (1974), S. 1281–1285.

Über den Autor
Peter Bekes, *Rolf Schneider*, in: KLG [dort weitere bibliographische Angaben].

SCHÜTZ, STEFAN *1944

In der DDR entstandene oder konzipierte dramatische Werke des seit 1980 in der BRD lebenden Autors: *Gloster* (nach Shakespeare; D; e 1970; U 1981 BRD) – *Majakowski* (B; e 1971; U 1979 London) – *Odysseus' Heimkehr* (A, C; e 1972; U 1981 BRD) – *Fabrik im Walde* (nach A. Karawajewa; TdZ 1975/12, A; e 1973; U 1975 u. d. T. *Weder der Teufel los, noch Stille*) – *Antiope und Theseus* (anderer Titel *Die Amazonen*; C; e 1974; U 1977 Basel) – *Heloisa und Abaelard* (A, C; e 1975; U 1978) – *Kohlhaas*

(A, D; e 1975/76; U 1978) – *Der Hahn* (B; e 1974–1977; U 1980 BRD) –
Laokoon (D; e 1977; U 1983 BRD) – *Stasch 1 und 2* (B; U 1982 BRD) –
Sappa (E; U 1982 BRD) – *Die Schweine* (E)

Sammelausgaben

Odysseus' Heimkehr. Fabrik im Walde. Kohlhaas. Heloisa und Abaelard,
  Berlin 1977 (= A).
Stasch, Berlin: Rotbuch Verlag 1978 (= B).
Heloisa und Abaelard, Berlin: Rotbuch Verlag 1979 (= C).
Laokoon, Berlin: Rotbuch Verlag 1980 (= D).
Sappa. Die Schweine. Zwei Theaterstücke, Frankfurt/Main 1981 (= E).

Theoretische Äußerungen des Autors

Stefan Schütz/Uta Birnbaum (Int.),*Gespräch mit Stefan Schütz,* in: TdZ
  30/12 (1975), S. 50–52.
Stefan Schütz, *Die Schlachtung der Wörter,* in: Th 19/1 (1978), S. 11.
Stefan Schütz, *Schwierigkeiten beim Schreiben eines Stücks,* in: B,
  S. 115f.
Stefan Schütz, *Ikarus und Dädalus und kein Ende,* in: Neue Rundschau
  91/4 (1981), S. 143–147.
Stefan Schütz/Helen Fehervary (Int.), *Theater, Manufacturing, and the
  Ship of Women: Interview with Stefan Schütz,* in: New German Criti-
  que 23 (1981), S. 59–72.

Über den Autor

Heiner Müller, *Theater-Arbeit,* Berlin: Rotbuch Verlag 1975, S. 123f.
Elli Jäger, Nachwort zu A.
Christoph Müller, *Kann mich nicht gewöhnen an fischige Sprache, ölige
  Dramaturgie. Über den DDR-Dramatiker Stefan Schütz,* in: Th 19/1
  (1978), S. 11–13.
Günther Rühle, *Der Dramatiker ohne Theater. Über Stefan Schütz, Stük-
  keschreiber in der DDR,* in: FAZ, 20. 4. 1979.
Martin Machatzke, *Menschenrecht und Staatsgewalt. Über das Werk von
  Stefan Schütz anläßlich der Verleihung des Gerhart-Hauptmann-Preises
  1979 der Freien Volksbühne Berlin,* in: Bühne und Parkett 26/1 (1980),
  S. 16–19.
Elisabeth Bauschmid, »*Man kann im Westen nur Prosa schreiben*«. *Drei
  Monate Erfahrung mit der Bundesrepublik – Gespräch mit Stefan
  Schütz,* in: Süddeutsche Zeitung, 17. 2. 1981.
Günther Rühle, *Rebellion und Verweigerung. Über den Dramatiker Stefan
  Schütz,* Nachwort zu E.
Hans Mayer, [Vorwort zu:] Stefan Schütz, *Die Seidels (Groß & Gross)/
  Spectacle Cressida,* Frankfurt/Main 1984.

Georg Wieghaus, *Stefan Schütz*, in: KLG [dort weitere bibliographische Angaben, zusammengestellt von Michael Töteberg].

STOLPER, ARMIN *1934

Dramatische Werke: *Das Geständnis* (nach Nikolajewa; TdZ 1963/24 Blg; U 1963) – *Zwei Physiker* (nach Granin; TdZ 1965/24 Blg; U 1965) – *Amphitryon* (TdZ 1968/12 Blg, A; U 1967) – *Ruzante* (nach Beolco; A; U 1967) – *Der Zeitfaktor* (A; U 1970) – *Zeitgenossen* (nach Gabrilowitsch/Raisman; TdZ 1969/11, A; U 1969) – *Himmelfahrt zur Erde* (nach Antonow; TdZ 1971/6, A; U 1971) – *Klara und der Gänserich* (TdZ 1973/10, A, Neufassung C; U 1973) – *Kramkalender* (nach Erwin Strittmatter; U 1974) – *Der Schuster und der Hahn* (TdZ 1976/1, C; U 1976) – *Aufzeichnungen eines Toten* (nach Bulgakow; NDL 1978/12, B; U 1976) – *Das Naturkind* (nach Voltaire; TdZ 1978/8, B; U 1978) – *Concerto dramatico* (nach Goethe; B; U 1978) – *Dienstreisende* (NDL 1980/12, TdZ 1982/9; U 1979) – *Die Vogelscheuche oder Die Heimkehr des verlorenen Sohnes* (TdZ 1980/6, C; U 1981) – *Das Gemälde* (nach Granin; TdZ 1984/5; U 1984) – *Ballade vom aufsässigen Eisenbahner* (TdZ 1986/5; U 1986)

Sammelausgaben
Stücke, Berlin 1974 (= A).
Concerto dramatico, Berlin 1979 (= B).
Lausitzer Trilogie, Berlin 1980 (= C).
Poesie trägt einen weiten Mantel, Berlin 1982 (enthält die Einakter *Monolog einer Bühne*, *Die nachgeholte Hochzeitsreise*, *Der Tod des Narren*).

Theoretische Äußerungen des Autors
Armin Stolper/Ingrid Seyfarth (Int.), *Werkstattgespräch mit Armin Stolper*, in: TdZ 25/4 (1970), S. 38–42.
Armin Stolper, *Gedanken beim Schreiben*, in: TdZ 26/2 (1971), S. 12–14.
Armin Stolper, [Beitrag], in: *Autor und Theater. Umfrage unter Autoren I*, in: TdZ 27/10 (1972), S. 10–11.
Armin Stolper/Gottfried Fischborn (Int.), *Gespräch mit Armin Stolper*, in: TdZ 31/1 (1976), S. 49–53.
Armin Stolper/Gottfried Fischborn (Int.), *Interview mit Armin Stolper*, in: WB 23/10 (1977), S. 45–66.
Armin Stolper, *Narrenspiel will Raum*, Berlin 1977.
Armin Stolper/Ingrid Seyfarth (Int.), *Traum, Phantasie, Clownerie und Poesie. Zu neuen Stücken von Armin Stolper*, in: Sonntag 32/13 (1978), S. 8.
Armin Stolper, *Der Theaterprofessor und andere Käuze*, Rostock [2]1980.
Armin Stolper, *Poesie trägt einen weiten Mantel*, Berlin 1982.

Über den Autor

Hermann Kähler, *Arbeit und Persönlichkeit in Theaterstücken Armin Stolpers,* in: Klaus Jarmatz, Christel Berger (Hg.), *Weggenossen. Fünfzehn Schriftsteller der DDR*, Frankfurt/Main 1975, S. 429–447.

Gottfried ·Fischborn, *Armin Stolpers Passion – das Theater,* in: WB 23/10 (1977), S. 67–79.

Gottfried Fischborn, *Künstlerische Subjektivität und Wirklichkeitsaneignung,* in: TdZ 33/1 (1978), S. 52–55.

Gunter Reus, *Oktoberrevolution und Sowjetrußland auf dem deutschen Theater,* Bonn 1978.

Gottfried Fischborn, *Auf der Suche nach Eigenem. Beobachtungen an Armin Stolper,* in: Sonntag 34/35 (1980), S. 6.

Martin Schmidt, *Vom schönen Muß des Lebens,* Nachwort zu C.

Gottfried Fischborn, *Stückeschreiben. Claus Hammel – Heiner Müller – Armin Stolper,* Berlin 1981.

Marlis Sailer, *Untersuchungen zum dramatischen Werk von Armin Stolper,* Diss. Halle 1981.

Renate Ullrich, *Neue Dramatik der DDR 1975–1982,* in: MzT 186 (1984), S. 3–89, bes. S. 39–41.

STRAHL, RUDI *1931

Dramatische Werke: *In Sachen Adam und Eva* (A,C; U 1969) – *Nochmal ein Ding drehen* (BA Berlin 1972; U 1970) – *Der Todestag* (A; U 1971) – *Wie die ersten Menschen* (A, C; U 1971) – *Adam und Eva und kein Ende* (NDL 1974/5; U 1973) – *Keine Leute, keine Leute* (A; U 1973) – *Ein irrer Duft von frischem Heu* (A, C; U 1975) – *Arno Prinz von Wolkenstein oder Kader entscheiden alles* (TdZ 1977/7, BA Berlin 1979, C; U 1977) – *Er ist wieder da* (TdZ 1979/12, B, C; U 1980) – *Vor aller Augen* (TdZ 1982/8,C; U 1982) – *Das Blaue vom Himmel* (TdZ 1984/2; U 1986) – *Der Stein des Anstoßes* (TdZ 1985/10; U 1985)

Sammelausgaben

Stücke, Berlin 1978 (= A).
Der Schlips des Helden und andere heitere dramatische Texte, Berlin 1981 (= B).
Lustspiele, Einakter und szenische Miniaturen, Berlin 1985 (= C).

Theoretische Äußerungen des Autors

Rudi Strahl/Erika Stephan (Int.), *Mit Leuten reden, Partner haben,* in: Sonntag 28/13 (1974), S. 6.
Rudi Strahl/Jochen Gleiß (Int.), *Autoren im Gespräch,* in: TdZ 30/7 (1975), S. 37–39.

Rudi Strahl, *Es grient so unverschämt. Zum Dilemma zeitgenössischen Lustspiels*, in: TdZ 32/7 (1977), S. 51–52.

Dialog mit Rudi Strahl, in: A, S. 252–254.

Rudi Strahl, *Über Gegenwartsdrama, anschließend*, in: TdZ 34/10 (1979), S. 5–6.

Rudi Strahl/Gottfried Fischborn, Wolfgang Kröplin (Int.), *Interview mit Rudi Strahl*, in: WB 27/9 (1981), S. 74–85.

Über den Autor

Gottfried Fischborn, *... ein lieber Gott sein. Ernste Anmerkungen zu heiteren Stücken von Rudi Strahl*, in: TdZ 29/7 (1974), S. 11–13.

Gottfried Fischborn, *Barrieren vor Rudi Strahl? Vier Tagebuchblätter*, in: Sonntag 34/27 (1980), S. 6.

Gottfried Fischborn, *Die Volkskomödien Rudi Strahls*, in: WB 27/9 (1981), S. 86–97.

Peter Reichel, *Meine Leute, meine Leute. Zur Autorenposition von Rudi Strahl*, in: TdZ 37/8 (1982), S. 59–61.

Gottfried Fischborn, *Der heimliche Diktator oder das Lachtheater Rudi Strahls*, Nachwort zu C.

STRITTMATTER, ERWIN *1912

Dramatische Werke des überwiegend als Romancier hervorgetretenen Autors: *Katzgraben – Szenen aus dem Bauernleben*. Mit einem Nachspiel *Katzgraben 1958* (BA Berlin und Weimar 1958, A; U ohne das Nachspiel 1953) – *Die Holländerbraut* (NDL 1959/9 + 10, A, SD; U 1960)

Sammelausgabe

Stücke, Berlin 1967 (= A).

Theoretische Äußerungen des Autors

Laßt uns zusammenrücken! Aus der Diskussionsrede von Erwin Strittmatter, in: ND, 11. 6. 1958.

Erwin Strittmatter, *Von der kollektiven Weisheit*, in: Sonntag 14/13 (1959), S. 10.

Erwin Strittmatter, *Literatur heute*, in: NDL 9/8 (1961), S. 42–55.

Gespräche mit Erwin Strittmatter, zusammengestellt von Rulo Melchert, in: *Erwin Strittmatter. Leben und Werk*, Berlin: das europäische buch 1984, S. 242–258 [zuerst u. d. T. *Erwin Strittmatter. Analysen, Erörterungen, Gespräche*, Berlin 1980].

Über den Autor

Jürgen Rühle, *Der schwere Schritt auf Neuland. Das Berliner Ensemble spielte Strittmatters Bauernstück »Katzgraben«*, in: Sonntag 8/24

(1953), S. 4 [im Anschluß daran eine Entgegnung der Redaktion des ›Sonntag‹].

Hans Lorenz, *Zur Darstellung von Konflikt und Charakterentwicklung im Zeitstück der DDR-Dramatik von 1952 bis zum Ausgang der sechziger Jahre*, Diss. Rostock 1974, S. 165–172.

Reinhard Hillich, *Erwin Strittmatters künstlerischer Beitrag zur Herausbildung eines geschichtlich fundierten Gegenwartsverständnisses. Seine Stellung in der DDR-Literatur der Übergangsperiode vom Kapitalismus zum Sozialismus*, Diss. Berlin 1978.

Erwin Strittmatter. Leben und Werk, Berlin: das europäische buch 1984 [zuerst u. d. T. *Erwin Strittmatter. Analysen, Erörterungen, Gespräche*, Berlin 1980].

WENDT, ALBERT *1948

Dramatische Werke: *Das Hoch-Haus* (U 1972 u. d. T. *Das Geburtstagsgeschenk*) – *Die Weihnachtsmänner* (A; e 1972; U 1976) – *Nachtfrost* (A; e 1976; U 1976) – *Die Grille* (A; e 1972; U 1976) – *Die Teefrau* (NDL 1978/4, A; U 1980) – *Die wilden Wege* (e 1978 als Hsp u. d. T. *Der Fahrer und die Köchin*; U als Bst 1979) – *Die Dachdecker* (TdZ 1979/5,NDD, erweiterte Neufassung A; U 1979) – *Schritte* (A; U 1980) – *Die Kellerfalle* (TdZ 1981/1, A; U 1981) – *Mein dicker Mantel* (e 1982 als Hsp; U als Bst 1984) – *Prinzessin Zartfuß und die sieben Elefanten* (TdZ 1985/8; U 1984) – *Der Vogelkopp* (TdZ 1985/8; U 1985)

Sammelausgabe
Die Dachdecker und andere Stücke und Texte, Berlin 1984 (= A).

Theoretische Äußerungen des Autors
Albert Wendt/Rudi Strahl, Werner Liersch (Int.), *So genau wie möglich*, in: NDL 26/4 (1978), S. 42–47.

Jürgen Groß, Gunter Preuß, Uwe Saeger, Frieder Venus, Albert Wendt/ Peter Reichel (Int.), *Zwischen Text und Szene*, in: WB 25/7 (1979), S. 23–40.

Albert Wendt/Karl-Heinz Müller, *Gespräch mit Albert Wendt*, in:TdZ 34/5 (1979), S. 57–58.

Über den Autor
Marianne Krumrey, *Nachtgeschichten mit Nachhall. Dramatische Arbeiten von Albert Wendt*, in: Berliner Zeitung, 20. 5. 1978.

Karl-Heinz Müller, *Stoffe, die er kennt. Zu den Einaktern von Albert Wendt*, in:TdZ 34/5 (1979), S. 55–57.

Karl-Heinz Müller, *Figuren, die überzeugen. Stücke von Albert Wendt in Brandenburg und Leipzig uraufgeführt*, in:TdZ 34/12 (1979), S. 55–56.

Karl Heinz Schmidt, *Brief an einen Theatermann,* Nachwort zu A.

Michael Stone, *Der schönste Unsinn. Zwei Einakter von Albert Wendt in Ost-Berlin uraufgeführt,* in: Der Tagesspiegel, 21. 11. 1984.

Renate Ullrich, *Neue Dramatik der DDR 1975–1982,* in: MzT 186 (1984), S. 3–89, bes. S. 33–36.

WOLF, FRIEDRICH *1888 † 1953

Nach der Rückkehr aus dem Exil entstandene oder fertiggestellte dramatische Werke: *Die letzte Probe* (A 6; U 1946) – *Wie Tiere des Waldes* (A 6; U 1948) – *Bürgermeister Anna* (ursprünglich Exposé für ein nicht von Wolf verfaßtes Filmdrehbuch; als Bst A 6; U 1950) – *Thomas Münzer. Der Mann mit der Regenbogenfahne* (A 6; U 1953)

Sammelausgabe

Gesammelte Werke in sechzehn Bänden, Berlin 1960–1968 (= A + Bandangabe).

Theoretische Äußerungen des Autors zu seinem Spätwerk sind enthalten in den Sammelbänden:

Friedrich Wolf, *Aufsätze 1945–1953* (= A 16).

Friedrich Wolf, *Briefe,* Berlin und Weimar 1969 (= B).

Ausgewählte weitere Titel

Friedrich Wolf, *Die Rolle des Theaters in der Gesellschaft,* in: Heute und Morgen 2/6 (1948), S. 383–384.

Friedrich Wolf, *1514 ist nicht 1525.* [Offener Brief an Jürgen Rühle], in: Sonntag 7/49 (1952), S. 6.

Friedrich Wolf, *Zehn Jahre – Zehn Dramatiker,* in: Aufbau 13/3–4 (1957), S. 408–417.

Über den Autor

Walther Pollatschek, *Das Bühnenwerk Friedrich Wolfs,* Berlin 1958.

Walther Pollatschek, *Friedrich Wolf. Eine Biographie,* Berlin 1963.

Karl Heinz Schmidt, *Wesen und Darstellung menschlicher Konflikte in der sozialistischen deutschen Dramatik,* Diss. Berlin 1965, S. 223–229.

Gottfried Fischborn, *Friedrich Wolf – heute. Methodische Aspekte aus seinem dramatischen Erbe,* in: TdZ 26/8 (1971), S. 12–14.

Gottfried Fischborn, *Gegenwartsstoff, Geschichtlichkeit und dramatische Struktur,* in: Rolf Rohmer (Hg.), *Schriften zur Theaterwissenschaft,* Bd. 5, Berlin 1973, S. 257–469.

Gottfried Fischborn, *Geschichtlichkeit, Struktur und Funktion im Drama,* in: WB 19/2 (1973), S. 141–166.

Werner Jehser, *Friedrich Wolf,* Berlin: das europäische buch 1982 [zuerst Berlin 1968, ²1977].

ZINNER, HEDDA *1907

In der DDR entstandene dramatische Werke: *General Landt* (A; e 1950/
51; U 1957) – *Der Mann mit dem Vogel* (U 1952) – *Der Teufelskreis* (A;
U 1953) – *Lützower* (BA der 2. Fassung 1958; U der 1. Fassung 1955, EA
der 2. Fassung 1956) – *Was wäre, wenn...?* (U 1959) – *Ravensbrücker Ballade* (A; U 1961)

Sammelausgabe
Stücke, Berlin 1973 (= A).

Theoretische Äußerungen der Autorin
Hedda Zinner, *Aufgaben unserer Dramatiker,* in: ND, 21. 3. 1954.
Hedda Zinner, [Beitrag zu:] *Das Theater der Gegenwart. Eine Rundfrage,*
  in: NDL 5/4 (1957), S. 127–134.
Hedda Zinner, *Moderne oder Gegenwartsdramatik?,* in: Sonntag 12/33
  (1957), S. 4.
Hedda Zinner/Simone Barck (Int.), *Gespräch mit Hedda Zinner,* in: WB
  24/11 (1978), S. 84–90.
Hedda Zinner, *Auf dem roten Teppich. Erfahrungen, Gedanken, Impressio-
nen,* Berlin 1979.

Über die Autorin
Werner Mittenzwei (Hg.), *Theater in der Zeitenwende,* Berlin 1972, Bd. 1,
  S. 259–264, Bd. 2, S. 117–120.
Martin Linzer, Nachwort zu A.

AUMLA	Journal of the Australian Universities Language and Literature Association
BA	Buchausgabe
Blg	*Neue Sozialistische Dramatik*, Beilage zu TdZ
Bst	Bühnenstück
DA	Deutschland-Archiv
DZfPh	Deutsche Zeitschrift für Philosophie
e	entstanden
EA	Erstaufführung
Fsp	Fernsehspiel
FuF	Film und Fernsehen
Hsp	Hörspiel
KLG	Heinz Ludwig Arnold (Hg.), *Kritisches Lexikon zur deutschsprachigen Gegenwartsliteratur*, München 1978 ff.
LiLi	Zeitschrift für Literaturwissenschaft und Linguistik
MzT	Material zum Theater
ND	Neues Deutschland
NDD	*Neue DDR-Dramatik*, Berlin 1981
NDL	Neue Deutsche Literatur
NS	Karl Heinz Schmidt (Hg.), *Neue Stücke. Autoren der Deutschen Demokratischen Republik*, Berlin 1971
Sbd.	Sonderband
SD	Karl Heinz Schmidt (Hg.), *Sozialistische Dramatik. Autoren der Deutschen Demokratischen Republik*, Berlin 1968
Sh.	Sonderheft
SuF	Sinn und Form
TdZ	Theater der Zeit
Th	Theater heute
U	Uraufführung
u. d. T.	unter dem Titel
WB	Weimarer Beiträge
ZfdPh	Zeitschrift für deutsche Philologie
ZfG	Zeitschrift für Germanistik

Einzelne *Großbuchstaben* verweisen auf die im Teil B der Bibliographie aufgeführten Sammelausgaben.